EL VALLE DE
LOS CABALLOS

Jean M. Auel

el Valle de los Caballos

Lasser Press
Mexicana, s.a.
México, D.F.

CUARTA EDICION

Título original en inglés: THE VALLEY OF HORSES
Traductora: Leonor Tejada Conde-Pelayo
Cubierta: Hiroko
Copyright © 1982 por Jean M. Auel

Para KAREN
que leyó el primer borrador de ambos,

y para ASHER
con amor

Agradecimiento

Además de las personas citadas en *El Clan del Oso Cavernario*, cuya ayuda ha sido constantemente aprovechada para este libro de *Los Hijos de la Tierra,* y que siguen inspirándome un agradecimiento muy grande, también estoy en deuda con:

El Director, Dr. Denzel Ferguson, y el personal de Malheur Field Station, en las altas estepas del desierto del centro de Oregon y, más especialmente, a Jim Riggs. Entre otras cosas, él me enseñó cómo se enciende un fuego, cómo se utiliza un tiralanzas, cómo se puede hacer una estera para dormir con juncos, cómo hacer herramientas de piedra desprendiendo copos bajo presión y cómo hacer puré con los sesos del venado. ¿A quién se le habría ocurrido que con eso se puede convertir la piel de venado en una suave piel aterciopelada?

Doreen Gandy, por su cuidadosa lectura y sus estimadísimos comentarios para que yo quedara convencida de que este libro podría sostenerse por sí solo.

Ray Auel, por apoyo, alientos, ayuda y por fregar los platos.

LOS HIJOS DE LA TIERRA

La Europa prehistórica durante
el periodo glaciar

Extensión del hielo y cambio en las líneas de la costa durante
10 000 años intermedios de una tendencia cálida en el transcurso del 4o. periodo glaciar del Cuaternario, llamado Wurn,
del Pleistoceno que se extendió desde el año 35 000 hasta el
25 000 antes de nuestra era actual.

Las figuritas femeninas son ejemplos de muchas pequeñas
esculturas similares halladas por toda la Europa prehistórica
y que datan de 30 000 años antes del presente.

Gran Rio Madre

Losadunai

= = = = Viaje de Jondalar y Thonolan
—.—.— . Viajes de Ayla

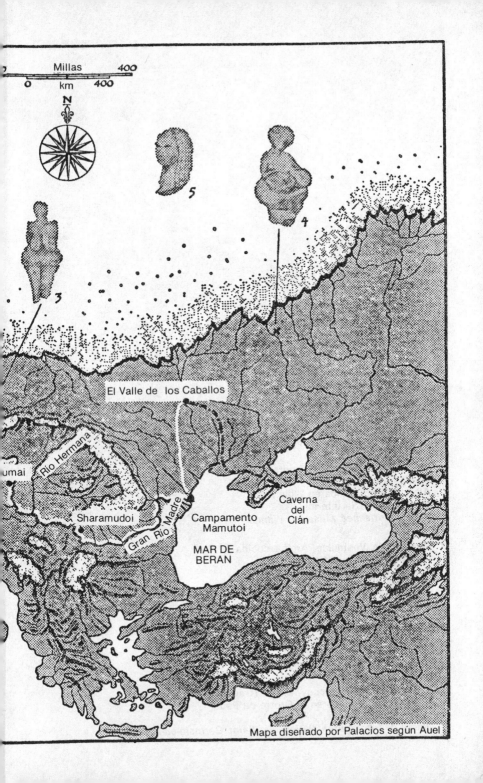

Millas 400
0 km 400

N

5

4

3

El Valle de los Caballos

Río Hermana

umai

Sharamudoi

Gran Río Madre

Campamento
Mamutoi

MAR DE
BERAN

Caverna
del
Clán

Mapa diseñado por Palacios según Auel

1. "Venus" de Lespugue. Marfil (restaurado).
   Alto: 14.7 cm. Hallada en Lespugue
   (Alto-Garona), Francia.
   Musée de l'Homme, Paris.

2. "Venus" de Willendorf. Piedra caliza con
   huellas de ocre rojo.
   Alto: 11 cm. Hallada en Willendorf,
   Wachau, Austria inferior.
   Naturhistorisches Museum, Vienna.

3. "Venus" de Vestonice. Arcilla cocida
   (con hueso). Alto 11.4 cm.
   Hallada en Dolni Vestonice, Mikulov,
   Moravia, Checoslovaquia.
   Museo de Moravia, Brno.

4. Figurilla femenina. Marfil.
   Alto: 5.8 cm. Hallada en Gagarino,
   Ucrania, U.R.S.S.
   Instituto Etnográfico, Leningrado.

5. La dama de Brassempouy. Marfil (fragmento).
   Alto: 3.2 cm. Hallado en la Grotte du Pape,
   Brassempouy (Landes), Francia.
   Musée des Antiquites Nationales, Saint Germain-en-Laye.

Capítulo 1

Estaba muerta. No importaba que heladas agujas de lluvia helada la despellejaran, dejándole el rostro en carne viva. La joven entrecerraba los ojos frente al viento y apretaba su capucha de piel de lobo para protegerse mejor. Ráfagas violentas le azotaban las piernas con su manto de piel de oso.

¿Aquello que había delante, serían árboles? Creyó recordar haber visto una hilera rala de vegetación boscosa en el horizonte, horas antes, y deseaba haber prestado mayor atención o que su memoria fuera tan buena como la del resto del Clan. Seguía pensando en sí misma como Clan, aun cuando nunca lo había sido, y ahora estaba muerta.

Agachó la cabeza y se inclinó hacia el viento. La tormenta se le había venido encima súbitamente, precipitándose desde el Norte, y Ayla estaba desesperada por la necesidad de encontrar un refugio. Pero estaba muy lejos de la caverna y no conocía este territorio. La luna recorrió todo un ciclo de fases desde que se marchó, pero seguía sin tener la menor idea de adónde se dirigía.

Hacia el Norte, la tierra firme más allá de la península: era lo único que sabía. La noche que murió Iza, le dijo que se marchara, le dijo que Broud hallaría la manera de lastimarla en cuanto se convirtiera en jefe. Iza había tenido razón. Broud la había lastimado, y más de lo que ella habría imaginado.

"No tenía razón alguna para quitarme a Durc", pensaba Ayla. "Es mi hijo. Tampoco tenía razón alguna para maldecirme. Él fue quien enojó a los espíritus. Él fue quien provocó el terremoto". Por lo menos, esta vez ya sabía lo que la esperaba. Pero todo sucedió tan aprisa que inclusive el clan había tardado algo en aceptarlo, en apartarla de su vista. Pero nadie pudo impedir que Durc la viera, aun cuando estaba muerta para el resto del clan.

Broud la había maldecido en un impulso causado por la ira. Cuando Brun la maldijo por vez primera, los había preparado a todos; había tenido razón, ellos sabían que debía hacerlo y había brindado a Ayla una oportunidad.

Alzó la cabeza contra otra borrasca helada y se percató de que oscurecía. Pronto sería de noche, y sus pies estaban entumecidos. Una nevisca glacial estaba empapando las envolturas de cuero que protegían sus pies a pesar del aislamiento de hierbas con que las había rellenado. Sintió algo de alivio al divisar un pino enano retorcido.

Los árboles escaseaban en la estepa; sólo crecían allí donde hubiera suficiente humedad para alimentarlos. Una doble hilera de pinos, abedules o sauces, esculpidos por el viento en formas atrofiadas, solía indicar una corriente de agua. Eran una visión celestial en la temporada seca de una tierra en que no había mucha agua subterránea. Cuando las tormentas aullaban por las planicies abiertas desde el gran ventisquero del norte, los árboles brindaban protección, por reducido que fuera su número.

Unos cuantos pasos más condujeron a la joven hasta la orilla de un río, aunque sólo un angosto canal de agua corría entre las riberas apresadas por el hielo. Se volvió hacia el Oeste para seguirlo, río abajo, buscando una vegetación más densa y que le brindara un mejor refugio que la maleza cercana.

Avanzó trabajosamente con la capucha cubriéndole media cara, pero alzó la mirada al sentir que el viento se había interrumpido súbitamente. Del otro lado del río un risco bajo protegía la ribera opuesta. La hierba no le sirvió de nada cuando cruzó por el agua helada que se filtró entre las envolturas de sus pies, pero Ayla agradeció sentirse fuera del viento. La orilla de tierra se había hundido en un punto, dejando un saliente con raíces enmarañadas y vegetación muerta y entrelazada, y allí había un lugar seco, bajo el saliente.

Desató las correas que sujetaban el cuévano a sus espaldas y se lo sacudió de encima; sacó una pesada piel de bisonte y una fuerte rama lisa. Preparó una tienda baja, inclinada, que sostuvo con piedras y trozos de madera del río. La rama la sostenía abierta al frente.

Ayla aflojó con los dientes las correas de las cubiertas que, como guantes, le envolvían las manos. Se trataba de trozos de cuero peludo, de forma circular, atados alrededor de las muñecas, con una raja abierta en las palmas para que pudiera sacar el dedo pulgar cuando quisiera agarrar algo. Las abarcas que envolvían sus pies estaban hechas de la misma forma pero sin rajadura, y le costó trabajo soltar las ataduras de cuero, hinchadas, que le rodeaban los tobillos. Tuvo buen cuidado, al quitárselas, de conservar la hierba mojada.

Tendió su capa de piel de oso sobre la tierra, dentro de la tienda, con la parte mojada hacia abajo; colocó encima la hierba y los protectores de manos y pies, y se metió con los pies por delante. Se arrebujó en la piel y tiró del cuévano para cerrar la entrada de la tienda. Después de frotarse los pies, cuando su nido de peleterías húmedas comenzó a caldearse, se hizo un ovillo y se quedó dormida.

El invierno estaba lanzando sus gélidos estertores, cediendo renuentemente el paso a la primavera, pero la estación juvenil coqueteaba caprichosamente. Entre helados recordatorios de un frío álgido, insinuantes indicios templados prometían calor estival. Un cambio impulsivo hizo que la tormenta se calmara en el transcurso de la noche.

Ayla despertó frente a los reflejos de un sol deslumbrante que lucía desde rastros de hielo y nieve a lo largo de las riberas, y ante un cielo azul profundo y radiante. Jirones desgarrados de nubes se movían majestuosamente muy lejos al Sur. Ayla salió a gatas de su tienda y corrió descalza hasta la orilla del río con su bolsa para agua. Sin hacer caso del frío helado, llenó la vejiga cubierta de cuero, bebió un buen trago y volvió a meterse, siempre a gatas, bajo la piel de oso para volver a entrar en calor.

No se quedó allí mucho rato. Tenía demasiadas ganas de salir ahora que había pasado el peligro de la tormenta y que el sol la llamaba. Se envolvió los pies, secos ya por el calor de su cuerpo, en sus abarcas, y ató la piel de oso sobre la capa de cuero forrado de pieles en que había dormido. Tomando un trozo de tasajo del cuévano, recogió tienda y "guantes" y se puso en camino, masticando la carne.

El curso del río era bastante recto, corría ligeramente colina abajo y se podía seguir sin dificultad. Ayla canturreaba para sí una melopea. Vio trazos de verde en los matorrales de la orilla. Una florecilla que mostraba audazmente su diminuto rostro entre charcos de aguanieve, la hizo sonreír. Un trozo de hielo se desprendió, dio brincos junto a ella durante corto trecho y después avanzó rápidamente, flotando en la rápida corriente.

Cuando Ayla dejó la caverna, ya había comenzado la primavera, pero el extremo sur de la península era más cálido, y la estación comenzaba más temprano. Además, la cadena montañosa constituía una barrera contra los rudos cierzos helados, y las brisas

marítimas del mar interior calentaban y regaban la estrecha franja costera y las pendientes que daban al Sur, favoreciéndolas con
un clima templado.

Las estepas eran más frías. Ayla había bordeado el extremo
oriental de la cordillera pero, al avanzar hacia el Norte por la pradera descampada, la estación avanzó al mismo paso que ella. No
parecía que fuera nunca a hacer más calor que al principio de la
primavera.

Los chillidos roncos de las golondrinas de mar le llamaron la
atención. Alzó la mirada y pudo ver varias de las aves parecidas
a las gaviotas, que giraban y planeaban sin esfuerzo con las alas
extendidas. Pensó que el mar estaría cerca; las aves estarían
haciendo sus nidos ahora . . . eso significaba huevos. Aceleró el
paso. Y también podría haber mejillones en las rocas, y almejas
y lapas y charcos dejados por la marea, llenos de anemones
de mar.

El sol se aproximaba a su cenit cuando Ayla llegó a una bahía
protegida, formada por la costa meridional del territorio continental y el flanco noroeste de la península. Finalmente había llegado al ancho paso que unía la lengua de tierra con el continente.

Ayla se deshizo de su cuévano y trepó por un abrupto crestón
que dominaba todo el panorama circundante. El azote de las ma-
reas había desprendido trozos dentados de la roca maciza por el
lado del mar. Una bandada de alcas y golondrinas de mar la incre-
pó con iracundos gritos mientras Ayla recogía huevos. Rompió
varios y se los tragó, todavía tibios por el calor del nido. Metió
unos cuantos más en uno de los repliegues de su capa antes de
bajarse.

Se descalzó y caminó por la arena, lavándose los pies con el
agua de mar y limpiando de arena los mejillones que había arrancado de la roca a nivel del mar. Anemones como flores mostraban
falsos pétalos cuando la joven tendió la mano para sacarlas de las
charcas poco profundas que la bajamar había dejado tras de sí.
Pero el color y la forma de éstas le resultaban desconocidas. Completó, pues, su almuerzo, con unas cuantas almejas sacadas de la
arena allí donde una ligera depresión revelaba su presencia. No
prendió fuego, gozando de los dones crudos del mar.

Ahíta de huevos y alimentos marinos, la joven descansó al pie
de la alta roca y volvió a escalarla para examinar mejor la costa y
las tierras adentro. Abrazándose las rodillas, se sentó en la parte
superior del monolito y echó una mirada hacia el otro lado de la
bahía. El viento que le acariciaba la cara llevaba el hálito de la rica
vida que se encerraba en el mar.

La costa meridional del continente formaba un arco suave hacia el Oeste. Más allá de una delgada hilera de árboles, podía ver un amplio territorio estepario que no difería mucho de la fría pradera peninsular; pero no había en él una sola señal de habitación humana.

"Ahí está el continente más allá de la península. Y ahora, ¿adónde voy, Iza? Tú dijiste que ahí estaban los Otros, pero yo no veo a nadie". Y frente al vasto territorio vacío, los pensamientos de Ayla retornaron a la espantosa noche de la muerte de Iza, tres años antes.

"Tú no eres Clan, Ayla. Naciste de los Otros, eres de ellos. Tienes que irte, niña, encontrar a tu propia gente".

"¿Irme? ¿Adónde iría, Iza? No conozco a los Otros. No sabría dónde buscarlos".

"En el Norte, Ayla. Vete al Norte. Hay muchos de ellos al norte de aquí, en el continente más allá de la península. No puedes seguir aquí. Broud encontrará la manera de lastimarte. Vete y encuéntralos, criatura. Encuentra a tu gente, encuentra a tu compañero".

No se había ido entonces. No pudo. Ahora no le quedó más remedio. Tenía que encontrar a los Otros, no quedaba nadie más. Nunca podría regresar; nunca volvería a ver a su hijo.

Las lágrimas corrían por el rostro de Ayla. No había llorado antes. Su vida estaba en juego cuando se fue, y la pena era un lujo que no podía permitirse, pero una vez pasada la barrera, no pudo retenerla.

—Durc . . . mi hijito —sollozó, hundiendo el rostro entre las manos—. ¿Por qué te arrebató Broud de mí?

Lloró por su hijo y por el clan que había dejado atrás; lloró por Iza, la única madre que podía recordar; y lloró por su soledad y su temor ante el mundo desconocido que la esperaba. Pero no por Creb, que la había querido como si fuera suya, todavía no; la pena era demasiado reciente; no estaba preparada para hacerle frente.

Cuando se le terminaron las lágrimas, Ayla se encontró mirando las olas que se rompían allá abajo. Vio el oleaje quebrarse en chorros de espuma y bañar después las rocas dentadas.

"Sería tan fácil", pensó.

"¡No!", y meneando la cabeza, se enderezó. "Le dije que podía quitarme a mi hijo, que podía obligarme a marcharme, que podía maldecirme con la muerte, ¡pero que no podría hacer que me muriera!"

Sintió el sabor de la sal y una sonrisa torcida cruzó su rostro. Sus lágrimas siempre habían desquiciado a Iza y Creb. Los ojos de la gente del Clan no echaban agua a menos que estuvieran enfermos, ni siquiera los de Durc. Había mucho de ella en el niño, podía hacer sonidos como ella, pero los grandes ojos morenos de Durc eran Clan.

Ayla bajó rápidamente. Al echarse el cuévano a la espalda, se preguntó si sus ojos eran realmente débiles o si a todos los Otros también les llorarían los ojos. Y entonces, otro pensamiento le pasó por la mente: encuentra a tu gente, encuentra a tu compañero.

La joven siguió su camino hacia el Oeste a lo largo de la costa, cruzando muchos ríos y arroyos que se abrían paso hacia el mar interior, hasta que llegó a un río bastante grande. Entonces se orientó hacia el Norte, siguiendo el agua torrentosa tierra adentro y buscando un lugar donde pudiera vadear. Atravesó la franja costera de pinos y alerces, bosques en que en ocasiones se erguía un gigante dominando a sus primos enanos. Cuando llegó a las estepas continentales, matorrales de sauces, abedules y álamos temblones se unieron a las coníferas apretadas que bordeaban el río.

Siguió cada meandro, cada recodo del curso, y cada día que pasaba la encontraba más anhelante. El río estaba llevándola de nuevo hacia el Este en una dirección generalmente Noreste. Ella no quería ir hacia el Este. Algunos clanes cazaban en la parte oriental del continente. Ella había decidido orientarse hacia el Oeste en su viaje al Norte. No quería correr el riesgo de encontrarse con quien fuera del Clan . . . ¡no con la maldición de muerte que pesaba sobre ella! Tendría que encontrar el modo de cruzar el río.

Cuando el río se ensanchó y se separó en dos canales con una islita cubierta de grava en medio y orillas rocosas a las que se aferraba la maleza, decidió arriesgarse a cruzar. Unas cuantas peñas enormes en el canal, del otro lado de la isla, le hicieron creer que tal vez fuera poco profundo y pudiera vadearse. Nadaba bien, pero no deseaba mojar sus ropas ni su cuévano; tardarían demasiado en secarse, y las noches seguían siendo frías.

Yendo y viniendo a lo largo de la ribera, observó el agua que corría rápidamente. Cuando decidió cuál sería el camino menos hondo, se quitó la ropa, la metió toda en el cuévano y, sosteniendo éste en alto, penetró en el agua. Las rocas estaban resbaladizas bajo sus pies, y la corriente amenazaba con hacerle perder el equilibrio. A medio camino del primer canal, el agua le llegaba a la cintura, pero consiguió alcanzar la isla sin sufrir ningún percance. El segundo canal era más ancho. No estaba segura de que fuera vadeable pero ya estaba a medio camino y no quería darse por vencida.

Estaba ya más allá de la mitad de la corriente, donde el río se hacía más profundo, hasta que tuvo que caminar de puntillas, con el agua al cuello, sosteniendo el cuévano por encima de su cabeza. De repente el fondo se hundió. La cabeza de Ayla osciló y el movimiento brusco la obligó a beberse un trago de agua. Poco después estaba agitando los pies en el agua, sosteniendo el cuévano sobre su cabeza; lo afirmó con una mano, tratando de progresar algo hacia la ribera opuesta con la otra mano. La corriente la levantó y la sostuvo pero sólo corta distancia. Sintió piedras bajo sus pies y poco después caminaba por el ribazo.

Dejando atrás el río, Ayla se puso nuevamente a recorrer la estepa. A medida que los días soleados se hicieron más frecuentes que los lluviosos, la estación cálida le dio finalmente alcance y la dejó atrás en su camino hacia el Norte. Las yemas en árboles y maleza dejaron paso a las hojas, y las coníferas tendieron agujas suaves, verde claro, desde el extremo de ramas y ramitas. Arrancaba algunas para mascarlas mientras caminaba, paladeando el sabor a pino, algo picante.

Adoptó la rutina de viajar todo el día hasta que, antes del atardecer, encontrara un arroyo o un riachuelo junto al que acampaba. Todavía era fácil encontrar agua. Las lluvias primaverales y la fusión de los hielos invernales llenaban los ríos, los arroyos secos y las hondonadas que más tarde serían lechos secos o tal vez riachuelos de fango. La abundancia de agua era una fase efímera. La humedad se absorbería rápidamente, pero no antes de que florecieran las estepas.

Casi de la noche a la mañana, flores herbáceas blancas, amarillas y púrpura —menos frecuentes eran el azul fuerte o el rojo brillante— cubrieron la tierra, fundiéndose en la distancia con el verde tierno de la hierba nueva, predominante. Ayla se deleitaba ante la belleza de la estación; la primavera había sido siempre su estación predilecta.

A medida que las planicies abiertas comenzaron a bullir de vida, Ayla dejó de contar menos con la escasa provisión de alimentos conservados que llevaba, y se puso a vivir de la tierra. Eso no retrasaba mucho su marcha. Todas las mujeres del Clan aprendían a cortar hojas, flores, brotes y bayas mientras viajaban, casi sin detenerse. Ayla arrancaba hojas y ramitas de una rama fuerte, afilaba un extremo con un cuchillo y utilizaba el palo de cavar para sacar bulbos y raíces con la misma prontitud. Recolectar era fácil: sólo tenía que alimentarse a sí misma.

Pero Ayla poseía una ventaja que las mujeres del Clan no solían poseer: podía cazar. Sólo con la honda, claro está, pero inclusive los hombres estaban de acuerdo —una vez que se hicieron a la idea de que pudiera cazar— en que era la más hábil cazadora de honda de todo el clan. Había aprendido sola, y había pagado bastante cara aquella habilidad.

Como las hierbas recién salidas de la tierra tentaban a las ardillas, marmotas, jerbos grandes, conejos y liebres recién salidos de sus nidos invernales, Ayla comenzó a llevar nuevamente la honda metida en la correa que le sujetaba la capa de pieles. Llevaba también el palo de cavar metido en la correa, pero su bolsa de medicinas estaba, como siempre, colgada de la correa que, alrededor del talle, le sujetaba su vestimenta interior.

Abundaba el alimento; leña y fuego resultaban algo más difíciles de conseguir. Podía prender fuego, y los matorrales y árboles bajos que conseguían sobrevivir a lo largo de algunos de los ríos de temporada, se acompañaban con frecuencia de leña seca. Siempre que tropezaba con ramas secas o boñigas, las recogía también. Pero no prendía fuego todas las noches. En ocasiones no disponía del material adecuado, o estaba demasiado verde o mojado o estaba cansada y no se tomaba la molestia.

Pero no le agradaba dormir en descampado sin la seguridad que proporciona una hoguera. La inmensidad herbosa daba vida a muchísimos rumiantes grandes, y las filas de éstos se veían despobladas por diversidad de cazadores de cuatro patas. Generalmente una hoguera los mantenía a distancia. Era práctica común, en el Clan, que un varón de categoría transportara un carbón durante los viajes para prender la siguiente hoguera, y no se le había ocurrido a Ayla llevar consigo materiales para prender fuego. Pero una vez que se le ocurrió, se preguntó por qué no lo habría hecho antes.

Sin embargo, cuando la leña estaba demasiado verde o húmeda, la varilla de perforar y la plataforma de madera plana no facilitaban prender el fuego. Cuando descubrió el esqueleto de un bisón, creyó tener solucionados sus problemas.

La luna había recorrido otro ciclo de sus fases, y la húmeda primavera estaba convirtiéndose en un cálido verano tempranero. Ayla seguía recorriendo la vasta llanura costera que se inclinaba suavemente hacia el mar interior. El limo arrastrado por las inundaciones de temporada formaba frecuentemente largos estuarios, parcialmente cerrados por bancos de arena o formando lagunas y albuferas.

Ayla había acampado y se había detenido junto a una charca a media mañana. El agua parecía estancada, nada potable, pero su bolsa para agua estaba casi vacía. Metió la mano para probarla y escupió el líquido fétido; después se enjuagó la boca con un sorbo de su bolsa.

"Me pregunto si los bisontes beberán de esta agua", pensó, al ver huesos blanqueados y una calavera con largos cuernos afilados. Se apartó del agua estancada con su espectro de muerte, pero los huesos no se apartaban de su pensamiento. Seguía viendo la calavera blanca y los largos cuernos, los cuernos curvos y huecos ...

Se detuvo junto a un río casi a mediodía y decidió prender fuego y asar un conejo que había matado. Sentada bajo el cálido sol, haciendo girar el palo de hacer fuego entre las palmas sobre la plataforma de madera, deseaba que apareciera Grod con el carbón que llevaba en ...

Dio un brinco, metió en el cuévano el palo y la base, colocó encima el conejo y echó a correr volviendo sobre sus pasos. Cuando llegó a la charca, buscó la calavera. Grod solía llevar un carbón encendido envuelto en musgo seco o en líquen, dentro del largo cuerno hueco de un bisonte. Con uno, ella podría transportar su fuego.

Pero mientras tiraba del cuerno sintió una punzada de remordimiento: las mujeres del Clan no transportaban fuego; estaba prohibido.

"Pero, ¿quién lo llevará por mí, si no?", pensó, tirando con fuerza hasta arrancar el cuerno. Se alejó rápidamente, como si creyera que esa acción prohibida había convocado miradas observadoras llenas de reprobación.

Hubo un tiempo en que su supervivencia fue cuestión de someterse a un modo de vida ajeno a su naturaleza. Ahora dependía de su capacidad para superar el condicionamiento de su niñez, y de que pensara por sí misma. El asta de bisón era un comienzo y un buen presagio en cuanto a sus oportunidades.

Sin embargo, llevar fuego era algo más complicado de lo que ella hubiera creído. Por la mañana, buscaba musgo seco para envolver su carbón prendido. Pero el musgo, tan abundante en la región boscosa próxima a la caverna, no podía encontrarse en las planicies abiertas y secas. Finalmente, decidió usar hierba. Con gran desaliento, comprobó que la brasa se había apagado cuando se dispuso a acampar de nuevo. Sin embargo, ella sabía que podría lograrse, y a menudo había protegido hogueras para que se mantuvieran prendidas toda la noche. Tenía los conocimientos necesarios. A fuerza de prueba y error y de muchas brasas apagadas, logró descubrir la manera de conservar algo de fuego de un campamento a otro. Y también llevaba colgada de su correa el asta de bisón.

Ayla encontraba siempre el medio de atravesar los ríos que encontraba en su camino vadeándolos, pero cuando se halló frente al gran río, comprendió que habría de emplear otro método. Lo había seguido a contracorriente, durante varios días; pero ahora se volvía hacia el Noroeste sin reducir su anchura.

Aun cuando ya se creía fuera del territorio que pudiera ser recorrido por los cazadores del Clan, no quería seguir hacia el Este. Ir al Este significaba regresar hacia el Clan. No podía regresar y ni siquiera deseaba orientarse en aquella dirección. Y tampoco podía permanecer allí, acampando en descampado junto al río. Tendría que cruzar; no le quedaba otra salida.

Pensó que podría cruzarlo a nado —siempre había sido buena nadadora—, pero no sosteniendo por encima de su cabeza el cuévano que contenía todas sus posesiones; éstas eran el problema.

Estaba sentada junto a un modesto fuego al abrigo de un árbol caído cuyas ramas desnudas bañaban en el río. El sol de la tarde brillaba sobre el movimiento constante del río que corría veloz. De cuando en cuando pasaban flotando desperdicios. Le recordó el río que corría junto a la caverna, y la pesca del salmón y el esturión cuando salían al mar interior. Solía disfrutar nadando entonces, aun cuando eso preocupaba a Iza. Ayla no recordaba haber aprendido a nadar; parecía ser algo que siempre supo.

"Me pregunto por qué a nadie más le gustaba nadar", se decía, recordando. "Creían que yo era rara porque me gustaba ir tan lejos por el mar ... hasta el día en que Ona estuvo a punto de ahogarse".

Recordó que todos le habían estado agradecidos por salvar la vida de la niña. Inclusive Brun la ayudó a salir del agua. Entonces había experimentado una cálida sensación de aceptación, de que era una de ellos, realmente. Piernas largas y rectas, un cuerpo demasiado delgado y demasiado alto, cabello rubio y ojos azules y una frente alta no importaron ya. Algunos del Clan intentaron aprender a nadar después de aquello, pero no flotaban bien y temían el agua profunda.

"Me pregunto si Durc podría aprender. Nunca fue tan pesado como los otros bebés, y nunca será tan musculoso como la mayoría de los hombres. Creo que podría . . .

"¿Quién iba a enseñarle? No estando yo allí. Uba no sabe. Ella lo cuidará; lo quiere tanto como yo, pero no sabe nadar. Y Brun tampoco. Brun le enseñará a cazar, y protegerá a Durc. No permitirá que Broud le haga daño a mi hijo, lo prometió . . . aun cuando se suponía que ya no podía verme. Brun fue un buen jefe, no como Broud . . .

"¿Sería posible que Broud haya hecho que Durc creciera dentro de mí?" Ayla se estremeció, recordando cómo la había forzado Broud. "Iza decía que los hombres hacían eso a las mujeres que les gustaban, pero Broud sólo lo hacía porque sabía cuánto horror me causaba. Todos dicen que lo que inicia bebés es el espíritu de un tótem. Pero ningún hombre tenía un tótem lo suficientemente fuerte para vencer a mi León Cavernario. Sólo quedé embarazada después de que Broud comenzó a forzarme, y todos se sorprendieron. Nadie pensó que yo llegaría a tener un bebé . . .

"Ojalá pudiera verlo cuando sea grande. Ya está alto para su edad, como yo. Será el hombre más alto del Clan, estoy segura . . .

"¡No, no lo estoy! Nunca lo sabré. No volveré a ver a Durc.

"Deja de pensar en él", se ordenó, secándose una lágrima. Levantándose, echó a andar hacia la orilla del río. "De nada sirve pensar en él. Y con eso no voy a cruzar el río".

Había estado tan sumida en sus pensamientos que no se fijó en el tronco bifurcado que flotaba hacia la orilla. Miraba con cierta fijeza desinteresada cómo las ramas del árbol caído lo detenían entre sus ramas enmarañadas, y contemplaba sin verlo el tronco que oscilaba y luchaba por liberarse durante un rato. Pero tan pronto como notó su presencia, también vio las posibilidades que encerraba.

Vadeó por las aguas poco profundas y tiró del tronco arrastrándolo hasta la playa. Era la parte superior del tronco de un árbol de buen tamaño, recientemente quebrado por una violenta inundación río arriba, y no estaba saturado de agua. Con un hacha de mano que llevaba en uno de los repliegues de su capa de cuero, recortó la más larga de las dos ramas bifurcadas hasta dejarla del mismo tamaño que la otra y limpió de ramitas los dos palos bastante largos.

Después de echar una mirada en derredor, se dirigió hacia un grupo de abedules cubierto de clemátides trepadoras. Tirando de una liana leñosa suelta consiguió desprender toda una fuerte planta. Regresó arrancando las hojas. Entonces tendió su tienda de cuero en el suelo y puso encima el contenido de su cuévano. Ya era hora de hacer inventario y volver a empacar.

Puso sus abarcas y "guantes" de piel en el fondo del cuévano junto con el manto forrado de pieles, ahora que llevaba su manto de verano; no los necesitaría más antes del próximo invierno. Se detuvo un instante, preguntándose dónde se encontraría el invierno próximo, pero no deseaba pensar mucho en ello. Volvió a interrumpirse al recoger el manto de cuero fino y flexible que había usado para cargar a Durc sobre la cadera cuando lo llevaba a cuestas.

No lo necesitaba, no era necesario para la supervivencia. Sólo se lo había llevado porque era algo que había estado cerca del niño. Lo acercó a su mejilla, después lo dobló cuidadosamente y lo metió en el cuévano. Encima colocó las tiras de cuero suave y absorbente que utilizaba durante su flujo mensual. Después, sus abarcas de repuesto. Ahora andaba descalza, pero seguía poniéndoselas cuando hacía frío o humedad, y estaban muy desgastadas. Se alegraba de haber llevado dos pares.

Después examinó sus alimentos. Había un paquete de corteza de abedul lleno de azúcar de arce, el último que le quedaba. Ayla lo abrió, desprendió un trozo y se lo comió, preguntándose si volvería a probar el azúcar de arce después de terminar éste.

Le quedaban varios panes de alimentos de viaje, el tipo que se llevaban los hombres cuando iban de cacería; se componían de grasa derretida, carne seca y molida y fruta seca. De pensar en la rica grasa se le hizo agua la boca. La mayoría de los animalitos que cazaba con la honda eran casi todos flacos. Sin los alimentos vegetales que recolectaba, poco a poco se consumiría con una dieta que constaba de pura proteína. Grasas o carbohidratos, bajo cualquier forma, eran necesarios.

Puso los panes de viaje en el cuévano sin darse gusto, ahorrándolos para casos de emergencia. Agregó algunas tiras de tasajo —duro como cuero pero nutritivo—, unas pocas manzanas secas, algunas avellanas, unos saquillos de grano recogido de las hierbas de la estepa cerca de la caverna, y tiró una raíz podrida. Encima de los alimentos colocó su taza y su tazón, su capucha de piel de lobo y las abarcas desgastadas.

Desató su bolsa de medicinas de la correa que le servía de cinturón y frotó con la mano la suave piel impermeable de nutria, sintiendo los duros huesos de rabo y patas. La correa que cerraba la bolsa estaba enjaretada alrededor del orificio, y la cabeza curiosamente aplastada, que seguía sujeta por la parte posterior del cuello, servía de tapa. Iza la había hecho para ella, transmitiendo el legado de madre a hija, cuando Ayla se convirtió en la curandera del Clan.

Entonces, por vez primera en muchos años, Ayla recordó la primera bolsa de medicinas que le había hecho Iza, la que Creb había quemado la primera vez que la maldijeron. Brun tuvo que hacerlo. No se permitía que las mujeres tocaran las armas, y Ayla había estado empleando la honda durante varios años. Pero le había dado la oportunidad de regresar ... si podía sobrevivir.

"Tal vez me dio más oportunidad de lo que creía", pensó. "Me pregunto si estaría viva ahora, de no haber aprendido cómo la maldición de muerte le hace desear a una estar muerta. Salvo por abandonar a Durc, creo que la primera vez fue más duro. Cuando Creb quemó todas mis cosas, habría querido morirme".

No había podido pensar en Creb, el dolor era demasiado reciente, la pena demasiado viva. Había amado al viejo mago tanto como a Iza. Él había sido hermano de Iza y también de Brun. Privado de un ojo y de parte del brazo, Creb nunca había cazado, pero era el más grande de todos los hombres santos de los clanes. Mog-ur, respetado y temido ... su rostro viejo, tuerto y cubierto de cicatrices era capaz de amedrentar al más valeroso cazador, pero Ayla había conocido su lado más tierno.

La había protegido, se había preocupado por ella, la había amado como hija de una compañera que nunca tuvo. Ayla había tenido tiempo para acostumbrarse a la idea de que Iza había muerto, tres años antes, y aun cuando le dolía la separación, sabía que Durc seguía con vida. No había llorado a Creb. De repente, el dolor que había tenido guardado desde el terremoto que lo mató, no se dejó reprimir más. Y gritó su nombre.

—¡Creb ...! ¡Oh, Creb ...! ¿Por que entraste de nuevo en la caverna? ¿Por qué tuviste que morir?

Sollozó desconsoladamente en la piel impermeable de la nutria. Entonces, desde muy adentro, un gemido agudo estalló en su garganta. Se meció de atrás para adelante, lamentando su angustia, su pena, su desesperación. Pero allí no había un clan amante para unirse a sus lamentos y compartir su duelo. Se lamentaba sola, y se lamentaba por su soledad.

Cuando se agotaron sus gemidos, se sintió vacía, pero una pena terrible se había aliviado. Al cabo de un rato se acercó al río y se lavó el rostro; después puso su bolsa de medicinas en el cuévano. Sabía exactamente lo que había dentro.

Agarró el palo de cavar y de repente lo arrojó lejos de sí, cuando experimentó una ira que sustituiría al dolor y fortalecería su determinación. "¡Broud no hará que me muera!"

Aspiró profundamente y se impuso seguir llenando el cuévano. Metió dentro los materiales para prender fuego y el cuerno de bisonte, después tomó varias herramientas de pedernal que llevaba entre los pliegues de su manto. De otro repliegue sacó un guijarro redondo, lo lanzó al aire y lo cogió al vuelo. Cualquier piedra que tuviera el tamaño exacto podría lanzarse con la honda, pero la puntería mejoraba con proyectiles redondos y suaves. Guardó los pocos que tenía.

Entonces llevó la mano a su honda, una tira de piel de venado con un abolsamiento en medio para sostener las piedras, y largos extremos ahusados, retorcidos por el uso. Desde luego que se quedaba con ella. Desató una larga cinta de cuero que iba alrededor de su manto de piel suave de venado de tal manera que se formaban pliegues para llevar cosas. Cayó el manto y Ayla se quedó desnuda, excepto por la bolsita de cuero que llevaba colgada de un cordel que le rodeaba el cuello y que contenía su amuleto. Se lo quitó pasándoselo por la cabeza y se sintió más desnuda sin el amuleto que sin el manto, pero los objetos pequeños y duros que contenía resultaban tranquilizadores.

Eso era todo: la suma total de sus posesiones, lo único que necesitaba para sobrevivir... eso y los conocimientos, la habilidad, la experiencia, la inteligencia, la decisión y el valor.

Rápidamente enrolló su amuleto, sus herramientas y su honda en el manto y lo metió todo en el cuévano; después lo envolvió todo en la piel de oso y amarró ésta con la correa más larga. Empacándolo todo dentro del cuero de la tienda, lo ató a la horquilla formada por el tronco con sus ramas y la clemátide trepadora.

Se quedó mirando el ancho río y el lejano ribazo y pensó en su tótem, después cubrió el fuego con arena y empujó el tronco, con todo lo que poseía, hacia el agua del río, alejándolo del árbol de la orilla. Colocándose en la bifurcación, Ayla agarró los muñones de ramas desaparecidas y de un empujón puso a flote su balsa.

Todavía fría por el hielo derretido del glaciar, el agua helada le envolvió el cuerpo desnudo. Jadeó, respirando con dificultad, pero un entumecimiento se apoderó de ella al acostumbrarse a su álgido elemento. La poderosa corriente se adueñó del tronco, tratando de terminar la tarea y llevárselo hasta el mar, y lo empujó entre grandes oleadas, pero las ramas bifurcadas impidieron que se diera vuelta. Pateando con fuerza, Ayla luchaba por abrirse paso a través del caudaloso río, y se desvió en ángulo hacia la orilla opuesta.

Pero el avance era de una lentitud desesperante. Cada vez que alzaba la vista, le parecía que el otro lado del río estaba más lejos de lo que esperaba. Avanzaba mucho más río abajo que a través. Para cuando la corriente la llevó más allá del lugar que ella había escogido para desembarcar, ya estaba cansada y el frío le hacía descender la temperatura del cuerpo; tiritaba y le dolían los músculos. Parecía como si hubiera estado pataleando desde siempre con piedras colgadas de los pies, pero se impuso seguir luchando.

Finalmente agotada, se rindió a la fuerza inexorable de la corriente. El río, aprovechándose, se llevó la balsa improvisada siguiendo la corriente, con Ayla desesperadamente aferrada al tronco que ahora la arrastraba a ella.

Pero allá delante, el curso del río estaba cambiando, su dirección sur se modificaba hacia el Oeste al rodear un saliente del terreno. Ayla había cruzado más de las tres cuartas partes del camino hacia el impetuoso torrente antes de rendirse al agotamiento, y cuando vio la ribera rocosa, en un esfuerzo decidido recobró el control.

Obligó a sus piernas a que patalearan, empujando para llegar a tierra antes de que el río la llevara más allá de aquel punto. Cerrando los ojos, se concentró en mantener las piernas en movimiento. De repente, con un sobresalto, sintió que el tronco rascaba el fondo y se detenía.

Ayla no podía moverse. Medio sumergida, estaba tendida en el agua, agarrada de las ramas quebradas. Una oleada de la turbulenta corriente alzó el tronco, liberándolo de las rocas afiladas y llenando de pánico a la joven. Se obligó a ponerse de rodillas y empujó hacia delante el lastimoso tronco, anclándolo en la playa, y después cayó de nuevo al agua.

Pero no pudo descansar mucho rato. Presa de violentos escalofríos en el agua helada, consiguió nadar hasta el saliente. Tirando de los nudos de la clemátide pudo aflojarlos, y tirando de ellos arrastró su atado hasta la playa. El cuero resultó todavía más difícil de desatar con sus dedos temblorosos.

La Providencia vino en su auxilio. La correa se rompió en un punto débil. Ayla agarró la larga tira de cuero, la apartó, hizo a un lado el cuévano y, metiéndose en la piel de oso se cubrió con ella. Para cuando dejó de tiritar, se había quedado dormida.

Ayla tomó la dirección norte, ligeramente oeste, después de su peligrosa travesía del río. Los días del verano se volvían más calurosos a medida que la joven registraba la inmensa estepa en busca de alguna señal de existencia humana. Las floraciones herbáceas que habían iluminado la corta primavera se apagaron, y la hierba alcanzó casi el alto de su cintura.

Agregó a su dieta alfalfa y trébol, y le alegró encontrar chufas cargadas de almidón y algo dulces, cuyas raíces descubría gracias a las enredaderas extendidas sobre el suelo. Las vainas de astrágalo se hinchaban con bolitas verdes y ovaladas, además de que sus raíces también eran comestibles, y a la joven no le costaba nada diferenciarlas de sus primas venenosas. Cuando terminó la temporada de las yemas de azucena amarilla, las raíces seguían tiernas. Unas pocas variedades de grosellas enanas, que maduraban temprano, habían comenzado a tomar color, y siempre podía comer algo fresco pues abundaban las hojas nuevas de ortigas, amaranto o mostaza.

A su honda no le faltaban blancos. Pikas esteparias, marmotas, jerbos grandes, diversas liebres —con el pelaje de un gris moreno y no blanco como en invierno— y de cuando en cuando, algún hámster cazador de ratones, omnívoro, gigantesco, abundaban en las planicies. Pero el urogallo del sauce, que vuela bajo, y la perdiz blanca, siempre constituían un verdadero manjar. Ayla no podía comer perdiz blanca sin recordar que las gordas aves de patas emplumadas habían sido siempre las predilectas de Creb.

Pero esas eran sólo las criaturas más pequeñas que disfrutaban de la bonanza veraniega de la llanura. Ayla vio manadas de venados, renos, venados rojos y ciervos con enorme cornamenta; caballos esteparios robustos, burros y onagros parecidos a ambos; enormes bisontes o una familia de antílopes cruzaban eventualmente su camino. El rebaño de ganado salvaje de un color entre moreno y rojizo, con toros de seis pies de alzada, tenía terneros primaverales que se nutrían en las enormes ubres de las vacas. A Ayla se le hizo agua la boca al pensar en el sabor de la ternera de leche, pero su honda no era el arma adecuada para cazar bisontes. Divisó mamuts lanudos migratorios, vio toros almizcleños formando una falange con sus crías a lomos, y enfrentándose a una manada de lobos, y evitó cuidadosamente a una familia de rinocerontes lanudos de mal genio. Recordó que era el tótem de Broud, "Muy apropiado", se dijo.

Mientras proseguía su camino hacia el Norte, la joven pudo observar cierto cambio en el terreno. Comenzaba a volverse más seco y más desolado. Había llegado al límite septentrional, mal definido, de las estepas continentales, húmedas y nevosas. Más allá, hasta donde se alzaban las murallas mismas del inmenso glaciar septentrional, se extendían las áridas estepas del loess, un entorno que sólo existía cuando los glaciares cubrían la Tierra, durante el Periodo Glaciar.

Los glaciares, capas macizas y congeladas que se extendían sobre el continente, cubrían el Hemisferio Norte. Casi la cuarta parte de la superficie de la Tierra estaba sumida bajo sus inconmensurables y aplastantes toneladas. El agua encerrada entre sus confines hacía que el nivel de los océanos bajara, extendiendo las líneas de costa y cambiando la forma de las tierras. Ninguna parte del globo estaba a salvo de su influencia; las lluvias inundaban las regiones ecuatoriales, y los desiertos se encogían, pero cerca de las orillas del hielo el efecto era profundo.

El vasto campo de hielo congelaba el aire que lo dominaba, haciendo que la humedad de la atmósfera se condensara y cayera en forma de nieve. Pero más cerca del centro, la alta presión se estabilizaba y creaba un frío extremadamente seco, empujando la nieve hacia las orillas. Los enormes glaciares crecían por el borde; el hielo era casi uniforme a través de sus dimensiones abrumadoras, una cubierta de hielo de más de una milla de espesor.

Como la mayor parte de la nieve caía sobre el hielo y alimentaba al glaciar, la tierra que estaba justo al Sur era seca ... y estaba helada. La elevada presión constante sobre el centro provocaba una caída atmosférica del aire frío y seco hacia presiones más bajas; el viento, que soplaba del Norte, nunca se interrumpía sobre las estepas: sólo variaba de intensidad. A lo largo del camino arrastraba rocas que habían sido pulverizadas como harina en el límite movedizo del glaciar triturador. Las partículas transportadas por el viento se filtraban hasta formar una textura poco más áspera que la arcilla —el loess—; depositadas por cientos de millas sobre un espesor de muchos pies, se convertían en tierra negra.

En invierno, vientos aulladores azotaban la escasa nevada a través de la yerma tierra helada. Pero la Tierra seguía girando sobre su eje ladeado, y las estaciones seguían cambiando. Temperaturas anuales promedio de sólo unos pocos grados menos provocan la formación de un glaciar; unos pocos días calurosos causan pocos efectos si no alteran el promedio.

En primavera, la escasa nieve que caía sobre la Tierra se derretía y la costra del glaciar se calentaba, chorreando hacia abajo y hacia las estepas. El agua de fusión suavizaba lo suficiente el suelo, por encima del permafrost, para que brotaran hierbas de raíces poco profundas. La hierba crecía rápidamente, sabiendo desde el corazón de su semilla que su vida sería breve; a mediados del verano, se había convertido en heno seco, en todo un continente de tierras herbosas con bolsas dispersas de selva boreal, y tundra más cerca de los océanos.

En las regiones próximas a las orillas del hielo, allí donde la cubierta de nieve era delgada, la hierba proporcionaba forraje todo el año a incontables millones de animales rumiantes y herbívoros que se habían adaptado al frío glacial... y a depredadores capaces de adaptarse a cualquier clima que le convenga a su presa. Un mamut podía pastar al pie de una muralla brillante, de un blanco azulado, de hielo que ascendía hasta una milla o más por encima de él.

Las corrientes de agua y los ríos de temporada alimentados por la fusión de los hielos recortaban el profundo loess, y a menudo se abrían paso entre la roca sedimentaria hasta la plataforma cristalina de granito que yacía bajo el continente. Profundos barrancos y cañones de ríos eran comunes en el paisaje abierto, pero los ríos proporcionaban humedad, y los cañones, protección contra el viento. Inclusive en las áridas estepas de loess, existían valles verdes.

La estación se caldeaba y a medida que un día seguía al otro, Ayla se cansó de viajar, se cansó de la monotonía de las estepas, se cansó del sol implacable y del viento incesante. Su cutis se volvió áspero, agrietado, y se peló. Tenía los labios cubiertos de costras, los ojos doloridos, la garganta siempre llena de polvo. A veces pasaba a través de un valle fluvial, más verde y boscoso que las estepas, pero ninguno le inspiró el deseo de quedarse, y ninguno de ellos encerraba vida humana.

Aun cuando los cielos eran generalmente claros, su búsqueda infructuosa la cubría de una sombra de preocupación y temor. La tierra siempre estaba gobernada por el invierno. El más caluroso día del verano, nunca mantenía muy alejado el rudo frío glacial. Había que acumular alimentos y encontrar protección para sobrevivir a la prolongada estación invernal. Ayla había vagado desde el principio de la primavera y ya empezaba a preguntarse si estaría condenada a recorrer por siempre las estepas... o a morir, al fin y al cabo.

Acampó al finalizar otro día tan parecido a los anteriores. Había matado un animalito pero su brasa estaba muerta, y la leña escaseaba más cada día. Comió unos cuantos bocados crudos para no tener que prender el fuego, pero no tenía apetito. Tiró la marmota a un lado, aun cuando parecía que también la caza se volvía más escasa... o tal vez ella no mirara ya con tanta atención. Recolectar también se dificultaba. La tierra estaba dura, seca y entretejida con plantas secas. Y allí nunca se calmaba el viento.

Durmió mal, perturbada por pesadillas, y despertó sin haber conseguido descansar. No tenía nada que comer; hasta su marmota despreciada había desaparecido. Bebió un poco —agua insípida y vieja—, empacó su cuévano y se puso en marcha hacia el Norte.

Cerca del mediodía encontró un lecho de río que, con unas pocas charcas de agua que estaban secándose, le permitió llenar su bolsa de líquido que tenía un sabor áspero. Arrancó algunas raíces de espadaña que, aunque correosas y blancuzcas, masticó mientras avanzaba cansadamente. No quería seguir adelante, pero no se le ocurría nada más. Desanimada y apática, no prestaba gran atención a su camino. No se dio cuenta de que una manada de leones estaba tomando el sol de la tarde hasta que uno de ellos rugió una advertencia.

El temor se apoderó de ella, despertando su conciencia. Retrocedió y dio un rodeo para evitar el territorio de los leones. Había llegado suficientemente al Norte. El espíritu del León Cavernario fue lo que la había protegido, no la enorme bestia en su forma física. Que fuera su tótem no significaba que la tuviera a salvo de un ataque.

En realidad, así fue como Creb supo que su tótem era el León Cavernario. Ayla seguía llevando cuatro largas cicatrices paralelas en el muslo izquierdo, y tenía una pesadilla recurrente de una zarpa gigantesca que se introducía en una caverna diminuta donde se había refugiado para ocultarse, siendo una niña de cinco años. Recordó haber soñado con esa zarpa la noche anterior. Creb le había dicho que había sido sometida a prueba para ver si lo merecía, y que estaba señalada como muestra de que había sido elegida. Sin pensarlo tendió la mano y tocó las cicatrices de la pierna. "Me pregunto por qué me escogería el León Cavernario", pensó.

El sol deslumbraba mientras se sumía en el cielo de occidente. Ayla había estado trepando por una cuesta larga, buscando un lugar donde acampar. Otra vez lejos del agua, y se alegró de haber llenado su bolsa. Pero tendría que encontrar agua, y pronto. Estaba cansada, hambrienta y trastornada por haberse dejado llevar tan cerca de los leones cavernarios.

¿Sería acaso una señal? ¿Sería tan sólo cuestión de tiempo? ¿Qué le hacía pensar que podría librarse fácilmente de una maldición de muerte?

El brillo del horizonte era tan intenso que estuvo a punto de
pasar por alto la orilla aguda de la meseta. Formó pantalla con
las manos, se paró en la orilla y miró hacia abajo, hacia un barranco. Un riachuelo de agua reluciente corría allá abajo, flanqueado
a ambos lados por árboles y matorrales. Un desfiladero de farallones rocosos se abría sobre un valle fresco, verde, abrigado.
A medio camino, hacia abajo, en medio de un campo, los últimos
rayos alargados del sol caían sobre una pequeña manada de caballos que pastaban apaciblemente.

Capítulo 2

—Bueno, dime entonces: ¿por qué has decidido venirte conmigo, Jondalar? —preguntó el joven de cabello moreno, desatando una tienda formada por varios cueros enjaretados unos con otros—. Le dijiste a Marona que sólo irías a visitar a Dalanar y mostrarme el camino. Sólo para hacer un corto viaje antes de establecerte. Se suponía que irías a la Reunión de Verano con los Lanzadonii, y que estarías allí a tiempo para la Matrimonial. Se va a poner furiosa, y no es una mujer que yo desearía ver enojada conmigo. ¿De seguro que no vienes sólo para librarte de ella? —el tono de voz de Thonolan era ligero, pero la seriedad de su mirada lo delataba.

—Hermanito, ¿qué te hace pensar que eres el único de esta familia que sienta el deseo de viajar? ¿No pensarías que iba a dejarte librado a tus propios medios, verdad? ¿Para que luego regresaras a casa fanfarroneando sobre tu largo viaje? Alguien tiene que ir contigo para asegurarse de que tus historias sean veraces y para sacarte de apuros —replicó el hombre alto y rubio antes de agacharse para entrar en la tienda.

En el interior había altura suficiente para estar confortablemente sentado o arrodillado, pero no de pie, y la anchura bastaba para extender los rollos de dormir y la impedimenta de ambos. La tienda estaba sostenida por tres postes en hilera partiendo del centro, y junto al más alto, el del medio, había un orificio en el cuero con una aletilla que se podía cerrar para que no entrara la lluvia, o abrir para dejar salir el humo si se prendía fuego dentro. Jondalar arrancó los tres postes y salió gateando con ellos por la abertura de la tienda.

—¡Para sacarme de apuros! —exclamó Thonolan—. ¡Si tendré que ponerme ojos en la nuca para cuidar tu retaguardia! ¡Espera

31

a que Marona se entere de que no estás con Dalanar y los Lanzadonii, cuando lleguen a la reunión! Podría decidir convertirse en donii y venirse volando por encima de ese glaciar que acabamos de cruzar, sólo por alcanzarte, Jondalar —juntos, se pusieron a doblar la tienda—. Esa te tiene echado el ojo desde hace tiempo y, justo cuando creía tenerte, decides que ha llegado el momento de emprender un viaje. Yo creo que lo que no quieres es meter la mano en esa correa y dejar que Zelandoni ate el nudo. Creo que mi hermano mayor le tiene miedo al casorio —colocaron la tienda junto a las escuadras posteriores—. La mayoría de los hombres de tu edad tienen ya un pequeño o dos junto a su fuego —agregó Thonolan, esquivando un amago de puñetazo en broma de su hermano mayor; ahora la risa había llegado a sus ojos grises.

—¡La mayoría de los hombres de mi edad! ¡Si sólo tengo tres años más que tú! —replicó Jondalar fingiendo enojo. Entonces soltó una carcajada enorme y sincera cuya exuberancia sin inhibiciones resultaba más sorprendente por lo inesperado.

Los dos hermanos eran tan distintos como el día y la noche, pero el más bajo, el moreno, era quien tenía el corazón más ligero. La naturaleza amigable de Thonolan, su sonrisa contagiosa y su risa fácil hacían que fuera bienvenido dondequiera. Jondalar era más serio, a menudo se le arrugaba el entrecejo en concentración o inquietud, y aun cuando sonreía fácilmente, especialmente a su hermano, pocas veces reía fuerte. Cuando lo hacía, el abandono mismo de su carcajada resultaba una sorpresa.

—¿Y cómo sabes que Marona no tendrá ya un pequeño que acercar a mi fuego para cuando estemos de regreso? —dijo Jondalar mientras se ponían a enrollar el cuero del suelo que podía utilizarse también como un pequeño refugio con un solo poste.

—¿Y cómo sabes que no llegará a pensar que mi huidizo hermano no es el único hombre merecedor de sus conocidos encantos? Marona sabe realmente cómo agradar a un hombre . . . cuando quiere. Pero ese genio suyo . . . Eres el único hombre capaz de manejarla, Jondalar, aunque Doni sabe que son muchos los que la tomarían, con genio y todo —estaban el uno frente al otro con el cuero entre ambos—. ¿Por qué no la has tomado por mujer? Todo el mundo lo ha estado esperando por años.

La pregunta de Thonolan era seria. Los vivos ojos azules de Jondalar revelaron perturbación y el entrecejo se le arrugó.

—Tal vez sea precisamente porque todo el mundo lo espera —contestó—. No sé, Thonolan, sinceramente yo espero también tomarla por mujer. Si no, ¿a quién?

—¿Que quién? Oh, simplemente la que se te antoje, Jondalar. No hay una mujer soltera en todas las cavernas, y alguna que no lo sea, que no saltara sobre la ocasión de atar el nudo con Jondalar de los Zelandonii, hermano de Joharran el líder de la Novena Caverna, sin decir que también es hermano de Thonolan, elegante y valeroso aventurero.

—Y se te olvida: hijo de Marthona, ex jefa de la Novena Caverna de los Zelandonii, hermano de Folara, bella hija de Marthona, o que al menos lo será cuando crezca —agregó Jondalar, sonriendo—. Si vas a citar mis nexos, no olvides a las que gozan de la bendición de Doni.

—¿Quién podría olvidarlas? —preguntó Thonolan, volviéndose a los rollos de dormir, hecho cada uno con dos pieles cortadas de manera que se ajustaran al cuerpo de cada hombre y enjaretadas a los lados y los pies con un cordel alrededor de la abertura—. ¿De qué estamos hablando? Yo diría que inclusive Joplaya se uniría a ti, Jondalar.

Ambos se pusieron a empacar las rígidas escuadras que se ahusaban hacia fuera en la parte superior. Eran como cajas, hechas de cuero rígido unidas a tablillas de madera y que podían ajustarse por medio de una fila de botones de marfil. Los botones estaban fijos por una correa que pasaba por un único orificio central y se anudaba al frente a una segunda correa que pasaba detrás por el mismo orificio y, de ahí, al siguiente.

—Sabes que no podemos vivir juntos. Joplaya es mi prima. Y no deberías tomarla en serio; es una bromista increíble. Nos hicimos buenos amigos cuando fui a vivir con Dalanar para aprender mi oficio. Nos enseñó a ambos a la vez. Es uno de los mejores astilladores de pedernal que conozco. Pero no vayas a decirle que yo te lo conté: no me dejaría olvidarlo nunca. Siempre estábamos tratando de ganarnos el uno a la otra.

Jondalar alzó una pesada bolsa que contenía los implementos de la confección de herramientas y unos cuantos trozos de pedernal, recordando a Dalanar y la Caverna que había fundado. Los Lanzadonii estaban multiplicándose; más personas se habían unido a ellos desde que él se fue, y las familias aumentaban. "Pronto habrá una Segunda Caverna de los Lanzadonii", pensó. Metió la bolsa en su mochila, encima los utensilios para cocinar, alimentos y demás equipo. Su rollo de dormir y la tienda iban encima de todo, y dos de los postes de la tienda, en un soporte al lado izquierdo de la mochila. Thonolan cargaba el cuero del piso y el tercer poste. En un soporte especial, a la derecha de sus mochilas, ambos llevaban varias lanzas.

Thonolan estaba llenando de nieve una bolsa de agua, hecha con el estómago de algún animal y cubierta de pieles. Cuando hacía mucho frío, como en las tierras altas del glaciar del altiplano que acababan de cruzar, llevaban las bolsas de agua dentro de su parka,* de manera que el calor del cuerpo pudiera derretir la nieve. En un glaciar no había combustible para prender fuego. Ya lo habían pasado, pero no se encontraban todavía a una altitud suficientemente baja para hallar agua corriente.

—Te diré una cosa, Jondalar —dijo Thonolan, alzando la vista—, me alegro de que Joplaya no sea prima mía. Creo que renunciaría a mi viaje para unirme a esa mujer. No me habías dicho que fuera tan bella. No conozco a nadie igual, no hay hombre que le pueda quitar la vista de encima. Agradezco haber nacido de Marthona después de que se uniera con Willomar y no cuando seguía siendo la compañera de Dalanar. Por lo menos, así me queda una oportunidad.

—¡Ya lo creo que es bella! Hacía tres años que no la veía y pensaba que a estas fechas ya estaría casada. Me alegro de que Dalanar haya decidido llevar a los Lanzadonii a la Reunión de los Zelandonii este verano. Con una sola caverna, no hay mucho donde escoger. Eso dará a Joplaya la oportunidad de conocer algunos hombres más.

—Sí, y a Marona le proporcionará algo de competencia. Casi lamento no poder presenciar el encuentro entre esas dos. Marona está acostumbrada a ser la belleza del grupo; va a odiar a Joplaya. Y con eso de que tú no vas a aparecer por ninguna parte, me da la impresión de que Marona no disfrutará mucho de la Reunión de Verano, este año.

—Tienes razón, Thonolan. Se sentirá lastimada y furiosa y no se lo puedo reprochar. Tiene genio pero es una buena mujer. Lo único que necesita es un hombre que sea lo suficientemente bueno para ella. Y sabe cómo complacer a un hombre. Cuando estoy junto a ella me dan ganas de atar el nudo, pero cuando no está cerca . . . yo no sé, Thonolan —y Jondalar frunció el entrecejo mientras ataba su parka con un cinturón después de haberse guardado dentro la bolsa del agua.

—Dime la verdad —preguntó Thonolan, nuevamente serio—. ¿Qué te pasaría si decidiera casarse con otro durante tu ausencia? Es probable que lo haga, ¿sabes?

Jondalar terminó de atarse el cinturón, mientras tanto reflexionaba.

---

* Parka: abrigo esquimal de piel con capucha.

—Lo sentiría, mejor dicho: mi orgullo lo sentiría... no estoy seguro con exactitud. Pero no se lo reprocharía. Creo que merece alguien mejor que yo, alguien que no la deje para echar a correr a última hora y emprender un viaje. Y si ella es feliz, me sentiré feliz por ella.

—Eso era lo que yo pensaba —comentó el hermano menor. Y luego, con sonrisa pícara dijo—: Bueno, hermano mayor, si vamos a llevarle la delantera a esa donii que viene tras de ti, será mejor que nos pongamos en marcha.

Thonolan terminó de llenar su mochila, después levantó su parka de pieles y sacó un brazo para colgarse del hombro la bolsa llena de nieve.

Las parkas estaban cortadas según un patrón muy sencillo. La delantera y la espalda eran piezas más o menos rectangulares unidas por una jareta a los lados y en los hombros, con dos rectángulos más pequeños doblados y cosidos formando tubos y unidos para hacer las mangas. Las capuchas, cosidas también, tenían una orla de piel de lobo alrededor del rostro, porque el hielo que se formaba con la humedad del aliento no se le pegaba. Las parkas estaban suntuosamente decoradas con cuentas de hueso, marfil, dientes de animales, y terminaban con las puntas negras de colas de armiño. Se pasaban por la cabeza y colgaban, flojas como túnicas, más o menos hasta medio muslo, y se ceñían alrededor del talle con un cinturón.

Por debajo de las parkas, los jóvenes llevaban camisas de suave piel de ante, confeccionadas según un patrón similar, y calzones de piel, con una aletilla al frente y sujetos por una jareta alrededor de la cintura. Mitones forrados de piel iban atados a un largo cordón que pasaba por una presilla en la espalda de la parka, de manera que pudieran retirarse rápidamente sin caerse ni perderse. Sus botas tenían suelas gruesas que, como mocasines, rodeaban el pie y estaban unidas a un cuero más suave que seguía la forma de la pierna y se replegaba y ataba con correas. En el interior había un forro de fieltro suelto, hecho con lana de muflones que se humedecía y machacaba hasta quedar aglomerada. Cuando el tiempo era demasiado lluvioso, intestinos de animales, impermeables, hechos para quedar bien ajustados, se ponían por encima de la bota, pero como eran delgados se desgastaban muy pronto, de modo que sólo se utilizaban cuando era necesario.

—Thonolan, ¿hasta dónde tienes pensado llegar, en serio? No intentarás, como dijiste, llegar hasta el final del Gran Río Madre, ¿verdad? —preguntó Jondalar, alzando un hacha de pedernal sujeta a un mango corto y robusto, bien moldeado, y metiéndola por un anillo de su cinturón junto al cuchillo de pedernal con mango de hueso.

Thonolan, interrumpido en el momento de ajustarse una raqueta al pie, se enderezó.

—Jondalar, lo dije en serio —afirmó, esta vez sin el menor asomo de broma.

—Entonces, quizá ni siquiera podamos regresar para la Reunión de Verano del año entrante.

—¿Acaso ya lo estás pensando mejor? Hermano, no tienes que venir conmigo. Lo digo en serio. No me enojaré si regresas . . . de todos modos, fue una decisión que tomaste a última hora. Sabes tan bien como yo que tal vez no regresemos nunca al hogar. Pero si quieres marcharte, será mejor que lo hagas ahora, pues de lo contrario te sería imposible cruzar de nuevo este glaciar antes del próximo invierno.

—No, no fue una decisión de última hora, Thonolan. Había estado pensando en hacer un viaje durante mucho tiempo, y ahora es la mejor oportunidad para realizarlo —dijo Jondalar con una entonación de finalidad y, pensó Thonolan, un matiz de amargura inexplicable en la voz. Luego, como si estuviera tratando de sacudirse todo aquello, Jondalar adoptó un tono más ligero—. Nunca he viajado mucho, y si no lo hago ahora, no lo haré nunca. Tomé mi decisión, hermanito, tendrás que aguantarme.

El cielo estaba claro, y el sol que reflejaba la nieve impóluta que se extendía ante ellos, cegaba. Aun cuando era ya primavera, a aquella altitud el paisaje no mostraba la menor señal de serlo. Jondalar metió la mano en una bolsa que le colgaba del cinturón y sacó un par de lentes para la nieve: estaban hechos de madera, su forma permitía que cubrieran por completo los ojos menos una fina rajita horizontal, y se ataban detrás de la cabeza. Entonces, con un movimiento ágil del pie para encajar el bucle de la correa en un saliente de la raqueta, entre el tobillo y los dedos del pie, se introdujo en sus raquetas y agarró su mochila.

Thonolan había hecho las raquetas. Su oficio era hacer lanzas, y llevaba consigo su enderezador de varas predilecto, implemento hecho con una cornamenta privada de sus púas y un orificio en un extremo. Estaba minuciosamente labrado con animales y plantas primaverales, en parte para honrar a la Gran Madre Tierra y persuadirla de que permitiera que los espíritus de los animales fueran atraídos por las lanzas hechas con la herramienta, pero también porque a Thonolan le encantaba tallar. Era inevitable que perdieran lanzas mientras cazaban, y habría que hacer otras nuevas por el camino. El enderezador se utilizaba particularmente en el extremo de la vara donde no era posible aferrarla con la mano, de manera que al insertarla en el orificio se obtenía un apalancamiento adicional. Thonolan sabía cómo aplicar presión a la madera, calentada con vapor o piedras calientes, para enderezar una vara o para doblarla en redondo y hacer una raqueta para la nieve. Eran aspectos distintos de una misma habilidad.

Jondalar se volvió para comprobar si su hermano estaba listo. Asintiendo con la cabeza, ambos echaron a andar y recorrieron pesadamente la cuesta que los llevaría hacia la línea boscosa que se extendía más abajo. A su derecha, a través de tierras bajas cubiertas de bosques, vieron los contrafuertes alpinos cubiertos de nieve y, a lo lejos, los helados picos de las sierras más septentrionales de la maciza cordillera. Hacia el Sureste, un altísimo pico brillaba por encima de sus hermanos.

Las montañas que habían atravesado eran poco más que colinas, comparadas con aquello: un macizo de montes erosionados y mucho más antiguos que los picos que se alzaban al Sur. Pero era suficientemente alto y suficientemente próximo a la áspera cordillera con sus glaciares macizos —que no sólo coronaban sino cubrían con su manto las montañas hasta altitudes moderadas— para mantener durante todo el año una capa de nieve sobre su cima relativamente achatada. Algún día, cuando el glaciar continental retrocediera hacia su hogar en el polo, esas tierras altas se cubrirían de bosques. Ahora eran una meseta cubierta por un glaciar, una versión reducida de las inmensas capas glaciales que cubrían el globo por el Norte.

Cuando los dos hermanos llegaron a la línea arbolada, se quitaron los lentes que aun cuando les protegían la vista también les quitaban visibilidad. Un poco más cuesta abajo encontraron una pequeña corriente de agua que había comenzado como fusión helada que se filtraba por grietas de la roca, había corrido bajo el suelo y surgía finalmente filtrada y libre de limo en un manantial resplandeciente; sus hilillos corrían entre orillas cubiertas de nieve como otros escurrimientos gélidos más.

—¿Qué te parece? —preguntó Thonolan haciendo un ademán hacia el riachuelo—. Está más o menos donde dijo Dalanar que estaría.

—Si es el Donau, muy pronto lo sabremos. Sabremos que estamos siguiendo el curso del Gran Río Madre en cuanto lleguemos a tres ríos pequeños que se unen y fluyen hacia el Este: eso fue lo que dijo. Yo creo que cualquiera de estos escurrimientos acabará por llevarnos finalmente a él.

—Bien, por ahora sigamos por la izquierda. No será tan fácil cruzarlo después.

—Es cierto, pero los Losadunai viven en la margen derecha, y podríamos detenernos en una de sus cavernas. La ribera izquierda se considera como región de los cabezas chatas.

—Jondalar, no nos detengamos con los Losadunai —dijo Thonolan con sonrisa seria—. Sabes que tratarán de que nos quedemos con ellos, y ya hemos permanecido demasiado tiempo con los Lanzadonii. De haber esperado un poco más para iniciar el viaje, no habríamos podido cruzar el glaciar; tendríamos que haberle dado un rodeo, y en el Norte es realmente territorio de los cabezas chatas. Quiero que avancemos, y no habrá muchos cabezas chatas tan lejos hacia el Sur como estamos ahora. Bueno, ¿y si los hubiera, qué? No les tendrás miedo a unos cuantos cabezas chatas, ¿verdad? Ya sabes lo que dicen, que matar un cabeza chata es igual que matar un oso.

—Yo no sé —dijo el hombre alto, arrugando el rostro con preocupación—. No estoy muy seguro de que me gustaría vérmelas con un oso. He oído decir que los cabezas chatas son listos. Hay quienes dicen que son casi humanos.

—Listos, tal vez, pero no saben hablar. Sólo son animales.

—No son los cabezas chatas los que me preocupan, Thonolan. Los Losadunai conocen esta región. Pueden ponernos en el buen camino. No tendremos que permanecer mucho tiempo, sólo lo necesario para saber dónde nos encontramos. Nos pueden dar algunas guías, alguna idea de lo que nos espera. Y podemos hablarles. Dalanar dijo que hay algunos que hablan Zelandonii. Te diré una cosa: si estás de acuerdo con detenernos ahora, aceptaré no visitar las siguientes cavernas hasta el viaje de regreso.

—Está bien. Si es realmente lo que quieres.

Los dos hombres buscaron un punto donde cruzar el río cuyas riberas estaban todavía cubiertas de nieve y que era demasiado ancho para poder cruzarse de un salto. Vieron un árbol que había caído atravesado, formando un puente natural, y hacia allí se dirigieron. Jondalar iba delante y, tratando de agarrarse con la mano, puso el pie en una de las raíces expuestas. Thonolan echó una mirada en derredor, esperando para seguirlo.

—¡Jondalar!, ¡cuidado! —gritó de repente.

Una piedra silbó junto a la cabeza del hombre alto. Mientras se tiraba al suelo al oír la advertencia, tendió la mano para sacar una lanza. Ya tenía Thonolan una en la mano y se agazapaba, mirando hacia el lugar de donde procedía la piedra. Vio movimiento detrás de las ramas enmarañadas de un arbusto sin hojas y arrojó el arma. Iba a tomar otra lanza cuando seis personajes salieron de la maleza próxima. Estaban rodeados.

—¡Cabezas chatas! —gritó Thonolan, echándose hacia atrás y apuntando.

—Espera, Thonolan —le gritó Jondalar—. Son más que nosotros. —El grandote parece el jefe de la manada. Si le atino, quizá los demás echen a correr —y volvió a prepararse para lanzar.

—¡No! Pueden atacarnos antes de que podamos agarrar otra lanza. Por el momento creo que los estamos dominando... no se mueven —Jondalar se puso de pie despacio, con el arma preparada—. No te muevas, Thonolan. A ellos les toca jugar. Pero no pierdas de vista al grandote. Puede ver que le estás apuntando con tu lanza.

Jondalar estudió al cabeza chata más alto y experimentó una sensación desconcertante: que los grandes ojos morenos que lo miraban lo estaban estudiando a él. Nunca había estado tan cerca de uno anteriormente, y se sorprendió. Aquellos cabezas chatas no se ajustaban a las ideas preconcebidas que tenía. Los ojos del grandote estaban dominados por arcos ciliares sobresalientes, acentuados por cejas enmarañadas. Tenía la nariz grande, estrecha, más bien parecida a un pico, lo cual contribuía a que los ojos parecieran más hundidos aún. La barba, espesa y algo rizada, le ocultaba la cara. Al mirar a un joven que no tenía barba, pudo percatarse de que carecían de barbilla: sólo sobresalía su quijada. El cabello era moreno y revuelto, como la barba, y todos mostraban tendencia a tener el cuerpo más cubierto de pelos, especialmente en la parte superior de la espalda.

Podía darse cuenta de que tenían más pelos porque sus mantos de pieles les cubrían más que nada el torso, dejando brazos y hombros al desnudo a pesar de la gélida temperatura. Pero sus vestiduras no lo sorprendieron tanto como el hecho de que llevaran ropa. Nunca había visto un animal cubierto de ropa, y ninguno llevaba armas. Y sin embargo, cada uno de aquéllos llevaba una larga lanza de madera —evidentemente para hundirla de golpe, no para lanzarla, aunque las puntas afiladas tenían un aspecto suf.- cientemente mortal— y algunos tenían pesados garrotes de hueso, patas delanteras de grandes rumiantes.

"Realmente, tienen quijada de animal", pensó Jondalar. "Sólo que sobresalen más, y sus narices son sólo narices grandes. En su cabeza, ahí está la verdadera diferencia".

En vez de frentes altas, como la de Thonolan y la de él, tenían la frente baja e inclinada hacia atrás sobre sus pesados arcos ciliares, completándose plenamente atrás. Parecía como si la parte superior de su cabeza, que se veía fácilmente, hubiera sido aplastada y empujada hacia atrás. Cuando Jondalar se irguió con sus seis pies y seis pulgadas, dominó al más alto desde más de un pie. Inclusive los seis pies justos de Thonolan le hacían parecer gigantesco al lado del que, por lo visto, era su jefe; pero eso era sólo la estatura.

Jondalar y su hermano eran, ambos, hombres bien constituidos, pero parecían huesudos junto a los musculosos cabezas chatas. Éstos tenían el torso potente y brazos y piernas gruesos, musculosos, ambos algo curvos hacia fuera, pero caminaban tan erectos como cualquier hombre. Cuanto más los miraba, más humanos le parecían, pero distintos de cualquier hombre que conociera.

Durante un buen rato nadie hizo el menor movimiento. Thonolan estaba agazapado con la lanza, listo para arrojarla; Jondalar estaba de pie, pero con la lanza firmemente aferrada, de modo que podría seguir a su hermano en una fracción de segundo. Los seis cabezas chatas que los rodeaban estaban tan inmóviles como piedras, pero Jondalar no abrigaba la menor duda respecto a la rapidez con que podrían lanzarse a la acción. Era un callejón sin salida, un empate, y la mente de Jondalar se aceleraba buscando una manera de salir del paso.

De repente, el cabeza chata más alto hizo un como gruñido y movió el brazo. Thonolan estuvo a punto de lanzar su arma, pero captó justo a tiempo el ademán de Jondalar para que se contuviera. Sólo el joven cabeza chata se había movido, y corrió de regreso hacia la maleza de la que había salido; regresó al instante, con la lanza que había arrojado Thonolan, y con gran pasmo de éste, se la entregó. Entonces el joven fue hacia el río junto al puente que formaba el árbol, y se agachó para sacar una piedra del agua. Volvió hacia el grandote con la piedra en la mano y pareció inclinarse ante él con expresión contrita. Un momento después los seis se habían disuelto nuevamente en el matorral de donde habían surgido.

Thonolan soltó un suspiro de alivio cuando se dio cuenta de que ya no estaban.

—¡No pensé que íbamos a salir con bien de ésta! Pero iba a llevarme uno conmigo. Me pregunto qué fue todo el asunto.

—No estoy seguro —respondió Jondalar— pero podría ser que el joven inició algo que el grandote no deseaba concluir, y no creo que se deba a que tuviera miedo. Había que tener valor para enfrentarse a tu lanza y hacer el movimiento que hizo.

—Quizá no se le ocurrió otra cosa.

—Él sabía. Te vio lanzar la primera vez. De otro modo, ¿por qué habría dicho al joven que fuera y te la devolviera?

—¿Crees de veras que se lo dijo? ¿Cómo? Si no saben hablar.

—No lo sé, pero en cierto modo el grandote dijo al joven que te devolviera tu lanza y recogiera su piedra. Como si las cosas quedaran así a mano. Como nadie fue lastimado, creo que así estuvo la cosa. Verás, no estoy tan seguro de que los cabezas chatas sólo sean animales. Lo que hicieron fue muy inteligente. Y yo no sabía que se pusieran pieles y llevaran armas, ni que caminaran como nosotros.

—Bueno, ahora sí sé por qué los llaman cabezas chatas. Y eran una pandilla de muy mala catadura. No quisiera vérmelas con uno de ellos mano a mano.

—Ya sé... parece que pudieran quebrarte un brazo como si fuera una rama seca. Siempre había creído que eran pequeños.

—Bajos tal vez, pero pequeños, no. Definitivamente: no son pequeños. Hermano mayor, tengo que admitirlo, tenías razón. Vamos a visitar a los Losadunai. Viven tan cerca que deben de saber algo más de los cabezas chatas. Además, el Gran Río Madre parece constituir una frontera, y diríase que los cabezas chatas no quieren que estemos de su lado.

Los dos hombres anduvieron varios días buscando los hitos que Dalanar les había señalado, siguiendo el río que en aquella parte no era muy diferente de los demás ríos, arroyos y riachuelos que fluían cuesta abajo. Sólo se escogió arbitrariamente éste, en particular, como fuente del Gran Río Madre. Casi todos se unían para formar el comienzo del gran río que habría de correr colinas abajo y serpentear por las planicies a lo largo de 1 800 millas, antes de vaciar su caudal en el mar interior, muy al Sureste.

Las rocas cristalinas del macizo que daba nacimiento al poderoso río eran de las más antiguas de la Tierra, y su amplia depresión estaba formada por las presiones extravagantes que habían alzado y plegado las ásperas montañas que brillaban en su pródigo esplendor. Más de trescientos afluentes, muchos de ellos anchos ríos que se llevaban el agua de las sierras a lo largo de su curso, habrían de unirse a sus voluminosas oleadas. Y algún día su fama alcanzaría los confines del globo, y sus aguas limosas y cargadas de lodo serían calificadas de azules.

Modificada por montañas y macizos, se sentía la influencia tanto del occidente oceánico como del oriente continental. La vida vegetal y la vida animal constituían una mezcla de las estepas del este y de la tundra-taiga occidental. Las altas pendientes veían íbices, gamuzas y muflones; en las tierras boscosas era más común el venado. El tarpán, un caballo salvaje que llegaría a ser domesticado algún día, pastaba en las tierras bajas bien abrigadas y las terrazas del río. Lobos, linces y leopardos de las nieves se escurrían silenciosamente entre las sombras. Saliendo de su hibernación y algo adormilados, había osos morenos omnívoros; los enormes osos cavernarios vegetarianos llegarían más tarde. Y muchos mamíferos pequeños empezaban a sacar el hocico de sus nidos de invierno.

Las pendientes estaban cubiertas sobre todo de pinos, aunque también se veían abetos, abetos blancos y alerces. Los alisos prevalecían más cerca del río, a menudo con sauces y álamos, pero pocas veces pasaban de ser algo más que arbustos los robles y las hayas jóvenes.

La ribera izquierda subía progresivamente desde el río. Jondalar y Thonolan treparon por la cuesta hasta llegar a la cima de una alta colina. Mirando el paisaje desde allí arriba, los dos hombres contemplaron una región salvaje, áspera y bella, suavizada por la capa blanca que llenaba las hondonadas y redondeaba los salientes. Pero la desilusión hacía que el camino se les antojara difícil.

No habían encontrado ninguno de los varios grupos de personas —se consideraba tales grupos como Cavernas, ya vivieran o no en una de ellas—, que se consideraban Losadunai. Jondalar comenzaba a creer que habían pasado sin verlos.

—¡Mira! —gritó Thonolan señalando con la mano.

Siguiendo la dirección del brazo tendido de su hermano, Jondalar vio que un jirón de humo salía de un bosquecillo. Se apresuraron en esa dirección y no tardaron en llegar junto a un grupo de personas que se apiñaban alrededor de una hoguera. Los hermanos llegaron hasta ellos alzando las manos por delante, mostrando las palmas, con el saludo tácito de sinceridad y amistad.

—Soy Thonolan de los Zelandonii. Éste es mi hermano Jondalar. Estamos realizando nuestro viaje. ¿Hay aquí alguien que hable nuestro idioma?

Un hombre de edad madura dio un paso al frente, alzando las manos del mismo modo.

—Yo soy Laduni de los Losadunai. En el nombre de Duna, la Gran Madre Tierra, sois bienvenidos —tomó las dos manos de Thonolan con las suyas y después saludó igualmente a Jondalar—. Venid y sentaos junto al fuego. Pronto habremos de comer. ¿Os uniréis a nosotros?

—Eres muy generoso —respondió ceremoniosamente Jondalar.

—Viajé hacia el Oeste en mi viaje, permanecí con una Caverna de Zelandonii. Hace bastantes años ya, pero los Zelandonii siempre son bienvenidos —los llevó hacia un tronco grande junto a la hoguera. Se había construido un cobertizo por encima, para protegerla del viento y el mal tiempo—. Aquí, descansad, retirad vuestra carga. Sin duda acabáis de llegar del glaciar.

—Hace pocos días —contestó Thonolan quitándose la mochila.

—Es tarde para cruzar. Ahora el fohn llegará en cualquier momento.

—¿El fohn? —preguntó Thonolan.

—El viento de primavera. Caluroso y seco, viene del Suroeste. Sopla con tanta fuerza que arranca árboles, rompe ramas. Pero derrite muy rápidamente la nieve. En unos cuantos días todo esto puede haber desaparecido y empezarán a salir los brotes —explicó Laduni, haciendo un gran arco con el brazo para indicar la nieve—. Si lo agarra a uno en el glaciar, puede resultar mortal. El hielo se derrite tan aprisa que se abren grietas. Los puentes y las cornisas de nieve ceden bajo los pies. Las corrientes, inclusive los ríos, empiezan a fluir sobre el hielo.

—Y siempre trae consigo el Malestar —agregó una joven, tomando el hilo de lo que contaba Laduni.

—¿Malestar? —le preguntó Thonolan.

—Malos espíritus que vuelan con el viento. Vuelven irritables a todos. Personas que nunca pelean empiezan de repente a discutir. La gente feliz llora sin cesar. Los espíritus pueden enfermarlo a uno, y si uno ya está enfermo, hacer que desee estar muerto. Ayuda algo saber lo que se puede esperar, pero entonces todo el mundo está de mal humor.

—¿Dónde aprendiste a hablar tan bien el Zelandonii? —preguntó Thonolan, sonriendo con admiración a la atrayente joven.

Ella devolvió la mirada de Thonolan con la misma sinceridad, pero en vez de responder se volvió hacia Laduni.

—Thonolan de los Zelandonii, ella es Filonia de los Losadunai, hija de mi hogar —dijo Laduni, pues comprendió muy pronto la solicitud silenciosa de una presentación formal. Eso permitió que Thonolan se diera cuenta de que tenía buena opinión de sí misma y no conversaba con extraños antes de haber sido presentada, ni aunque se tratara de guapos e interesantes extraños que iban de viaje.

Thonolan tendió las manos en el gesto formal de saludo; sus miradas apreciaban y revelaban su aprecio. Ella vaciló un instante, como si lo pensara, y entonces puso sus manos sobre las de él, que la atrajo más cerca.

—Filonia de los Losadunai, Thonolan de los Zelandonii se siente honrado de que la Gran Madre Tierra lo haya favorecido con el don de tu presencia —dijo con sonrisa entendida.

Filonia se ruborizó ligeramente ante la osada insinuación que sabía había hecho él con su alusión al Don de la Madre, aun cuando las palabras habían sido tan formales como parecía serlo su gesto. La joven sintió cierta excitación por el contacto con él, y sus ojos encerraban una chispa de invitación.

—Ahora dime —prosiguió Thonolan—: ¿dónde aprendiste Zelandonii?

—Mi primo y yo cruzamos el glaciar en nuestro viaje y vivimos una temporada con una Caverna Zelandonii. Ya nos había enseñado Laduni un poco... habla frecuentemente con nosotros en vuestro idioma, para no olvidarlo. Cada tantos años hace la travesía para comerciar. Él quería que yo aprendiera más.

Thonolan seguía sujetándole las manos y sonriéndole.

—Las mujeres no suelen hacer viajes prolongados y peligrosos. ¿Qué habría pasado si Doni te hubiera bendecido?

—No fue realmente tan prolongado —contestó ella, complacida por la admiración evidente que había despertado en él—. Lo habría sabido a tiempo para regresar.

—Fue un viaje tan largo como el que hacen muchos hombres —insistió Thonolan.

Jondalar, que estaba observando el intercambio, se volvió hacia Laduni.

—Ha vuelto a hacerlo —dijo, sonriendo con picardía—. Mi hermano nunca deja de reconocer a la mujer más atractiva que haya en los alrededores, y consigue encantarla en un abrir y cerrar de ojos.

Laduni ahogó una risita.

—Filonia es todavía joven. Sólo tuvo sus Ritos de los Primeros Placeres el verano pasado, pero desde entonces ha tenido suficientes admiradores como para que se le suba a la cabeza. Ah, ser joven de nuevo y nuevo para el Don del Placer de la Gran Madre Tierra. No es que no siga disfrutándolo, pero estoy a gusto con mi compañera y no siento con frecuencia el ansia de buscar una nueva excitación —se volvió hacia el joven alto y rubio—. Sólo somos una partida de caza y no tenemos muchas mujeres que nos acompañen, pero no creo que encuentres dificultad en hallar alguna de nuestras bendecidas por Duna que esté dispuesta a compartir el Don. Si ninguna te conviene, tenemos una gran Caverna, y los visitantes siempre son una oportunidad de realizar un festival en honor de la Madre.

—Mucho me temo que no os acompañemos hasta la Caverna. Acabamos de ponernos en marcha. Thonolan desea realizar un gran viaje y está ansioso por seguir adelante. Quizá cuando regresemos, si nos das indicaciones.

—Lamento que no vengais a visitarnos ... no hemos tenido muchos visitantes últimamente. ¿Hasta dónde pensáis llegar en este viaje?

—Thonolan habla de seguir el Donau hasta el final. Pero todo el mundo habla de un largo viaje, cuando empieza. ¿Quién sabe?

—Pensé que los Zelandonii vivían cerca del Agua Grande; al menos así era cuando efectué mi viaje. Llegué muy al Oeste y después al Sur. ¿Dices que es sólo el comienzo?

—Debería explicar. Tienes razón, el Agua Grande está sólo a pocos días de nuestra Caverna, pero Dalanar de los Lanzadonii fue compañero de mi madre cuando yo nací, y también su Caverna es como mi hogar. Pasé tres años allí mientras él me enseñaba el oficio. Mi hermano y yo permanecimos con él. La única distancia que hemos recorrido desde el principio ha sido a través del glaciar y un par de días más hasta llegar aquí.

—¡Dalanar! ¡Por supuesto! Me parecías familiar. Debes de ser un hijo de su espíritu; te pareces muchísimo a él. Y también tallador de pedernal. Si eres tan parecido a él en el oficio como en el aspecto, tienes que ser muy bueno. Es el mejor que conozco. Iba a visitarlo el año que viene para conseguir algo de las minas de pedernal de los Lanzadonii; no hay piedra mejor.

La gente se estaba acercando al fuego con tazones de madera, y los deliciosos aromas que provenían de esa dirección hicieron comprender a Jondalar el hambre que tenía. Recogió su mochila para quitarla del camino y de repente se le ocurrió.

—Laduni, traigo aquí un poco de pedernal Lanzadonii. Iba a utilizarlo para reparar alguna herramienta rota durante el viaje, pero pesa mucho y no me vendría mal deshacerme de una o dos piedras. Me gustaría regalártelas si quieres.

La mirada de Laduni se iluminó.

—Me alegraría aceptarlas pero querría darte algo a cambio. No tengo nada contra hacer un buen negocio, pero no me gustaría aprovecharme del hijo del hogar de Dalanar.

—Pero si ya te brindas a aliviar mi carga y me invitas a una comida caliente.

—Eso no basta para buena piedra de los Lanzadonii. Me lo facilitas demasiado, Jondalar. Lastimas mi orgullo.

Una muchedumbre animada los estaba rodeando, y cuando Jondalar soltó la carcajada, le hicieron coro.

—Está bien, Laduni. No te lo voy a facilitar. Ahora mismo nada me hace falta ... estoy tratando de aligerar mi carga. Te pido que me concedas alguna petición más adelante. ¿De acuerdo?

—Ahora él quiere aprovecharse de mí —dijo el hombre a los espectadores—. Por lo menos, di lo que es.

—¿Cómo podría decirlo? Pero quiero cobrarme durante mi viaje de regreso. ¿Entendido?

—¿Y cómo sabré yo que te lo puedo dar?

—No pediría nada que no pudieras darme.

—Tus condiciones son duras, Jondalar, pero si puedo, te daré lo que me pidas. Entendido.

Jondalar abrió su mochila, sacó lo que había encima de todo y entonces tomó la bolsa de herramientas y le dio a Laduni dos nódulos de pedernal que ya estaban preparados.

—Dalanar los escogió y realizó el trabajo preliminar —explicó.

La expresión de Laduni permitía comprender que no le parecía mal recibir dos trozos de pedernal seleccionados y preparados por Dalanar para el hijo de su hogar, pero rezongó lo suficientemente alto para que todos lo oyeran:

—Probablemente esté dando mi vida a cambio de dos trozos de piedra.

Ninguno hizo el menor comentario acerca de la probabilidad de que Jondalar regresara algún día para cobrarse.

—Jondalar, ¿te vas a quedar ahí toda la vida hablando? —dijo Thonolan—. Nos han invitado a compartir una comida, y esa carne de venado huele que alimenta —sonreía ampliamente y Filonia estaba a su lado.

—Sí, ya está la comida —dijo Filonia—, y la caza ha sido tan buena que no hemos consumido mucha carne seca de la que traíamos. Ahora que has aligerado tu carga te quedará espacio para llevarte un poco, ¿no es cierto? —preguntó, mirando de soslayo a Laduni con expresión taimada.

—Sería muy de agradecer. Laduni, todavía no me has presentado a la preciosa hija de tu hogar —dijo Jondalar.

—Es un día terrible cuando la hija del propio hogar socava los negocios que hace uno —murmuró, pero su sonrisa estaba llena de orgullo—. Jondalar de los Zelandonii, Filonia de los Losadunai.

Ella se volvió para mirar al hermano mayor, y de repente se encontró perdida en unos ojos abrumadoramente vivos y azules que le sonreían desde arriba. Se ruborizó con una mezcla de emociones al sentirse súbitamente atraída hacia el otro hermano, y agachó la cabeza para disimular su confusión.

—¡Jondalar! No creas que no veo ese brillo de tus ojos. Recuerda que yo la vi primero —bromeó Thonolan—. Vamos, Filonia, voy a apartarte de aquí. Deja que te prevenga, mantente lejos de ese hermano mío. Créeme, bien sé yo que no querrás tener nada que ver con él —se volvió hacia Laduni y con enojo fingido, exclamó—: ¡Siempre lo hace! Una mirada le basta. ¡Ojalá hubiera nacido yo con las ventajas de mi hermano!

—Tienes más ventajas de las que le hacen falta a ningún hombre, hermanito —dijo Jondalar, y soltó su alegre, cálida y vigorosa carcajada.

Filonia se volvió hacia Thonolan y pareció aliviada al comprobar que era tan atrayente como cuando lo vio al principio. Él le rodeó el hombro con el brazo y la llevó hacia el otro lado del fuego, pero ella volvió la cabeza para mirar otra vez al otro. Sonriendo más confiada, dijo:

—Siempre tenemos un festival en honor de Duna cuando vienen visitantes a la Caverna.

—No van a ir a la Caverna, Filonia —dijo Laduni. La joven pareció desilusionada un instante, después se volvió hacia Thonolan y sonrió.

—¡Ah, ser de nuevo joven! —exclamó Laduni con una risa ahogada—. Pero las mujeres que más honran a Duna parecen tener más frecuentemente la bendición de los hijos. La Gran Madre Tierra sonríe a quienes aprecian sus dones.

Jondalar colocó su mochila detrás del tronco y se dirigió al fuego. Un guisado de venado cocía en una olla que era un pellejo de cuero sostenido por un armazón de huesos atados unos a otros. Colgaba directamente encima del fuego. El líquido hirviente, aun cuando no estaba lo suficientemente caliente para cocer el guisado, mantenía la temperatura de la olla al nivel necesario sin que se quemara. La temperatura de combustión del cuero era mucho más elevada que el guisado hirviendo.

Una mujer le tendió un tazón de madera lleno del sabroso caldo y se sentó junto a él sobre el tronco. Él utilizó su cuchillo de pedernal para destazar los trozos de carne y verduras —pedazos de raíces secas que habían traído consigo— y bebió el líquido del tazón. Cuando hubo terminado, la mujer le llevó una taza más pequeña llena de té de hierbas; él se lo agradeció con una sonrisa. Ella tendría unos cuantos años más que Jondalar, los suficientes para haber cambiado la lindura de la juventud por la verdadera belleza que la madurez imparte. Le sonrió también y volvió a sentarse a su lado.

—¿Hablas Zelandonii? —preguntó Jondalar.

—Hablo poco, comprendo más —fue la respuesta.

—¿Tendré que pedirle a Laduni que nos presente o puedo preguntar cuál es tu nombre?

La mujer sonrió de nuevo con ese matiz de condescendencia que caracteriza a la mujer mayor.

—Sólo las muchachas jóvenes necesitan que alguien diga nombre. Yo, Lanalia. ¿Tú Jondalar?

—Sí —respondió el joven. Podía sentir el calor de la pierna de ella, y la excitación que experimentó se reveló en su mirada. Ella le devolvió una mirada ardiente. Él acercó su mano al muslo de ella que se acercó con un movimiento que lo alentó y prometió experiencia. Asintió con la cabeza a la mirada invitadora aun cuando no hacía falta: los ojos de él devolvían la invitación. Lanalia echó una mirada por encima del hombro; Jondalar siguió esa mirada y vio que Laduni se acercaba a ellos. La mujer se quedó tranquilamente sentada a su lado; esperarían a que fuera más tarde para cumplir la promesa.

Laduni se acercó a ellos y poco después Thonolan vino al lado de su hermano, junto al fuego, con Filonia. Muy pronto todo el mundo estuvo apiñado alrededor de los dos visitantes. Hubo chistes y bromas, traducidos para los que no comprendían. Finalmente Jondalar decidió abordar un tema más serio.

—Laduni, ¿sabes mucho de la gente que hay río abajo?

—Solíamos recibir algún visitante eventual de los Sarmunai. Viven río abajo, en la orilla norte, pero hace años ya. A veces. En ocasiones los jóvenes van todos por el mismo camino en sus viajes. Después se vuelve algo conocido y no tan excitante, de modo que toman otro rumbo. Después de más o menos una generación, sólo los viejos recuerdan, y se convierte en aventura reanudar el primer camino. Todos los jóvenes creen que sus descubrimientos son nuevos. No importa que sus antepasados hayan hecho lo mismo.

—Es nuevo para ellos —dijo Jondalar, pero no continuó por el camino filosófico. Quería información consistente antes que dejarse arrastrar a una discusión que podría ser deleitable pero carente de beneficio práctico inmediato—. ¿Puedes decirme algo de sus costumbres? ¿Conoces algunas palabras de su lengua? ¿Saludos? ¿Qué deberemos evitar? ¿Qué pudiera resultar ofensivo?

—No sé mucho, y lo que sé no es reciente. Había un hombre que se fue hacia el Este hace años, pero no ha regresado. Quién sabe, tal vez decidiera establecerse en otra parte —dijo Laduni—. Dicen que hacen sus dunai con barro, pero sólo son habladurías. No sé por qué iba nadie a querer hacer imágenes de la Madre con barro. Al secarse, se desmoronarían.

—Quizá porque está más cerca de la tierra. Hay gente que prefiere la piedra por esa razón.

Al hablar, Jondalar metió involuntariamente la mano en la bolsa que llevaba colgada del cinturón y tocó la figurilla de piedra que representaba una mujer obesa. Sintió los enormes senos, el enorme vientre salido y sus muslos y nalgas, más que amplios. Brazos y piernas eran insignificantes, los aspectos de la Madre eran lo que importaba, y los miembros de la figurilla de piedra sólo estaban sugeridos. La cabeza era una bola con una sugerencia de cabellos que caían sobre el rostro, sin facciones.

Nadie podía mirar la espantosa cara de Doni, la Gran Madre Tierra, la Antepasada Antigua, la Primera Madre, Creadora y Sustentadora de toda vida. Ella que bendecía a las mujeres con Su poder de crear y traer vida al mundo. Y ninguna de las pequeñas imágenes de Ella que portaban Su Espíritu, el donii, se atrevió jamás a sugerir Su rostro. Aun cuando se revelaba entre sueños, Su rostro solía ser vago, pero los hombres la veían frecuentemente con un cuerpo joven y núbil. Algunas mujeres afirmaban que podían tomar la forma de Su espíritu y volar como el viento para llevar la suerte o infligir venganza, y Su venganza podía ser grande.

Si Ella se sentía enojada o deshonrada, era capaz de muchos hechos temibles, pero el más amenazador consistía en retirar Su maravilloso Don del Placer que llegaba cuando una mujer decidía abrirse a un hombre. La Gran Madre y, se decía, algunas de quienes La Servían, podían proporcionar a un hombre el poder de compartir Su Don con tantas mujeres y con toda la frecuencia que quisiera, pero también podían hacer que se secara y no le fuera posible proporcionar Placer a ninguna ni encontrarlo él.

Jondalar acarició distraídamente los enormes senos pétreos de la donii que llevaba en la bolsa, deseando tener suerte mientras pensaba en su viaje. Era cierto que algunos nunca regresaban, pero eso formaba parte de la aventura. Entonces Thonolan hizo una pregunta a Laduni, y Jondalar volvió a prestarles atención.

—¿Qué sabes de los cabezas chatas que hay por aquí? Tropezamos con una manada hace un par de días. Creí que íbamos a terminar nuestro viaje ahí y en ese mismo instante —de repente, la atención de todos se centró en Thonolan.

—¿Qué pasó? —preguntó Laduni, y había tensión en su voz.

Thonolan relató el incidente con los cabezas chatas.

—¡Charoli! —exclamó Laduni, como escupiendo.

—¿Quién es Charoli? —preguntó Jondalar.

—Un joven de la Caverna Tomasi, y el instigador de una pandilla de rufianes que se han metido en la cabeza divertirse con los cabezas chatas. Nunca habíamos tenido problemas con ellos. Ellos permanecían en su lado del río, nosotros en el nuestro. Si cruzábamos, se mantenían fuera del camino a menos que permaneciéramos demasiado tiempo. Entonces, lo único que hacían era mostrar que nos estaban observando. Con eso bastaba. Se pone uno nervioso cuando una partida de cabezas chatas se quedan mirándolo.

—¡No cabe la menor duda! —dijo Thonolan—. Pero, ¿qué quiere decir eso de "divertirse con los cabezas chatas"? A mí no se me ocurriría meterme en líos con ellos.

—Todo empezó como una broma. Uno provocaba al otro diciéndole que corriera y tocara a un cabeza chata, si se atrevía. Pueden volverse bastante feroces si los fastidias. Entonces los jóvenes comenzaron a juntarse contra un cabeza chata que encontraron aislado ... lo rodeaban y le hacían renegar para que los persiguiera. Por lo general, cualquier hombre puede ganarles a la carrera, pero tendrá que seguir corriendo: los cabezas chatas tienen patas cortas pero mucho aliento. No sé exactamente cómo empezó todo, pero al cabo de poco tiempo la pandilla de Charoli estaba dándoles palizas. Sospecho que uno de esos cabezas chatas a quienes fastidiaban agarró a uno, y los demás intervinieron para defender a su amigo. Sea como fuere, lo tomaron por costumbre, pero inclusive siendo varios contra un solo cabeza chata, no se salvaron sin unas cuantas magulladuras.

—No lo puedo creer —dijo Thonolan.

—Pero lo que hicieron después fue peor aún —agregó Filonia.

—¡Filonia! ¡Es repugnante! No quiero que hables de eso —dijo Laduni, y estaba verdaderamente enfadado.

—¿Qué hicieron? —preguntó Jondalar—. Si vamos a cruzar por territorio de los cabezas chatas, será mejor que lo sepamos.

—Supongo que tienes razón, Jondalar. Lo que pasa es que me desagrada hablar de ello delante.de Filonia.

—Soy una mujer adulta —afirmó ella, pero no sonó muy convincente.

El hombre la miró, reflexionando, después pareció tomar una decisión:

—Los machos comenzaron a salir sólo por parejas o grupos, y eso fue demasiado para la pandilla de Charoli. De manera que empezaron a tratar de fastidiar a las hembras. Pero las hembras de los cabezas chatas no pelean. No es divertido fastidiarlas, sólo se asustan y echan a correr. De modo que la pandilla decidió utilizarlas para otro tipo de juego. No sé quién se atrevería primero ... probablemente fue Charoli quien los incitó. Es la clase de cosas que es capaz de hacer.

—¿Los incitó a qué? —preguntó Jondalar.

—Empezaron a forzar a hembras de los cabezas chatas ... —Laduni no podía terminar. Se puso de pie más que iracundo. Estaba realmente rabioso—. ¡Es abominable! Deshonra a la Madre, abusa de Su Don. ¡Animales! ¡Pero qué animales! ¡Peor que cabezas chatas!

—¿Quieres decir que buscaban el placer con hembras de cabezas chatas? ¿Las forzaban?, ¿a las hembras de los cabezas chatas? —dijo Thonolan.

—¡Y se jactaban de ello! —dijo Filonia—. Yo no dejaría que se me acercara un hombre que haya tomado su placer con una cabeza chata.

—¡Filonia! ¡No debes comentar esas cosas! No quiero que un lenguaje tan sucio y repugnante salga de tu boca —dijo Laduni. Había pasado la fase de la ira: ahora sus ojos eran duros como la piedra.

—¡Sí, Laduni! —dijo la joven, avergonzada y agachando la cabeza.

—Me pregunto qué les parecería a ellos —comentó Jondalar—. Tal vez por eso el joven me atacó. Creo que estarían furiosos. He oído decir que podían ser humanos ... y si lo fueran ...

—¡He oído ese tipo de cosas! —dijo Laduni, tratando de dominarse—. ¡No lo creo!

—El jefe de la manada con la que nos tropezamos era listo, y caminan sobre sus patas traseras igual que nosotros.

—También los osos caminan con sus patas traseras a veces. ¡Los cabezas chatas son animales! ¡Animales inteligentes, pero animales! —Laduni luchaba por recobrar la calma, consciente de que el grupo entero se sentía incómodo—. Por lo general son inofensivos a menos que uno los moleste —prosiguió—. No creo que sea por las hembras ... dudo mucho que comprendan cómo deshonra eso a la Madre. Pero que los provoquen y los golpeen ... Cuando los animales se sienten suficientemente enojados, devuelven los golpes.

—Creo que la pandilla de Charoli nos ha provocado problemas —dijo Thonolan—. Queríamos pasar al margen derecho para no tener que preocuparnos por atravesar el río cuando se convierte en Gran Río Madre.

Laduni sonrió. Ahora que habían cambiado de tema, su ira lo dejó tan súbitamente como había llegado.

—El Gran Río Madre tiene afluentes que son grandes ríos, Thonolan. Si lo vas a seguir por todo el camino hasta el final, tendrás que acostumbrarte a cruzar ríos. Permite que te haga una sugerencia. Sigue por esta orilla hasta el gran torbellino. Ahí se separa en canales a medida que corre sobre tierras llanas, y es más fácil cruzar brazos más pequeños que un río grande. Para entonces también hará más calor. Si deseáis visitar a los Sarmunai, hay que ir hacia el Norte después de cruzar.

—¿A qué distancia estará el torbellino? —preguntó Jondalar.

—Te voy a esbozar un mapa —dijo Laduni, sacando su cuchillo de pedernal—. Lanalia, dame ese pedazo de corteza. Quizá alguien más agregue otros hitos más adelante. Contando las travesías de los ríos y la caza por el camino, se podría llegar al lugar en que el río se vuelve hacia el Sur para el verano.

—El verano —reflexionó Jondalar—. Estoy tan harto de hielos y nieve que apenas tengo paciencia para esperar la llegada del verano. Algo de calor no me vendría mal —vio que la pierna de Lanalia estaba nuevamente junto a la suya, y le puso la mano sobre el muslo.

Capítulo 3

Las primeras estrellas perforaban el cielo vespertino mientras Ayla se abría paso cuidadosamente por el empinado lado rocoso del barranco. Tan pronto como se apartó de la orilla, el viento cesó, y la joven se detuvo un instante para saborear su ausencia. Pero las murallas también cortaban la luz menguante. Para cuando llegó abajo, los densos matorrales a lo largo del riachuelo eran sólo una silueta enmarañada sobre el reflejo movedizo de las miríadas de puntos brillantes allá arriba.

Tomó un trago largo y refrescante del río y después buscó su camino hacia la oscuridad más profunda del farallón. No se tomó la molestia de armar la tienda sino que tendió su piel y se enrolló en ella, sintiéndose más segura con una pared a la espalda que bajo su tienda en las planicies descampadas. Vio cómo una luna jorobada mostraba su rostro casi redondo por encima del borde del barranco, antes de quedarse dormida.

¡Despertó bruscamente, dando gritos!

Se enderezó —un espanto horrible se había apoderado de ella, golpeándole las sienes y acelerando locamente su corazón— y se quedó mirando formas imprecisas dentro del vacío negro sobre negro que tenía delante. Brincó al ver un destello de luz cegadora y oír simultáneamente un tremendo crujido. Estremecida, observó cómo un alto pino, alcanzado por el rayo, se partía y lentamente, todavía unido a su otra mitad, caía en tierra. Era algo irreal, aquel árbol en llamas iluminando su propia escena mortuoria y lanzando sombras grotescas sobre la muralla que había detrás.

El fuego escupió y silbó mientras una lluvia recia lo apagaba. Ayla se apretó más aún contra la pared, sin percatarse de sus lágrimas calientes ni de las frías gotas que le bañaban la cara.

El primer trueno lejano, recordando el rugido de un terremoto, había atizado otro sueño recurrente de las cenizas de una memoria oculta; una pesadilla que nunca podía recordar del todo al despertar y que siempre la dejaba con una sensación de mareo, incomodidad y pena abrumadora. Otro rayo brillante, seguido por un fuerte rugido, llenó momentáneamente el vacío negro con una brillantez fantasmagórica, dándole una breve visión de las escarpadas murallas y el tronco rasgado y quebrado como una ramita por el potente dedo de luz del cielo.

Temblando, tanto por el miedo como por el frío mojado y penetrante, se aferró a su amuleto, buscando cualquier cosa que le brindara protección. Era una reacción que sólo en parte había sido provocada por el rayo y el trueno. A Ayla no le agradaban mucho las tormentas, pero estaba acostumbrada a presenciarlas; solían ser más útiles que destructoras. Seguía experimentando el coletazo emocional de su pesadilla de terremoto. Los terremotos eran un mal que nunca dejaba de provocar pérdidas devastadoras ni de infligir cambios en su vida, y no había nada que le inspirara más miedo.

Finalmente se dio cuenta de que estaba empapada y sacó su tienda de cuero del cuévano. Se lo echó por encima de las pieles de dormir como una cobija y hundió la cabeza por debajo. Todavía seguía temblando mucho después de haber entrado en calor, pero a medida que transcurría la noche la horrible tormenta fue pasando, y Ayla pudo dormir.

Los pajarillos llenaban el aire mañanero con gorjeos, trinos y estruendosos graznidos. Ayla empujó su cobija y miró a su alrededor, encantada. Un mundo de verdes, mojados aún de lluvia, relucía bajo el sol matutino. Estaba en una ancha playa pedregosa, justo donde un riachuelo hacía un recodo hacia el Este en su curso serpenteante, generalmente orientado hacia el Sur.

En la orilla opuesta, una hilera de pinos de un verde oscuro llegaba hasta lo alto de la muralla que tenían detrás, pero no más allá. Todo intento por crecer sobre la orilla del desfiladero se veía atajado por los vientos despiadados de las estepas que se extendían más arriba. Eso daba a los árboles más altos un peculiar aspecto romo, pues su crecimiento se veía obligado a una plenitud de ramas. Un enorme gigante de simetría casi perfecta, sólo estropeada por una cima que crecía en ángulo recto en relación con el tronco, se alzaba junto a otro que tenía un tocón alto, quemado y serruchado, aferrado a su cima invertida. Los árboles crecían en una franja estrecha del otro lado del río, entre la orilla y la muralla, y algunos estaban tan cerca del río que se les veían las raíces.

En el lado en que se encontraba Ayla, río arriba de la playa de guijarros, sauces flexibles se arqueaban, llorando largas lágrimas de hojas de un verde pálido dentro del río. Los tallos aplastados de los álamos temblones hacían que las hojas temblaran al soplo suave de la brisa. Abedules de blanca corteza crecían agrupados mientras que sus primos, los alisos, sólo eran altos arbustos. Había lianas trepando y enrollándose en los árboles, y matorrales de muchas variedades se apiñaban cerca del río.

Ayla había recorrido las estepas secas y agostadas por tanto tiempo que había olvidado cuán bello puede ser lo verde. El riachuelo destellaba una invitación, y olvidando sus temores por la tormenta, dio un brinco y echó a correr por la playa. Lo primero que se le ocurrió fue beber; después, bajo un impulso, desató la larga correa de su manto, se quitó el amuleto y se lanzó al agua. La orilla se sumía rápidamente, y la joven se zambulló primero, y después nadó hasta la orilla opuesta.

El agua estaba fresca, y limpiarse la tierra y la mugre de las estepas fue un placer muy apreciado. Nadó río arriba y sintió cómo cobraba fuerza la corriente y cómo se hacía más fría el agua al estrecharse las murallas y apresar el río. Se puso boca arriba y, mecida por el vigor del agua, dejó que la corriente la llevara río abajo. Levantó la mirada hacia el azul profundo que llenaba el espacio entre los altos farallones, y entonces divisó un orificio oscuro en la muralla, del otro lado de la playa y río arriba. "¿Sería una caverna?", se preguntó con algo de excitación. "Me pregunto si sería difícil llegar a ella".

La joven vadeó de regreso a la playa y se sentó en las piedras calientes para dejar que el sol la secara. Le llamaron la atención los gestos rápidos y animados de pajarillos que brincaban en el suelo cerca del matorral, picoteando gusanos que la lluvia nocturna había sacado de entre la tierra y saltando de rama en rama alimentándose de arbustos cargados de bayas.

"Mira esas frambuesas, lo grandes que son", pensó. Al acercarse fue recibida por un revolotear de alas que se calmó pronto. Ayla se metió puñados de las frambuesas dulces y jugosas en la boca. Una vez que se llenó, se lavó las manos y se puso el amuleto, pero arrugó la nariz a la vista de su manto, mugroso, lleno de manchas y de sudor. No tenía otro. Al volver a la caverna destruida por el terremoto, justo antes de marchar, en busca de ropa, alimentos y refugio, sólo la había preocupado la supervivencia, no la idea de tener manto de recambio para el verano.

Y estaba pensando de nuevo en la supervivencia. Sus pensamientos desesperanzados en las estepas secas y espantosas se habían disipado en aquel valle verde y fresco. Las frambuesas le habían estimulado el apetito más que calmárselo. Deseaba algo más sustancioso que comer, y se fue hasta el lugar donde había dormido para tomar la honda. Extendió la tienda húmeda y las pieles mojadas sobre las piedras caldeadas por el sol, y se puso el manto sucio antes de dedicarse a buscar guijarros redondos y suaves.

Tras un cuidadoso examen comprobó que la playa tenía algo más que piedras. También estaba sembrada de madera flotante de un gris apagado y de huesos blancos y descoloridos, muchos de ellos amontonados en una enorme pila contra un muro saliente. Violentas crecidas primaverales habían arrancado árboles y barrido con animales descuidados, los habían arrojado por el estrecho espacio de roca río arriba, azotándolos después contra una cerrada de la muralla próxima mientras el agua arremolinada daba vuelta al recodo. Ayla vio cornamentas gigantescas, largas astas de bisonte y varios colmillos de marfil, curvos y enormes, en el montón; ni siquiera el gran mamut estaba a salvo de la fuerza de la inundación. Grandes peñas estaban también mezcladas con los desechos, pero los ojos de la mujer se entrecerraron al ver varias piedras de un gris de cal y de grosor mediano.

"¡Eso es pedernal!", se dijo después de mirar más de cerca. "Estoy segura de que lo es. Necesito una piedra martillo para romper una, pero estoy segurísima de que sí". Muy excitada, Ayla recorrió la playa con la mirada en busca de alguna piedra suave y ovalada que pudiera sostener cómodamente con la mano. Cuando encontró una, golpeó la cubierta exterior gredosa del nódulo. Un trozo de la corteza blancuzca saltó, exponiendo el brillo apagado de la piedra gris oscuro que contenía.

"¡Es pedernal! ¡Ya lo sabía!" Por su mente corrían pensamientos acerca de las herramientas que podría confeccionar. "Inclusive podré hacer algunas de repuesto. Así no tendré que preocuparme tanto si se me rompe algo". Esculcó entre otras cuantas de las piedras pesadas, arrebatadas a los depósitos calcáreos de allá lejos, río arriba, y transportados por la poderosa corriente hasta que los detuviera el pie de la muralla rocosa. El descubrimiento la había alentado a seguir buscando.

La muralla, que durante las crecientes presentaba una barrera al torrente, avanzaba hacia el interior del recodo del río. Encerrado entre sus orillas normales, el nivel del agua era lo suficientemente bajo para permitir un fácil acceso dando un rodeo, pero cuando

Ayla miró hacia abajo, se detuvo; ante ella se extendía el valle que había divisado desde arriba.

Alrededor del recodo, el río se ensanchaba y hacía espuma encima y alrededor de rocas que se veían entre el agua baja. Fluía hacia el Este al pie de la escarpada muralla opuesta del desfiladero. A lo largo de sus orillas, árboles y arbustos, protegidos del viento cortante, crecían a alturas suntuosas. A su izquierda, más allá de la barrera de piedra, la muralla del desfiladero se desviaba y su pendiente se reducía formando una cuesta inclinada que se unía a la estepa hacia el Norte y el Este. Más adelante, el amplio valle era un campo lujuriante de heno maduro que ondeaba como un oleaje bajo las ráfagas de viento que bajaban por la cuesta norte, y a medio camino de su longitud, la pequeña manada de caballos estaba pastando.

Ayla, respirando la belleza y tranquilidad de la escena, apenas podía creer en la existencia de un lugar como aquél en medio de la pradera seca y barrida por el viento. El valle era un oasis extravagante oculto en una grieta de la árida planicie; un microcosmo de abundancia; era como si la naturaleza, restringida a la economía utilitaria de la estepa, derrochara su generosidad desmedidamente cuando se le brindaba la oportunidad.

La joven estudió los caballos a lo lejos; la intrigaban. Eran animales robustos, compactos, con patas más bien cortas, cuellos gruesos y cabezas pesadas con hocicos salientes que le recordaron las narices grandes y prominentes de algunos hombres del Clan. Tenían el pelaje tupido y áspero, y crines tiesas y cortas. Aun cuando algunos eran más bien grises, la mayoría tenían matices de amarillento desde el beige neutro de la tierra hasta el color del heno maduro. Algo aparte, hacia un lado, había un garañón color del heno, y Ayla se fijó en varios pollinos que tenían el mismo matiz. El caballo padre alzó la cabeza, sacudió sus cortas crines y relinchó.

—Estás orgulloso de tu clan, ¿verdad? —le dijo Ayla con un ademán, sonriendo.

Echó a andar por el campo cerca de los arbustos que orlaban la orilla del río. Observó la vegetación sin pensar conscientemente en lo que veía, tan consciente de las cualidades medicinales como de los valores nutritivos. Había sido parte de su adiestramiento como curandera, aprender a recolectar plantas por su magia curativa, y era muy poco lo que no podía identificar inmediatamente. Esta vez andaba en busca de comida.

Observó las hojas y el tallo de flores umbeladas secas que señalaban la existencia de zanahorias silvestres a unas cuantas pulgadas bajo la superficie, pero pasó a su lado como si no las hubiera visto. La impresión era engañosa; recordaría el lugar con la misma precisión que si lo hubiera señalado, pero la vegetación se quedaba siempre quieta. Su mirada aguda había captado la pista de una liebre, y por el momento estaba dedicada a conseguir carne.

Con el paso furtivo y silencioso del cazador experimentado, siguió excrementos recientes, una hierba aplastada, una leve huella en la tierra, y justo más adelante distinguió la forma del animal que se ocultaba entre un camuflaje natural. Sacó la honda de la correa de la cintura y echó mano de dos piedras escondidas en un repliegue de su manto. Cuando la liebre brincó, Ayla estaba preparada. Con la gracia inconsciente que dan años de práctica, lanzó una piedra y en el instante siguiente otra, y oyó un *tuak tuak* satisfactorio. Ambos proyectiles habían dado en el blanco.

Ayla recogió su pieza y pensó en los tiempos en que aprendió sola aquella técnica de las dos piedras. Un intento excesivamente confiado por matar un lince le había demostrado hasta qué punto era vulnerable. Pero habían sido necesarias largas sesiones de prácticas para perfeccionar el modo de colocar una segunda piedra en posición durante el retroceso de la honda tras la primera, para poder disparar prestamente dos piedras en rápida sucesión.

Mientras volvía sobre sus pasos, cortó una rama de árbol, la afiló en punta en un extremo y lo aprovechó para sacar de la tierra las zanahorias silvestres; las metió en un repliegue de su manto y despojó dos ramas bifurcadas antes de regresar a la playa. Dejó en el suelo liebre y raíces y sacó del cuévano la vara y la plataforma para prender fuego; después se puso a recoger madera flotante seca que había debajo de grandes trozos en el montón de huesos, y ramitas caídas al pie de los árboles. Con el mismo instrumento que había empleado para afilar el palo de cavar, uno que tenía una muesca en forma de V en el filo, sacó virutas de un palo seco. Después peló corteza peluda y suelta de los tallos de artemisa y vellón seco de las vainas de chamico.

Encontró un lugar confortable donde sentarse, después escogió la leña de acuerdo con el tamaño y ordenó las diferentes clases de combustible a su alrededor. Examinó la plataforma, un trozo de liana de clemátide seca, abrió una pequeña muesca a lo largo de un borde con un abrehoyos de pedernal y ajustó un extremo de tallo de espadaña seca, de la estación pasada, en el orificio para comprobar el tamaño. Puso las hilachas de madera en un nido de corteza correosa debajo de la muesca de la plataforma del fuego y las amontonó con el pie; entonces puso el extremo del tallo de espadaña en la muesca y aspiró hondo: prender fuego exigía concentración.

Situando la vara entre las palmas de las manos juntas, desde arriba, comenzó a hacerla girar adelante y atrás, presionando hacia abajo. Mientras la hacía girar, la presión constante hacía bajar sus manos hasta casi tocar la plataforma. Si otra persona hubiera estado ayudando, habría sido el momento de que ésta comenzara desde arriba. Pero como estaba sola, tenía que llegar hasta abajo y volver arriba rápidamente sin dejar que se perdiera el ritmo de los giros ni reducir la presión por más de un instante, pues de lo contrario el calor producido por la fricción se habría disipado y no se acumularía lo suficiente para que la madera prendiera. Era un trabajo esforzado que no permitía descanso.

Ayla se abandonó al ritmo del movimiento, ignorando el sudor que le corría por la frente y le caía en los ojos. Con el movimiento continuo, el orificio fue agrandándose y se acumuló el serrín de la madera blanda. Ayla olió a humo, y vio que se ennegrecía el orificio antes de ver el humo mismo, y eso la alentó a perseverar aunque le dolían los brazos. Finalmente un pequeño carbón se quemó a través de la plataforma y cayó en el nido de fibras secas que había debajo. La siguiente etapa resultaba más crítica aún, pues si se apagara la brasa, habría que volver a empezar desde el principio.

Se inclinó hasta tener el rostro tan cerca del carbón que podía sentir el calor, y se puso a soplarle. Lo vio volverse más brillante a cada soplo, y apagarse a medida que aspiraba otra bocanada de aire. Mantuvo virutas pequeñísimas junto al trozo de madera encendida y vio cómo se iluminaban y ennegrecían sin llamear. Entonces una llamita apareció; Ayla sopló más fuerte, agregó más viruta y cuando ya tuvo ardiendo un montoncito, agregó unas cuantas leñitas secas.

Sólo descansó cuando tuvo llameando grandes leños de madera flotante, y un fuego firmemente establecido. Recogió unos cuantos leños más y los amontonó allí cerca; entonces, con otra herramienta un poco más grande, también mellada, raspó la corteza de la rama verde que había cortado para sacar las zanahorias silvestres. Plantó las ramas bifurcadas erguidas a ambos lados del fuego, de manera que la rama afilada se apoyara cómodamente en ellas, y se dedicó a desollar la liebre.

Para cuando el fuego se convirtió en carbones encendidos, la liebre estaba metida en la brocheta y lista para asar. Ayla se puso a recoger las entrañas y envolverlas en la piel para desecharlas como había hecho durante el viaje, pero lo pensó mejor.

"Podría utilizar la piel", pensó. "Sólo tardaría poco más o menos un día . . ."

Enjuagó las zanahorias silvestres en el río —y se quitó la sangre de las manos— y las envolvió en hojas de llantén. Las hojas, grandes y fibrosas, eran comestibles, pero Ayla no podía dejar de pensar en que tenían otra utilidad como vendas fuertes y curativas para cortadas o magulladuras. Puso las zanahorias envueltas en hojas junto a los carbones.

Se sentó para descansar un momento, y entonces decidió estacar la piel. Mientras se asaba su comida raspó los vasos sanguíneos, los folículos pilosos y las membranas del interior de la piel con la raqueta rota, y pensó en hacerse una nueva.

Tarareaba una tonadilla sin melodía mientras trabajaba, y dejaba que vagaran sus pensamientos. "Quizá debería quedarme aquí durante unos días, terminar con esta piel. De todos modos tengo que hacer unas cuantas herramientas. Podría tratar de ir hasta ese hueco del farallón río arriba. Esta liebre comienza a oler bien. Una caverna me mantendría a salvo de la lluvia . . . pero quizá no sirva".

Se puso de pie, dio vueltas al asador y se puso a trabajar entonces desde otro punto del pellejo. "No puedo quedarme mucho tiempo; tengo que encontrar gente antes del invierno". Dejó de rascar la piel, enfocando súbitamente su atención en el torbellino interior que nunca estaba lejos de la superficie de su mente. "¿Dónde están? Iza dijo que había muchos Otros en el continente. ¿Por qué no puedo encontrarlos? Iza, ¿qué voy a hacer?" Sin previo aviso, las lágrimas se le saltaron. "Oh, Iza, te echo tanto de menos. Y a Creb. Y también a Uba. Y a Durc, mi nene . . . mi nene. Te deseé tanto, Durc, y fue tan difícil. Y no eres deforme, sólo un poco diferente. Lo mismo que yo.

"No, no lo mismo que yo. Tú eres Clan, vas a ser nada más un poco más alto, y tu cabeza tiene diferente aspecto. Algún día serás un gran cazador; y manejarás bien la honda. Y correrás más aprisa que ninguno. Ganarás todas las carreras en la Reunión del Clan. Quizá no en lucha, tal vez no llegues a ser tan fuerte, pero serás fuerte.

"Pero, ¿quién jugará contigo al juego de los sonidos? ¿Y quién hará ruiditos gozosos contigo?

"Tengo que ponerle fin a esto", se reprendió, secándose las lágrimas con el dorso de la mano. "Debería alegrarme de que tengas gente que te quiere, Durc. Y cuando seas mayor, vendrá Ura y será tu compañera. Oda prometió adiestrarla para que sea una buena esposa. Tampoco Ura es deforme. Sólo es diferente, lo mismo que tú. Me pregunto si llegaré a encontrar compañero para mí algún día".

Ayla saltó para comprobar cómo iba su comida, moviéndose sólo para apartar sus pensamientos del derrotero que seguían. La carne estaba menos hecha de lo que le gustaba, pero decidió que era suficiente. Las zanahorias silvestres, pequeñas y de un amarillo pálido, estaban tiernas y tenían un sabor dulce ligeramente fuerte. Echaba de menos la sal que siempre había estado a mano junto al mar interior, pero el hambre suplió al condimento. Dejó que el resto de la liebre se cocinara un poco más mientras terminaba de raspar la piel; una vez saciada el hambre, ya se sentía mejor.

Estaba alto el sol cuando decidió investigar el hueco del farallón. Se desnudó y nadó para cruzar el río, trepando entre las raíces de los árboles para salir del agua profunda. Era difícil de escalar la alta muralla vertical, y se preguntaba si valdría la pena tomarse tanta molestia aun cuando hallara una caverna. De todos modos se sintió desilusionada al llegar a un angosto saliente frente al agujero negro y descubrió que era poco más que una depresión de la roca. Excrementos de hiena le hicieron suponer que habría un medio más fácil para acceder allí desde la estepa, pero no había espacio para mucho más.

Se volvió para regresar pero fue un poco más allá. Río abajo y ligeramente más abajo en la otra muralla, podía ver la parte superior de la barrera rocosa que sobresalía hacia el recodo del río. Era una ancha plataforma, y en la parte posterior parecía que había otro orificio en la cara del farallón, un orificio mucho más profundo. Desde su altura ventajosa, vio un camino empinado pero posible hacia arriba. Le palpitaba el corazón de pura excitación. Si fuera una caverna, de cualquier dimensión, tendría un lugar seco para pasar la noche. Más o menos a medio camino hacia abajo, se tiró al río, tal era su ansia por investigar.

"He debido pasar al lado anoche, al bajar", pensaba mientras iniciaba el ascenso. "Pero estaba demasiado oscuro para verla". Entonces recordó que en una caverna desconocida hay que penetrar siempre tomando precauciones, y volvió en busca de su honda y algunas piedras.

Aun cuando había hecho el descenso muy cuidadosamente, la víspera, comprobó que a la luz del día no necesitaba agarrarse con las manos. A través de milenios, el río había cortado más agudamente la otra orilla; la muralla de este lado no resultaba tan escarpada. Al aproximarse a la plataforma, Ayla tenía preparada la honda y avanzó cautelosamente.

Tenía espabilados todos los sentidos. Escuchaba para oír sonidos de respiración o movimientos; miraba para ver si había señales elocuentes de habitación reciente; olía el aire para hallar los olores distintivos de animales carnívoros o excremento fresco o carne cazada, abriendo la boca para permitir que sus papilas gustativas ayudaran a captar algún indicio; y permitía que la intuición la orientara mientras se acercaba silenciosamente a la boca de la cueva. Se quedó pegada a la pared, se metió por el orificio oscuro y miró.

No vio nada.

La abertura, frente al suroeste, era pequeña. La parte superior estaba más alta que su cabeza, pero estirando el brazo podía tocar el techo de la caverna. El suelo se inclinaba hacia abajo en la entrada pero se nivelaba después. Loess impulsado por el viento, y desechos llevados por animales que habían utilizado la cueva en otros tiempos, habían llegado a formar una capa de tierra. El piso, que originalmente había sido rocoso y desigual, tenía ahora una superficie de tierra seca y dura.

Mientras miraba por la entrada, Ayla no pudo detectar señal alguna de que se hubiera usado recientemente la caverna. Se deslizó adentro, silenciosamente, observando lo fresca que estaba comparada con la calurosa y soleada plataforma saliente, y esperó que se ajustaran sus ojos a la oscuridad interior. Había más luz en la caverna de lo que ella habría pensado, y al avanzar hacia dentro vio que la luz del sol penetraba por un orificio encima de la entrada, y entonces comprendió. También comprendió que ese orificio tenía un valor más práctico aún: permitiría que saliera el humo y no ocupara la parte superior de la caverna, lo cual representaba una ventaja evidente.

Una vez que se ajustó su visión, descubrió que podía ver muy bien. También la luz que entraba representaba una ventaja. La caverna no era grande pero tampoco pequeña. Las paredes se separaban desde la entrada, ensanchándose hasta llegar a una pared posterior bastante recta. La forma general era más o menos triangular, con el vértice en la entrada y la pared este más larga que la pared oeste. La parte más oscura era el rincón este del fondo; era lo primero que habría que investigar.

Ayla se deslizó lentamente a lo largo de la pared este, buscando grietas o corredores que pudieran conducir a salas interiores donde podrían acechar peligros. Cerca del rincón oscuro, la roca caída de las paredes cubría el suelo formando un montón. Ayla se subió por las piedras, encontró una repisa y, más atrás, el vacío.

Pensó en hacerse una antorcha, pero cambió de idea. No había oído, olido ni sentido la menor señal de vida, y había descubierto un pasaje estrecho hacia dentro. Llevando en una mano honda y piedras, y lamentando no haberse puesto el manto para tener dónde llevar sus armas, se encaramó a la repisa.

La abertura oscura era baja; tuvo que inclinarse para entrar. Pero era sólo un nicho que terminaba con la pendiente del techo que se inclinaba hasta el suelo del nicho. En el fondo había un montón de huesos. Ayla tomó uno y bajó, siguiendo su camino pegada a la pared del fondo y la pared oeste hasta volver a la entrada. Era una caverna ciega, y exceptuando el pequeño nicho, no tenía cámaras ni túneles que condujeran a lugares desconocidos. Daba la impresión de ser cómoda y segura.

Ayla se cubrió los ojos al salir a la brillantez del sol y dirigirse al extremo más alejado de la terraza de la caverna, y echó una mirada a su alrededor. Estaba de pie sobre la pared saliente. Por debajo de ella, a la derecha, estaban el montón de madera flotante y huesos, y la playa pedregosa. A la izquierda podía ver el valle hasta muy lejos. En lontananza, el río hacía otro recodo hacia el Sur, rodeando la base del escarpado farallón opuesto, mientras la muralla izquierda se había ido fundiendo con la estepa.

Examinó el hueso que tenía en la mano. Era el largo hueso de la pata de un gigantesco venado, viejo y seco, con huellas de dientes claramente marcados donde se había partido para obtener la médula. La forma de los dientes, la manera en que se había roído el hueso, parecían familiares, pero no; estaba segura de que lo había hecho un felino, de eso estaba segura. Conocía los carnívoros mejor que nadie del clan. Se había desarrollado como cazadora matándolos, pero sólo en las variedades más pequeñas y de tamaño mediano. Aquellas marcas las había hecho un gato, un gato muy grande. Se volvió rápidamente y miró de nuevo la caverna.

"¡Un león cavernario! Esto tuvo que haber sido la guarida de leones cavernarios tiempos atrás. El nicho sería el lugar perfecto para que una leona pariera sus cachorros", pensó. "Quizá no debería pasar aquí la noche. Tal vez no sea seguro". Miró nuevamente el hueso. "Pero esto es tan viejo, y hace años que esta caverna no ha sido ocupada. Además, con up fuego cerca de la entrada los animales se apartarán.

"Es una bonita caverna. No hay muchas tan bonitas. Mucho espacio dentro, un buen piso de tierra. No creo que se moje por dentro, las crecientes de primavera no llegan tan arriba. Inclusive tiene un orificio para el humo. Creo que iré a buscar mis pieles

y mi cuévano, algo de madera y el fuego". Ayla bajó corriendo
hacia la playa. Tendió el cuero de la tienda y su piel sobre la plataforma de piedra caliente a su regreso, y llevó dentro de la caverna su cuévano; después subió varias cargas de leña. "Tal vez
podría traer algunas piedras para el hogar", pensó, y volvió a
bajar. Pero de repente se detuvo. "¿Para qué quiero piedras para
el hogar? Si sólo voy a quedarme unos cuantos días. Tengo que
seguir buscando gente. Tengo que encontrar antes del invierno . . .
    "¿Y si no los encuentro?" La idea había estado rondándola por
algún tiempo, pero no se había permitido expresársela tan claramente antes; las consecuencias eran demasiado espantosas.
"¿Qué haré si llega el invierno y sigo sin encontrar a nadie? No
tendré alimentos de reserva. No tendré un lugar seco y caliente
donde refugiarme, lejos del viento y la nieve. Ninguna caverna
adonde . . ."
    Miró nuevamente la caverna, después el bello valle abrigado
y la manada de caballos allá abajo, en el campo, y volvió a mirar
la caverna.
    "Es una caverna perfecta para mí", se dijo. "Pasará mucho
tiempo antes de que encuentre otra tan buena. Y el valle. Podría
recolectar, cazar y almacenar alimentos. Hay agua, y leña más
que suficiente para el invierno, para muchos inviernos. Inclusive
hay pedernal. Y sin viento. Todo lo que necesito está aquí . . . menos la gente.
    "No sé si podré aguantar, quedarme aquí sola todo el invierno.
Pero la estación está ya tan avanzada. Pronto tendré que comenzar para almacenar suficiente comida. Si no he encontrado a nadie
hasta ahora, ¿cómo sé que encontraré? ¿Y cómo sé que me deja-
rán quedarme si encuentro a los Otros? No los conozco. Algunos
de ellos son tan malos como Broud. Mira lo que le sucedió a la
pobre Oda. Dijo que los hombres que la forzaron, como Broud
me forzó a mí, eran hombres de los Otros. Dijo que se parecían
a mí. ¿Y si todos fueran así?" Ayla volvió a mirar la caverna y
después el valle. Recorrió el perímetro de la plataforma, dio
una patada a una piedra, se quedó mirando los caballos y tomó una
decisión.
    —Caballos —dijo—, voy a quedarme en vuestro valle algún
tiempo. La próxima primavera podré comenzar a buscar de nuevo
a los Otros. Por el momento, si no me preparo para el invierno,
ya no estaré con vida la próxima primavera —el discurso de Ayla
a los caballos sólo representó unos pocos sonidos, que eran cerrados y guturales. Sólo utilizaba el sonido para los nombres o
para destacar el lenguaje rico, complejo y perfectamente com-

prensible que manejaba con graciosos movimientos fluidos de sus manos. Era el único lenguaje que recordaba.

Una vez tomada su decisión, Ayla se sintió aliviada. Había temido la idea de abandonar aquel precioso valle y de enfrentarse a más días agotadores de marcha por las estepas que el viento barría, había temido la idea de seguir caminando. Corrió hasta la playa pedregosa y se inclinó para recoger su manto y su amuleto. Cuando tendía la mano hacia la bolsita de cuero, observó el destello de un trocito de hielo.

"¿Cómo podía haber hielo en medio del verano?", se preguntó, levantándolo. No estaba frío; tenía bordes bien cortados y planos lisos. Le dio vueltas, examinándolo por todos lados y viendo cómo chispeaban sus facetas al sol. Entonces lo volvió justo en el ángulo preciso para que el prisma separara la luz del sol en todo el espectro de los colores, y se quedó sin aliento al ver el arco iris que extendía en el suelo. Ayla no había visto nunca un claro cristal de cuarzo.

El cristal, como el pedernal y muchas de las demás rocas de la playa, era errático . . . no era originario del lugar. La piedra luciente había sido arrancada de su lugar de origen por la fuerza mayor aún del elemento al que se parecía —el hielo—, y movida por su forma derretida hasta que llegó a detenerse en la morena aluvial del río glacial.

De repente Ayla sintió que un escalofrío, más frío que el hielo, le recorría el espinazo, y se sentó, demasiado temblorosa para resistir a la idea de lo que significaba la piedra. Recordó algo que le había dicho Creb hacía mucho, cuando era pequeña . . .

Era en invierno, y el viejo Dorv había estado contando historias. Ella había estado soñando con la leyenda que Dorv acababa de contar, y le preguntó a Creb. Eso condujo a una explicación de lo que significa el tótem.

—El tótem necesita un lugar donde vivir. Probablemente abandonaría a la persona que vagara sin hogar por mucho tiempo. Tú no querrías que te abandonara tu tótem, ¿verdad?

—Pero mi tótem no me abandonó —dijo Ayla aferrando su amuleto— a pesar de que estaba sola y no tenía hogar.

—Eso fue porque te estaba poniendo a prueba. Encontró un hogar para ti, ¿no es cierto? El León Cavernario es un tótem muy fuerte, Ayla. Te escogió y puede haber decidido protegerte siempre, puesto que te escogió . . . pero todos los tótems son más felices si tienen hogar. Si le prestas atención, él te ayudará. Él te dirá lo que es mejor.

—¿Y cómo voy a saberlo, Creb? —preguntó Ayla—. Nunca he visto el espíritu de un León Cavernario. ¿Cómo sabes cuando un tótem te está diciendo algo?

—No puedes ver el espíritu de tu tótem porque es parte de ti, dentro de ti. Y sin embargo, te lo dirá. Sólo que tienes que aprender a comprender. Si tienes que tomar una decisión, él te ayudará. Te dará una señal si escoges lo que debes.

—¿Qué clase de señal?

—Es difícil de saber. Por lo general será algo especial o insólito. Puede ser una piedra que no habías visto nunca anteriormente, o una raíz de forma especial que tenga significado para ti. Debes aprender a comprender con el corazón y la mente, no con los ojos y oídos; entonces, sabrás. Pero cuando llegue el momento y encuentres una señal que tu tótem ha dejado para ti, pónla en tu amuleto. Te traerá suerte.

"León Cavernario, ¿sigues protegiéndome? ¿Es esto una señal? ¿He tomado la decisión correcta? ¿Estás diciéndome que debo permanecer en este valle?"

Ayla sostenía el cristal centelleante entre sus manos y cerró los ojos, tratando de meditar como lo hacía siempre Creb; tratando de escuchar con el corazón y la mente; tratando de hallar la manera de creer que su gran tótem no la había abandonado. Pensó en la manera en que se había visto obligada a marcharse y en los largos y pesados días de marcha, buscando a su gente, dirigiéndose al Norte como se lo había dicho Iza. Al Norte hasta que...

"¡Los leones cavernarios! Mi tótem los mandó para que me dijeran que me volviera hacia el Oeste, me condujeran a este valle. Quería que yo lo encontrara. Está cansado de viajar y quiere que éste sea también su hogar. Y la caverna que fue hogar de leones, anteriormente. Es un lugar en que se siente a gusto. ¡Sigue conmigo! ¡No me ha abandonado!"

El entendimiento le proporcionó una sensación de alivio a tensiones que había ignorado hasta entonces. Sonrió al parpadear para apartar las lágrimas, y se puso a desatar los nudos de la cuerda que mantenía cerrada la bolsita. Sacó el contenido de la bolsita y tomó los objetos, uno por uno.

El primero era un trozo de ocre rojo. Todos los del Clan llevaban un trozo de la piedra roja sagrada; era lo primero en el amuleto de cada quien, entregado el día en que Mog-ur revelaba su tótem. Por lo general se nombraba al tótem cuando uno era bebé, pero Ayla tenía cinco años al saber del suyo. Creb lo anunció poco después de que Iza la encontrara, cuando la aceptaron en el Clan. Ayla frotó las cuatro cicatrices de su pierna mientras contemplaba otro objeto: la huella fósil de un gasterópodo.

Parecía la concha de una criatura marina, pero era de piedra: la primera señal que le había dado su tótem, para aprobar su decisión de cazar con la honda. Sólo depredadores, no animales comestibles que se habrían perdido porque ella no podía llevárselos a la caverna. Pero los depredadores eran más astutos y peligrosos, y aprender de ellos había afinado su oficio a la perfección. El siguiente objeto que tomó Ayla era su talismán de caza, un óvalo pequeño, pintado de ocre, de marfil de mamut, que el propio Brun le había entregado en la espantosa y fascinadora ceremonia que hizo de ella la Mujer Que Caza. Tocó la diminuta cicatriz de su garganta donde Creb la había pinchado para sacar su sangre en sacrificio a los Antiguos.

El siguiente fragmento tenía un significado muy especial para ella, y estuvo a punto de echarse nuevamente a llorar. Sostuvo los tres pequeños y brillantes nódulos de pirita de hierro, soldados, muy apretados en su mano cerrada. Se lo había dado su tótem para indicarle que su hijo viviría. El último era un trozo de bióxido de manganeso negro. El Mog-ur se lo dio cuando fue declarada curandera, junto con un trozo del espíritu de cada miembro del Clan. De repente se le ocurrió una idea que la molestó: "¿Significa eso que cuando Broud me maldijo, maldijo a todos los demás? Cuando Iza murió, Creb recuperó los espíritus para que no se los llevara ella consigo al mundo de los espíritus. Nadie me los quitó a mí".

Una sensación de presagio se apoderó de ella. Durante la Reunión del Clan, donde Creb se había enterado de algún modo inexplicable de que ella era diferente, había experimentado en ocasiones esa extraña desorientación, como si él la hubiera cambiado. Sintió una titilación, un estremecimiento, se le puso la carne de gallina ante la náusea y la debilidad, y el profundo temor de lo que su muerte pudiera significar para todo el Clan.

Trató de dominar esa sensación. Recogiendo la bolsita de cuero, volvió a llenarla con su colección agregando el cristal de cuarzo. Amarró de nuevo el amuleto y examinó el cordel para ver si estaba gastado. Sintió una ligera diferencia de peso al colocárselo de nuevo.

Sentada sola en la playa pedregosa, Ayla se preguntó lo que habría sucedido antes de que la encontraran. No podía recordar nada de su vida anterior, ¡pero era tan diferente! Demasiado alta, demasiado pálida, su rostro no tenía nada de los demás del Clan.

Había visto su reflejo en la charca inmóvil; era fea. Broud se lo había dicho suficientes veces, pero todo el mundo lo pensaba. Era una mujer grande y fea; ningún hombre la quería.

"Tampoco yo quería a ninguno de ellos", pensó. "Iza decía que yo necesitaba un hombre de los míos, pero, ¿me va a querer un hombre de los Otros más que un hombre del Clan? Nadie quiere una mujer grande y fea. Quizá es mejor quedarme aquí. ¿Cómo sé yo que encontraría un compañero aunque encontrara a los Otros?"

Capítulo 4

Jondalar estaba agazapado observando la manada a través de una cortina de hierbas altas, de un verde dorado, que inclinaba el peso de las espigas aún verdes. El olor a caballo era fuerte, no por el viento seco que transportaba sus emanaciones sino por el excremento fresco con que se había untado el cuerpo y las axilas para disimular su propio olor, en caso de que cambiara el viento.

El cálido sol brillaba sobre su espalda sudorosa y bronceada, y un chorrito de sudor corría por sus mejillas y oscurecía el cabello descolorido por el sol que se le pegaba a la frente. Un largo mechón se había escapado de una banda de cuero atada en la nuca, y el viento lo agitaba, fastidiosamente, sobre su rostro. Las moscas zumbaban a su alrededor, aterrizando de cuando en cuando para picarlo, y un calambre comenzaba en su muslo izquierdo por la postura inmóvil tan prolongada.

Eran irritaciones insignificantes que apenas notaba. Tenía la atención fija en un semental que bufaba y corveteaba, misteriosamente consciente del peligro inminente para su harén. Las yeguas seguían pastando, pero en sus movimientos aparentemente casuales, las madres se habían colocado entre sus potros y el hombre.

Thonolan, a unos cuantos pasos de distancia, estaba agazapado en la misma posición tensa, con una lanza nivelada con su hombro derecho y otra en la mano izquierda. Echó una mirada a su hermano. Jondalar alzó la cabeza y parpadeó mirando una yegua parda, Thonolan, tras un leve gesto de asentimiento con la cabeza, hizo oscilar imperceptiblemente la lanza para un mejor equilibrio y se preparó a saltar.

Como si una señal hubiera sido intercambiada, los dos hermanos saltaron al mismo tiempo y echaron a correr hacia la manada.

El semental se encabritó, dio un chillido de advertencia y volvió a encabritarse. Thonolan lanzó su arma contra la yegua mientras Jondalar corría hacia el caballo padre, gritando y alborotando, tratan.'o de espantarlo. El ardid tuvo éxito. El semental no estaba acostumbrado a depredadores ruidosos; los cazadores cuadrúpedos atacaban furtiva y silenciosamente. Relinchó, echó a correr hacia el hombre y de repente lo esquivó, lanzándose tras su manada en fuga.

Los hombres corrieron tras ellos. El semental, al ver que la yegua gris se rezagaba, le mordisqueó los flancos para apremiarla. Los hombres gritaban y agitaban los brazos, pero esta vez el semental les hizo frente, corriendo entre la yegua y los hombres, manteniendo a éstos a distancia a la vez que intentaba incitar a la yegua a que corriera. Ella dio unos cuantos pasos vacilantes más y se detuvo, cabizbaja. La lanza de Thonolan sobresalía de uno de sus costados, hilillos de sangre brillante chorreaban por su pelaje y se sumían entre pelos enmarañados formando gruesas gotas.

Jondalar se acercó, apuntó y tiró su lanza. La yegua tuvo un sobresalto, tropezó y cayó, con la segunda asta temblando en su grueso cuello debajo de las tiesas crines. El semental se le acercó, la tocó con el hocico y se encabritó, y con un grito desafiante echó a correr tras su manada para proteger a los vivientes.

—Voy a buscar las cosas —dijo Thonolan, mientras ambos se acercaban a todo correr al animal caído—. Será más fácil traer agua hasta aquí que llevarnos un caballo al río.

—No tenemos que secarlo todo. Nos llevaremos al río lo que nos haga falta, así no tendremos que traer agua.

—¿Por qué no? —dijo Thonolan encogiéndose de hombros—. Voy por un hacha para romper los huesos —y se fue hacia el río.

Jondalar sacó de la funda su cuchillo con mango de hueso y cortó profundamente el cuello. Sacó las lanzas y vio cómo la sangre se acumulaba en un charco alrededor de la cabeza de la yegua.

—Cuando vuelvas adonde la Gran Madre Tierra —dijo al caballo muerto— dale las gracias —metió la mano en su bolsa y acarició la figurina de piedra que representaba a la Madre, en un gesto inconsciente. "Zelandoni tiene razón", pensó. "Si los hijos de la Tierra llegan a olvidar quién les da el sustento, podemos despertar algún día para descubrir que no tenemos hogar". Entonces aferró el cuchillo y se preparó a tomar su parte de las provisiones de Doni.

—He visto una hiena al regresar —dijo Thonolan cuando estuvo de vuelta—. Parece que vamos a alimentar a alguien más, no sólo nosotros.

—A la Madre no le gusta el despilfarro —dijo Jondalar, bañado en sangre hasta los codos—. Todo retorna a Ella de un modo u otro. Anda, échame una mano.

—Ya sabes que es peligroso —dijo Jondalar, echando otro leño a la pequeña hoguera. Unas cuantas chispas flotaron hacia arriba con el humo y desaparecieron en el aire nocturno—. ¿Qué haremos cuando llegue el invierno?

—Falta mucho para el invierno; de seguro que antes de eso nos encontraremos con alguna gente.

—Si volvemos ahora sobre nuestros pasos, de seguro que encontraremos gente. Podríamos llegar por lo menos hasta los Losadunai antes de lo más frío del invierno —se volvió a mirar a su hermano—. Ni siquiera sabemos cómo son los inviernos de este lado de las montañas. Es más descampado, hay menos protección y menos árboles para encender fuegos. Tal vez deberíamos haber intentado hallar a los Sarmunai. Podrían habernos dado alguna idea de lo que nos espera, de la gente que vive por ahí.

—Puedes volver cuando quieras, Jondalar. Para empezar, yo iba a hacer este viaje solo . . . no que tu compañía no me haya complacido.

—Yo no sé . . . tal vez debiera —dijo, volviéndose hacia el fuego—. No me había dado cuenta de lo largo que es el río. Míralo —hizo un gesto hacia el agua rielante que reflejaba el claro de luna—. Es la Gran Madre de todos los ríos, igualmente impredecible. Cuando partimos, corría hacia el Este. Ahora va hacia el Sur y se divide en tantos canales que a veces me pregunto si será siempre el mismo río. Supongo que no creí que fueras a seguirlo hasta el final, por lejos que fuera, Thonolan. Además, si acaso nos encontramos con gente, ¿cómo sabes que ésta será amigable?

—Precisamente, de eso se trata en un viaje. Descubrir lugares nuevos, gente nueva. Hay que arriesgarse. Mira, hermano mayor, regresa si quieres. Lo digo en serio.

Jondalar miraba el fuego, azotando rítmicamente con un palito la palma de su mano. De repente se puso de pie de un salto y lanzó el palito al fuego, provocando otro surtidor de chispas. Dio unos pasos y miró las cuerdas de fibras retorcidas, fijas entre estaquillas sumidas en la tierra, sobre las que se secaban finas tiras de carne.

—¿Hay algo a lo que tenga yo que regresar? A todo esto, ¿qué tengo que me espere?

—El siguiente recodo del río, la siguiente salida del sol, la próxima mujer con quien te acuestes —dijo Thonolan.

—¿Y eso es todo? ¿No deseas algo más de la vida?

—¿Hay algo más? Naces, vives lo mejor que puedes mientras estás aquí, y algún día vuelves a la Madre. Después de eso, ¿quién sabe?

—Debería haber algo más, alguna razón para vivir.

—Si llegas a descubrirla, avísame —dijo Thonolan, bostezando—. Por el momento, lo que estoy esperando es la próxima salida del sol, pero uno de los dos debería quedarse despierto a menos que prendamos más fuegos para alejar el peligro de que los ladrones de cuatro patas nos dejen sin carne.

—Vete a dormir, Thonolan, yo vigilaré; de todos modos, no tengo sueño.

—Jondalar, te preocupas demasiado. Despiértame cuando estés cansado.

Ya había salido el sol cuando Thonolan salió a gatas de la tienda, se frotó los ojos y se estiró.

—¿Has estado despierto toda la noche? Te dije que me despertaras.

—Estaba reflexionando y no tenía ganas de acostarme. Hay un poco de té de artemisa si quieres, está caliente.

—Gracias —dijo Thonolan sacando líquido humeante con una taza de madera. Se encuclilló frente al fuego, sujetando la taza con ambas manos. El aire mañanero era todavía fresco, la hierba estaba cubierta de rocío, y él sólo llevaba puesto un taparrabo. Vio pajarillos que revoloteaban y se abalanzaban hacia los escasos arbustos y árboles próximos al río, trinando ruidosamente. Una bandada de grullas que anidaba en una isla de sauces en medio de un canal, estaba desayunándose con pescado—. Bueno, ¿lo lograste? —preguntó por fin.

—¿El qué?

—Encontrar el significado de la vida. ¿No era eso lo que te tenía preocupado cuando fui a acostarme? Aunque no entiendo por qué tenías que mantenerte despierto la noche entera sólo por eso. Ahora bien, si hubiera una mujer por ahí . . . ¿Tienes alguna de las bendecidas por Doni oculta entre los sauces . . .?

—¿Crees que te lo diría, si así fuera? —dijo Jondalar con una sonrisa pícara. Después, su sonrisa se suavizó—. No tienes que hacer chistes malos para seguirme la corriente, hermanito. Iré contigo todo el camino hasta el final del río, si así lo quieres. Sólo que, entonces, ¿qué piensas hacer?

—Todo depende de lo que encontremos allí. Creí que para mí lo mejor sería acostarme. No eres buena compañía para nadie cuando se te pone uno de esos genios. Me alegro de que hayas decidido seguir adelante. Ya estoy más o menos acostumbrado a ti incluyendo tus malos humores.

—Ya te lo dije: alguien tiene que sacarte de apuros.

—¿A mí? En este preciso momento me vendría bien algún problema. Siempre sería mejor que estarme sentado todo el día esperando que se seque esa carne.

—Sólo serán unos cuantos días, si el tiempo aguanta. Pero ya no estoy tan seguro de que debería decirte lo que acabo de ver —y los ojos de Jondalar chispearon.

—Vamos, hermano, ya sabes que de todos modos vas a ...

—Thonolan: en ese río hay un esturión tan grande ... Pero no hay razón para tratar de pescarlo: no ibas a querer esperar a que también el pescado se secara.

—¿Cómo es de grande? —preguntó Thonolan poniéndose de pie y mirando al río con ansia.

—Tan grande que no estoy seguro de que pudiéramos manejarlo entre los dos.

—No hay ningún esturión tan grande.

—El que he visto, sí.

—Muéstrame.

—Óyeme: ¿quién crees que soy? ¿La Gran Madre? ¿Acaso crees que puedo conseguir que salga un pez y haga cabriolas frente a ti? —y como Thonolan parecía apenado, Jondalar agregó—: Pero te lo mostraré tan pronto lo vuelva a ver.

Los dos hombres caminaron hasta la orilla del río y se quedaron de pie junto a un árbol caído que se extendía en parte sobre el río. Como para provocarlos, una forma grande y oscura avanzó silenciosamente río arriba y se detuvo bajo el árbol cerca del lecho del río, ondulando ligeramente con la corriente.

—¡Debe de ser el abuelo de todos los peces! —susurró Thonolan.

—Pero, ¿podríamos sacarlo?

—Podemos intentarlo.

—Bastaría para alimentar toda una Caverna y más. ¿Qué haríamos con él?

—¿No fuiste tú quien decía que la Madre no permite que nada se pierda? Hienas y lobos podrán tener su parte. Vamos por las lanzas —dijo Thonolan, deseoso de entregarse al deporte.

—Las lanzas no servirán, necesitamos arpones.

—Para cuando terminemos de hacer los arpones, el esturión ya se habrá ido.

—Si no los hacemos, jamás podremos sacarlo a tierra. Se saldrá de una lanza ... necesitamos algo que tenga gancho. No se tarda mucho en hacer uno. Mira ese árbol que está ahí. Si cortamos las ramitas por debajo de una buena bifurcación de una rama ... no tendremos que preocuparnos por reforzar, sólo la usaremos una vez —y Jondalar acentuaba su descripción con movimientos de las manos—, entonces cortamos la rama y la afilamos: así tendremos un garfio.

—Pero, ¿de qué servirá si se ha ido antes de que lo tengamos hecho? —interrumpió Thonolan.

—Lo he visto dos veces ... parece que es un lugar donde le agrada descansar. Probablemente regresará.

—Pero quién sabe cuánto tarde.

—¿Tienes algo mejor que hacer por el momento?

—Está bien, tú ganas —contestó Thonolan con una sonrisa torcida—. Vámonos a hacer garfios.

Se dieron media vuelta para regresar pero se detuvieron en seco, sorprendidos. Varios hombres los habían rodeado y parecían claramente hostiles.

—¿De dónde han salido? —preguntó Thonolan en un susurro ronco.

—Habrán visto nuestro fuego. Quién sabe cuánto tiempo lleven ahí fuera. Me he pasado la noche vigilando por si había merodeadores. Pueden haberse quedado esperando hasta que nos mostráramos descuidados, por ejemplo dejándonos ahí las lanzas.

—No parecen muy sociales; ninguno de ellos ha hecho la menor señal de bienvenida. Y ahora, ¿qué hacemos?

—Haz tu sonrisa más amplia y amistosa, hermanito, y tú harás el gesto.

Thonolan trató de mostrar seguridad en sí mismo y sonrió con lo que esperaba fuera una sonrisa llena de confianza. Extendió ambas manos y echó a andar hacia ellos.

—Soy Thonolan de los Zelan ...

Su avance fue interrumpido por una lanza que osciló clavada en la tierra, a sus pies.

—¿Alguna buena sugerencia más, Jondalar?

—Creo que ahora les toca a ellos.

Uno de los hombres dijo algo en un lenguaje desconocido, y otros dos corrieron hacia los hermanos. Con las puntas de las lanzas los empujaron hacia delante.

—No tienes que ponerte así, amigo —dijo Thonolan, al sentir una fuerte punzada—. Iba precisamente por ahí cuando me interrumpiste.

Los llevaron de regreso a su campamento y de un empujón los dejaron frente al fuego. El que había hablado anteriormente ladró otra orden. Varios hombres entraron a gatas en la tienda y sacaron todo lo que había dentro. Quitaron las lanzas de las mochilas y el contenido de éstas fue derramado por el suelo.

—¿Qué se creen que están haciendo? —gritó Thonolan, enderezándose. Le recordaron por la fuerza que debía sentarse, y sintió que un chorrito de sangre le corría por el brazo.

—Calma, Thonolan —le recomendó Jondalar—. Parecen furiosos. No creo que estén de humor para soportar objeciones.

—¿Es éste el modo de tratar a los visitantes? ¿No comprenden los derechos de paso que corresponden a quienes realizan un viaje?

—Tú lo dijiste, Thonolan.

—¿Qué dije?

—Que corres riesgos; que para eso son los viajes.

—Gracias —dijo Thonolan, tocándose el corte que le ardía en el brazo y mirando sus dedos cubiertos de sangre—. Eso era precisamente lo que deseaba oír.

El que parecía ser jefe escupió unas cuantas palabras más, y los dos hermanos fueron puestos de pie. Thonolan, con su taparrabo, sólo fue honrado con una mirada, pero Jondalar fue registrado y le quitaron su cuchillo de pedernal con mango de hueso. Un hombre echó mano de la bolsa que le colgaba de la cintura y Jondalar quiso sujetarla. Al momento sintió un fuerte dolor en la nuca y cayó al suelo.

Quedó sin conocimiento sólo unos instantes, pero cuando se le aclararon las ideas, se encontró tendido en el suelo y mirando a los ojos de Thonolan que mostraban mucha preocupación; tenía las manos atadas con correas a la espalda.

—Tú lo dijiste, Jondalar.

—¿El qué?

—Que no están de humor para soportar objeciones.

—Gracias —contestó Jondalar haciendo una mueca, dándose cuenta de que tenía una fuerte jaqueca—, eso es precisamente lo que deseaba oír.

—¿Qué crees que vayan a hacer con nosotros?

—Seguimos con vida. Si fueran a matarnos ya lo habrían hecho, ¿o no?

—Quizá nos estén reservando para algo especial.

Los dos hombres estaban tendidos en el suelo, oyendo voces y observando a los extraños que iban y venían por su campamento. Olieron que se guisaba comida, y sus estómagos gruñeron. A medida que el sol subía, el calor intenso convirtió la sed en un problema peor aún. A medida que transcurría la tarde, Jondalar dormitó, pues su noche en vela estaba cobrándose. Se despertó sobresaltado al oír gritos y alboroto. Alguien acababa de llegar.

Los pusieron de pie, y ambos se quedaron boquiabiertos de asombro al ver que un hombre fornido se dirigía hacia ellos a grandes trancos llevando a la espalda a una anciana canosa y seca. El hombre se puso a gatas y ayudaron a la mujer a bajar de su cabalgadura humana, con una deferencia evidente.

—Sea quien fuere, parece ser muy importante —dijo Jondalar. Un golpe en las costillas le hizo callar.

La mujer avanzó hacia ellos apoyándose en un bastón nudoso con un florón labrado. Jondalar la miraba, seguro de no haber visto en su vida nada tan viejo. La anciana tenía la estatura de un niño, encogida por la edad, y el color sonrosado de su cuero cabelludo podía verse entre sus canas ralas. Tenía tan arrugado el rostro que apenas si parecía humano, pero sus ojos estaban curiosamente fuera de lugar. Jondalar habría esperado ver ojos seniles, apagados, lagrimosos en una persona tan vieja. Pero los de ella brillaban de inteligencia y chispeaban de autoridad. Jondalar se sintió embargado de respeto por la diminuta mujer, y algo temeroso en cuanto al sino que los esperaba, a Thonolan y él. Ella no habría ido hasta allí de no tratarse de algo importante.

La anciana habló con voz quebrada por la edad y, sin embargo, sorprendentemente fuerte. El jefe señaló a Jondalar, y ella le hizo una pregunta.

—Lo siento pero no comprendo —dijo el joven.

La anciana volvió a hablar, se golpeó el pecho con una mano tan nudosa como su báculo y dijo una palabra que parecía: "Haduma". Y entonces lo señaló a él con un dedo huesudo.

—Yo soy Jondalar de los Zelandonii —dijo, con la esperanza de haber entendido lo que ella quería decir.

La anciana inclinó la cabeza como si hubiera oído algún ruido.

—¿Ze-lan-don-yi?

Jondalar asintió, pasándose la lengua por los labios secos y agrietados, en un movimiento nervioso.

Ella se quedó mirándolo con expresión reflexiva, y le dijo algo al jefe. La respuesta de él fue brusca, y la anciana entonces hizo chasquear su voz dando una orden; después volvió la espalda y se acercó al fuego. Uno de los hombres que había estado vigilándolos sacó un cuchillo. Jondalar miró a su hermano y vio en su rostro una expresión que reflejaba sus propias emociones. Hizo acopio de fuerzas, envió una plegaria silenciosa a la Gran Madre Tierra y cerró los ojos.

Los abrió con una sensación de alivio al sentir que las correas de sus muñecas habían caído. Se acercaba un hombre con una vejiga llena de agua. Jondalar tomó un trago y se la pasó a Thonolan, cuyas manos también habían sido liberadas. Abrió la boca para decir algo a modo de gracias pero recordando el golpe en sus costillas, lo pensó mejor y calló.

Los escoltaron hasta el fuego guardianes que no se despegaban de ellos, portando lanzas amenazadoras. El hombre robusto que había llevado a cuestas a la anciana llevó un tronco, lo cubrió con una capa de pieles y se quedó parado al lado con la mano sobre el mango de su cuchillo. Ella se fue hasta el tronco, se sentó, y Jondalar y Thonolan fueron empujados para que se sentaran frente a ella. Ambos tuvieron buen cuidado de no hacer el menor movimiento que pudiera considerarse como un peligro para la anciana; no les cabía la menor duda respecto al sino que los esperaría si alguno de aquellos hombres imaginara siquiera que los dos extraños pudieran ponerla en peligro.

La anciana siguió mirando a Jondalar como lo había hecho anteriormente, sin decir palabra. Él sostuvo su mirada, pero a medida que se prolongaba el silencio, empezó a sentirse incómodo y desconcertado. De repente, la anciana metió la mano bajo su manto y con ojos que despedían ira y un tropel de palabras mordaces que no dejaban el menor lugar a dudas respecto a su sentido general, aun cuando no se entendiera su significado, sostuvo un objeto enfrente de él. Los ojos de Jondalar se abrieron muy grandes, asombrados: era la figurina tallada de la Madre, su donii, lo que la anciana tenía en la mano.

Con el rabillo del ojo vio que el guarda que estaba a su lado vaciaba; había en la donii algo que no le agradaba.

La mujer terminó su parlamento y alzando dramáticamente el brazo, lanzó la estatuilla al suelo. Jondalar saltó instintivamente y la tomó en la mano. Su indignación ante la profanación de su objeto sagrado se le veía en el rostro; sin hacer caso de la punzada de una lanza, la recogió y la metió entre sus manos protectoras.

Una palabra aguda de la anciana hizo que la lanza se apartara. El joven se sorprendió al ver en el anciano rostro una sonrisa, y una chispa de diversión en sus ojos, pero no estaba muy seguro de que la sonrisa fuera de buen humor o de malicia.

La anciana se levantó del tronco y se acercó. No era mucho más alta, de pie, que él sentado, y mirándole cara a cara, al mismo nivel, escudriñó el interior de aquellos asombrosos y vívidos ojos azules. Luego, retrocedió, le volvió la cabeza de uno a otro lado, tocó el músculo de su brazo y midió con la mirada el ancho de sus hombros. Le hizo señas de que se pusiera de pie; como él no entendiera, el guarda lo empujó para que obedeciera. La anciana echó hacia atrás la cabeza para mirarlo en toda su estatura de seis pies y seis pulgadas, luego le dio la vuelta, pinchándole con los dedos los duros músculos de las piernas. Jondalar tenía la impresión de que lo estaban examinando como alguna mercancía en venta, y se ruborizó al comprender que estaba preguntándose si daría la medida.

Después, la anciana examinó a Thonolan, le hizo señas de que se levantara, pero volvió pronto su atención a Jondalar. El rubor que se le había subido al rostro se convirtió en púrpura cuando se le hizo evidente lo que le estaba indicando: quería ver su virilidad.

Él meneó la cabeza y echó una mirada sombría a la amplia sonrisa de Thonolan. Al decir la anciana una palabra, uno de los hombres agarró a Jondalar por detrás mientras otro, obviamente molesto, trataba de abrirle la aletilla del pantalón.

—No creo que tenga humor para que le lleven la contraria —dijo Thonolan, sonriendo afectadamente.

Jondalar se sacudió con enojo el hombre que lo sujetaba y se expuso a la mirada de la anciana, echándole miradas rencorosas a su hermano que se sujetaba las costillas, resoplando en un vano intento por aguantar la risa. La anciana lo miró, inclinó la cabeza a un lado y con un dedo nudoso, lo tocó.

El color púrpura que cubría el rostro de Jondalar se volvió morado cuando, por alguna razón inexplicable, sintió que el miembro se le hinchaba. La mujer cloqueó, y hubo algunas risas disimuladas entre los hombres que estaban parados allí cerca, aun cuando también cierta nota extrañamente discreta de pasmo. Jondalar cubrió a toda prisa su miembro ofensivo, sintiéndose bobo y furioso.

—Hermano mayor, de veras que tienes gran necesidad de una mujer para haberte excitado con esa vieja bruja —susurró Thonolan, recobrando el aliento y secándose una lágrima; y al instante volvió a reír a mandíbula batiente.

—Sólo espero que te toque a ti después —dijo Jondalar, deseando que se le ocurriera alguna observación chispeante para hacerlo callar.

La anciana hizo señas al jefe de los hombres que los habían apresado, y le habló. Un intercambio acalorado se produjo; Jondalar oyó que la anciana decía "Zelandonyi" y vio que el joven señalaba la carne que estaba secándose en las cuerdas. El intercambio terminó abruptamente con una orden imperiosa de la anciana. El hombre echó una mirada a Jondalar y después hizo señas a un joven de cabello ensortijado. Tras de unas cuantas palabras, el joven echó a correr a toda velocidad.

Los dos hermanos fueron conducidos de nuevo a su tienda y les fueron devueltas sus mochilas, pero no sus cuchillos ni sus lanzas. Un hombre estaba siempre a corta distancia de ellos, obviamente para no perderlos de vista. Les llevaron comida y, al caer la noche, se metieron en su tienda. Thonolan estaba de excelente humor, pero Jondalar no tenía la menor gana de conversar con un hermano que soltaba la carcajada tan pronto como lo miraba.

Cuando despertaron, en el campamento había cierta atmósfera de expectativa. Sería mediada la mañana cuando llegó una numerosa comitiva entre gritos y saludos. Se levantaron tiendas; hombres, mujeres y niños se instalaron, y el campo espartano de los dos hermanos comenzó a adquirir el aspecto de una Reunión de Verano. Jondalar y Thonolan observaban con interés mientras se ensamblaba una gran estructura circular, con paredes verticales cubiertas de cuero y un techo de bálago en forma de domo. Las diferentes partes que lo constituían se ensamblaban previamente, y se levantó con una rapidez sorprendente. Entonces llevaron adentro paquetes y canastas cubiertas.

Hubo una pausa en las actividades mientras se preparaba la comida. Por la tarde, una multitud comenzó a reunirse alrededor de la gran estructura circular. Trajeron el tronco de la anciana y lo colocaron justo fuera de la entrada con el manto de pieles encima. Tan pronto como apareció la anciana, la multitud se calmó y formó un círculo alrededor de ella, dejando abierto el espacio del centro. Jondalar y Thonolan la observaban mientras hablaba con un hombre y los señalaba a ellos.

—Quizá quiera que muestres de nuevo el gran deseo que te inspira —lo embromó Thonolan mientras el hombre les hacía señas de acercarse.

—¡Primero tendrán que matarme!

—¿Quieres decir que no te mueres por acostarte con esa belleza? —preguntó Thonolan fingiendo inocencia con los ojos muy abiertos—. Pues ayer pareció muy evidente —empezó a reír de nuevo; Jondalar se volvió y echó a andar hacia el grupo.

Fueron conducidos al centro, y la anciana señaló que tomaran nuevamente asiento enfrente de ella.

—¿Zel-an-do-nyi? —preguntó la anciana a Jondalar.

—Sí —afirmó él asintiendo con la cabeza—. Yo soy Jondalar de los Zelandonii.

Ella golpeó el brazo de un viejo que estaba a su lado.

—Yo... Tamen —dijo, y después algunas palabras que Jondalar no comprendió— ... Hadumai. Mucho tiempo... Tamen —otra palabra desconocida— ... Oeste... Zelandonii.

Jondalar se esforzó y de repente se dio cuenta de que había comprendido algunas de las palabras del viejo.

—Tú te llamas Tamen, algo de Hadumai. Hace mucho... mucho tiempo fuiste... al Oeste..., ¿hiciste un viaje?, ¿adonde los Zelandonii? ¿Sabes hablar zelandonii? —preguntó, muy agitado.

—Viaje, sí —dijo el hombre—. No hablo... hace mucho.

La anciana agarró el brazo del hombre y le habló; éste se volvió nuevamente hacia los dos hermanos.

—Haduma —dijo, señalándola— ... Madre... —Tamen vaciló, y luego los indicó a todos con un movimiento circular del brazo, y haciendo que se alinearan junto a él—. Haduma... madre... madre... madre... —repitió, señalándola primero a ella, después a sí mismo y a cada uno de los demás.

Jondalar estudió a las personas, tratando de entender la demostración. Tamen era viejo, pero no tanto como Haduma. El hombre junto a él era maduro; a su lado había una mujer más joven que tenía de la mano a un niño. De repente, Jondalar estableció la conexión.

—¿Me estás diciendo que Haduma es madre cinco veces? —y alzó la mano con los cinco dedos abiertos—. ¿La madre de cinco generaciones? —preguntó, asombrado.

—Sí, sí, la madre de la madre —contestó Tamen asintiendo vigorosamente con la cabeza— ... cinco generaciones —repitió, señalando de nuevo a cada una de las personas.

—¡Gran Madre! ¿Sabes lo vieja que debe ser? —dijo Jondalar a su hermano.

—Gran madre, sí —confirmó Tamen—. Haduma... madre —y se dio golpecitos en el estómago.

—¿Hijos?

—Hijos —y Tamen asintió—. Haduma madre hijos... —y se puso a trazar líneas en la tierra.

—Uno, dos, tres... —y Jondalar decía la palabra del número a cada línea— ... ¡dieciséis! ¿Haduma dio a luz dieciséis hijos?

Tamen asintió, señalando nuevamente las marcas en el suelo.

—Muchos hijos ... muchas ... ¿niña? —y meneó la cabeza, inseguro.

—¿Hijas? —propuso Jondalar.

El rostro de Tamen se iluminó.

—Muchas hijas ... —reflexionó un instante—. Viven ... todos viven. Todos ... muchos hijos —alzó una mano y un dedo—. Seis Cavernas ... Hadumai.

—No me extraña que estuvieran dispuestos a matarnos si la veíamos con malos ojos —dijo Thonolan—. Es la madre de todos ellos, ¡una Gran Madre viviente!

Jondalar estaba igualmente impresionado pero todavía más intrigado.

—Me siento muy honrado al conocer a Haduma, pero no comprendo. ¿Por qué nos retienen? ¿Y por qué ha venido hasta aquí?

El hombre señaló la carne que se secaba en las cuerdas, y después el joven que los había detenido.

—Jeren ... caza. Jeren hace ... —y Tamen trazó un círculo en la tierra formando una V amplia separada por un breve espacio en la punta—. Hombre Zelandonii hace ... hace correr ... —lo pensó un buen rato y acabó diciendo, con una sonrisa—: Hace correr caballo.

—¡Entonces eso es! —exclamó Thonolan—. Habrán preparado un encierro y estaban esperando que la manada se acercara. Y nosotros la espantamos.

—Ahora comprendo por qué estaba furioso —dijo Jondalar a Tamen—. Pero ignorábamos que eran vuestros campos de caza. Por supuesto, nos quedaremos para cazar, y haremos restitución. Pero así no se trata a los visitantes. ¿No sabe que hay derechos de paso para los que van de viaje? —dijo, dando rienda suelta a su indignación.

El viejo no entendía todas las palabras, pero lo suficiente para comprender el significado general.

—No muchos visitantes. No ... Oeste ... hace mucho. Costumbres ... olvidar.

—Bueno, pues debes recordárselas. Tú fuiste de viaje y algún día tal vez él quiera ir también —Jondalar seguía fastidiado por el modo en que los habían tratado, pero no quería discutirlo demasiado. No estaba todavía muy seguro de lo que estaba ocurriendo y tampoco deseaba ofenderlos—. ¿Por qué vino Haduma? ¿Cómo podéis permitir que haga un viaje tan largo, a su edad?

—No ... permitir Haduma —contestó Tamen sonriendo—. Haduma dice. Jeren ... encuentra dumai. Mala ..., ¿mala suerte?

—Jondalar asintió para indicar que la palabra era correcta, pero no comprendía lo que Tamen trataba de expresar— Jeren da . . . hombre . . . corredor. Dice Haduma hace partir mala suerte. Haduma viene.

—¿Dumai? ¿Dumai?, ¿quieres decir mi donii? —dijo Jondalar, sacando de su bolsa la figurina de piedra. La gente que estaba alrededor abrió la boca y retrocedió al ver lo que tenía en la mano. Un murmullo iracundo surgió de la multitud, pero Haduma les dijo algo y todos se calmaron.

—¡Pero esta donii es buena suerte! —protestó Jondalar.

—Buena suerte . . . mujer, sí. Hombre . . . —y Tamen buscó una palabra en su memoria— . . . sacrilegio.

Jondalar volvió a sentarse, asombrado.

—Pero si es buena suerte para una mujer, ¿por qué la tiró al suelo? —hizo un gesto violento como arrojando la donii, provocando exclamaciones inquietas. Haduma habló al viejo.

—Haduma . . . hace mucho tiempo . . . vive . . . gran suerte. Gran . . . magia. Haduma dice Zelandonii . . . costumbres. Dice Zelandonii hombre no Hadumai . . . Haduma dice Zelandonii hombre malo.

Jondalar meneó la cabeza. Thonolan tomó la palabra.

—Creo que dice que te estaba poniendo a prueba, Jondalar. Ella sabía que las costumbres no eran las mismas, y quería saber cómo reaccionarías si ella deshonraba . . .

—Deshonrada, sí —interrumpió Tamen, al oír la palabra—. Haduma . . . sabe no todo hombre . . . buen hombre. Quiere saber Zelandonii hombre deshonra Madre.

—Oye, ésta es una donii muy especial —dijo Jondalar, algo indignado—. Es muy antigua. Mi madre me la dio . . . viene de una generación a otra.

—Sí, sí —y Tamen asentía vigorosamente—. Haduma sabe. Sabia . . . mucho sabia. Largo tiempo vive. Gran magia, hace mala suerte ir. Haduma sabe Zelandonii hombre, buen hombre. Quiere hombre Zelandonii. Quiere . . . honrar Madre.

Jondalar vio la risa asomar al rostro de Thonolan y se agitó.

—Haduma quiere —dijo Tamen, señalando los ojos de Jondalar— ojos azules. Honrar Madre. Zelandonii . . . espíritu hace hijo, ojos azules.

—¡Has vuelto a hacerlo, hermano mayor! —estalló Thonolan, riendo con deleite malicioso—. Con esos ojazos azules que tienes. ¡Esta enamorada! —y todo el cuerpo se le sacudía mientras trataba de contener la risa por miedo a que se ofendieran, pero sin poder aguantarse—. ¡Oh, Madre! No resisto las ganas de volver a casa y contarles, Jondalar, ¡el hombre que toda mujer desea!

¿Todavía tienes ganas de regresar? Por esto, renunciaría al final del río —no pudo seguir hablando. Estaba doblado sobre sí mismo, golpeando el suelo, sujetándose las costillas y tratando de no soltar la carcajada.

Jondalar tragó saliva varias veces.

—Ah ... yo ... ejem ..., ¿cree Haduma que la Gran Madre ... ah ... todavía puede ... bendecirla con un hijo?

Tamen, perplejo, se quedó mirando a Jondalar y después, las contorsiones de Thonolan. Y de repente una amplia risa le partió el rostro. Habló a la anciana, y todo el campamento se puso a reír a carcajadas, y el cloqueo de la anciana se oía por encima del barullo. Thonolan, suspirando de alivio, pudo soltar su grito de alegría mientras las lágrimas le corrían por la cara.

A Jondalar no le parecía nada chistoso el asunto.

El viejo estaba meneando la cabeza, tratando de hablar.

—No, no, hombre Zelandonii —y haciendo señas a alguien, gritó—: ¡Noria! ... ¡Noria!

Una joven se adelantó y le sonrió tímidamente a Jondalar. Era poco más que una muchacha, pero mostraba el resplandor gracioso de la feminidad nueva. Finalmente, las risas se fueron apagando.

—Haduma magia grande —dijo Tamen—. Haduma bendice. Noria cinco ... generaciones —alzó cinco dedos—. Noria hace hijo, hace ... seis generaciones —alzó otro dedo—. Haduma quiere hombre Zelandonii ... honre Madre ... —Tamen sonrió al recordar la expresión—: Primeros Ritos.

Las arrugas de preocupación que habían surcado la frente de Jondalar se borraron, y el comienzo de una sonrisa levantó las comisuras de sus labios.

—Haduma bendice. Hace espíritu ir a Noria. Noria hace ... nene, ojos Zelandonii.

Jondalar estalló en carcajadas, tanto de alivio como de placer. Miró a su hermano. Thonolan había dejado de reír.

—¿Quieres regresar a casa para contarles a todos la vieja bruja con quien me acosté? —preguntó. Y, volviéndose hacia Tamen dijo—: Haz el favor de decirle a Haduma que será un placer honrar a la Madre y compartir los Primeros Ritos de Noria.

Sonrió cálidamente a la joven; ella le sonrió también, al principio con inseguridad, pero bañada en el carisma inconsciente de aquellos vívidos ojos azules, su sonrisa se ensanchó.

Tamen habló a Haduma. Ella asintió y después hizo señas a Jondalar y Thonolan de que se pusieran de pie, y volvió a examinar cuidadosamente al alto joven rubio. El calor de la sonrisa todavía estaba en sus labios, y cuando Haduma lo miró a los ojos, cloqueó dulcemente y se metió en la vasta tienda circular. Los demás todavía estaban riéndose y comentando el malentendido cuando la multitud se dispersó.

Los dos hermanos se quedaron hablando con Tamen; inclusive su habilidad limitada para comunicarse era mejor que antes.

—¿Cuándo visitaste a los Zelandonii? —preguntó Thonolan—. ¿Recuerdas qué Caverna era?

—Mucho tiempo —contestó—. Tamen hombre joven, como el hombre Zelandonii.

—Tamen, éste es mi hermano Thonolan, y yo soy Jondalar, Jondalar de los Zelandonii.

—Tú... bienvenido, Jondalar, Thonolan —el viejo sonrió—. Yo, Tamen, tres generaciones Hadumai. No hablo zelandonii mucho tiempo. Olvido. No hablo bueno. Tú hablas, Tamen...

—¿Recuerda? —sugirió Jondalar. El hombre asintió—. ¿Tercera generación? Yo creí que eras hijo de Haduma —agregó Jondalar.

—No —y Tamen meneó la cabeza negativamente—. Quiero hacer hombre Zelandonii conocer Haduma, madre.

—Me llamo Jondalar, Tamen.

—Jondalar —repitió—. Tamen no hijo Haduma. Haduma hace hija —y alzó un dedo con una mirada interrogante.

—¿Una hija? —preguntó Jondalar, pero Tamen negó.

—¿Primera hija?

—Sí. Haduma hace primera hija. Hija hace primer hijo —se indicó con el dedo—. Tamen... Tamen... ¿compañera? —Jondalar asintió—. Tamen compañero madre de madre de Noria.

—Creo que comprendo. Tú eres el primer hijo de la primera hija de Haduma, y tu compañera es la abuela de Noria.

—Abuela, sí. Noria hace... gran honor Tamen... seis generación.

—También yo me siento honrado al haber sido escogido para sus Primeros Ritos.

—Noria hace... bebé, ojos Zelandonii. Hace Haduma... feliz —y Tamen sonrió al recordar la palabra—. Haduma dice hombre Zelandonii alto hace... grande... espíritu fuerte, hace Hadumai fuerte.

—Tamen —dijo Jondalar con la frente ensombrecida—, tal vez Noria no tenga un hijo de mi espíritu, ¿sabes?

—Haduma gran magia —explicó Tamen sonriendo—. Haduma bendice, Noria hace. Gran magia. Mujer no hijo, Haduma... —y señaló con el dedo hacia la ingle de Jondalar.

—¿Toca? —propuso Jondalar, sintiendo que le ardían las orejas.

—Haduma toca, mujer hace bebé. Mujer no . . . leche. Haduma toca, mujer hace leche. Haduma hace Jondalar . . . gran honor. Mucho hombre quiere Haduma toca. Hace por mucho tiempo hombre. Hace hombre . . . ¿placer? —todos sonrieron—. Placer mujer, todo tiempo. Mucha mujer, mucho tiempo. Haduma gran magia —se detuvo y su rostró perdió la sonrisa—. No hacer Haduma . . . enfadada. Haduma mala magia, enfado.

—¡Y yo me reí! —dijo Thonolan—. ¿Crees que podría convencerla de que me toque? Tú y tus grandes ojos azules, Jondalar . . .

—Hermanito, el único toque mágico que has necesitado ha sido la mirada incitante de alguna bella mujer.

—Eso. Y tampoco he visto que te hiciera falta ayuda a ti. Mira quién está compartiendo los Primeros Ritos. No tu pobre hermanito con sus apagados ojos grises.

—Pobre hermanito. Un campamento lleno de mujeres, y se va a pasar la noche a solas. Primero te mueres —rieron, y Tamen que se dio cuenta de por dónde iban las bromas, unió sus risas a las de ellos.

—Tamen, tal vez fuera mejor que me hables de vuestras costumbres para los Primeros Ritos —dijo Jondalar, más en serio.

—Antes de pasar a ese asunto —dijo Thonolan—, ¿no podríamos recuperar nuestros cuchillos y lanzas? Tengo una idea. Mientras mi hermano se ocupa en seducir a esa joven beldad con sus grandes ojos azules, creo que tengo un medio para que vuestro cazador furioso se contente.

—¿Cómo? —preguntó Jondalar.

—Con una abuela, por supuesto.

Tamen pareció confundido, pero se encogió de hombros pensando que tenía problemas con el lenguaje.

Jondalar no vio mucho a Thonolan esa noche y al día siguiente; estuvo demasiado ocupado con los ritos de purificación. El lenguaje era una barrera que impedía el entendimiento, a pesar de la ayuda de Tamen, y cuando se encontraba solo con las mujeres mayores que lo miraban ceñudamente, la cosa empeoraba. Sólo en presencia de Haduma se sentía más a gusto, y estaba seguro de que ella arregló algunos desatinos imperdonables.

Haduma no gobernaba a la gente pero resultaba evidente que nadie le negaría nada. La trataban con una benevolencia reverente y algo de temor. Tenía que ser por magia que hubiera vivido tantos años y conservado todas sus facultades mentales. Tenía la facultad de sentir cuándo estaba Jondalar metido en alguna dificultad. En una ocasión, cuando él estuvo seguro de haber violado inadvertidamente algún tabú, la anciana se presentó con los ojos lanzando destellos de ira, y golpeó con su bastón las espaldas de varias mujeres en retirada. No toleraría la menor oposición al joven: su sexta generación tendría los ojos azules de Jondalar.

Por la noche, cuando finalmente lo llevaron a la amplia estructura circular, ni siquiera estuvo seguro de que hubiera llegado la hora hasta que se encontró dentro. Al pasar por la entrada, se detuvo y miró a su alrededor. Dos lámparas de piedra, con sus depósitos en forma de tazón llenos de grasa en la que ardían mechas de musgo seco, iluminaban un lado. El piso estaba cubierto de pieles, y sobre las paredes colgaban tejidos de tela de corteza formando diseños intrincados. Detrás de una plataforma cubierta de pieles, colgaba la piel blanca de un caballo albino decorada con las cabezas rojas de grandes pájaros carpinteros moteados. Y sentada en el borde mismo de la plataforma se encontraba Noria, muy nerviosa, mirándose las manos que tenía sobre el regazo.

Al otro lado, una pequeña sección estaba dividida por cueros cubiertos de signos esotéricos y un biombo de correas ... uno de los cueros cortado en tiritas finas. Había alguien detrás del biombo. Vio que una mano se movía apartando algunas tiritas y por un breve instante contempló el viejo y arrugado rostro de Haduma. Dio un suspiro de alivio. Por lo menos había una guarda para atestiguar que la transformación de una muchacha en mujer fuera completa, y para asegurarse de que el hombre no fuera demasiado rudo. Como extranjero, había experimentado cierta preocupación por si pudiera haber un corro de guardianas censoras. Con Haduma no se preocupaba; no sabía si debería saludarla o ignorarla, pero decidió lo último al ver que se cerraba el biombo.

Al verlo, Noria se puso de pie. Él avanzó, sonriente, hacia ella. Noria era más bien baja, con cabello castaño muy suave que se desparramaba alrededor de su rostro. Estaba descalza; llevaba una falda de alguna fibra tejida, sujeta en la cintura y colgando hasta más abajo de las rodillas en nesgas de colores. Una camisa de suave piel de venado bordada con canutillo de colores, estaba cerrada por cordones hasta arriba. Iba suficientemente pegada al cuerpo para revelar que su feminidad estaba bien establecida, aunque no había perdido aún su redondez juvenil.

A medida que Jondalar se acercaba, la joven mostró cierto temor en la mirada aun cuando trataba de sonreír. Pero al ver que no hacía movimientos bruscos sino que sólo se sentó al borde de la plataforma y sonrió, pareció tranquilizarse un poco y se sentó a su lado, lo suficientemente lejos para que sus rodillas no se rozaran. "Serviría de algo si pudiera hablar su lenguaje", pensó Jondalar. "Está tan asustada. No tiene nada de extraño, no me conoce de nada. Es conmovedora, tan espantada". Se sentía protector y experimentó algunas punzadas de excitación. Vio que había un tazón de madera labrada y algunas tazas en una mesa allí cerca, y tendió la mano pero Noria vio sus intenciones y brincó para llenar las tazas.

Al recibir una taza de líquido ambarino, Jondalar le rozó la mano, y Noria se sobresaltó. La retiró un poco y después la dejó. Él apretó suavemente su mano, y luego tomó la taza y bebió. El líquido tenía el sabor dulce y fuerte de algo que estuviera fermentado. No era desagradable, pero como no estaba seguro de lo fuerte que sería, decidió no beber a la ligera.

—Gracias, Noria —dijo, dejando la taza en la mesa.

—¿Jondalar? —preguntó la joven, alzando la mirada. A la luz de la lámpara de piedra podía decir que tenía los ojos claros, pero no estaba seguro de si serían grises o azules.

—Sí, Jondalar de los Zelandonii.

—Jondalar . . . hombre Zelandonii.

—Noria, mujer Hadumai.

—¿Mu-jer?

—Mujer —dijo, tocando un seno suave. Ella dio un brinco hacia atrás.

Jondalar desató el cordón que le cerraba la túnica y se la quitó, mostrando un pecho cubierto de rizos claros. Sonrió torcidamente y se tocó el pecho.

—No mujer —y meneó la cabeza—, hombre.

Noria rió un poco.

—Noria mujer —dijo Jondalar, tendiendo lentamente la mano de nuevo hacia su seno. Esta vez, dejó que la tocara sin retirarse, y su sonrisa era más tranquila.

—Noria mujer —dijo, y con un destello de picardía en la mirada, señaló la ingle de él, pero sin tocar—. Jondalar hombre —y de repente pareció asustarse, como si hubiera ido demasiado lejos y se puso de pie para llenar nuevamente las tazas. Vertió nerviosamente el líquido, derramó un poco y pareció apenada. La mano le temblaba al tenderle la taza.

Él le sujetó la mano, tomó la taza y sorbió un poco, y entonces le ofreció a ella de beber. Ella asintió, pero Jondalar le llevó la taza a la boca de tal modo que ella tuvo que rodear las manos de él para inclinarla y poder beber. Cuando él dejó la taza, volvió a buscar las manos de ella, las abrió para besarle las palmas y lo hizo suavemente. Los ojos de ella se abrieron muy grandes, sorprendidos, pero no se retiró. Jondalar subió sus manos por los brazos de ella, entonces se acercó, inclinándose, y la besó en el cuello. Ella estaba tensa, con deseo y a la vez con temor, esperando ver lo que él haría después.

Se acercó, volvió a besarle el cuello, y su mano se deslizó para cubrirle un seno. Aun cuando todavía estaba asustada, empezaba a sentir que su cuerpo respondía al contacto. Jondalar le echó la cabeza hacia atrás, besándole el cuello, pasándole su lengua por la garganta, y con la mano comenzó a desatar el cordón del cuello. Entonces movió sus labios hasta la oreja de la joven y a lo largo de su quijada, y encontró la boca. Abrió la suya y metió su lengua entre los labios; cuando éstos se abrieron, hizo una suave presión para abrirlos más.

Entonces se echó hacia atrás sujetándola por los hombros y sonrió. Tenía los ojos cerrados pero la boca abierta, y respiraba más aprisa. La besó de nuevo, cubriéndole un seno con la mano, y sacando el cordón de un ojillo. Ella se puso un poco rígida. Jondalar se detuvo a mirarla, sonrió y sacó deliberadamente el cordón por otro ojillo. Ella estaba inmóvil y tiesa, mirándolo a la cara mientras él sacaba el cordón de un tercer ojillo, y de otro, hasta que la camisa de ante quedó colgando y abierta por delante.

Se inclinó sobre ella al empujar la camisa hacia atrás para desnudarle los hombros y revelar los jóvenes pechos erguidos con sus areolas hinchadas, y sintió que su virilidad palpitaba. Le besó los hombros con la boca abierta y la lengua en movimiento y la sintió estremecer, y le acarició los brazos y le quitó la camisa. Le pasó las manos a lo largo del espinazo y la lengua por el cuello y el pecho, rodeando la areola sintió que se contraía el pezón y se puso a mamar suavemente. Ella boqueó pero no se retiró. Jondalar le chupó el otro seno, le corrió la lengua hacia arriba hasta alcanzarle la boca, y mientras la besaba la echó hacia atrás.

Abriendo los ojos, Noria lo miró desde las pieles; tenía los ojos dilatados y luminosos. Los de él eran tan profundamente azules y apremiantes que no podía apartar la mirada.

—Jondalar hombre, Noria mujer —dijo.

—Jondalar hombre, Noria mujer —dijo él roncamente, entonces se levantó y se pasó la túnica por la cabeza, sintiendo el impulso mientras su virilidad luchaba por liberarse. Se inclinó sobre ella, volvió a besarla y sintió que abría la boca para tentar su lengua con la de ella. Acarició su seno y le pasó la lengua por el cuello y el hombro. Encontró nuevamente el pezón, chupando más fuerte al oír que ella gemía y sintió que su propia respiración se aceleraba.

"Hace tanto tiempo que no estaba con una mujer", pensó, y deseó tomarla al instante. "Despacio, no la asustes", se reprendió. "Es su primera vez. Tienes toda la noche, Jondalar. Espera hasta que te des cuenta de que está dispuesta".

Acarició la piel desnuda debajo de sus pechos hinchados y hasta la cintura, y buscó la larga correa que sujetaba la falda. Tirando del cordón, tendió la mano y la dejó sobre el estómago de la joven; ella se puso tensa y después se calmó. Jondalar siguió bajando la mano, buscando la parte interior del muslo, haciendo a un lado el vello púbico suave como plumón. Noria estiró las piernas mientras él avanzaba su mano por entre sus muslos.

Retiró la mano, se sentó y después le bajó la falda por las caderas y la dejó en el suelo. Se puso de pie y contempló entonces sus curvas suaves, redondas, todavía incompletas. Ella le sonrió con expresión confiada y anhelante. Jondalar desató la correa de sus pantalones y se los bajó; la joven dio un respingo al ver el miembro hinchado y erecto, y una sombra de temor volvió a sus ojos.

Noria había escuchado con fascinación las historias que otras mujeres contaban de sus Ritos de los Primeros Placeres. Algunas mujeres no consideraban que fueran nada placenteros. Decían que el Don del Placer era dado a los hombres, que a las mujeres se les había dado la habilidad de proporcionar placer a los hombres, para que los hombres estuvieran ligados a ellas; de modo que los hombres cazaran y llevaran alimentos y pieles para hacer ropa cuando la mujer estaba embarazada o amamantando. Habían advertido a Noria que le dolería cuando sus Primeros Ritos. Jondalar era tan grande, estaba tan hinchado, ¿cómo podría penetrar en ella?

Él conocía esa mirada de miedo; era un momento crítico, tendría que acostumbrarse nuevamente a él. Disfrutaba despertando a una mujer, por vez primera, a los placeres del Don de la Madre, pero hacía falta mostrar delicadeza y suavidad. "Algún día", pensó, "desearía poder dar a una mujer placer por vez primera, y no tener que preocuparme por hacerle daño". Sabía que eso no era posible; para una mujer, los Ritos de los Primeros Placeres siempre resultaban un poco dolorosos.

Se sentó junto a ella y esperó, dejándole tiempo. Las miradas de Noria eran atraídas por aquel miembro palpitante. Jondalar la tomó de la mano haciendo que lo tocara, y sintió un impulso. Era como si su virilidad tuviera en momentos como éstos una vida independiente. Noria sintió la suavidad de la piel, el calor, la firme plenitud, y como el miembro se movía ansiosamente en su mano, experimentó una sensación aguda, titilante, estimulante, dentro de sí, y humedad entre sus piernas. Trató de sonreír, pero el temor seguía agazapado en sus ojos.

Jondalar se tendió junto a ella y la besó con dulzura. Ella abrió los ojos y miró a los suyos; vio su preocupación y su hambre y cierta fuerza sin nombre, irresistible. Se sentía atraída, abrumada, perdida en las imposibles profundidades azules de sus ojos, y experimentó de nuevo la sensación profunda y placentera. Lo deseaba; temía el dolor, pero lo deseaba a él. Tendió la mano, cerró los ojos, abrió la boca y se estrechó más contra él.

Jondalar la besó dejándole que explorara su boca, y lentamente fue siguiendo su camino hacia el cuello y la garganta, besando, moviendo la lengua y acariciando suavemente el estómago y los muslos. Provocaba un poco, acercándose al sensible pezón, pero retrocedía hasta que ella lo atrajo de nuevo. En aquel instante movió su mano hacia la hendidura cálida entre los muslos de la joven y encontró el nódulo pequeñito y palpitante; Noria dejó escapar un grito.

Mamándole el pezón y mordiéndoselo suavemente, fue moviendo los dedos; la joven gimió y meneó las caderas. Jondalar fue más abajo, sintió que ella ahogaba la respiración cuando halló el ombligo, y que tensaba sus músculos mientras él seguía más abajo, retrocediendo de la plataforma hasta quedar de rodillas en el suelo. Entonces le apartó las piernas y probó por vez primera su sal penetrante. La respiración de Noria estalló en un grito tembloroso; se puso a gemir con cada exhalación, echando la cabeza hacia atrás y adelante, y avanzando las caderas para ir a su encuentro.

Con las manos, la abrió del todo, lamió sus repliegues calientes y encontró el nódulo con la lengua; y se puso a trabajarlo. Mientras ella gritaba, meneando las caderas, la excitación del joven lo estaba dominando; luchó por retenerse. Cuando oyó que Noria respiraba jadeando, rápidamente se irguió, todavía arrodillado para poder contener su penetración, y guió la cabeza de su órgano hinchado hacia el orificio intacto. Rechinó los dientes para controlarse mientras se introducía en la fuente cálida, húmeda y apretada.

Mientras Noria le rodeaba el talle con las piernas, sintió el obstáculo dentro de ella. Con el dedo, encontró nuevamente el nódulo y se movió adelante y atrás sólo un poco, hasta que los jadeos de ella llegaron con gritos, y sintió que se alzaban sus caderas. Entonces retrocedió un poco, empujó con fuerza y sintió que penetraba por la barrera mientras ella gritaba de dolor y placer, y oyó su propio grito tenso al aliviar su necesidad exacerbada con espasmos estremecidos.

Entró y salió unas cuantas veces, penetrando todo lo lejos que se atrevió, sintiendo que su última esencia se había agotado, y cayó sobre ella. Se quedó tendido un momento con la cabeza sobre el pecho de ella, respirando fuerte, y entonces se enderezó. La joven estaba inerte con la cabeza de lado y los ojos cerrados. Se apartó un poco y vio manchas de sangre sobre la piel blanca que había debajo de Noria. Volvió a subir sus piernas a la plataforma y se tendió al lado de ella, sumiéndose entre las pieles.

Cuando empezó a respirar más calmadamente, sintió manos en su cabeza. Abrió los ojos y vio el rostro viejo y los ojos brillantes de Haduma. Noria se movió a su lado; Haduma sonrió aprobatoriamente asintiendo con la cabeza, y comenzó un canto monótono. Noria abrió los ojos, complacida al ver a la anciana y más complacida aún al ver que movía las manos apartándolas de la cabeza de Jondalar y se las imponía a ella en el estómago. Haduma hizo movimientos por encima de ellos, canturreando, después sacó a tirones la piel manchada de sangre: había una magia especial para una mujer en su sangre de los Primeros Ritos.

Entonces la anciana volvió a mirar a Jondalar, sonrió y con un dedo huesudo tocó el miembro fláccido. Él sintió un momento de excitación nueva, vio que trataba de fortalecerse de nuevo y que recaía. Haduma rió para sí y salió renqueando de la tienda, dejándolos solos.

Jondalar descansó al lado de Noria. Al cabo de un rato, ella se sentó y lo miró desde arriba con ojos lucientes y lánguidos.

—Jondalar, hombre, Noria mujer —dijo, como si sintiera realmente que era una mujer ahora, y se inclinó para besarlo. Jondalar se extrañó al sentir una nueva excitación tan pronto y se preguntó si el toque de Haduma tendría algo que ver con eso. No siguió interrogándose mientras se tomaba el tiempo necesario para mostrar a la joven cómo complacerlo y dándole más placer a ella.

El gigantesco esturión estaba ya tendido en la orilla para cuando Jondalar se levantó. Thonolan había metido su cabeza en la tienda poco antes, mostrándole un par de garfios, pero Jondalar le había hecho señas de que se fuera y había rodeado a Noria con sus brazos antes de volver a quedarse dormido. Cuando despertó, más tarde, Noria se había ido. Se puso los pantalones y echó a andar hacia el río. Vio cómo Thonolan, Jeren y otros cuantos reían en un compañerismo recién descubierto, y casi sintió no haber pescado con ellos.

—Bueno, mira quién ha decidido levantarse —dijo Thonolan al verlo—. Ojos azules es el único que se queda tumbado mientras todos los demás están luchando por sacar a este viejo Haduma del agua.

Jeren captó la frase.

—¡Haduma! ¡Haduma! —gritó, riendo y señalando el pescado. Se puso a corvetear alrededor, y entonces se paró frente a la cabeza como de tiburón. Los palpos que brotaban de su quijada inferior atestiguaban sus hábitos de alimentarse en los fondos y su carácter inofensivo, pero sus dimensiones habían convertido su pesca en todo un reto: medía más de quince pies de largo.

Con una risa pícara, el joven cazador se puso a menear la pelvis adelante-atrás en una mímica erótica ante la nariz del grande y viejo pescado, gritando: "¡Haduma! ¡Haduma!", como si le pidieran que lo tocara. Todos los demás soltaron ruidosas carcajadas danzando alrededor del pescado, meneando la pelvis y gritando "¡Haduma!" y, muy animados, empezaron a empujarse unos a otros para ocupar el lugar frente a la cabeza. Un hombre fue empujado al río; volvió vadeando, agarró al que tenía más cerca y lo arrastró, pronto estuvieron todos empujándose unos a otros y cayendo al río, Thonolan justo en medio.

Regresó a la orilla, empapado, vio a su hermano y lo agarró.

—No creas que te vas a quedar seco —le dijo, mientras Jondalar resistía—. Ven acá, Jeren, vamos a darle una zambullida a ojos azules.

Jeren oyó su nombre, vio la pelea y llegó corriendo. Los demás siguieron. Tirando y empujando arrastraron a Jondalar hasta la orilla del río y todos acabaron en el agua, muertos de risa. Salieron, chorreando, riendo aún, hasta que uno de ellos vio a la anciana parada junto al pescado.

—Haduma, ¿eh? —dijo, mirándolos con expresión severa. Todos se miraron unos a otros con aire contrito. Entonces la anciana cloqueó, con deleite, se puso a la cabeza del esturión y meneó sus viejas caderas atrás y adelante. Todos rieron corriendo hacia ella, tirándose a gatas para que montara sus espaldas.

Jondalar sonrió al ver el juego que habrían jugado con ella, evidentemente, muchas veces más. Su tribu no sólo reverenciaba a su vieja antepasada sino que la amaba, y ella parecía disfrutar la diversión de todos. Haduma miró a su alrededor y, al ver a Jondalar, lo señaló. Los hombres le hicieron señas de que se acercara, y él se dio cuenta del cuidado con que la ayudaban a subir a sus espaldas. Se enderezó con mucho cuidado; no pesaba casi nada, pero lo sorprendió la firmeza con que se agarró de él. La frágil anciana tenía aún cierta fortaleza.

Echó a andar, pero como los demás corrían por delante, ella le golpeó el hombro, apremiándolo. Corrieron arriba y abajo por la playa hasta que se quedaron sin aliento, y entonces Jondalar se agachó para dejarla apearse. Se enderezó, recogió su báculo y con gran dignidad se encaminó hacia las tiendas.

—¿No es una anciana increíble? —preguntó Jondalar a Thonolan, lleno de admiración—. Dieciséis hijos, cinco generaciones, y todavía está fuerte. No pongo en duda que vivirá para ver a su sexta generación.

—Ella vive ver seis generación, entonces ella muere.

Jondalar se volvió al oír la voz. No había visto que Tamen se acercaba.

—¿Qué quiere decir, entonces ella muere?

—Haduma dice: Noria hace hijo ojos azules, espíritu Zelandonii, entonces Haduma muere. Ella dice largo tiempo aquí, tiempo de ir. Ve bebé y entonces muere. Nombre del bebé Jondal, seis generación Hadumai. Haduma feliz Zelandonii hombre. Dice buen hombre. Placer mujer Primeros Ritos no fácil. Hombre Zelandonii, buen hombre.

Jondalar se sintió presa de emociones complejas.

—Si es su deseo irse, se irá, pero eso me entristece —dijo.

—Sí, todos Hadumai mucho entristecen —dijo Tamen.

—¿Puedo volver a ver a Noria, tan pronto después de los Primeros Ritos, Tamen?, sólo un momento. No conozco vuestras costumbres.

—Costumbres, no. Haduma dice sí. ¿Te irás pronto?

—Si Jeren dice que el esturión compensa la obligación por haber espantado a los caballos, creo que deberíamos irnos. ¿Cómo lo sabías?

—Haduma dice.

El campamento tuvo un festín de esturión por la noche, y muchas manos habían colaborado para cortar tiras para secarlo por la tarde. Jondalar vislumbró a Noria una vez de lejos, mientras varias mujeres la escoltaban a algún lugar río arriba. La llevaron a verlo poco antes del anochecer. Caminaron juntos hacia el río, con dos mujeres que los seguían discretamente. Era suficiente violación de las costumbres que lo viera justo después de los Primeros Ritos; a solas habría sido demasiado.

Se quedaron junto a un árbol sin decir nada, Noria con la cabeza baja. Él le apartó un mechoncito de cabellos y le levantó la barbilla para obligarla a mirarlo: tenía los ojos llenos de lágrimas. Jondalar secó una gota brillante del rabillo del ojo con el nudillo y se la llevó a los labios.

—Oh, Jondalar —lloró Noria, abrazándolo.

Él la retuvo, la besó suavemente y después, con más pasión.

—Noria —dijo—. Noria mujer, bella mujer.

—Jondalar hace Noria mujer —dijo—. Hace... Noria... hace... —ahogó un sollozo, deseando saber las palabras para decirle lo que deseaba decir.

—Ya sé, Noria, ya sé —dijo, teniéndola en sus brazos. Entonces retrocedió, sujetándola por los hombros, le sonrió y le acarició el estómago. La joven sonrió a través de sus lágrimas.

—Noria hace Zelandonii... —le tocó el párpado—. Noria hace Jondal... Haduma...

—Sí —asintió— Tamen me dijo. Jondal, sexta generación Hadumai —metió la mano en su bolsa—. Tengo algo para ti, Noria —sacó la donii de piedra y se la puso en la mano. Habría querido poder decirle lo especial que era la figurina para él, explicarle que su madre se la había dado, que era muy antigua, que había pasado de una generación a otra—. Esta donii es mi Haduma —dijo emocionado—. La Haduma de Jondalar. Ahora, es la Haduma de Noria.

—¿Haduma de Jondalar? —dijo, maravillada, mirando la forma femenina esculpida—. ¿La Haduma de Jondalar, Noria?

Él asintió y la joven se echó a llorar, agarrándola con ambas manos y llevándola a sus labios.

—La Haduma de Jondalar —dijo, con los hombros sacudidos por los sollozos. De repente lo rodeó con sus brazos y lo besó; entonces echó a correr hacia las tiendas, llorando tan fuerte que apenas veía por dónde andaba.

Todo el campamento estuvo presente para verlos marchar. Haduma, de pie junto a Noria cuando Jondalar se detuvo frente a ellas, sonreía, manifestando su aprobación con movimientos de la cabeza, pero el rostro de la joven estaba bañado en lágrimas Jondalar tendió la mano, tocó una con el dedo y se la llevó a la boca, y Noria sonrió pero sin dejar de llorar; al volverse para emprender la marcha, el joven vio al corredor que Jeren había enviado mirando a Noria con expresión enamorada.

Ahora era una mujer, y bendecida por Haduma, segura de traer un hijo afortunado al hogar de un hombre. Se había corrido la voz de que había gozado con los Primeros Ritos, y todo el mundo sabía que esas mujeres son las mejores compañeras. Noria era altamente casable, visiblemente deseable.

—Dime, ¿crees realmente que Noria haya quedado encinta de un hijo de tu espíritu? —preguntó Thonolan cuando el campamento quedó atrás.

—No lo sabré nunca, pero Haduma es una anciana sabia. Sabe más de lo que nadie sea capaz de imaginar. Creo que tiene "gran magia". Si alguien es capaz de lograr que eso suceda, es ella.

Caminaron un buen rato en silencio a lo largo del río, y de repente Thonolan habló.

—Hermano mayor, hay algo que quisiera preguntarte.

—Pregunta.

—¿Qué magia tienes? Quiero decir que, todos hablan de ser elegidos para los Primeros Ritos, pero la verdad es que eso espanta a muchos hombres. Sé de un par de ellos que han declinado, y para ser sincero, siempre me siento algo torpe. Pero nunca me he negado. Y tú, a ti te escogen siempre y nunca te he visto fallar. Todas se enamoran de ti. ¿Cómo lo haces? Te he observado mientras cortejabas en los festivales; no veo que tengas nada especial.

—Yo qué sé, Thonolan —repuso Jondalar, algo confuso—. Sólo trato de tener cuidado.

—¿Y quién no? Es algo más que eso. ¿Cómo dijo Tamen? ¡Ah, sí! "placer mujer primeros ritos no fácil". Entonces, ¿cómo complaces a una mujer? Yo me siento muy bien cuando consigo no hacerle mucho daño. Y no es que la tengas de pequeño volumen para facilitar las cosas. Anda, dale algunos consejos a tu hermano menor. No me pesaría tener a mi alrededor un ramillete de jóvenes beldades.

—Sí te pesaría —dijo Jondalar deteniéndose y mirando a su hermano—. Creo que es una de las razones por las que dejé que me comprometieran con Marona, para tener una excusa —arrugó la frente—. Los Primeros Ritos son algo especial para la mujer. También lo son para mí. Pero muchas jóvenes siguen siendo niñas en muchos aspectos. No han aprendido la diferencia entre correr tras los muchachos y ofrecerse a un hombre. ¿Cómo decirle a una joven con quien acabas de pasar una noche muy especial, que preferirías descansar con una mujer más experimentada, si consigue acosarte a solas en un rincón? ¡Gran Doni, Thonolan!, no las quiero lastimar, pero no me enamoro de todas las mujeres con quienes paso una noche.

—Tú no te enamoras, eso es todo, Jondalar.

Jondalar echó a andar aprisa.

—¿Qué quieres decir con eso? He amado a muchas mujeres.

—Amarlas, sí. Pero no es lo mismo.

—¿Tú qué sabes? ¿Te has enamorado alguna vez?

—Unas cuantas veces. Tal vez no haya durado, pero sé reconocer la diferencia. Mira, hermano, no quiero curiosear pero me preocupas, especialmente cuando te pones de mal humor. Y no tienes que ir corriendo. Me callaré si así lo deseas.

Jondalar alargó el paso.

—Bueno, tal vez tengas razón. Quizá nunca me haya enamorado. Puede que no esté en mí el enamorarme.

—¿Qué te falta? ¿Qué es lo que no tienen las mujeres que conoces?

—Si lo supiera, no creas que ... —comenzó con enojo y entonces se interrumpió—. Yo qué sé, Thonolan. Supongo que quiero tenerlo todo. Quiero una mujer como si se tratara de sus Primeros Ritos ... creo que entonces me enamoraré de esa mujer, de cada una de ellas, al menos durante esa noche. Pero quiero una mujer, no una muchacha. La quiero honradamente anhelante y aquiescente sin fingimientos, pero no quiero estar obligado a ser tan cuidadoso con ella. Quiero que tenga espíritu, que sepa lo que realmente piensa. La quiero joven y vieja, inocente y sabia, todo ello a la vez.

—Eso es querer demasiado, hermano.

—Bueno, tú preguntaste —ambos caminaron en silencio un buen trecho.

—¿Qué edad dirías tú que tiene Zelandoni? —preguntó Thonolan—. ¿Tal vez un poco más joven que Madre?

—¿Por qué? —preguntó Jondalar, poniéndose rígido.

—Dicen que fue realmente bella de joven, hace unos cuantos años. Algunos de los ancianos dicen que nadie podría compararse con ella, ni de lejos. Me resulta difícil decirlo, pero cuentan que es joven para ser la Primera entre Quienes Sirven a la Madre. Dime algo, hermano mayor, ¿es cierto lo que cuentan de ti y de Zelandoni?

Jondalar se detuvo y volvió lentamente el rostro hacia su hermano.

—Dime, ¿qué cuentan de mí y de Zelandoni? —preguntó con los dientes apretados.

—Lo siento. He ido demasiado lejos. Olvida lo que pregunté.

Capítulo 5

Ayla salió de la caverna a la repisa de piedra que había delante, frotándose los ojos y estirándose. El sol estaba todavía muy bajo al Este, y se protegió los ojos mientras buscaba los caballos con la mirada. Mirar los caballos al despertar por la mañana se había convertido ya en hábito, aunque sólo llevaba allí pocos días. Eso contribuía a hacer su existencia solitaria un poco más soportable, pensar que estaba compartiendo el valle con otras criaturas vivientes.

Empezaba a darse cuenta del giro de sus movimientos, adónde iban a beber por la mañana, los árboles de sombra que preferían por la tarde, y ya los distinguía unos de otros. Estaba el potro del año cuyo pelaje gris era tan claro que parecía casi blanco, excepto donde se oscurecía a lo largo de la franja característica del espinazo y el extremo de las patas y las tiesas crines gris oscuro. Y estaba la yegua parda con su potrillo color heno, cuyo pelaje era igual al del caballo padre. Y el orgulloso jefe cuyo lugar sería ocupado algún día por uno de los añeros que apenas toleraba o quizá por uno de la siguiente camada o la otra. El semental amarillo pálido, con la franja salvaje moreno oscuro, del mismo color que la parte inferior de las patas, estaba en la flor de la edad, y su porte lo demostraba.

—Buenos días, clan de los caballos —expresó Ayla por señas haciendo el gesto que se usaba comúnmente para saludar, con un leve matiz que lo convertía en saludo matutino—. Me quedé dormida muy tarde esta mañana. Ya habéis tomado vuestras libaciones mañaneras ... creo que voy por las mías.

Corrió con ligereza hacia el río, suficientemente familiarizada con la abrupta senda para no tener un paso en falso. Bebió, después se quitó el manto para nadar un rato. Era el mismo manto,

97

pero lo había lavado y raspado para suavizar nuevamente el cuero. Su afición natural por el aseo y el orden había sido fortalecida por Iza, cuya amplia farmacopea de hierbas medicinales imponía el orden para evitar el mal uso, y que comprendía el peligro del polvo, la suciedad y las infecciones. Una cosa era aceptar cierta mugre cuando se va de viaje y cuando no se puede evitar; pero no cuando había un arroyo rutilante a proximidad.

Se pasó las manos por densos cabellos rubios que caían en ondas mucho más abajo que sus hombros. "Voy a lavarme el cabello", señaló hacia nadie en particular. Había encontrado saponaria tras el recodo, y fue a arrancar unas cuantas raíces. Mientras regresaba dejando correr su mirada por encima del río, observó la enorme roca que salía del agua poco profunda: tenía depresiones como platos. Agarró una piedra redonda y llegó vadeando a la roca. Enjuagó las raíces, echó agua a una depresión y golpeó la raíz de saponaria para sacar la rica y espumosa saponina. Cuando hubo conseguido la espuma, se humedeció el cabello, lo cubrió con ella y lavó el resto de su cuerpo antes de zambullirse en el agua para enjuagarse.

Una gran parte de la muralla saliente se había desmoronado en alguna época pasada. Ayla trepó por la parte que estaba bajo el agua y pasó por la superficie que emergía, hasta un lugar calentado por el sol. Un canal donde le llegaba el agua a la cintura del lado de la orilla convertía la roca en una isla, sombreada en parte por un sauce cuyas ramas pendían sobre el agua mientras las raíces descubiertas se aferraban al borde del agua como dedos huesudos. Rompió una ramita de un arbusto cuyas raíces habían encontrado asimiento en una grieta, la peló con los dientes usándola como peine para desenredar sus cabellos mientras se secaban al sol.

Estaba contemplando el agua con expresión soñadora, tarareando para sí, cuando un destello de movimiento atrajo su atención. Súbitamente atenta, miró a través del agua la forma plateada de una enorme trucha que reposaba entre las raíces. "No he comido pescado desde que dejé la caverna", pensó, y al mismo tiempo recordó que tampoco había desayunado.

Deslizándose silenciosamente en el agua del lado más alejado de la roca, nadó río abajo un trecho y después vadeó hacia el agua poco profunda. Metió la mano en el agua, dejando colgantes los dedos, y lentamente, con una paciencia infinita, volvió río arriba. Al acercarse al árbol, vio que la trucha tenía la cabeza en la corriente, ondulando ligeramente para mantenerse en el mismo sitio bajo la raíz.

Los ojos de Ayla brillaban de excitación, pero era más cautelosa aún, pisando cuidadosamente con un pie tras el otro al aproximarse al pez. Sacó la mano de detrás hasta que la tuvo justo debajo de la trucha, buscando a tientas las agallas. De repente asió el pez y con un movimiento firme, lo sacó del agua lanzándolo a la orilla. La trucha se contorsionó y luchó un momento hasta quedar inmóvil.

Contenta de sí misma, Ayla sonrió. Le había costado mucho aprender a sacar un pez del agua desde que era niña, y todavía se sentía igual de orgullosa que cuando lo consiguió por vez primera. Vigilaría el lugar, consciente de que sería utilizado por una sucesión de inquilinos. Éste era lo suficientemente grande para servir de algo más que un desayuno, pensó mientras recogía su presa... disfrutando por anticipado el sabor de la trucha fresca asada sobre piedras calientes.

Mientras se cocinaba su desayuno, Ayla se ocupó en confeccionar una canasta de yuca que había recogido el día anterior. Era una canasta sencilla, funcional, pero con ligeras variantes en el tejido Ayla creaba un cambio de textura por gusto, aplicándole un diseño sutil. Trabajaba rápidamente, pero con tanta habilidad que la canasta sería impermeable. Agregando piedras muy calientes, podría usarse como olla para cocer, pero tal no era el propósito que abrigaba mientras le daba forma: estaba preparando un contenedor para almacenar, pensando en todo lo que tendría que hacer para asegurarse en la estación fría que se avecinaba.

"Las grosellas que recogí ayer estarán secas en unos cuantos días", calculó, mirando las bayas redondas y rojas tendidas en esteras de hierba en el pórtico. "Para entonces habrá muchas más maduras; también habrá muchos arándanos, pero no le voy a sacar gran cosa a ese manzanito retorcido. El cerezo está lleno pero las cerezas están casi demasiado maduras. Si voy a recoger unas pocas, tendrá que ser hoy mismo. Las semillas de girasol estarán buenas, con tal de que los pajarillos no acaben primero con ellas. Creo que cerca del manzano había avellanos, pero son mucho más pequeños que los de la caverna pequeña; estoy segura. Creo que esos pinos son de los que tienen piñas grandes llenas de piñones; los veré después. ¡Ojalá esté pronto ese pescado!

"Tengo que poner a secar verduras; y líquen; y setas. Y raíces. No tendré que secar todas las raíces, algunas se conservarán bastante en el fondo de la caverna. ¿Me harán falta más semillas de quenopodio? Son tan pequeñas que nunca parece que hay bastantes. Pero el grano merece la pena, y algunas espigas de grano en la pradera están maduras. Hoy recogeré cerezas y grano, pero me harán falta más canastos para guardar. A lo mejor puedo hacer algunos recipientes con corteza de abedul. Ojalá tuviera unos cuantos pellejos para hacer cajas grandes.

"Siempre parecía que sobraban pieles para hacer pellejos cuando vivía con el Clan. Ahora me conformaría con tener más pieles calientes para el invierno. Los conejos y las marmotas no son lo suficientemente grandes para sacar un manto, y están flacos. Si pudiera cazar un mamut me sobraría grasa, inclusive para lámparas. Y no hay nada tan bueno y nutritivo como la carne de mamut. Me pregunto si ya estará esa trucha". Retiró una hoja húmeda y pinchó el pescado con un palito. "Un poquito más".

"Sería bueno tener algo de sal, pero no hay mar por aquí. La fárfara tiene sabor salado y otras hierbas pueden agregar sabor. Iza conseguía que cualquier cosa tuviera buen sabor. Tal vez pueda irme por la estepa y ver si encuentro perdiz blanca, para prepararla como le gustaba a Creb".

Sintió que se le anudaba la garganta al pensar en Iza y Creb, y meneó la cabeza como si tratara de poner fin a esos pensamientos o, por lo menos, a las lágrimas que estaban a punto de saltársele.

"Necesito un armazón para hierbas, infusiones y medicinas. Podría caer enferma. Puedo tronchar algunos árboles para hacer los postes, pero me harán falta correas nuevas para atarlos. Entonces, cuando se sequen y se encojan, aguantarán. Con toda la madera seca y la del río, tal vez no tenga que cortar árboles para hacer leña, y hay excremento de caballo; arde bien cuando está seco. Hoy comenzaré a llevar leña a la caverna, y pronto tendré que hacer algunas herramientas. He tenido suerte al hallar pedernal. Ese pescado tiene que estar hecho ya".

Ayla se comió la trucha directamente de la base de piedras calientes donde se había cocido, y pensó en buscar entre el montón de huesos y madera del río algunos trozos planos . . . omoplatos o huesos de la pelvis eran cómodos para servir de platos. Vació su pequeña bolsa de agua en su tazón de cocer y pensó que sería bueno disponer del estómago impermeable de algún animal grande para hacer una bolsa de agua con mayor capacidad para la caverna. Agregó piedras calientes del fuego para calentar el agua de su tazón de cocinar y le echó pétalos de rosa secos de su bolsa de medicinas; lo usaba como remedio contra catarros benignos, pero también servían para hacer una agradable bebida caliente.

La dura tarea de recoger, procesar y almacenar la abundancia del valle no era una perspectiva desagradable; por el contrario, estaba deseosa de emprenderla; así se mantendría ocupada y no tendría tanto tiempo para pensar en su soledad. Tenía que poner en conserva sólo lo necesario para ella, pero tampoco había manos que ayudaran a realizar el trabajo más aprisa, y se preocupaba por si le quedaría tiempo suficiente para conseguir un avituallamiento satisfactorio. Algo más la preocupaba.

Bebiendo su té a sorbitos mientras terminaba el canasto, Ayla estaba considerando las necesidades que debería satisfacer para sobrevivir al prolongado y frío invierno.

"Necesito otra piel para mi cama este invierno", pensaba. "Y además carne, por supuesto. ¿Y grasa? Tendré que tener una poca en invierno. Podría hacer recipientes de corteza de abedul mucho más aprisa que los canastos, si sólo tuviera algunos cascos, huesos y desechos de pieles para hervir y hacer cola. ¿Y dónde voy a encontrar una bolsa grande para el agua?, ¿cuero para hacer correas y unir los postes de un tendedero para secar? Podría utilizar tendones, tal vez intestinos para almacenar la grasa y..."

Los dedos que tan rápidamente estaban trabajando se detuvieron; Ayla se quedó mirando al vacío como si presenciara una revelación.

"¡Podría conseguir todo eso de un animal grande! Sólo tengo que matar uno. Pero ¿cómo?"

Terminó el canastito y lo metió en su canasto de recolectar que se ató a la espalda. Metió sus herramientas en los pliegues de su manto, recogió su palo de cavar y su honda y se dirigió al prado. Encontró el cerezo silvestre, recogió todas las cerezas que pudo alcanzar y trepó al árbol para obtener más. Y también comió una buena cantidad; estaban agridulces.

Al bajarse del árbol decidió que arrancaría corteza de cerezo contra el catarro. Con el hacha de mano arrancó una sección de la dura corteza exterior y entonces raspó con el cuchillo la capa interior de cambium. Recordó cuando era niña: había ido a buscar corteza de cerezo silvestre para Iza cuando vio a los hombres que practicaban con sus armas en el campo. Sabía que estaba mal espiar, pero temía que la vieran alejarse y además se sintió intrigada cuando el viejo Zoug comenzó a enseñar al niño a hacer uso de la honda.

Sabía que las mujeres no debían tocar armas, pero cuando los hombres se alejaron dejando tirada la honda, no pudo resistir. También ella quería intentarlo.

"¿Seguiría hoy con vida si no hubiera recogido esa honda? ¿Me habría odiado tanto Broud si yo no hubiera aprendido a usarla? Quizá no me hubiera expulsado de no haberme odiado tanto. Pero si no me hubiera odiado, no habría gozado forzándome y tal vez no habría nacido Durc.

"¡Quizá! ¡Quizá! ¡Tal vez!", pensó con enojo. "¿Qué sentido tiene estar pensando en lo que pudiera haber sido? Ahora estoy aquí, y esa honda no me ayudará a cazar un animal grande. ¡Para eso necesitaría una lanza!"

Prosiguió su camino entre un bosquecillo de álamos temblones para ir a beber y lavarse el jugo de las cerezas que le cubría las manos. Había algo en los altos y erectos árboles jóvenes que la hizo detenerse. Agarró el tronco de uno de ellos; entonces entendió: ¡eso serviría! Con eso podría hacerse una lanza.

Sintió un momento de desaliento. "Brun se enfadaría", pensó. "Cuando me permitió cazar me dijo que nunca debería hacerlo más que con una honda. Él...

"¿Qué haría? ¿Qué podría hacer? ¿Qué más podría hacerme ninguno de ellos, aun cuando lo supieran? Estoy muerta. Ya estoy muerta. Aquí no hay nadie más que yo".

Entonces, como cuando se tensa tanto una cuerda que se rompe, algo dentro de ella se quebró; cayó de rodillas.

"¡Oh, cómo quisiera que hubiera aquí alguien más que yo! Alguien. Quien fuera. Hasta me alegraría ver a Broud. No volvería a tocar una honda si me permitiera regresar, si me dejara ver de nuevo a Durc". Arrodillada al pie de un pequeño álamo Ayla se cubrió el rostro con las manos, sollozando y ahogándose.

Sus sollozos caían en oídos indiferentes. Las criaturas pequeñas de la pradera y el bosque se limitaban a evitar a la extraña que vivía entre ellos y producía sonidos incomprensibles. No había nadie más que pudiera oírla. Mientras realizaba su viaje, había decidido detenerse, tenía que hacer a un lado la esperanza, aceptar su soledad y aprender a vivir con ella. La preocupación por sobrevivir, que la corroía, por sobrevivir sola en un lugar desconocido y a través de un invierno cuyo rigor ignoraba, era una tensión adicional. Llorar aliviaba la tensión.

Cuando se puso de pie estaba temblando, pero tomó su hacha de mano y se puso a golpear furiosamente la base del joven álamo, y después atacó otro tronco. "He visto cómo hacían lanzas los hombres", se dijo, mientras arrancaba las ramas. "No parecía tan difícil". Arrastró los postes hasta el campo y los dejó mientras recogía espigas de carraón y centeno el resto de la tarde; entonces se los llevó a rastras hasta la caverna.

Pasó la hora del crepúsculo arrancando corteza y alisando las lanzas, deteniéndose únicamente para cocer algo de grano que comería con el pescado que le sobró, y para tender las cerezas a secar. Para cuando cerró la noche, Ayla estaba preparada para la siguiente fase. Se llevó las lanzas a la caverna y, recordando cómo lo habían hecho los hombres, midió una longitud poco mayor que su estatura, hizo una marca. Entonces colocó la sección señalada en el fuego, dándole vueltas a la lanza para quemarla toda alrededor. Con un raspador de muesca raspó la parte carbonizada y siguió quemando y raspando hasta que la pieza superior se quebró. Más quemar y raspar la convirtió en una punta aguda, endurecida al fuego. Entonces se dedicó a la segunda lanza.

Era tarde cuando terminó su tarea. Estaba cansada y contenta de estarlo: así se dormiría más fácilmente. Las noches eran lo peor. Ayla cubrió el fuego, se fue hasta la abertura, contempló el cielo tachonado de estrellas y trató de encontrar algún pretexto para no acostarse en seguida. Había cavado una trinchera poco profunda, la había llenado de hierba seca que cubrió con pieles; se dirigió a esa cama a paso lento. Se tendió y fijó la mirada en el tenue resplandor del fuego, escuchando el silencio.

No había agitación de gente preparándose para dormir ni ruidos de acoplamiento de hogares vecinos ni gruñidos ni ronquidos: ninguno de los pequeños ruidos que hace la gente, ni siquiera un hálito de vida . . . aparte del suyo. Tendió la mano hacia la piel que había usado para llevar a su hijo sobre la cadera, hizo una bola con ella y la apretó contra su pecho, meciéndola y canturreándole muy bajito mientras le corría el llanto por la cara. Finalmente se acostó del todo, se acurrucó alrededor del manto y lloró hasta quedarse dormida.

Cuando salió Ayla a la mañana siguiente para hacer sus necesidades, tenía sangre en la pierna. Revolvió su escaso montón de pertenencias en busca de las tiras absorbentes y su cinturón especial. Estaban tiesas y brillantes a pesar de que las había lavado, y debería haberlas enterrado la última vez que las usó. Entonces vio la piel de conejo. "Ojalá tuviera algo de lana de muflón para poder guardar esa piel de conejo para el invierno pero podré conseguir más conejos", pensó.

Cortó la reducida piel en tiras antes de ir a darse el baño matutino. "Debería haber recordado que iba a llegar, podría haber tomado precauciones. Ahora no podré hacer nada más que . . ."

Y de repente soltó la carcajada. "La maldición femenina no tiene la menor importancia aquí. No hay hombres a quienes no deba mirar ni a quienes no deba prepararles la comida. Sólo tengo que preocuparme por mí misma.

"De todos modos, debería habérmelo esperado, pero los días han pasado tan aprisa. No creí que fuera ya el momento. ¿Cuánto tiempo llevo en este valle?" Trató de recordar, pero los días parecían fundirse unos en otros. Arrugó el entrecejo. "Debería saber cuántos días llevo aquí... puede estar más adelantada la estación de lo que yo creía". Sintió un momento de pánico, pero se reprendió: "No es tan grave. La nieve no comenzará a caer antes de que maduren las frutas y se sequen las hojas, pero tengo que saberlo. Debería llevar nota de los días".

Recordó cuando Creb, hacía mucho tiempo ya, le había mostrado cómo hacer una muesca en un palo para marcar el paso del tiempo. Se había mostrado sorprendido al ver que ella lo captaba tan rápidamente, sólo se lo había explicado para detener el flujo incontenible de sus preguntas. No debería haberle enseñado a una niña conocimientos sacrosantos reservados al hombre santo y sus acólitos, y le había recomendado que no se lo dijera a nadie. Ella recordaba también cómo se enojo el Mog-ur al ver que ella hacía un palo para marcar los días entre una luna llena y otra.

"Creb, si me estás observando desde el mundo de los espíritus, no te enfades", dijo, empleando el lenguaje silencioso de las señas. "Tienes que saber por qué necesito hacerlo".

Encontró un palo largo y liso y marcó una muesca en él con su cuchillo de pedernal. Entonces reflexionó y añadió dos más. Metió sus tres dedos en las muescas y los alzó. "Creo que han sido más días, pero no estoy segura de cuántos. Volveré a marcar esta noche y todas las noches". Volvió a estudiar el palo. "Pondré algo más encima de ésta, para señalar el día que empecé a sangrar".

La luna pasó por la mitad de sus fases después de terminadas las lanzas, pero Ayla seguía sin saber cómo habría de cazar el animal grande que le hacía falta. Estaba a la entrada de su caverna mirando la muralla que tenía al frente y el cielo nocturno. El verano estaba culminando en todo su calor, y la joven saboreaba la fresca brisa vespertina. Acababa de terminar un nuevo atuendo de verano. Su manto entero era demasiado abrigador para soportarlo, y aun cuando andaba desnuda cerca de la caverna, necesitaba los repliegues y bolsas de un manto para llevar cosas dentro en cuanto se alejaba. Después de convertirse en mujer, le gustó siempre llevar una banda de cuero suave alrededor del pecho cuando iba de cacería; era más cómodo para correr y brincar.

Y en el valle no tenía que soportar las miradas subrepticias de la gente que la consideraba extraña por el hecho de llevar eso puesto.

No tenía una piel grande donde poder cortar, pero finalmente se las arregló para poder llevar pieles de conejo como un manto de verano que la dejara desnuda de la cintura para arriba, y utilizó otras pieles como banda pectoral. Estaba pensando hacer una excursión hasta la estepa esa mañana, con sus nuevas lanzas y esperanzas de encontrar animales que se pudieran cazar.

La inclinación del lado norte del valle permitía un fácil acceso a la estepa al este del río; la muralla rocosa dificultaba el paso hacia las planicies del oeste. Vio varias manadas de venados, caballos, inclusive una pequeña banda de antílopes saiga, pero volvió a casa con solamente una brazada de perdices blancas y un gran jerboa. Le resultaba imposible acercarse lo suficiente para alcanzar nada con su lanza.

A medida que pasaban los días, cazar un animal grande se había convertido en una preocupación constante. A menudo había observado a los hombres del clan mientras hablaban de cacerías —casi no hablaban de otra cosa—, pero siempre cazaban en grupo. Su técnica predilecta, como la de una manada de lobos, consistía en apartar al animal de un rebaño y corretearlo por turnos, hasta que estuviera tan agotado que pudieran aproximarse para clavar la lanza mortal. Pero Ayla estaba sola.

En ocasiones habían hablado de la manera en que los gatos se quedan acechando antes de saltar o se abalanzaban furiosamente para derribar a la presa con garras y colmillos. Pero Ayla no tenía garras ni colmillos ni siquiera la velocidad de arranque de un gato. Ni siquiera se sentía cómoda manejando sus lanzas; eran gruesas y bastante largas. Pero tendría que encontrar la manera.

Fue la noche de la luna llena cuando finalmente tuvo una idea que le pareció práctica. Había pensado con frecuencia en la Reunión del Clan, cuando la luna daba la espalda a la Tierra y bañaba el espacio lejano con el reflejo de su luz. El Festival del Oso Cavernario siempre se celebraba cuando había luna nueva.

Estaba pensando en la representación de cacerías que habían realizado los diferentes clanes. Broud había dirigido la excitante danza de la caza para su clan, y la reproducción vívida de la persecución de un mamut había sido el momento culminante de la jornada. Pero la manera en que el clan anfitrión había hecho la mímica de cavar una trampa por el camino que seguía un rinoceronte lanudo para ir a beber, y rodearlo después hasta hacerle caer en ella, los había puesto en un segundo lugar muy honroso en aquella competencia. Los rinocerontes lanudos tenían fama de ser impredecibles y peligrosos.

A la mañana siguiente Ayla echó una mirada para comprobar que allí estaban los caballos, pero no los saludó. Podía identificar individualmente a cada uno de los miembros de la manada. Eran su compañía, casi amigos, pero no le quedaba más remedio si quería sobrevivir.

Se pasó la mayor parte de los siguientes días observando la manada, estudiando sus movimientos: dónde bebían normalmente, dónde les gustaba pacer, dónde pasaban la noche. Mientras observaba, un plan comenzaba a formarse en su mente. Se ocupaba de los detalles, trataba de pensar en todas las probabilidades, y finalmente puso manos a la obra.

Tardó todo un día en derribar árboles pequeños, limpiarlos y arrastrarlos a medio camino a través del campo, amontonándolos cerca de un claro entre los árboles que bordeaban el río. Recogió cortezas resinosas y ramas de pino y abeto, cavó alrededor de viejos tocones podridos en busca de nudos duros que prendían fuego rápidamente, y arrancó manojos de hierba seca. Por la noche, ató con hierba los nudos y trozos resinosos a las ramas para formar antorchas que prenderían rápidamente y arderían produciendo mucho humo.

La mañana del día que había pensado empezar, sacó su tienda de cuero y el cuerno de bisonte. Entonces revolvió entre el montón que había al pie de la muralla en busca de un hueso plano y fuerte; lo encontró y lo pulió hasta que quedó con un filo agudo. Entonces, con la esperanza de que le harían falta, sacó todas las cuerdas y correas que encontró, arrancó lianas de los árboles y lo amontonó todo en la playa pedregosa. Arrastró cargas de madera del río y de leña seca hasta la playa, también, con el fin de tener lo suficiente para hacer fuego.

Al comenzar la noche, todo estaba preparado, y Ayla iba de un lado a otro de la playa, hasta la muralla saliente, vigilando los movimientos de la manada. Ansiosamente vio cómo unas cuantas nubes se acumulaban en el horizonte, y deseó que no avanzaran para opacar el claro de luna con que estaba contando. Puso a cocer un poco de grano y recogió unas cuantas bayas, pero no pudo comer mucho. Siguió ejercitándose con las lanzas y dejándolas de cuando en cuando.

A última hora, rebuscó entre el montón de madera y huesos hasta encontrar un largo húmero de la pata delantera de un venado, con su nudosa extremidad. Lo golpeó contra un trozo grande de marfil de mamut y resintió el contragolpe en su brazo. El largo hueso estaba intacto; era un buen garrote sólido. La luna salió antes de que se pusiera el sol. Ayla deseó saber en ese momento algo más acerca de ceremonias de caza, pero las mujeres siempre habían sido excluidas de ellas. Las mujeres traían mala suerte.

"Nunca le he traído mala suerte a nadie más que a mí misma", pensó, "pero nunca anteriormente había intentado cazar un animal grande. Ojalá supiera de algo que traiga buena suerte". Llevó su mano hacia su amuleto y pensó en su tótem. Era su León Cavernario, al fin y al cabo, el que la dejó cazar, por principio de cuentas. "Eso es lo que dijo Creb. ¿Qué otra razón podría haber para que una mujer se volviera más habilidosa con el arma que había escogido, que todos los demás hombres?" Su tótem era demasiado fuerte para una mujer ... Brun había pensado que eso le daba características masculinas. Ayla esperaba que su tótem volviera a traerle suerte.

El crepúsculo se estaba fundiendo con la oscuridad cuando Ayla se dirigió hacia el recodo del río y vio que finalmente los caballos se recogían para dormir. Tomó el hueso plano y el cuero de la tienda y corrió entre las altas hierbas hasta llegar al claro de los árboles por donde solían ir a beber los caballos por la mañana. El follaje verde parecía gris bajo la luz menguante, y los árboles más alejados eran siluetas negras ante un cielo que ardía de colorido. Esperando que la luna arrojara luz suficiente para ver, Ayla tendió la tienda en el suelo y se puso a cavar.

La superficie estaba apelmazada y dura, pero una vez partida, era más fácil cavar con la azada de hueso afilado. Cuando tuvo un montón de tierra sobre el cuero, lo arrastró hasta el bosque para tirarla. A medida que el hoyo crecía, Ayla puso el cuero en el fondo de la zanja y lo subió cargado de tierra. No veía, iba por su camino a ciegas, y era un trabajo esforzado. Nunca había abierto una zanja ella sola; las grandes zanjas para cocinar, forradas de piedras y empleadas para asar lomos enteros, siempre habían constituido un esfuerzo de la comunidad, llevado a cabo por todas las mujeres; pero esta zanja tendría que ser más profunda y más larga.

El hoyo tenía ya la altura de su cintura cuando sintió agua entre sus pies; entonces comprendió que no debería haber cavado tan cerca del río. El fondo se llenaba rápidamente, y Ayla se encontró sumida en el barro hasta los tobillos cuando por fin renunció a continuar y se salió del hoyo, quebrando una orilla al alzar el cuero.

"Ojalá sea lo suficientemente profundo", pensó, "tendrá que servir; cuanto más cave, más agua entrará". Echó una mirada a la luna, asombrada al ver lo tarde que era. Tendría que trabajar aprisa para terminar, y no podría tomarse el breve descanso que había esperado.

Corrió hacia el lugar en que los árboles y los matorrales se amontonaban y, tropezando en una raíz que no se veía, cayó pesadamente. "No es el momento de descuidarse", pensó, frotándose la espinilla. Le ardían las rodillas y las palmas de las manos, y estaba segura de que lo que le corría por la pierna era sangre, pero no la veía.

Un discernimiento súbito le hizo comprender lo vulnerable que era, y sintió pánico.

"¿Y si me rompo una pierna? No hay nadie que pueda ayudarme... si algo me ocurre. ¿Qué estoy haciendo aquí fuera en plena noche? ¿Sin fuego? ¿Y si me atacara un animal?" Recordó muy claramente el lince que se lanzó aquella vez contra ella, y tendió la mano hacia la honda porque le pareció ver ojos lucientes en la noche.

Encontró que su arma estaba asegurada en la correa de la cintura; eso la tranquilizó.

"De todos modos estoy muerta, o se supone que lo estoy. Si algo ha de suceder, sucederá. Ahora no puedo preocuparme. Si no me doy prisa, llegará la mañana y no estaré preparada".

Encontró su montón de maleza y empezó a arrastrar los árboles pequeños hacia la zanja. Había pensado que no podría rodear los caballos ella sola, y no había cañones cerrados en el valle, pero con un poco de intuición, se le ocurrió algo: era el toque genial para el cual su cerebro —el cerebro que la había diferenciado del Clan mucho más que su aspecto físico— estaba especialmente predispuesto. Si no había cañones en el valle, pensó, tal vez ella pudiera hacer uno.

No importaba que esa idea se hubiera puesto en práctica anteriormente: para ella era totalmente nueva. No le pareció que fuera un gran invento; sólo parecía una adaptación secundaria a la manera en que cazaban los hombres del Clan; una adaptación secundaria que podría, tal vez, permitir a la mujer matar un animal que ningún hombre del Clan habría soñado cazar por sí solo. Era un gran invento, hijo de la necesidad.

Ayla observaba el cielo con ansiedad a medida que entretejía ramas, formando una barra en ángulo desde ambos lados de la zanja. Llenaba los huecos y la hacía más alta con maleza, mientras las estrellas centelleaban antes de desaparecer en el cielo oriental. Las primeras avecillas habían comenzado su saludo gorjeante, y el cielo estaba palideciendo cuando Ayla retrocedió y contempló su obra.

La zanja era más o menos rectangular, algo más larga que ancha, y lodosa en los ángulos por donde se había sacado la última carga de barro. Montones sueltos de tierra, caída del cuero, estaban regados por la hierba pisoteada en el área triangular definida por las dos paredes de maleza que se reunían en el hoyo lodoso. A través de una brecha en la que la zanja separaba las dos vallas, se podía ver el río con su reflejo del brillante cielo de oriente. Del otro lado del agua rielante, la abrupta pared meridional del valle se cernía, oscura; sólo se distinguían sus contornos cerca de la cima.

Ayla dio una vuelta para comprobar la posición de los caballos. El otro lado del valle tenía una inclinación más suave, volviéndose más abrupto hacia el Oeste mientras ascendía para formar la muralla saliente frente a su caverna, y nivelándose en colinas herbosas y ondulantes muy al Este, valle abajo. Allí todavía reinaba la oscuridad, pero la joven podía ver ya que los caballos empezaban a ponerse en movimiento.

Agarró el cuero de la tienda y el hueso plano y echó a correr hacia la playa. El fuego estaba casi apagado; le echó más leña y con un palo consiguió agarrar una brasa que metió en el cuerno de bisonte, tomó las antorchas, las lanzas y el garrote y corrió de vuelta hacia la zanja. Puso una lanza tendida a cada lado del hoyo, el garrote al lado de una de las dos, y entonces hizo un gran rodeo para situarse detrás de los caballos antes de que éstos se pusieran en marcha.

Y entonces esperó.

La espera fue más difícil que la larga noche de trabajos. Ayla estaba tensa, ansiosa, preguntándose si su plan saldría bien. Comprobó que su brasa siguiera prendida y esperó; examinó las antorchas, y esperó. Pensó en cosas innumerables en que nunca anteriormente había pensado, que debería haber hecho o hecho de manera distinta, y esperó. Se preguntó cuándo comenzarían los caballos su movimiento caprichoso hacia el río, pensó en acicatearlos, renunció a hacerlo, y esperó.

Los caballos empezaron a arremolinarse. Ayla pensó que estaban más nerviosos que de costumbre, pero nunca había estado tan cerca de ellos, y no podía estar segura. Finalmente, la yegua guía echó a andar hacia el río y las demás la siguieron, deteniéndose para pacer mientras avanzaban. Decididamente, se pusieron nerviosas al acercarse al río y oler a Ayla y a tierra revuelta.

Cuando la yegua guía pareció querer dar media vuelta, Ayla decidió que ya era hora.

Prendió una antorcha con la brasa, luego otra con la primbera. Tan pronto como estuvieron ardiendo, echó a correr detrás de la manada, dejando atrás el asta de bisonte. Corrió, gritando y lanzando aullidos y ondeando las antorchas, pero estaba demasiado lejos de la manada. El olor a humo despertó el temor instintivo a los incendios de la pradera; los caballos aceleraron y la dejaron rápidamente atrás; se dirigían hacia el lugar donde acostumbraban beber pero, intuyendo un peligro, algunos se desviaron hacia el Este. Ayla se desvió en la misma dirección, corriendo lo más aprisa que podía y esperando alejarlos de allí. Mientras se acercaba, vio que otros miembros de la manada se apartaban para evitar la trampa, y corrió entre ellos gritando. Se apartaron de ella; con las orejas aplastadas y los ollares ensanchados, la dejaron atrás pasándola por ambos lados, chillando de miedo y confusión. Ayla empezaba a sentir pánico también, espantada a la idea de que todos se fueran.

Estaba cerca del extremo este de la barrera de maleza cuando vio que la yegua parda corría hacia ella. Le gritó, sostuvo las antorchas con los brazos abiertos y corrió hacia lo que parecía una colisión inevitable. En el último segundo la yegua se hizo a un lado, hacia el lado equivocado, para ella. Encontró su huida cerrada y se fue a galope adentro de la valla tratando de encontrar una salida. Ayla corría tras ella, sin aliento, sintiendo que le iban a estallar los pulmones.

La yegua vio la brecha y divisó el río, y allá se abalanzó. Cuando vio la zanja abierta, era demasiado tarde. Juntó las patas para brincar por encima pero sus cascos resbalaron sobre la orilla lodosa: cayó en la zanja con la pata rota.

Ayla corrió, jadeando; recogió la lanza y se quedó mirando a la yegua que tenía los ojos desorbitados de pavor y que chillaba, meneando la cabeza y azotando el barro. Ayla agarró la lanza con ambas manos, afianzó las piernas y asestó con la punta hacia abajo. Entonces se dio cuenta de que había hundido la lanza en un flanco hiriendo al caballo pero no mortalmente. Dio vuelta en busca de la otra lanza y estuvo a punto de caer en el hoyo.

Ayla recogió la otra lanza y esta vez apuntó con más cuidado. La yegua relinchaba de dolor y confusión y cuando la punta de la otra lanza penetró en su cuello, se lanzó hacia adelante en un último y valeroso esfuerzo. Entonces cayó hacia atrás con un gemido que más parecía un sollozo, con dos heridas y una pata rota. Un fuerte golpe con el garrote puso fin a su agonía.

Lentamente se dio cuenta Ayla: todavía estaba demasiado aturdida para comprender su hazaña. En la orilla de la zanja, pesadamente apoyada en el garrote que todavía tenía sujeto y tratando de recobrar el resuello, contemplaba la yegua caída en el fondo del hoyo. El pelaje grisáceo y enmarañado de sangre y cubierto de tierra, pero el animal había quedado inmóvil.

Entonces, lentamente, comprendió. Un impulso diferente de todo lo que hubiera experimentado anteriormente, surgió de sus adentros, se hinchó en su garganta y salió por su boca en un alarido primitivo de victoria. ¡Lo había logrado!

En ese momento, en un valle solitario en medio de un vasto continente, en alguna parte cerca de los límites indefinidos entre las desoladas estepas septentrionales del loess y las estepas continentales más húmedas del sur, una joven estaba de pie, con un garrote de hueso en la mano... y se sentía poderosa. Podía sobrevivir. Sobreviviría.

Pero su exaltación duró poco. Mirando hacia abajo el caballo, se le ocurrió súbitamente a Ayla que no podría sacar al animal entero del hoyo; tendría que destazarlo en el lodoso agujero. Y entonces tendría que llevárselo a la playa rápidamente, con el pellejo entero en un estado razonablemente bueno, antes de que demasiados depredadores percibieran el olor de la sangre. Tendría que cortar la carne en tiras delgadas, recuperar las otras partes que necesitaba, mantener prendidos los fuegos y montar guardia mientras la carne se secara.

¡Y ya estaba agotada por la horrible noche de trabajo y la cacería a todo correr! Pero ella no era uno de los hombres del Clan que, una vez concluida la parte excitante, podían dejar el trabajo de destazar y procesar a las mujeres. El trabajo de Ayla acababa de empezar. Dio un profundo suspiro y saltó al hoyo para hender el cuello de la yegua.

Volvió corriendo a la playa en busca de la tienda de cuero y de las herramientas de pedernal, y al regresar vio que la manada seguía avanzando en el extremo más apartado del valle. Se olvidó de los caballos mientras se esforzaba, en el escaso espacio de que disponía, cubierto de sangre y lodo, por cortar trozos de carne tratando de no lastimar la piel del animal más de lo que estaba.

Aves que se alimentan de carroña estaban arrancando ya trozos de carne de huesos que había arrojado ella, para cuando tuvo en la tienda toda la carne que podría acarrear; la arrastró hasta la playa, agregó combustible al fuego y amontonó su carga lo más cerca de la hoguera que pudo. Regresó a todo correr arrastrando el cuero vacío, pero ya tenía la honda en la mano y arrojaba piedras a medida que avanzaba y antes de alcanzar la zanja. Oyó el chillido de un zorro y vio que éste se alejaba cojeando. Habría podido matar uno, de no haberse quedado sin piedras; recogió más piedras del lecho del río y bebió un poco antes de reanudar su tarea.

La piedra fue segura y mortal para el lobo que había desafiado el calor del fuego y trataba de llevarse un buen trozo de carne, cuando Ayla regresaba con su segunda carga. Llevó su carne hasta el fuego y regresó para recoger el glotón, esperando tener tiempo para desollarlo: la piel de lobo era particularmente útil para el invierno. Echó más leña al fuego y revisó el montón de madera del río.

No tuvo tanta suerte con la hiena al regresar a la zanja: el animal se las arregló para llevarse una pata. No había visto reunidos tantos carnívoros desde su llegada al valle: zorros, hienas y lobos: todos habían probado el sabor de su cacería. Los lobos y sus parientes más feroces, los perros salvajes, iban y venían justo fuera del alcance de su honda. Halcones y milanos eran más osados, y sólo azotaban sus alas y retrocedían ligeramente cuando Ayla se acercaba. En cualquier momento esperaba vérselas con un lince, un leopardo o inclusive algún león cavernario.

Para cuando consiguió sacar el cuero inmundo de la zanja, el sol había pasado del cenit y comenzaba su carrera descendente, pero ella no cedió antes de sacar su última carga y depositarla en la playa; entonces se abandonó a su fatiga y se dejó caer al suelo. No había pegado el ojo en toda la noche; no había probado bocado en todo el día; y no habría querido hacer un solo movimiento más. Pero las criaturas más diminutas que atacaban para conseguir su parte del botín la obligaron finalmente a levantarse; las moscas zumbaban y le hicieron tomar conciencia de lo sucia que estaba. Con esfuerzo se puso de pie y se metió en el río sin quitarse siquiera la ropa, agradeciendo el agua que la bañaba.

El río era refrescante. Después, se fue hasta su cueva, extendió sus prendas de verano a secar y deseó haber recordado sacar la honda del cinto antes de meterse en el agua. Tenía miedo de que se pusiera tiesa al secarse; no tenía tiempo para trabajarla de modo que siguiera suave y flexible. Se puso el manto de invierno y sacó de la cueva su piel de dormir. Antes de regresar a la playa, echó una mirada desde el mirador de su saliente rocosa; había resoplidos y movimientos cerca de la zanja, pero los caballos habían desaparecido del valle.

De repente recordó sus lanzas. Seguían en el suelo donde las había abandonado después de sacarlas de la yegua. Pesó y sopesó si iría a buscarlas, casi se persuadió de que no, pero acabó por admitir que era mejor conservar dos lanzas perfectamente buenas que tomarse el trabajo de hacer otras nuevas. Recogió su honda húmeda y dejó caer la piel en la playa antes de dedicarse a recoger una bolsa de piedras.

Al acercarse a la trampa de la zanja vio la carnicería como si fuera la primera vez; la valla de maleza había caído en algunos puntos; la zanja era una herida en carne viva en plena tierra, y la hierba estaba pisoteada. Sangre, trozos de carne y huesos estaban esparcidos alrededor; unas raposillas peleaban por una pata delantera desgreñada, y una hiena fijaba una mirada torva en la joven; una parvada de milanos se elevó al verla acercarse, pero un glotón se mantuvo firme donde estaba, al lado de la zanja. Los únicos que faltaban, visiblemente, eran felinos.

"Será mejor que me apresure", pensó al arrojar una piedra para alejar al glotón. "Tengo que mantener los fuegos prendidos alrededor de mi carne". La hiena soltó una carcajada aulladora al retroceder para mantenerse justo fuera de alcance. Ayla odiaba a las hienas.

—¡Fuera de aquí, cosa horrible! —cada vez que veía una recordaba cuando la hiena aquella se llevó al hijo de Oga; no se había parado a pensar en las consecuencias, la había matado. No podía permitir que el bebé muriera de aquella manera.

Al inclinarse para recoger sus lanzas, un movimiento percibido a través de la barrera de maleza le llamó la atención: varias hienas estaban acosando a un potrillo de patas largas y flacas, color del heno.

"Lo siento por ti", pensó Ayla. "No quería matar a tu madre, pero la casualidad estuvo en su contra". No sentía remordimientos; había cazadores y había presas, y a veces los cazadores se convertían en presa. Ella misma podía verse cazada, a pesar de sus armas y su fuego; cazar era un modo de vida.

Pero sabía que el caballito estaría condenado sin su madre, y sintió pena por un animalito indefenso. Desde el primer conejito que le había llevado a Iza para que lo curara, siguió llevando una sucesión de pequeños animalillos heridos a la caverna, con gran desazón de Brun; éste había impuesto que no se le permitiría llevar carnívoros.

Observó cómo las hienas rodeaban al potrillo que trataba tímidamente de mantenerse alejado, con ojos desorbitados llenos de espanto. "Sin nadie para cuidarte, quizá sea mejor que termines así", razonó Ayla. Pero cuando una hiena se abalanzó hacia el potro y le lastimó el flanco, ya no vaciló: atravesó la maleza lanzando piedras. Una hiena cayó, las demás huyeron. Ayla no intentaba matar hienas, no le interesaba el pelaje moteado y áspero de las hienas; sólo quería que dejaran en paz al caballito. Éste también echó a correr pero no muy lejos; tenía miedo de Ayla pero temía aún más a las hienas.

Ayla se acercó lentamente al bebé, tendiendo la mano y murmurándole suavemente en la misma forma que había calmado en otras ocasiones a animales asustados. Tenía un modo con los animales, una sensibilidad que se extendía a todas las criaturas vivientes y que se había desarrollado al mismo tiempo que sus habilidades medicales. Iza lo había fomentado, viéndolo como una extensión de su propia compasión que le había hecho recoger a una niña de aspecto extraño porque estaba lastimada y hambrienta.

La pequeña potranca estiró el cuello para olisquear los dedos tendidos de Ayla; la joven se acercó más, después acarició, frotó y rascó a la yegüita. Cuando ésta observó algo familiar en los dedos de Ayla, empezó a chuparlos ruidosamente, y en Ayla despertó de nuevo una nostalgia dolorosa.

"Pobrecito bebé", pensó, "tan hambrienta y sin madre para darte leche. No tengo leche para ti; ni siquiera tuve suficiente para Durc". Sintió que las lágrimas estaban a punto de saltársele y meneó la cabeza. "De todos modos creció sano y fuerte. Tal vez se me ocurra algo para alimentarte. Tendrás que ser destetada muy pequeña, también tú. Ven, bebita". Y con los dedos atrajo a la yegüita hasta la playa.

Justo cuando se aproximaban, vio un lince a punto de escapar con un trozo de la carne que tan difícilmente había logrado juntar; por fin, un felino se había hecho presente. Agarró dos piedras y su honda mientras la tímida potranca retrocedía, y en cuanto el lince alzó la cabeza le arrojó las dos piedras con fuerza.

"Puedes matar un lince con una honda", había sostenido Zoug con fuerza mucho tiempo atrás. "No intentes nada más grande, pero puedes matar un lince".

No era la primera vez que Ayla demostraba cuánta razón tuvo. Recuperó su pedazo de carne y arrastró el gato de orejas peludas también. Entonces echó una mirada al montón de carne, el cuero de caballo cubierto de lodo, el glotón muerto y el lince muerto. De repente soltó la carcajada. "Necesitaba carne. Necesitaba pieles. Ahora lo único que necesito es tener muchas manos más", pensó.

La pequeña potranca había retrocedido ante la carcajada y el olor de la leña quemada. Ayla tomó una correa, se acercó nuevamente al caballito con mucho cuidado, y le echó la correa alrededor del cuello antes de llevárselo hasta la playa. "¿Y cómo voy a alimentarte?", pensó, mientras la cría trataba de volver a chuparle los dedos. "Y no es que me falte trabajo justo ahora".

Trató de darle algo de hierba, pero la yegüita no pareció saber qué hacer con ella. Entonces se fijó en su tazón de cocinar con el grano cocido y frío en el fondo. Recordó que los bebés pueden comer los mismos alimentos que sus madres, pero tienen que ser más suaves. Agregó agua al tazón, aplastó el grano hasta lograr un fino puré y se lo llevó a la potranca que sólo resopló y retrocedió cuando la mujer se lo puso en el hocico; pero le lamió la cara y pareció agradarle el sabor; tenía hambre y volvió a buscar los dedos de Ayla.

La joven reflexionó un momento; entonces, mientras la yegüita seguía lamiendo, metió su propia mano en el tazón; el animalito chupó algo de las gachas y retiró la cabeza, pero al cabo de unos cuantos intentos más, el bebé hambriento pareció comprender. Cuando terminó de comer, Ayla subió a la cueva, bajó más grano y lo puso a cocer para después.

"Creo que tendré que recoger más grano del que pensaba. Pero tal vez disponga de tiempo suficiente . . . si consigo secar todo esto". Se detuvo un instante y pensó en lo raro que le parecería al Clan que después de matar un caballo para comer, se pusiera a buscar alimentos para su cría. "Aquí, puedo ser todo lo rara que quiera", se dijo, mientras cortaba un trozo de carne y la echaba a cocer para sí misma. Y después miró la tarea que tenía por delante.

Todavía estaba cortando tiras delgadas de carne cuando se elevó la luna llena y las estrellas volvieron a centellear. Un cerco de fuego rodeaba la playa, y Ayla estaba agradecida por el alto montón de madera del río que tenía cerca. Dentro del círculo estaban tendidas hileras de carne secándose. Una piel parda de lince estaba enrollada junto a un rollo más pequeño de áspera piel morena de glotón, esperando ambas que las raspara y curtiera. El pelaje gris recién lavado de la yegua estaba tendido sobre piedras, secándose junto al estómago del animal, estaba limpio y lleno de agua para mantenerlo suave. Había tiras de tendones secándose para hacer fibras, intestinos lavados, un montón de cascos y huesos y otros trozos de grasa esperando ser derretidos y vertidos en los intestinos para conservarse. Inclusive había conseguido recoger algo de grasa del lince y del glotón —para lámparas y para impermeabilizar— pero descartando la carne; no le gustaba el sabor de los carnívoros.

Ayla miró los dos últimos trozos de carne, lavados en el río para quitarles el lodo, pero lo pensó mejor: podía esperar. No recordaba haberse sentido nunca tan cansada. Comprobó que sus hogueras ardieran bien, amontonó más leña en cada una de ellas. y entonces tendió su piel de oso y se enrolló en ella.

La yegüita no estaba ya atada al arbusto; después de haber recibido alimento por segunda vez, no parecía desear alejarse. Ayla estaba casi dormida cuando la pequeña potranca la olisqueó y se tendió a su lado. En aquel momento no se le ocurrió a Ayla que las reacciones de la yegüita la despertarían si algún depredador se acercara demasiado a los fuegos mortecinos, aunque así era. Medio dormida, la joven rodeó con el brazo al cálido animalito, sintió cómo le latía el corazón, oyó su respiración y se apretó más a su cuerpo.

Capítulo 6

Jondalar se frotó el rastrojo que le cubría la barbilla y buscó a tientas su mochila que estaba recostada en un pino retorcido. Sacó un paquetito de cuero suave, desató los cordones y abrió el doblez antes de examinar cuidadosamente una delgada hoja de pedernal. Tenía una leve curvatura a lo largo —todas las hojas de pedernal estaban algo acombadas, era característico de la piedra— pero el filo era agudo por igual. La hoja era una entre varias herramientas especialmente finas que había guardado aparte.

Una ráfaga de viento agitó las ramas secas del viejo pino cubierto de líquenes, abrió la solapa de la tienda, se coló dentro tensando los cables de retén y sacudiendo los postes, y volvió a cerrarla. Jondalar miró su hoja, y después, meneando la cabeza, volvió a guardarla.

—¿Llegó la hora de dejarte crecer la barba? —preguntó Thonolan.

Jondalar no se había percatado de la presencia de su hermano.

—Hay algo que decir en favor de la barba —explicó—. En verano puede ser un fastidio: te pica cuando sudas, por eso es más cómodo afeitarla. Pero desde luego, te ayuda a mantener el rostro caliente en invierno, y el invierno está al llegar.

Thonolan se sopló en las manos, frotándoselas, y después se encuclilló frente al fuego que ardía delante de la tienda y las mantuvo sobre las llamas.

—Echo de menos el color —confesó.

—¿El color?

—El rojo. No hay rojo. Un arbusto por acá o por allá, pero todo lo demás se ha puesto amarillo y después moreno. Las hierbas, las hojas —movió la cabeza hacia los prados abiertos que tenían

117

delante, y alzó la mirada hacia Jondalar que estaba de pie junto al árbol—. Hasta los pinos se ven deslucidos. Hay hielo en los charcos y las orillas de los ríos, y todavía sigo esperando que llegue el otoño.

—No esperes demasiado —advirtió Jondalar pasando al otro lado y agachándose frente a su hermano, del otro lado del fuego—. Esta mañana temprano vi un rinoceronte. Iba hacia el Norte.

—Ya me parecía a mí que olía a nieve.

—Todavía no habrá mucha, no si los rinos y los mamuts siguen por acá. Les gusta el frío, pero la nieve, no. Siempre parecen saber cuándo se aproxima una gran nevada, y se van hacia el glaciar lo más aprisa que pueden. La gente dice: "Nunca sigas adelante cuando los mamuts se dirigen al Norte." También es cierto tratándose de rinocerontes, pero ese no llevaba prisa.

—He visto partidas de caza enteras volver sobre sus pasos sin arrojar una sola lanza, sólo porque los lanudos iban hacia el Norte. Me pregunto cuánto nevará por aquí.

—El verano fue seco. Si el invierno lo es también, es posible que rinocerontes y mamuts permanezcan toda la temporada. Pero ahora estamos más al Sur, y por lo general eso representa más nieve. Si hay gente en esas montañas del este, deberían saberlo. Quizá deberíamos habernos quedado con los que nos pasaron en balsa a través del río. Nos hace falta un lugar para pasar el invierno, y pronto.

—No me vendría mal una bonita caverna amistosa llena de bellas mujeres, ahora mismo —dijo Thonolan con sonrisa pícara.

—Me conformo con una bonita caverna amistosa.

—Hermano mayor, no tienes más ganas que yo de pasarte el invierno sin mujeres.

—Bueno —dijo el mayor sonriendo—, el invierno sería mucho más frío sin una mujer, bella o no bella.

Thonolan miró a su hermano con expresión intrigada.

—A menudo me lo he preguntado —dijo, finalmente.

—¿El qué?

—A veces hay una verdadera belleza y la mitad de los hombres zumban a su alrededor, pero te mira a ti. Yo sé que no tienes un pelo de tonto, bien lo sabes ... y sin embargo, pasas a su lado y te vas a buscar alguna ratoncita que está sola en un rincón. ¿Por qué?

—Yo qué sé. A veces la "ratoncita" sólo cree que no es bella porque tiene un lunar en la mejilla o cree tener una nariz demasiado larga. Cuando hablas con ella, suele tener mucho más de lo que tiene aquella que todos buscan. En ocasiones las mujeres que no son perfectas resultan más interesantes; han hecho más o han aprendido algo.

—Quizá tengas razón. Algunas de esas tímidas parecen florecer tan pronto como les dices algo.

Jondalar se encogió de hombros y se enderezó.

—No encontraremos mujeres ni caverna si seguimos así. Vamos a levantar el campamento.

—¡Exactamente! —asintió prontamente Thonolan, y se puso de espaldas al fuego ... quedándose paralizado—. ¡Jondalar! —susurró en un jadeo, y después se esforzó por mostrarse indiferente—. No hagas nada para llamarle la atención, pero si miras por encima de la tienda, verás a tu amigo de esta mañana o tal vez otro igual.

Jondalar miró por encima de la tienda, justo del otro lado, oscilando de un lado a otro mientras cargaba su enorme tonelaje ora sobre una pata, ora sobre otra, se encontraba un voluminoso rinoceronte lanudo de dos cuernos. Con la cabeza vuelta de costado examinando a Thonolan. De frente era casi ciego; sus ojillos estaban colocados muy atrás, y de todos modos era corto de vista. Un oído muy agudo y un olfato de gran sensibilidad compensaban de sobra su mala vista.

Obviamente, era una criatura del frío. Tenía dos pelajes: un forro de piel peluda y suave como plumón y una capa de pelo desgreñado de un moreno rojizo; y debajo de su áspero cuero había una capa de tres pulgadas de grasa. Llevaba baja la cabeza, colgándole desde los hombros, y el cuerno largo de la frente se inclinaba hacia delante formando un ángulo que apenas evitaba el suelo mientras oscilaba; lo usaba para desplazar la nieve de los pastizales ... si no estaba demasiado alta. Y sus patas, cortas y gruesas, se hundían fácilmente en la nieve profunda. Visitaba los prados herbosos del Sur sólo por corta temporada: para pacer en su más abundante cosecha y almacenar más grasa a fines del otoño y principios del invierno, pero antes de que nevara fuerte. No podía soportar el calor, con aquellas capas de piel, como tampoco podría sobrevivir en la nieve profunda. Su hogar eran la tundra y la estepa, de un frío feroz y seco.

El largo cuerno anterior, afiladísimo, podría emplearse en una tarea mucho más peligrosa que apartar nieve, y entre el rinoceronte y Thonolan sólo había una corta distancia.

—¡No te muevas! —siseó Jondalar. Se agachó para entrar en la tienda y agarró la mochila a la que estaban sujetas las lanzas.

—Esas lanzas ligeras no servirán de mucho —dijo Thonolan, aun cuando estaba de espaldas a la tienda. El comentario retuvo un instante la mano de Jondalar: se preguntaba cómo sabía Thonolan—. Tendrías que atinarle a un lugar vulnerable, por ejemplo el ojo, pero es un blanco demasiado pequeño. Te haría falta una lanza pesada para rinos —prosiguió Thonolan, y su hermano comprendió que estaba adivinando.

—No hables tanto, vas a atraer su atención —previno Jondalar—. Tal vez no tenga yo lanza, pero tú no tienes ningún arma. Voy a pasar por detrás de la tienda y tratar de cazarlo.

—¡Espera, Jondalar! Lo vas a poner furioso, con esa lanza; ni siquiera le harás daño. ¿Recuerdas cuando éramos niños, cómo solíamos provocar a los rinos? Alguien corría, conseguía que el rino lo persiguiera, entonces lo esquivaba mientras otro atraía su atención. Lo teníamos corriendo hasta que estuviera demasiado cansado para moverse. Tú, prepárate para llamarle la atención . . . yo correré para que se lance a la carga.

—¡No! ¡Thonolan! —gritó Jondalar, pero era demasiado tarde: Thonolan estaba corriendo a toda velocidad.

Siempre era imposible adivinar el impredecible comportamiento de la bestia. En vez de correr tras el hombre, el rino se dirigió rápidamente a la tienda que se agitaba al viento. La embistió, le hizo un agujero, hizo saltar las correas y se enredó en ellas. Cuando logró liberarse, decidió que no le agradaban los hombres ni su campamento y se fue, alejándose inofensivamente al trote. Mirando por encima de su hombro, Thonolan se dio cuenta de que el animal se había marchado y regresó a grandes trancos donde estaba Jondalar.

—¡Ha sido una estupidez! —gritó Jondalar, hincando su lanza en la tierra con tanta fuerza que el asta se quebró justo bajo la punta de hueso—. ¿Estabas tratando de que te matara? ¡Gran Doni, Thonolan! Dos personas no pueden provocar un rinoceronte. Es menester rodearlo. ¿Y si te hubiera perseguido? ¡En el nombre del reino subterráneo de la Gran Madre!, ¿qué habría podido hacer yo si estuvieras herido?

Sorpresa primero, y después enojo, pasaron por el rostro de Thonolan. Finalmente, sonrió con malicia.

—¡Te preocupaste realmente por mí! Grita todo lo que quieras, a mí no me engañas. Tal vez no debería haberlo intentado, pero no iba a permitir que tú hicieras ninguna tontería como eso de perseguir un rinoceronte con esa lanza ligera. ¡En el nombre del reino subterráneo de la Gran Madre! ¿Qué habría podido hacer yo si estuvieras herido? —su sonrisa se ensanchó con el deleite de un muchachito que ha conseguido salir con bien de alguna travesura—. Además, ni siquiera me persiguió.

Jondalar miró sin expresión la sonrisa en el rostro de su hermano. Su estallido había sido más alivio que enojo, pero tardó un momento en comprender que Thonolan estaba sano y salvo.

—Has tenido suerte. Supongo que ambos la hemos tenido —dijo finalmente, exhalando un profundo suspiro—. Pero será mejor que confeccionemos un par de lanzas, aun cuando por el momento sólo afilemos las puntas.

—No he visto tejos por acá, pero podemos buscar fresnos o alisos mientras caminamos —observó Thonolan, comenzando a recoger la tienda—. Servirían.

—Cualquier cosa servirá, inclusive sauce. Tenemos que hacerlas antes de ponernos en camino.

—Jondalar, vámonos de aquí. Tenemos que llegar a esos montes, ¿no?

—No me gusta viajar sin lanzas, no habiendo rinos por aquí.

—Podemos detenernos temprano. De todos modos necesitamos reparar la tienda. Si nos vamos, podemos buscar un buen palo, hallar un mejor lugar para acampar. Ese rinoceronte podría regresar.

—Y también podría seguirnos —Thonolan tenía siempre prisa por ponerse en camino de mañana, y se impacientaba con los retrasos, bien lo sabía Jondalar—. Quizá deberíamos alcanzar esas montañas. Está bien, Thonolan, pero nos detendremos temprano, ¿entendido?

—Entendido, hermano mayor.

Los dos hermanos avanzaban a lo largo de la orilla del río con paso regular, cubriendo mucho camino; ambos estaban acostumbrados a caminar juntos así como a los prolongados silencios que se establecían entre ellos. Se habían vuelto más íntimos, hablaban con sinceridad, probaban mutuamente sus debilidades y sus puntos fuertes. Cada uno se encargaba de ciertas tareas por costumbre, y cada uno contaba con el otro cuando algún peligro amenazaba. Eran jóvenes, fuertes y saludables, y confiaban con toda naturalidad en que podrían enfrentarse a lo que los esperara.

Estaban tan compenetrados con su entorno que la percepción estaba a nivel del subconsciente. Cualquier trastorno que representara una amenaza los habría hallado instantáneamente en guardia. Pero sólo tenían vagamente conciencia del calor del lejano sol, contrarrestado por un viento que susurraba entre las ramas deshojadas; de nubes con fondo negro que abrazaban los blancos farallones de los contrafuertes montañosos hacia los que se dirigían, del río profundo y rápido.

Las sierras montañosas del macizo continente daban su configuración al río Gran Madre, que brotaba en las tierras altas al norte de la montaña cubierta por un glaciar y fluía hacia el Este. Más allá de la primera cadena montañosa había una planicie nivelada —en una era anterior la cuenca de un mar interior— y más al Este, una segunda sierra formaba un arco muy grande. Allí donde el promontorio alpino más lejano del primer macizo se encontraba con las estribaciones del extremo noroccidental del segundo, el río irrumpía a través de una barrera rocosa y se volvía bruscamente hacia el Sur.

Después de caer desde altas tierras kársticas, tendía sus meandros entre estepas herbosas, hacía recodos, se dividía en canales separados y volvía a reunirse abriéndose camino hacia el Sur. El río deshilado, indolente, corriendo sobre tierras planas, daba la ilusión de inmutabilidad. Sólo era ilusión. Para cuando el río Gran Madre llegaba a las tierras altas en el extremo sur de la planicie que lo lanzaba de nuevo hacia el Este y reunía nuevamente sus canales, había recibido en su caudal las aguas de la vertiente norte y este del primer macizo de montañas cubierto de hielo.

La Gran Madre caudalosa pasaba por encima de una depresión al formar una amplia curva, en su camino hacia el Este, en el extremo sur de la segunda cadena de cumbres. Los dos hombres habían seguido su margen izquierda, atravesando de cuando en cuando canales y ríos que corrían velozmente para reunirse con el gran río en su camino. Al otro lado del río, hacia el Sur, la tierra se elevaba a brincos dentados y abruptos; en el lado por donde ellos caminaban, colinas ondulantes subían más gradualmente desde la orilla del río.

—No creo que lleguemos al final del Donau antes del invierno —observó Jondalar—. Empiezo a preguntarme si terminará en alguna parte.

—Claro que termina, y creo que pronto llegaremos. Mira lo ancho que es —y Thonolan hizo un amplio arco con su brazo tendido hacia la derecha—. ¿Quién habría creído que se ensancharía tanto? Ya tenemos que estar cerca del final.

—Pero todavía no hemos alcanzado la Hermana, o por lo menos eso creo yo. Tamen dijo que es tan ancho como la Madre.

—Debe de ser uno de esos cuentos que aumentan cada vez que alguien los repite. No creerás que pueda haber otro río como éste, corriendo hacia el Sur por esta llanura.

—Bueno, Tamen no dijo haberlo visto personalmente, pero tuvo razón en cuanto a que la Madre vuelve hacia el Este, y acerca de la gente que nos hizo cruzar el río en balsa. Podría tener razón en lo de la Hermana. Ojalá hubiéramos conocido el lenguaje de la Caverna de las balsas; podrían haber sabido algo de un afluente de la Madre, tan ancho como ella.

—Tú sabes lo fácil que es exagerar hablando de grandes maravillas que están lejos. Yo creo que la "Hermana" de Tamen es otro canal de la Madre, más al Este.

—Ojalá tengas razón, hermanito. Porque si hay una Hermana, tendremos que cruzarla antes de llegar a esas montañas. Y no sé dónde más podríamos encontrar un lugar donde pasar el invierno.

—Yo lo creeré cuando lo vea.

Un movimiento, que por lo visto no encajaba con el modo natural de las cosas y que llegó al nivel de la conciencia, atrajo la atención de Jondalar. Por el sonido, identificó la nube negra que aparecía a lo lejos, avanzando sin la menor consideración por el viento dominante, y se detuvo para observar la formación en V de gansos graznando. Descendieron en picada como masa compacta, ensombreciendo el cielo con su número, y se desparramaron individualmente al aproximarse al suelo con las patas tendidas y las alas agitadas, frenando hasta inmovilizarse. El río viraba bruscamente rodeando la abrupta elevación más adelante.

—Hermano mayor —dijo Thonolan sonriendo lleno de excitación—, esos gansos no se habrían posado de no haber algún pantano por ahí. Tal vez se trate de un lago o de un mar, y apostaría que la Madre se vierte en él. ¡Creo que hemos alcanzado el final del río!

—Si trepamos a esa colina, lo veremos mejor —el tono de Jondalar era voluntariamente neutro, pero Thonolan tuvo la impresión de que su hermano no lo creía así.

Treparon rápidamente y estaban casi sin aliento al llegar a la cima, y entonces el paso les hizo contener la respiración. Estaban lo suficientemente arriba para ver a una distancia considerable. Más allá del recodo la Madre se ensanchaba y sus aguas se agitaban; y al aproximarse a una amplia superficie de agua, hacían remolinos y espuma. El caudal más abundante estaba lodoso por el barro arrancado al fondo, lleno de desechos: ramas rotas, animales muertos, árboles enteros que oscilaban y giraban, atrapados entre corrientes en conflicto.

No habían llegado al final de la Madre: acababan de ver la Hermana.

Muy arriba en los montes que tenían enfrente, la Hermana había comenzado entre arroyuelos y corrientes de agua que se convirtieron en ríos que saltaron rápidos, se vertieron por encima de cataratas y corrieron veloces por la vertiente occidental del segundo macizo montañoso. Sin lagos ni depósitos que controlaran el flujo, las aguas tumultuosas fueron cobrando fuerza e impulso hasta que se reunieron en la planicie. Lo único que podía dominar a la turbulenta Hermana fue la propia Madre.

El afluente, de un tamaño casi igual, se fundía en la corriente del río principal, luchando contra la influencia dominante de la rápida corriente; retrocedía y volvía a surgir, con una rabieta de contracorrientes y resacas, remolinos que aspiraban los desechos flotantes en un girar peligroso lanzándolos nuevamente al fondo y poniéndolos a flote de nuevo un poco más abajo. La confluencia congestionada se extendía formando un lago peligroso, demasiado ancho para poder cruzarse.

Las crecidas otoñales habían culminado, y un pantano de lodo se extendía sobre las márgenes donde las aguas habían retrocedido recientemente dejando una ciénaga de devastación: árboles arrancados con las raíces al aire, troncos impregnados de agua y ramas rotas, cadáveres de animales y peces moribundos varados en charcas que se estaban secando. Las aves acuáticas estaban dándose un banquete con los restos fáciles de conseguir: la margen próxima hervía de botín. Allá cerca, una hiena estaba empapuzándose con un ciervo, impávida a pesar del pesado aleteo de las cigüeñas negras.

—¡Madre Grande! —exclamó Thonolan en voz baja.

—Tiene que ser la Hermana —ahora Jondalar estaba demasiado pasmado para preguntarle a su hermano si ya lo creía.

—¿Cómo vamos a poder cruzar?

—No tengo la menor idea. Tendremos que volver sobre nuestros pasos, río arriba.

—¿Hasta dónde? ¡Si es tan ancha como la Madre!

Jondalar sólo pudo menear la cabeza. Tenía la frente arrugada por la preocupación que lo dominaba.

—Deberíamos haber seguido el consejo de Tamen. Puede empezar a nevar en cualquier momento; no tendremos que regresar muy allá. No quiero que nos sorprenda en descampado ninguna fuerte tormenta.

Una ráfaga súbita de viento arrebató la capucha de Thonolan y la lanzó lejos, dejándole la cabeza descubierta. Se la puso de nuevo, esta vez más pegada a la cara, y se estremeció. Por vez primera desde que habían iniciado el viaje, empezaba a dudar seriamente de que podrían sobrevivir al prolongado invierno que los esperaba.

—Y ahora, ¿qué haremos, Jondalar?

—Encontraremos un lugar para acampar —el hermano mayor echó un vistazo a la zona desde su posición ventajosa—. Allá arriba, justo río arriba, cerca de esa alta orilla con un bosquecillo de alisos. Hay un arroyo que desemboca en la Hermana . . . el agua tiene que ser buena.

—Si unimos las dos mochilas a un tronco, y nos atamos una cuerda a la cintura de cada uno, podríamos atravesar a nado sin separarnos.

—Ya sé que eres atrevido, hermanito, pero es una locura. No estoy seguro de poder cruzar a nado, menos aún si tenemos que tirar de un tronco con todas nuestras posesiones. El río está frío; sólo la corriente impide que se congele . . . había hielo en la orilla por la mañana. ¿Y si nos enredamos en las ramas de algún árbol? Nos veríamos arrastrados río abajo, y tal vez hundidos hasta el fondo.

—¿Recuerdas la Caverna que vive cerca del Agua Grande? Ellos ahuecan el centro de árboles grandes y los utilizan para cruzar ríos. Quizá pudiéramos . . .

—Encuentra por aquí un árbol lo suficientemente grande —dijo Jondalar, alzando el brazo hacia la pradera hermosa que sólo contaba con árboles flacos o retorcidos.

—Bueno . . . alguien me habló de otra Caverna que hace cascos con corteza de abedul . . . pero parece demasiado frágil.

—Ya los he visto, pero no sé cómo los hacen ni la clase de cola que utilizan para que no les entre agua. Y los abedules de su región son mucho mayores que los que he visto por aquí.

Thonolan echó una mirada a su alrededor, tratando de buscar alguna otra idea que su hermano no pudiera derrotar con su lógica implacable.

Observó la hilera de altos alisos en la lomita justo al Sur y sonrió, animado.

—¿Qué te parece una balsa? Lo único que debemos hacer es amarrar unos cuantos troncos, y hay alisos de sobra en esa colina.

—¿Y habrá alguno lo suficientemente largo y fuerte para hacer un poste que permita alcanzar el fondo del río para dirigirla? Las balsas son difíciles de controlar, inclusive en ríos pequeños y poco profundos.

La sonrisa confiada de Thonolan se borró, y Jondalar tuvo que reprimir una sonrisa. Thonolan era incapaz de disimular sus sentimientos. Jondalar dudaba mucho de que lo hubiera intentado siquiera. Pero lo que hacía de él un ser tan simpático era precisamente esa naturaleza impulsiva y candorosa.

—Sin embargo, la idea no es tan mala —repuso Jondalar, viendo que la sonrisa volvía al rostro de Thonolan—. Una vez que hayamos llegado suficientemente río arriba y que no haya peligro de que nos arrastre el agua turbulenta. Y que encontremos un punto en que el río sea menos profundo y más angosto y no tan rápido y donde haya árboles. Espero que el tiempo se mantenga tal como está.

Cuando se habló del tiempo, ya Thonolan estaba tan serio como su hermano.

—Entonces pongámonos en camino. La tienda está remendada.

—Primero miraré esos alisos. Todavía necesitamos un par de lanzas robustas. Deberíamos haberlas hecho la noche pasada.

—¿Todavía te preocupa ese rino? A estas horas lo hemos dejado muy atrás. Necesitamos ponernos en marcha para hallar un lugar donde acampar.

—Por lo menos cortaré un asta.

—Entonces corta otra para mí. Empezaré a recoger.

Jondalar recogió su hacha y examinó el filo, entonces se aprobó con un movimiento de la cabeza y echó a andar colina arriba hacia la hilera de alisos. Después de examinar cuidadosamente los árboles, escogió uno alto y recto. Lo tenía derribado y andaba buscando otro para Thonolan cuando oyó el ruido de una conmoción: resoplidos, gruñidos. Oyó gritar a su hermano y después el sonido más aterrador que oyera en toda su vida: un alarido de dolor en voz de su hermano. El silencio, al interrumpirse súbitamente el alarido, fue peor aún.

—¡Thonolan! ¡Thonolan!

Jondalar echó a correr colina abajo, aferrando todavía el palo de aliso y presa de un terror frío. El corazón le latía en las orejas cuando vio un rinoceronte lanudo, tan alto como él, empujando la forma inerte de un hombre por el suelo. El animal parecía no saber qué hacer con su víctima, ahora que la había derribado. Desde las profundidades de su temor y su ira, Jondalar dejó de pensar: reaccionó.

Blandiendo el palo de aliso como un garrote, el hermano mayor se abalanzó contra la bestia, olvidando su propia seguridad. Un fuerte golpe le dio al rinoceronte en el hocico, justo debajo del gran cuerno curvo, y después otro. El rino retrocedió, sin saber qué hacer frente a un hombre enloquecido que cargaba contra él y lo lastimaba. Jondalar se preparaba para golpear de nuevo, llevó hacia atrás el largo palo para adquirir impulso . . . pero el animal se dio vuelta. El fuerte garrotazo en el lomo no le hizo mucho daño pero lo incitó a correr con el hombre alto tras él.

Cuando un garrotazo del largo palo silbó en el aire mientras el ánimal tomaba la delantera, Jondalar se detuvo y vio cómo se alejaba aquél; recobró el aliento, dejó caer el asta y corrió hacia Thonolan. Su hermano estaba tendido boca abajo, y allí donde el rino lo dejara.

—¡Thonolan! *¡Thonolan!* —y Jondalar lo puso boca arriba. Había una rasgadura en los pantalones de cuero de Thonolan cerca de la ingle, y una mancha de sangre que se ensanchaba—. ¡Thonolan! ¡Oh, Doni! —pegó el oído al pecho de su hermano, tratando de percibir un latido, y se espantó creyendo que sólo imaginaba oírlo cuando lo oyó en realidad—. ¡Oh, Doni, está vivo! Pero ¿qué voy a hacer? —con un gruñido por el esfuerzo desplegado, Jondalar tomó en brazos al joven inconsciente y se quedó un momento sin saber qué hacer, meciéndolo contra su pecho—. ¡Doni, oh, Gran Madre Tierra! No te lo lleves aún. Deja que viva. Oh, por favor... —su voz se quebró y un enorme sollozo se hinchó en su pecho—. Madre... por favor... que viva...

Jondalar inclinó la cabeza y sollozó contra el hombro inerte de su hermano un momento, y después se lo llevó a la tienda. Lo acostó con mucha suavidad sobre su rollo para dormir y con su cuchillo de mango de hueso le cortó la ropa. La única herida visible era un desgarrón desigual en la parte superior del muslo izquierdo, pero tenía el pecho de un rojo encendido, y el lado izquierdo se estaba hinchando y ennegreciéndosele. Un examen de cerca con la mano, convenció a Jondalar de que había varias costillas rotas; probablemente hubiera heridas internas.

La sangre salía a borbotones del desgarre del muslo de Thonolan, y estaba formando un charco en su cama. Jondalar buscó en su mochila algo con que pudiera detenerla. Agarró su túnica de verano, sin mangas, hizo una bola con ella y trató de quitar la sangre de la piel de la cama, pero sólo consiguió embarrarla. Entonces puso la suave gamuza sobre la herida.

—¡Doni, Doni! No sé qué hacer. Yo no soy zelandoni —y Jondalar se sentó sobre sus talones, se pasó la mano por el cabello y se manchó de sangre la cara—. Corteza de sauce. Haré té de corteza de sauce.

Salió por un poco de agua. No tenía que ser zelandoni para saber qué propiedades calmantes tiene la corteza de sauce; todos hacían té de corteza de sauce contra el dolor de cabeza o cualquier otro dolor. No sabía si se empleaba para heridas graves, pero no se le ocurría ninguna otra cosa. Caminó agitadamente alrededor del fuego, mirando hacia el interior de la tienda a cada vuelta, esperando que hirviera el agua. Amontonó más leña sobre las llamas y quemó una orilla del marco de madera que sostenía el pellejo lleno de agua.

"¿Por qué tarda tanto? Espera, no tengo la corteza de sauce. Mejor que vaya a buscarla en lo que tarda el agua en hervir". Metió la cabeza por la abertura de la tienda y miró largo rato a su hermano; después corrió hasta la orilla del río. Después de arrancarle corteza a un árbol deshojado cuyas largas y delgadas ramas bañaban en el agua, corrió de regreso al campamento.

Primero miró para saber si Thonolan se había movido, y comprobó que su túnica de verano estaba empapada en sangre. Luego se dio cuenta de que la olla estaba hirviendo y desbordándose, y que apagaba el fuego. Al principio no supo qué hacer —si ocuparse del té o de su hermano—, y se quedó mirando de la tienda al fuego y del fuego a la tienda. Finalmente tomó una taza y sacó algo de agua, quemándose la mano, y dejó caer la corteza de sauce en la olla. Echó más palos al fuego esperando que prendieran. Buscó en la mochila de Thonolan, la volcó desalentado, y agarró la túnica de verano para sustituir a la suya.

Al entrar de nuevo en la tienda, oyó gemir a Thonolan. Era el primer sonido que oyera de su hermano. Salió rápidamente para sacar una taza de té, vio que apenas quedaba líquido y se preguntó si estaría demasiado fuerte. Volvió a meterse en la tienda con una taza del líquido hirviendo, buscó con la mirada, frenético, dónde poder dejarla, y vio que no sólo su túnica de verano estaba manchada de sangre: había un charco en la cama de Thonolan.

"¡Está perdiendo demasiada sangre! ¡Oh, Madre! Necesita un zelandoni. ¿Qué voy a hacer?" Empezaba a agitarse en el pánico que le inspiraba el estado de su hermano. Se sentía tan indefenso. "Necesito ir en busca de ayuda. ¿Adónde? ¿Dónde puedo encontrar un zelandoni? Ni siquiera puedo cruzar la Hermana, y no puedo dejarlo solo. Si un lobo o una hiena huele la sangre, vendrá por él".

"Gran Madre. Mira cuánta sangre en esta túnica. Algún animal la olfateará". Jondalar agarró la camisa empapada en sangre y la arrojó fuera de la tienda. "No, eso no es mejor".

Salió de la tienda, recogió nuevamente la camisa y miró frenéticamente hacia dónde podría llevarla, lejos del campamento, lejos de su hermano.

Se encontraba conmocionado, dominado por la pena, y en el fondo de su corazón reconocía que no había esperanza. Su hermano necesitaba una ayuda que él no podía proporcionarle, y no podía ir en busca de ayuda. Aun cuando supiera hacia dónde ir, no podía marcharse. Era absurdo pensar que una túnica ensangrentada habría de atraer más a los carnívoros que el propio Thonolan, con su herida abierta. Pero no quería enfrentarse a la verdad. Se apartó del sentido común y se abandonó al pánico.

Miró la hilera de alisos y en un momento irracional corrió colina arriba y metió la túnica de cuero en un ángulo de un árbol; entonces regresó corriendo. Se metió en la tienda y se quedó mirando a Thonolan, como si por la fuerza de su voluntad pudiera lograr que su hermano estuviera nuevamente sano, entero y sonriente.

Casi como si Thonolan percibiera la plegaria, gimió, movió la cabeza y abrió los ojos. Jondalar se arrodilló más cerca y vio en sus ojos el dolor que sentía, a pesar de una débil sonrisa.

—Tenías razón, hermano mayor. Casi siempre la tienes. No dejamos atrás al rinoceronte.

—No quiero tener razón, Thonolan. ¿Cómo te sientes?

—¿Quieres una respuesta sincera? Me duele. ¿Es muy malo? —preguntó, tratando de sentarse. La sonrisa desvaída se convirtió en una mueca de dolor.

—No trates de moverte. Toma, he hecho un poco de té de sauce —y Jondalar sostuvo la cabeza de su hermano y le llevó la taza a los labios. Thonolan tomó unos cuantos sorbos y se tendió nuevamente, con alivio. Una expresión de temor se unió al dolor que delataban sus ojos.

—Dime la verdad, Jondalar. ¿Está muy mal?

El hombre alto cerró los ojos y respiró hondo.

—No tiene buen aspecto.

—Eso pensé. Pero, ¿hasta qué punto? —los ojos de Thonolan se fijaron en las manos de su hermano y se abrieron más, llenos de alarma—. ¡Tienes las manos cubiertas de sangre! ¿Es mía? Será mejor que me lo digas.

—Realmente no lo sé. Estás herido en la ingle y has perdido mucha sangre. El rinoceronte ha debido lanzarte al aire o pisotearte. Creo que tienes un par de costillas rotas; no sé qué más. No soy zelandoni . . .

—Pero necesito uno, y la única oportunidad de encontrar ayuda es del otro lado del río que no podemos cruzar.

—Eso es, más o menos.

—Ayúdame a levantarme, Jondalar. Quiero ver cómo está.

Jondalar iba a protestar, pero renuentemente cedió y al instante lo lamentó: en el momento en que Thonolan quiso sentarse, gritó de dolor y volvió a perder el conocimiento.

—¡Thonolan! —gritó Jondalar. La hemorragia había disminuido, pero el esfuerzo hizo que aumentara otra vez. Jondalar dobló la túnica veraniega de su hermano, la aplicó sobre la herida y salió de la tienda. El fuego estaba casi apagado; Jondalar agregó combustibles con mayor esmero, puso más agua a calentar y cortó más leña.

Regresó para volver a ver a su hermano. La túnica de Thonolan estaba bañada en sangre; la apartó para ver la herida y tuvo un gesto al recordar cómo había corrido colina arriba para deshacerse de la otra. Su pánico inicial había desaparecido, y parecía una tontería. Ya no sangraba. Encontró otra prenda interior para el frío, la puso sobre la herida y cubrió a Thonolan; entonces recogió la segunda túnica ensangrentada y fue hacia el río. La arrojó y se agachó para lavarse las manos, con la impresión de que su pánico le había inspirado acciones ridículas.

Él no sabía que el pánico es un rasgo de supervivencia, en circunstancias extremosas. Cuando todo lo demás fracasa y que se han agotado todos los medios racionales para hallar una solución, el pánico se hace cargo. Y a veces una acción irracional se convierte en una solución que la mente racional jamás habría ideado.

Regresó, echó unas cuantas ramitas más al fuego y recogió el asta de aliso, aunque ya no parecía tener sentido hacer una lanza. Pero se sentía tan inútil que necesitaba hacer algo. La encontró, y entonces se sentó delante de la tienda y con golpes malvados se puso a alisar un extremo.

El día siguiente fue una pesadilla para Jondalar. El lado izquierdo del cuerpo de Thonolan era sensible al menor roce, y estaba muy magullado. Jondalar había dormido poco. Había sido una noche difícil para Thonolan, y cada vez que gemía, su hermano se levantaba. Pero lo único que podía ofrecer era té de corteza de sauce, y eso no era gran ayuda. Por la mañana coció algo de comida, hizo caldo, pero ninguno de los dos comió mucho. Al llegar el atardecer, la herida estaba ardiendo y Thonolan tenía calentura.

Thonolan despertó de un sueño perturbado y abrió los ojos frente a los ojos azules de su hermano. El sol acababa de ponerse tras la orilla de la Tierra, y aun cuando todavía había luz en el exterior, en la tienda casi no se veía. La oscuridad no impidió que Jondalar viera que su hermano tenía los ojos vidriosos, y había estado gimiendo y murmurando entre sueños.

Jondalar trató de sonreír valerosamente.

—¿Qué tal te sientes?

A Thonolan le dolía demasiado para sonreír, y la mirada preocupada de Jondalar no era tranquilizadora.

—No me siento con ganas de cazar rinocerontes —respondió.

Permanecieron un rato en silencio, sin saber qué decir. Thonolan cerró los ojos y dio un hondo suspiro; estaba cansado de luchar contra el dolor; le dolía el pecho cada vez que respiraba, y el profundo dolor de su ingle izquierda parecía haberse extendido a todo su cuerpo. De haber pensado que quedaba alguna esperanza, habría resistido, pero cuanto más tiempo pasaran allí, menos oportunidades tendría Jondalar de cruzar el río antes de una tormenta. Sólo porque él fuera a morirse no era razón para que también su hermano muriera. Abrió nuevamente los ojos.

—Jondalar, ambos sabemos que sin ayuda no hay esperanza para mí, pero no hay razón para que tú . . .

—¿Qué quieres decir, que no hay esperanza? Eres joven y eres fuerte. Vas a estar bien.

—No hay tiempo suficiente. No tenemos la menor oportunidad, aquí, a campo raso. Jondalar, pónte en marcha, encuentra un lugar donde quedarte, tú . . .

—¡Estás delirando!

—No, yo . . .

—No hablarías así si no lo estuvieras. Tú, preocúpate por recuperar tus fuerzas . . . deja que yo me preocupe por todo lo demás. Los dos vamos a salir bien de esto. Tengo un plan.

—¿Qué plan?

—Te lo contaré cuando haya afinado todos los detalles. ¿Quieres algo de comer? No has comido mucho.

Thonolan sabía que su hermano no se iría mientras él estuviera con vida. Estaba cansado; quería abandonar la lucha, que llegara el final, y que Jondalar tuviera una oportunidad.

—No tengo hambre —dijo, y vio en los ojos de su hermano que se sentía lastimado—. Pero podría beber un poco de agua.

Jondalar vertió el resto del agua y sostuvo la cabeza de Thonolan mientras éste bebía. Sacudió la bolsa.

—Está vacía, voy a buscar más.

Quería un pretexto para salir de la tienda. Thonolan estaba a punto de abandonarse. Jondalar había estado fingiendo al decir que tenía un plan. Había perdido la esperanza . . . no era extraño que su hermano considerara que la situación era desesperada. "Tengo que hallar la manera de pasar al otro lado de este río y encontrar ayuda".

Subió una pequeña pendiente que le permitía ver río arriba, por encima de los árboles, y estuvo viendo cómo una rama rota quedaba trabada en una roca saliente. Se sentía tan atrapado e indefenso como aquella rama desnuda y, siguiendo un impulso, fue hasta la orilla y la liberó de la roca que le cerraba el paso.

Vio cómo la corriente se la llevaba río abajo, preguntándose hasta dónde llegaría antes de verse atrapada por otra cosa. Vio otro sauce y arrancó más corteza interior con el cuchillo. Thonolan podría tener otra mala noche; no que el té le sirviera de mucho.

Finalmente se apartó de la Hermana y regresó al arroyo que agregaba su diminuto caudal al del río turbulento. Llenó la bolsa de agua y reanudó su camino hacia el campamento. No estaba seguro de qué fue lo que lo incitó a mirar río arriba —tal vez oyera algo por encima del sonido del torrente impetuoso— pero cuando lo hizo se quedó boquiabierto sin creer lo que veía.

Algo se aproximaba desde río arriba, dirigiéndose en línea recta hacia la orilla donde él estaba parado. Un enorme pájaro acuático, con un cuello largo y curvo que sostenía una cabeza de cresta ardiente y ojos grandes que no parpadeaban, se acercaba a él. Vio movimiento en la espalda de la criatura al acercarse, cabezas de otras criaturas. Una de las criaturas pequeñas hizo señas con el brazo.

—¡Ho-la! —gritó una voz. Nunca había oído Jondalar un sonido tan maravilloso.

Capítulo 7

Ayla se pasó el dorso de la mano por la sudorosa frente y sonrió a la yegüita amarilla que la había estado empujando con el hocico, tratando de metérselo bajo la mano. La potranca no soportaba que Ayla se apartara de su vista, y la seguía por todas partes; a la joven eso no la molestaba, deseaba su compañía.

"Yegüita, ¿cuánto grano tendré que recoger para ti?", preguntó Ayla por señas. La potranca, pequeña y de color del heno maduro, observaba atentamente los movimientos de la joven; eso le recordaba a Ayla su niñez, cuando estaba aprendiendo el lenguaje de señas del Clan. "¿Estás tratando de aprender a hablar? Bueno, a comprender por lo menos. Te sería difícil hablar con las manos, pero tengo la impresión de que te esfuerzas por entenderme de algún modo".

El habla de Ayla incorporaba unos pocos sonidos; el lenguaje ordinario del Clan no era totalmente silencioso, sólo lo era el antiguo lenguaje oficial. Las orejas de la potranca se enderezaban tan pronto como oía alguna palabra en voz alta.

"Estás escuchándome, ¿verdad, yegüita?" Ayla meneó la cabeza. "Sigo llamándote yegüita, potranca . . . no está bien. Creo que necesitas un nombre. ¿Eso es lo que estás tratando de oír, el sonido de tu nombre? Me pregunto cómo te llamaría tu madre; aun cuando lo supiera, no creo que conseguiría pronunciarlo".

La yegüita seguía observándola con atención, pues se daba cuenta de que Ayla se estaba ocupando de ella al mover las manos de esa manera. Al callar Ayla, relinchó suavemente.

"¿Estás contestándome? ¿Hiin-nnnny?" Ayla había intentado remedar el sonido del hin y consiguió algo parecido. La yegüita respondió al sonido casi familiar moviendo la cabeza de arriba abajo y produciendo otro relincho en respuesta.

"¿Así es como te llamas?", señaló Ayla, sonriendo. La potranca volvió a sacudir la cabeza, dio un par de brincos alejándose y volvió. La joven rió. "Entonces, todos los caballos chiquitos deben de tener el mismo nombre o tal vez yo no distinga la diferencia". Ayla volvió a relinchar y la yegua volvió a emitir su hin, y ambas jugaron así un ratito. Eso le hacía recordar a Ayla el juego de sonidos que practicaba con su hijo, sólo que Durc podía repetir cualquier sonido que ella hiciera. Creb le había dicho que ella expresaba muchos sonidos cuando la encontraron, y ella sabía que era capaz de producir algunos que nadie más podía. Se había sentido complacida al comprobar que también su hijo podía producirlos.

Ayla volvió a su trabajo de cosechar el alto trigo carraón; también crecía trigo escandia en el valle, y la hierba de centeno parecida a la que crecía cerca de la caverna del clan. Estaba pensando en ponerle nombre a la yegua.

"Nunca le he puesto nombre a nadie hasta ahora", y sonrió al pensarlo. "¿No pensarían que soy extravagante poniéndole nombre a un caballo? No más extravagante que cohabitar con él". Observó al animalito corriendo y retozando alegremente. "Me da tanto gusto que viva conmigo", pensó Ayla, sintiendo un nudo en la garganta. "No me siento tan sola con ella junto a mí. No sé qué haría si me quedara sin ella. Voy a ponerle nombre".

El sol había iniciado su carrera descendente cuando Ayla se detuvo y miró al cielo. Era un cielo grande, vasto, vacío. Ni una sola nube medía su profundidad ni detenía la mirada hacia el infinito. Sólo la lejana incandescencia por el Poniente, cuya circunferencia vacilante se revelaba por refracción, interrumpía la extensión inmensa de un azul uniforme. Calculando la luz del día que le quedaba según el espacio entre la brillantez y el alto del farallón, decidió poner fin a la jornada.

La yegua, viendo que la atención de la joven se había apartado del trabajo, relinchó y se acercó a ella.

"¿Regresaremos a la cueva? Primero vamos a tomar un trago de agua".

Y poniendo su brazo sobre el cuello de la potranca, echó a andar con ella hacia el río.

El follaje junto al agua corriente, al pie del abrupto murallón meridional, era un calidoscopio de color en cámara lenta, reflejando el ritmo de las estaciones; el verde profundo de pinos y abetos se fundía con oros cálidos, amarillos pálidos, morenos secos y rojos ardientes. El valle abrigado era un pequeño muestrario que se destacaba sobre el telón de fondo de las estepas, de un beige apagado, y el sol daba más calor entre sus murallas que lo protegían del viento. A pesar de los colores del otoño, parecía un día de verano, ilusión engañosa.

"Creo que recogeré más hierba. Ya empiezas a comerte la cama cuando te la cambio por hierba fresca". Caminando junto al caballito, Ayla proseguía su monólogo, y de repente dejó de mover las manos, y entonces sus pensamientos siguieron solos el hilo de la reflexión. "Iza recogía siempre hierba en otoño para las camas de invierno. ¡Olía tan bien al cambiarlas, especialmente cuando había caído mucha nieve y que el viento soplaba fuera. Me encantaba quedarme dormida oyendo el viento y oliendo al heno fresco del verano".

Al ver la dirección que habían tomado, la yegüita se adelantó trotando. Ayla sonrió con indulgencia.

—Debes de tener tanta sed como yo, yegüita, Hiin-nny —dijo, pronunciando en voz alta en respuesta al llamado del animal—. Eso suena como un nombre de caballo, pero hay que hacer el nombramiento en la forma debida, ¡Hiiin-ny! ¡Hiiin-ny! —llamó. La yegua enderezó las orejas, se volvió a mirar a la joven y volvió trotando hacia ella.

Ayla le frotó la cabeza y la rascó. Estaba cambiando su áspero pelaje de bebé y cubriéndose de pelos más largos, de invierno, y siempre le gustaba que la rascaran.

—Creo que te gusta el nombre, y te sienta, mi bebé caballito. Creo que vamos a tener una ceremonia de nombre. Pero no puedo tomarte en mis brazos, y no está Creb aquí para marcarte. Supongo que yo tendré que ser el mog-ur y hacerlo todo —sonrió—. A quién se le ocurre, una mujer mog-ur.

Ayla regresó al río pero se desvió río arriba al comprobar que se encontraba cerca del punto en que había abierto la zanja con la trampa. Había rellenado el hoyo, pero la yegüita estaba rondándolo, resoplando, bufando y piafando, como si algún olor o recuerdo la perturbara. La manada no había vuelto desde el día en que echó a correr por el valle, hasta el otro extremo, alejándose de su fuego y sus ruidos.

Condujo a la yegua para que bebiera más cerca de la cueva. El río nebuloso, lleno de sedimentos otoñales, se había retirado de su altura máxima dejando un lodo rico y moreno a la orilla del agua. Los pies de Ayla producían un chapoteo y se cubrían de una capa rojiza que le recordaba la pasta de ocre rojo que Mog-ur empleaba para fines ceremoniales, como poner nombre por ejemplo. Metió el dedo en el lodo y se marcó la pierna, después sonrió y recogió un puñado.

"Iba a ponerme a buscar ocre rojo", pensó, "pero esto servirá".

Cerrando los ojos, Ayla trató de recordar lo que había hecho Creb al ponerle nombre a su hijo. Podía ver su viejo rostro devastado con un colgajo de piel cubriéndole el orificio donde debería haber estado el ojo, su fuerte nariz, sus arcos ciliares salientes y su frente baja y huidiza. La barba se le había vuelto escasa y desgreñada, y la línea del cabello había retrocedido, pero lo recordaba tal como se veía aquel día; no era joven, pero estaba en la cima de su poderío. Había amado aquel viejo rostro escabroso, magnífico.

De repente todas sus emociones la inundaron: el temor de perder a su hijo y su gozo inconmensurable al ver una taza de pasta de ocre rojo. Tragó varias veces saliva, pero el nudo que tenía en la garganta no quería ceder, y se secó una lágrima sin saber que había dejado un tizne moreno en su lugar. La yegüita se recostaba sobre ella, buscando afecto con el hocico, casi como si sintiera la necesidad que Ayla tenía. La mujer se arrodilló y abrazó al animal, dejando reposar su frente en el robusto cuello de la potranca.

"Se supone que ésta va a ser la ceremonia de tu nombre", pensó, recobrando el control. El lodo se había escurrido entre sus dedos. Agarró otro puñado y después alzó la otra mano hacia el cielo, como había hecho siempre Creb con sus gestos abreviados de una sola mano, pidiendo a los espíritus que asistieran. Entonces vaciló, pues no estaba segura de si debería invocar los espíritus del Clan para ponerle nombre a un caballo ... tal vez no lo aprobaran. Metió los dedos en el barro que tenía en la otra mano y trazó una línea sobre la frente de la potranca desde arriba hasta la nariz, así como Creb había trazado una línea con la pasta de ocre rojo desde el punto en que se unían los arcos superciliares hasta la punta de su naricilla.

—Hiinny —dijo Ayla en voz alta, y terminó empleando el lenguaje oficial—. El nombre de esta niña ... de esta hembra de caballo, es Hinny.

La yegüita sacudió la cabeza arriba y abajo, tratando de deshacerse del lodo húmedo, y eso le dio risa a Ayla.

—Pronto se secará y se caerá solo, Hinny.

Se lavó las manos, se echó a la espalda el canasto de grano seco y se dirigió lentamente a la cueva. La ceremonia del nombre le había recordado demasiado su existencia solitaria. Hinny era una criatura viviente y cálida y mitigaba algo su soledad, pero para cuando Ayla llegó a la playa pedregosa, estaban corriendo las lágrimas involuntaria, inadvertidamente.

Acarició y guió a la yegüita por el abrupto sendero que conducía a la cueva lo cual, en cierto modo, la sacó de su pena.

—Anda, vamos Hinny, tú puedes hacerlo. Ya sé que no eres íbice ni antílope saiga, pero sólo es cuestión de acostumbrarse.

Llegaron a lo alto de la muralla que era la extensión de la fachada de su cueva, y entraron. Ayla volvió a atizar el fuego cubierto y se puso a cocer algo de grano. La yegüita estaba comiendo ahora hierba y grano y no tenía que ingerir alimentos especiales, pero Ayla le hacía purés porque a Hinny le gustaban.

Se llevó afuera una brazada de conejos que había cazado durante el día, para desollarlos mientras aún hubiera luz, y enrolló las pieles para cuando estuviera dispuesta a curtirlas. Había acumulado gran provisión de pieles de animales: conejos, marmotas, liebres, todo lo que cazaba. No estaba segura de cómo llegaría a utilizarlas, pero las curtía y las guardaba cuidadosamente todas. Durante el invierno, tal vez se le ocurriera algún uso; y si hiciera demasiado frío, las amontonaría a su alrededor.

No dejaba de pensar en el invierno, mientras se acortaban los días y bajaba la temperatura. No sabía lo prolongado ni lo riguroso que habría de ser, y eso la preocupaba. Un ataque súbito de ansiedad la impulsó a comprobar sus reservas, aunque sabía exactamente lo que tenía. Examinó canastos y recipientes de corteza llenos de carne seca, de frutas y verduras, semillas, nueces y grano. En el rincón oscuro más alejado de la entrada, inspeccionó montones de raíces y de frutas, enteras y en buen estado, para asegurarse de que no había aparecido ninguna señal de podredumbre.

A lo largo de la pared posterior había pilas de leña, excremento seco de caballo traído del campo, y montañas de hierba seca. Más canastas de grano, para Hinny, estaban apiladas en el rincón opuesto.

Ayla regresó junto al fuego para ver cómo se cocía el grano en una canasta trenzada herméticamente y para darles vuelta a los conejos, y pasó junto a su lecho y sus efectos personales a lo largo de la pared, para examinar hierbas, raíces y cortezas colgadas de un tendedero. Había sumido los palos verticales en la tierra apelmazada de la cueva, no muy lejos del hogar, para que los condimentos, el té y las medicinas aprovecharan el calor al secarse pero no estuvieran demasiado cerca del fuego.

No tenía que atender a un clan y no necesitaba todas las medicinas, pero había conservado la farmacopea de Iza bien abastecida después de que la vieja curandera se debilitó, y estaba acostumbrada a recoger plantas medicinales al mismo tiempo que alimenticias. Al otro lado del tendedero de las hierbas había un surtido de materiales diversos: trozos de madera, palitos y ramas, hierbas y cortezas, cueros, huesos, varias piedras y guijarros, inclusive un canasto de arena de la playa.

No le gustaba pasar mucho tiempo pensando en el largo invierno que la esperaba, solitaria e inactiva. Pero sabía que no habría ceremonias con banquetes ni relato de historias ni nuevos bebés que prever ni chismes ni conversaciones ni discusiones de tradiciones medicales con Iza ni Uba, no observación de los hombres que discutieran tácticas de caza. En cambio, pensaba pasar el tiempo haciendo cosas —cuanto más difíciles y más tiempo duraran, mejor— para mantenerse lo más atareada posible.

Revisó algunos de los trozos de madera más sólidos; iban desde pequeños a grandes, para poder confeccionar tazas y tazones de distintos tamaños. Ahuecando el interior y dándole forma con un hacha de mano usada como azuela, y un cuchillo, y frotando para suavizarla con una piedra redonda y arena, podría pasarse días enteros; había proyectado hacer varios. Algunas de las pieles más pequeñas serían convertidas en guantes, polainas, forro de abarcas; otras, sin pelo, serían tan bien trabajadas que quedarían suaves y flexibles como el cutis de un bebé, pero conservando su absorbencia.

Su colección de yuca, hojas y tallos de espadaña, cañas, varitas de sauce, raíces de árboles, habría de convertirlas en canastos tejidos muy apretadamente o más aereados, con diseños intrincados, para cocinar, comer, servir de recipientes para almacenar, bandejas de cedazo o de servicio, esteras para sentarse, servir o secar alimentos. Haría cuerdas, en grosores escalonados entre cordel y cable, a partir de plantas fibrosas, cortezas y el tendón y la larga cola de la yegua; y lámparas de piedra con huecos poco profundos que se llenarían de grasa y llevarían una mecha de musgo seco que ardiera sin humo. Había conservado la grasa de animales carnívoros aparte, para aprovecharla en las lámparas. No que fuera a privarse de comerla si llegara el caso, pero era cuestión de gusto.

Había iliones y omoplatos planos que serían convertidos en platos y fuentes, otros huesos, en cucharones o paletas; la pelusa de diversas plantas se usaría para prender fuego o rellenar, así como plumas y pelos; varios nódulos de pedernal e implementos para darles forma. Había pasado más de un largo día de invierno confeccionando objetos e implementos similares, necesarios para la existencia, pero también tenía un buen surtido de materiales para objetos que no estaba acostumbrada a elaborar, aun cuando había observado a los hombres mientras los estaban haciendo: armas para cazar.

Quería hacer lanzas, garrotes fáciles de agarrar con la mano, nuevas hondas. Pensaba que inclusive podría intentar hacer boleadoras, aunque para volverse hábil con esa arma hacía falta practicar tanto como para tirar con honda. Brun era el experto con las boleadoras; confeccionar el arma representaba una pericia de por sí. Había que formar tres piedras para hacerlas redondas, y luego atarlas con cuerdas y unirlas con el largo y el balance convenientes.

"¿Le enseñaría a Durc?", se preguntó Ayla.

La luz del día estaba desapareciendo, y el fuego casi se había apagado. El grano había absorbido toda el agua y estaba blando. Tomó un tazón lleno para sí, agregó entonces agua y preparó el resto para Hinny. Lo vertió en un canasto impermeable y se lo llevó al lugar donde dormía la yegüita, contra la pared del lado opuesto de la entrada de la cueva.

Los primeros días pasados abajo, en la playa, Ayla había dormido con la yegua, pero decidió que ésta debería tener su propio lugar en la cueva. Aunque utilizaba excremento seco para su fuego, no le parecía muy agradable encontrar excremento fresco en sus pieles de dormir, y por lo visto tampoco a la potranca le hacía gracia. Llegaría el día en que la yegua fuera demasiado grande para dormir con ella, y la cama no era suficiente para ambas, aunque a menudo se tendía y abrazaba a la yegüita en el lugar preparado para ella misma.

—Debería ser suficiente —señaló Ayla a la yegua. Se estaba acostumbrando a hablarle, y la yegüita comenzaba a responder a ciertas señales—. Espero haber recolectado lo suficiente para ti. Ojalá supiera cuánto duran aquí los inviernos —se sentía algo irritada y un poco deprimida. De no haber sido de noche, habría salido de la cueva para dar un rápido paseo; o mejor aún, una carrera larga.

Cuando la yegua comenzó a mascar en su canasta, Ayla le llevó una brazada de heno fresco.

—Aquí tienes, Hinny, mastica esto. Se supone que no debes comerte el plato —Ayla tenía ganas de prestarle una atención especial a su pequeña compañera, rascándola y acariciándola. Cuando se detuvo, la potranca le puso el hocico en la mano y se volvió para presentarle el flanco que necesitaba mayor atención—. De seguro que sientes comezón —le dijo Ayla, sonriendo, y se puso a rascar de nuevo—. Espera, tengo una idea —regresó al lugar donde estaban ordenados todos sus diversos materiales y encontró un haz de cardos secos. Cuando la flor de la planta se secaba, dejaba un cepillo espinoso y alargado en forma de huevo. Arrancó una del tallo y la usó para rascar suavemente el punto del flanco de Hinny. De ese punto pasó a otro y antes de terminar, había cepillado y almohazado todo el pelaje enmarañado de Hinny, con la evidente complacencia de la potranca.

Entonces rodeó el cuello de Hinny con sus brazos y se tendió en el heno fresco junto al joven y tibio animal.

Ayla despertó sobresaltada. Se quedó muy quieta, con los ojos muy abiertos, llena de presentimientos. Algo estaba mal. Sintió una ráfaga fría y contuvo la respiración. ¿Qué era aquel ruido de olfateo? Estaba segura de haberlo oído por encima del ruido de la respiración y el latido del corazón de la yegüita. ¿Llegaría del fondo de la cueva? Todo estaba tan oscuro que no veía nada.

Tan oscuro . . . ¡eso era! No había resplandor rojizo del fuego cubierto en el hogar. Y su orientación en la cueva no era la correcta. La pared estaba en el lado indebido, y la ráfaga . . . ¡Otra vez! El olisqueo y la tos. "¿Qué estoy haciendo en la cama de Hinny? Me habré quedado dormida sin cubrir el fuego. Ahora, se apagó. Es la primera vez que me quedo sin fuego desde que llegué al valle".

Ayla se estremeció, y de repente sintió que se le entiesaban los vellos de la nuca. No tenía palabra ni gesto ni concepto para el presentimiento que se apoderaba de ella, pero lo sentía. Se pusieron rígidos los músculos de su espalda; algo iba a suceder; algo que se relacionaba con el fuego. Lo sabía con tanta certeza como que sabía que estaba respirando.

Había tenido esas sensaciones a veces, desde la noche en que siguió a Creb y los mog-ures hasta la pequeña cámara en el fondo de la caverna del clan anfitrión de la reunión. Creb no la había descubierto porque la hubiera visto sino porque la había sentido. Y ella lo había sentido dentro de su cerebro de alguna manera extraña. Entonces había visto cosas que no podía explicarse. Después, a veces, supo cosas. Supo cuándo la estaba mirando Broud, aunque estuviera de espaldas a él. Supo el odio malévolo que abrigaba en su corazón contra ella. Y supo, antes del terremoto, que habría muerte y destrucción en la caverna del clan.

Pero nunca anteriormente había sentido algo tan fuertemente. Una profunda sensación de angustia, temor, no por el fuego, se dio cuenta, y no por sí misma. Por alguien a quien amaba.

Se puso de pie silenciosamente y se dirigió a tientas hacia el hogar, esperando encontrar alguna brasa que pudiera atizarse.

Estaba frío. De repente experimentó la necesidad urgente de hacer una necesidad, halló la muralla y la siguió hasta la entrada. Una fría racha de viento le apartó de la cara el cabello y removió las brasas frías del hogar, levantando una nube de cenizas; la joven se estremeció.

Al salir, un fuerte viento la atacó. Inclinándose hacia él, se aferró a la muralla mientras llegaba al extremo del saliente de roca por el lado opuesto al sendero, donde arrojaba su basura.

Ninguna estrella adornaba el cielo, pero la capa de nubes difuminaba la luz de la luna en un resplandor uniforme, de manera que la negrura exterior era más clara que la negrura del interior de la cueva. Aunque fueron sus oídos, no sus ojos, los que la advirtieron: oyó resoplar y respirar antes de distinguir el movimiento deslizante.

Tendió la mano hacia la honda, pero no la llevaba, se había vuelto descuidada junto a su cueva, contando con el fuego para mantener alejados a los intrusos. Pero el fuego estaba apagado y una yegüita era presa fácil para la mayoría de los depredadores.

De repente, surgiendo de la entrada de la cueva, oyó una carcajada horrible. Hinny relinchó y su hin encerraba un matiz de pánico. La yegüita estaba en la cámara de piedras y su única salida estaba bloqueada por hienas.

"¡Hienas!", pensó Ayla. Había algo en el loco cloqueo de su risa, en su pelaje zarrapastroso y moteado, en la manera en que se inclinaba su lomo desde patas delanteras bien desarrolladas y anchos hombros hasta patas traseras cortas, que les daba un aspecto agazapado, que contribuía a provocar su irritación. Y nunca lograría olvidar el grito de Oga al ver, impotente, cómo arrastraban a su hijo. Esta vez iban tras Hinny.

No tenía su honda pero eso no la detuvo. No era la primera vez que actuaba sin pensar en su propia seguridad cuando alguien más se veía amenazado. Corrió hacia la cueva blandiendo el puño y gritando:

—¡Fuera de aquí! ¡Largo! —eran sonidos verbales, inclusive en el lenguaje del Clan.

Los animales se escurrieron afuera. En parte se debió a la seguridad que ella mostraba, y en parte, aunque el fuego estaba apagado, a que todavía despedía olor. Pero había otro elemento. El olor de Ayla no era conocido de las bestias, pero se estaban familiarizando con él, y la última vez había sido acompañado por piedras lanzadas con fuerza.

Ayla tentó dentro de la cueva en busca de la honda, furiosa consigo misma por no poder recordar dónde la había puesto.

"No volverá a suceder", decidió. "La voy a tener en un sitio particular".

Entonces recogió las piedras que le servían para cocer ... sabía dónde estaban. Cuando una hiena atrevida se aventuró lo suficiente para que su silueta se recortara sobre la claridad de la entrada, pudo comprobar que con honda o sin ella, Ayla tenía buena puntería, y que las piedras lastimaban. Después de varios intentos más, las hienas decidieron que, al fin y al cabo, la yegüita no era una presa tan fácil.

Ayla tentó en busca de más piedras y encontró una de las varas que había estado empleando para marcar el paso de los días. Se pasó el resto de la noche junto a Hinny, dispuesta a defender a la potranca aunque fuera con un palo, de ser necesario.

Pero mantenerse despierta resultó más difícil. Dormitó un rato justo antes del alba, pero el primer resplandor de la luz mañanera la encontró en el saliente con la honda en mano. No había hienas a la vista. Entró para buscar sus abarcas y un manto de piel. La temperatura había bajado sensiblemente. El viento había cambiado durante la noche: soplando desde el Noreste, se canalizaba por el desfiladero hasta que, frustrado por la muralla saliente y el recodo del río, soplaba dentro de la cueva en ráfagas desiguales.

Corrió cuesta abajo con la bolsa de agua y rompió al pasar una delgada película transparente que se había formado a la orilla del río; el aire olía claramente a nieve. Al romperse la capa prístina para sacar agua helada, se preguntó cómo podía hacer tanto frío si la víspera había hecho tanto calor. Se había sentido demasiado confiada en su rutina. Bastó un cambio repentino de temperatura para recordarle que no podía darse el lujo de la complacencia.

"Iza se habría enojado mucho conmigo si me hubiera ido a acostar dejando el fuego descubierto. Ahora tendré que prender uno nuevo. No creí que el viento habría podido soplar dentro de mi cueva: siempre llega del Norte. Eso podría haber ayudado a apagar el fuego. Yo debería haberlo dejado cubierto, pero la madera flotante arde tan aprisa cuando está seca ... no sostiene bien un fuego. Quizá debería cortar unos cuantos árboles verdes; tardan más en prender, pero arden más despacio. Podría también cortar postes para hacer una mampara contra el viento, y traer más leña. Cuando empiece a nevar será más difícil conseguirla. Voy por mi hacha de mano para cortar los árboles antes de encender el fuego. No quiero que el viento me lo apague antes de tener hecho un guardabrisa".

Recogió unos cuantos trozos de madera de río al regresar a la cueva. Hinny estaba en el saliente y relinchó para saludarla, y la empujó para obtener caricias. Ayla sonrió pero entró rápidamente en la cueva, seguida de cerca por la yegua que intentaba meter el hocico bajo la mano de la joven.

"Está bien, Hinny", pensó Ayla después de dejar en el suelo agua y leña. Acarició a la yegüita y la rascó un momento, después metió algo de grano en su canasta. Comió un resto de conejo del día anterior y con gusto habría bebido un té caliente, pero tuvo que conformarse con agua fría. Hacía frío en la cueva. Sopló en sus manos y se las metió en las axilas para calentarlas; agarró una canasta de herramientas que tenía junto a la cama.

Había confeccionado algunas nuevas poco después de llegar, y tuvo la intención de hacer más, pero siempre surgía algo que parecía más importante. Tomó su hacha de mano, la que había traído consigo y se la llevó afuera para verla mejor a la luz. Cuando se manejaba debidamente, un hacha de mano podía afilarse sola; generalmente se desprendían diminutos copos del filo, con el uso, dejándola siempre más afilada. Pero si se manejaba mal se podía desprender un copo grande o inclusive quebrarse en fragmentos la frágil piedra.

Ayla no se fijó en el ruido de los cascos de Hinny que se acercaba detrás de ella: estaba demasiado acostumbrada a ese sonido. La yegüita trató de meter el hocico en la mano de Ayla.

—¡Oh, Hinny! —exclamó, mientras la quebradiza hacha de pedernal caía sobre la dura roca del saliente y se partía en pedazos—. Era mi única hacha de mano. La necesito para cortar leña. "No sé lo que me está pasando", pensó. "Mi fuego se apaga justo cuando comienza el frío. Vienen hienas como si no esperaran que hubiera fuego, todas dispuestas a atacarte. Y ahora se me rompe la única hacha de mano que tenía". Empezaba a preocuparse, una racha de mala suerte no era buen presagio. "Y ahora, antes que nada, tendré que hacer otra hacha de mano".

Recogió las piezas rotas —podrían ser convertidas en otra cosa— y las dejó junto al hogar apagado. De un nicho detrás de su cama, sacó un hatajo envuelto en la piel de una enorme marmota y sujeto con una cuerda, y se lo llevó a la playa pedregosa.

Hinny la siguió, pero cuando se dio cuenta de que sus empujones y refrotones de nariz no obtenían caricias sino que la joven la rechazaba, dejó a Ayla con sus piedras y se fue a pasear por el valle.

Ayla desató el hatajo, reverente, cuidadosamente, en una actitud asimilada desde pequeña al observar a Doug, el maestro del

clan para tallar herramientas. Dentro había toda clase de objetos; el primero que tomó era una piedra ovalada. La primera vez
que había trabajado pedernal, había buscado una piedra-martillo que encajara bien en su mano y tuviera la resistencia debida
para golpear pedernal. Todas las herramientas de piedra eran
importantes, pero ninguna tenía tanta importancia como la piedra-
martillo. Era el primer implemento que entraba en contacto con
el pedernal.

La suya sólo tenía unas cuantas mellas, a diferencia de la
piedra-martillo de Doug, magullada por el uso repetido. Pero nada
podría haberlo convencido de que la desechara; cualquiera podía
hacer una herramienta de pedernal, más o menos basta, pero las
verdaderamente buenas eran fabricadas por expertos talladores
de herramientas que cuidaban sus implementos y sabían cómo
tener contento al espíritu de una piedra-martillo. Ayla se preocupaba por el espíritu de su piedra-martillo por vez primera. Era
tantísimo más importante ahora, cuando ella tenía que ser su
propio maestro tallador de herramientas. Sabía que era necesario
efectuar rituales para evitar la mala suerte si se rompía una piedra-martillo, para aplacar el espíritu de la piedra y convencerlo
de que se alojara en una nueva piedra, y ella ignoraba cuáles eran.

Puso la piedra-martillo a un lado y examinó un fuerte trozo
de hueso de la pata de un rumiante, en busca de señales de asti-
llado desde la última vez que lo usó. Después del martillo de
hueso, examinó un retocador: el canino de un enorme felino, que
había arrancado de una quijada hallada en el montón de desechos
al pie de la muralla, y después fue examinando las demás piezas
de hueso y de piedra.

Había aprendido a tallar el pedernal a fuerza de observar a
Droog, y después, practicando; a él no le importaba mostrarle
cómo trabajar la piedra. Ella prestaba atención, y sabía que él
aprobaba sus esfuerzos, pero no era su aprendiza: no valía la pena
tomar en cuenta a una hembra porque la serie de herramientas
que tenían permiso de hacer era limitada. No podían hacer herramientas que se utilizaran para cazar ni para hacer armas. Ayla
había descubierto que las herramientas que usaban las mujeres
no eran tan diferentes: al fin y al cabo, un cuchillo era un cuchillo,
y un copo con muescas podía utilizarse para sacar punta a un
palo de cavar o una lanza.

Miró a sus implementos, tomó un nódulo de pedernal, y después lo dejó. Para tallar en serio el pedernal, necesitaría un yunque, algo para ponerle la piedra encima mientras la trabajaba.
Droog no necesitaba yunque para hacer un hacha pero Ayla había

descubierto que tenía un mejor control cuando podía apoyar el pesado pedernal, aun cuando podía improvisar herramientas más o menos bien, sin apoyarlas. Quería una superficie firme y plana que no fuera demasiado dura, pues el pedernal podría estrellarse bajo fuertes golpes. El hueso de la pata de un mamut era lo que Droog usaba, y decidió que buscaría en el montón de huesos por si habría alguno.

Trepó por el montón de huesos, piedras y madera. Había colmillos: tendría que haber también huesos de la pata. Encontró una rama larga y la utilizó como palanca para mover trozos pesados. Se le quebró cuando intentaba levantar un tronco. Entonces encontró un colmillito de marfil, de algún joven mamut, que resultó mucho más fuerte. Finalmente, cerca de la orilla del montón que estaba más pegada a la muralla interior, vio lo que andaba buscando y se las arregló para sacarlo de la masa de desechos.

Mientras arrastraba el hueso de la pata hacia su zona de trabajo, atrajo su mirada el brillo de una piedra de un gris amarillento que relucía bajo la luz del sol y destellaba por todas sus facetas. Le pareció conocida pero sólo cuando se detuvo para recogerla, supo por qué recordaba la pirita de hierro.

"Mi amuleto", pensó, tocando la bolsita de piel que llevaba colgada del cuello. "Mi León Cavernario me dio una piedra como ésta para decirme que mi hijo viviría". De repente se percató de que por toda la playa había de esas mismas piedras gris-amarillentas desperdigadas brillando al sol; al reconocerlas tomó conciencia de que ahí estaban aunque anteriormente no se había fijado en ellas. También se dio cuenta de que las nubes estaban deshaciéndose. "Era la única cuando hallé la mía. Aquí no tienen nada especial, las hay por todas partes".

Dejó caer la piedra y siguió arrastrando el hueso de la pata de mamut playa abajo, donde se sentó y la colocó entre sus piernas. Se cubrió el regazo con la piel de marmota y recogió nuevamente el pedernal. Le dio vueltas y vueltas, tratando de pensar dónde daría el primer golpe, pero no podía calmarse y concentrarse: algo la preocupaba. Pensó que sería sin duda las piedras duras, desiguales y frías en que estaba sentada. Corrió hasta la cueva en busca de una estera y bajó también su perforador y su plataforma para hacer fuego, así como algo de yesca.

"¡Qué contenta voy a estar en cuanto prenda el fuego! Ha transcurrido ya media mañana y sigue haciendo frío".

Se instaló en la estera, puso los implementos para hacer herramientas al alcance de la mano, tiró del hueso de pata hasta tenerlo en posición, y colocó el cuero sobre su regazo. Entonces agarró la piedra gris gredoso y la colocó sobre el yunque. Tomó la piedra-martillo, la sopesó varias veces hasta agarrarla convenientemente y volvió a dejarla.

"¿Qué me está pasando? ¿Por qué estoy tan inquieta? Droog siempre pedía ayuda a su tótem antes de empezar; tal vez sea eso lo que necesito".

Aferró el amuleto con la mano, cerró los ojos y respiró profundamente varias veces para calmarse. No presentó una solicitud específica... sólo intentó llegar al espíritu del León Cavernario con la mente y con el corazón. El espíritu que la protegía era parte de ella, estaba dentro de ella como se lo había explicado el viejo mago... y ella lo creía así.

Tratar de llegar al espíritu de la enorme bestia que la había escogido tuvo un efecto apaciguador. Sintió cómo se relajaba y, al abrir los ojos, flexionó los dedos y agarró nuevamente la piedra-martillo.

Después de que los primeros golpes quebraran la corteza gredosa, Ayla se detuvo para examinar críticamente el pedernal. Tenía buen color, un brillo gris oscuro, aunque el grano no era de lo más fino. Pero no había rebabas; más o menos lo adecuado para un hacha de mano. Muchos de los gruesos copos que caían, mientras comenzaba a darle forma al pedernal, podrían ser aprovechados. Tenían una hinchazón, un bulbo de percusión, en el extremo del copo donde golpeara la piedra-martillo, pero estaban muy afilados. Muchos tenían ondulaciones semicirculares que dejaban en el núcleo una profunda cicatriz, pero tales copos se podían destinar a uso pesado tal como cortar, tasajear carne junto con piel y cuero o como hoz para cortar hierba.

Cuando Ayla logró la forma general que deseaba, tomó el martillo de hueso. El hueso era más blando, más elástico, y no lastimaría el filo delgado y agudo, aunque algo irregular, como lo haría la piedra. Apuntando cuidadosamente, dio un golpe muy cerca del filo desigual. Copos más largos y delgados, con un bulto de percusión más aplastado y filos menos desiguales, se desprendieron a cada golpe. En mucho menos tiempo del que le había tomado prepararse, la herramienta estaba terminada.

Tenía unas cinco pulgadas de largo, y su silueta estaba en forma de pera con un extremo agudo, pero plano; su sección era bastante delgada, y filos rectos se extendían desde la punta hacia los lados inclinados. Su base redonda estaba formada para encajar en la mano. Podía usarse como hacha para cortar madera o como azuela, tal vez para confeccionar un tazón. Con ella se podría romper un trozo de marfil de mamut para reducir su tamaño, y tasajear huesos de animal al cortar la carne. Era una fuerte herramienta para golpear, apropiada para muchos usos.

Ayla se sentía mejor, menos contraída, dispuesta a emprender la técnica más avanzada y difícil. Tomó otro nódulo gredoso de pedernal y su piedra-martillo, y golpeó la cubierta exterior; la piedra tenía un defecto: la superficie gredosa se extendía por el interior gris oscuro hasta el centro del nódulo. Con eso se volvía inutilizable; la concentración de Ayla se dispersó totalmente. Volvió a irritarse; dejó su piedra-martillo en los guijarros de la playa.

"Otra vez la mala suerte, otro mal presagio". No quería creerlo, no quería renunciar. Miró nuevamente el pedernal, se preguntó si podría sacarle algunos copos aprovechables y volvió a recoger el martillo. Rompió un copo, pero había que retocarlo, de modo que dejó el martillo y tendió la mano hacia un retocador de piedra. Pero apenas miró hacia los demás implementos: tenía la mirada fija en el pedernal cuando agarró una piedra de la playa ... y provocó un suceso que habría de cambiar su vida.

No todos los inventos son provocados por la necesidad; a veces una afortunada casualidad desempeña su papel. Lo que importa es saber reconocer lo que haya pasado. Allí estaban todos los elementos, pero sólo la casualidad los había colocado de la manera adecuada. Y la suerte fue el ingrediente principal. Nadie, y menos la joven que estaba sentada en una playa pedregosa en un valle solitario, habría soñado con realizar a propósito semejante experimento.

Cuando la mano de Ayla se tendió hacia el retocador de piedra, recogió un trozo de pirita de hierro de más o menos su mismo tamaño. Al golpear el pedernal expuesto, recién quebrado de la piedra imperfecta, la yesca seca de su cueva estaba cerca, y la chispa producida por las dos piedras voló hacia la bola de fibra peluda. Más importante aún, Ayla estaba mirando en esa dirección cuando voló la chispa, aterrizó en la yesca, ardió un instante y produjo una plumita de humo antes de apagarse.

Ahí estuvo la casualidad afortunada. Ayla proporcionó el reconocimiento y los demás elementos necesarios: comprendía el proceso de hacer fuego, necesitaba fuego y no tenía miedo de intentar algo nuevo. Inclusive así, necesitó un rato antes de reconocer y apreciar lo que acababa de observar. Lo primero que la intrigó fue el humo; tuvo que pensarlo antes de establecer la relación entre la plumita de humo y la chispa, pero la chispa, entonces, la intrigó más aún. ¿De dónde había salido? Entonces fue cuando miró la piedra que tenía en la mano.

¡No era la piedra correcta! No era su retocador, era una de esas piedras brillantes que había desperdigadas por toda la playa. Pero no dejaba de ser piedra, y la piedra no arde. Y sin embargo, algo había producido una chispa que había sacado humo de la yesca. La yesca había humeado, ¿o no?

Recogió la bola de fibra peluda, preparándose a comprobar que había imaginado el humo, pero el agujerito negro le dejó hollín en el dedo. Volvió a recoger la pirita de hierro y la miró detenidamente. ¿Cómo había salido la chispa de la piedra? ¿Qué había hecho ella, Ayla? El copo de pedernal: había golpeado el pedernal. Se sentía un poco tonta cuando volvió a golpear una piedra contra la otra; no sucedió nada.

"¿Qué me he creído?", pensó. Entonces volvió a golpearlas, una contra otra con más fuerza, rápidamente, y vio volar una chispa. De repente se abrió paso una idea que había estado formándose con timidez en su mente; una idea extraña, excitante, y también algo alarmante.

Dejó cuidadosamente las dos piedras en el cuero que le cubría el regazo, sobre el hueso de pata de mamut y juntó los materiales necesarios para encender un fuego. Cuando estuvo lista, recogió las piedras, las mantuvo cerca de la yesca y las golpeó una contra otra. Voló una chispa que se apagó sobre las piedras frías. Cambió el ángulo, repitió la operación pero con menos fuerza. Golpeó más fuerte y vio que una chispa caía en medio de la yesca: chamuscó unas cuantas hebras y se apagó, pero la plumita de humo era alentadora. La próxima vez que golpeó las piedras sopló una ráfaga de viento, y la yesca se encendió un segundo antes de apagarse.

"¡Por supuesto! Tengo que soplar". Cambió de postura para poder soplar sobre la llamita incipiente y produjo otra chispa con las piedras: fue una chispa fuerte, brillante, que duró bastante y cayó donde debía; Ayla estaba lo suficientemente cerca para sentir el calor mientras soplaba para convertir la yesca ardiente en llamarada; le echó trocitos de leña, virutas y astillas, y casi sin darse cuenta, tuvo un fuego encendido.

Era ridículamente fácil. No podía creer lo fácil que era. Tuvo que volver a demostrárselo a sí misma. Recogió más yesca, más viruta y más astillas, y tuvo un segundo fuego y un tercero y un cuarto. Sentía una excitación compuesta en parte de miedo, pasmo, el gozo del descubrimiento y una fuerte dosis de convencimiento de hallarse ante un prodigio mientras se apartaba y miraba cuatro fuegos separados, sacados, cada uno de ellos, del pedernal.

Hinny trotó hacia ella, atraída por el olor a humo. El fuego, otrora tan temido, ahora olía a seguridad.

—¡Hinny! —llamó Ayla, corriendo hacia la yegüita. Tenía que contárselo a alguien, compartir su descubrimiento, aun cuando sólo fuera con un caballo—. ¡Mira! —señaló—. Mira esos fuegos. Están hechos con piedras, Hinny. ¡Piedras! —el sol se abrió paso entre las nubes y de repente la playa entera pareció rutilar.

"Estaba equivocada cuando pensé que esas piedras no tenían nada de particular. Debería haber comprendido; mi tótem me dio una. Míralas. Ahora que lo sé, puedo ver el fuego que vive dentro de ellas". Se quedó pensativa un momento. "Pero, ¿por qué yo? ¿Por qué se me mostró a mí? Mi León Cavernario me dio una para decirme que Durc viviría. ¿Qué me estará diciendo ahora?"

Recordó el extraño presentimiento que había sentido cuando el fuego se apagó y, de pie entre cuatro fuegos ardiendo, se estremeció, experimentándolo de nuevo. Y de repente, sintió un alivio abrumador, aun cuando ni siquiera se había percatado de lo preocupada que estuvo.

Capítulo 8

—¡Hola! ¡Hola! —y Jondalar hacía señas con los brazos mientras gritaba, corriendo hacia la orilla del río.

Experimentaba una sensación abrumadora de alivio. Casi había renunciado, pero el sonido de otra voz humana lo llenó de una nueva oleada de esperanza. No se le ocurrió siquiera que podrían ser hostiles, nada podía ser peor que el desamparo total en que se había hallado. Y no parecían hostiles.

El hombre que le había llamado sostenía un cabo de cable, sujeto en un extremo al extraño y enorme pájaro acuático. Jondalar pudo ver que no era una criatura viviente sino alguna especie de lancha. El hombre le lanzó el cable; Jondalar dejó que cayera y se metió en el agua para recuperarlo. Un par de personas más, jalando de otro cable, salieron y vadearon entre el agua que se arremolinaba hasta sus muslos. Uno de ellos, sonriendo al ver la expresión de Jondalar —que conseguía combinar la esperanza, el alivio y la perplejidad por no saber qué hacer con el cable que había agarrado—, le quitó la guindaleza de entre las manos; atrajo la lancha más cerca y después ató el cable a un árbol y fue a ver el otro cable amarrado a una rama que sobresalía de un árbol muy grande, medio sumergido en el río.

Otro de los ocupantes de la lancha saltó por la borda y se colgó de la rama para ver qué estabilidad tenía. Dijo algunas palabras en un idioma desconocido, y entonces se alzó una tabla como escalera y se tendió a través de la rama. Después subió de nuevo a bordo para ayudar a una mujer a que acompañara a una tercera persona por la pasarela y la rama hasta la orilla, aunque más parecía que la ayuda era tolerada, no necesaria.

La persona, obviamente altamente respetada, tenía un porte sereno, casi regio, pero en ella había una cualidad evasiva que

Jondalar no pudo definir, una ambigüedad, y se quedó mirando. El viento levantaba mechones de largos cabellos blancos atados en la nuca, apartados de un rostro afeitado —o lampiño— arrugado por los años, pero mostrando un cutis suave y luminoso. Había fuerza en la línea de la quijada, lo prominente de la barbilla: ¿sería carácter?

Jondalar se percató de que estaba de pie en el agua fría cuando le hicieron señas de que se acercara, pero el enigma no se resolvió al mirar más de cerca, y sintió que estaba pasando por alto algo que tenía importancia. Entonces se detuvo y miró un rostro de una sonrisa compasiva, interrogante y ojos penetrantes de un matiz indefinido entre gris y avellana. Con un acceso súbito de maravilla, Jondalar comprendió las implicaciones de la persona misteriosa que esperaba pacientemente frente a él, y trató de encontrar alguna señal del género.

La estatura no servía: alto para ser mujer, bajo para ser hombre. La ropa abultada y sin forma disimulaba los detalles físicos; inclusive el andar dejó perplejo a Jondalar. Cuanto más miraba sin hallar respuesta, mayor era el alivio que sentía. Sabía que había personas así; habían nacido en el cuerpo de un sexo pero con las tendencias del otro. No eran ni uno ni otro o eran ambos, y por lo general se unían a Quienes Servían a la Madre. Con poderes derivados a la vez de elementos femeninos y masculinos y centrados en ellos, tenían fama de ser extraordinariamente hábiles para curar.

Jondalar estaba lejos de su hogar y no conocía las costumbres de aquella gente, pero no puso en duda que la persona que estaba de pie frente a él fuera curandera. Tal vez Uno que Servía a la Madre, tal vez no; no importaba. Thonolan necesitaba que lo curaran, y había llegado alguien que curaba.

Pero, ¿cómo supieron que hacía falta curar? ¿Cómo habían sabido llegar?

Jondalar echó otro tronco al fuego y vio cómo un surtidor de chispas lanzaba humo en la noche. Metió más su espalda desnuda entre su bolsa de dormir y se reclinó sobre un tronco para contemplar las chispas inmortales que tachonaban el cielo. Una forma flotó en su campo visual, tapando parte del cielo estrellado. Tardó un instante en adaptar su visión de las profundidades infinitas a la cabeza de una joven que le tendía una taza de té humeante.

Se sentó inmediatamente y descubrió un buen trozo de muslo desnudo antes de agarrar su bolsa de dormir y subírselo, con una mirada hacia los pantalones y las botas que estaban colgadas cerca del fuego, secándose. Ella sonrió, y aquella sonrisa cambió a la joven bastante solemne, tímida y dulcemente guapa en una beldad de ojos brillantes. Nunca había presenciado transformación tan asombrosa, y la sonrisa con que le respondió revelaba su atracción. Pero ella había escondido la cara para reprimir una carcajada de humorismo travieso, pues no quería avergonzar al forastero. Cuando volvió a mirarlo, sólo quedaba un centelleo en su mirada.

—Tienes una preciosa sonrisa —dijo cuando recibía la taza de té.

Ella meneó la cabeza y respondió con palabras que sin duda significaban que no comprendía lo que le había dicho.

—Ya sé que no puedes comprender lo que estoy diciendo, pero sigo deseando decirte lo agradecido que estoy por vuestra presencia aquí.

Ella lo observó detenidamente y él tuvo la impresión de que deseaba tanto como él lograr una comunicación. Siguió hablando, temeroso de que se alejara si dejaba de hablar.

—Es maravilloso poder hablarte, el mero hecho de saber que estás aquí —bebió el té a sorbitos—. Sabe bien. ¿De qué es? —preguntó, sosteniendo la taza y asintiendo con la cabeza—. Me parece reconocer manzanilla.

Ella asintió también, reconociendo, y se sentó junto al fuego, respondiendo a las palabras de él con otras que comprendía tan poco como ella las suyas. Pero su voz era agradable y parecía comprender que él deseaba su compañía.

—Quisiera darte las gracias. No sé lo que habría hecho si no hubiérais llegado —arrugó el entrecejo por la preocupación y la tensión, y ella sonrió con simpatía—. Quiero poder preguntar cómo supísteis que estábamos aquí, y cómo vuestro zelandoni o como sea que llaméis a vuestro curandero, supo venir.

Ella le respondió señalando la tienda que se había levantado allí cerca y que brillaba por la luz que había dentro. Él meneó la cabeza, frustrado; parecía que ella casi lo entendía, pero él no podía comprenderla.

—Supongo que no importa —dijo Jondalar—, pero ojalá vuestro curandero me dejara estar con Thonolan. Inclusive sin palabras, resultó evidente que mi hermano no obtendría ayuda mientras yo estuviera presente. No dudo de la capacidad del curandero, pero quería quedarme con él y nada más.

La miraba con una expresión tan seria que ella le puso la mano en el brazo para tranquilizarlo; Jondalar trató de sonreír pero lo hizo con tristeza. La solapa de la tienda atrajo su atención cuando salía una mujer de edad.

—¡Jetamio! —gritó y siguió diciendo otras palabras.

La joven se puso de pie rápidamente, pero Jondalar le sujetó la mano para detenerla.

—¿Jetamio? —preguntó, señalándola. Ella asintió—. Jondalar —dijo entonces, dándose golpes en el pecho.

—Jondalar —repitió la joven lentamente. Entonces volvió la mirada hacia la tienda, se golpeó a sí misma, después a él, y señaló la tienda.

—Thonolan —dijo entonces Jondalar—. Mi hermano se llama Thonolan.

—Thonolan —repitió ella mientras volvía corriendo a la tienda. Cojeaba ligeramente, según observó el joven, aun cuando eso no parecía molestarla.

Sus pantalones seguían húmedos, pero de todos modos se los puso y echó a correr hacia el arbolado, sin tomarse la molestia de atarlos ni de calzar sus botas. Había estado aguantando su necesidad desde que despertó, pero su ropa de repuesto estaba en la mochila, que había quedado en la tienda grande cuando el curandero se puso a cuidar a Thonolan. La sonrisa que había tenido Jetamio la noche anterior le hizo pensarlo dos veces antes de echar a correr hacia los árboles con nada más su breve camisa interior. Y tampoco quería arriesgarse a quebrantar algún tabú o costumbre de aquellas personas que lo estaban ayudando... menos aún con dos mujeres en el campamento.

Primero había intentado levantarse y caminar envuelto en su bolsa de dormir, y había esperado tanto antes de que se le ocurriera ponerse los pantalones, mojados o no, que estaba a punto de olvidar su confusión y echar a correr. De todos modos, la risa de Jetamio lo siguió.

—Tamio, no te rías de él. No está bien —dijo la mujer mayor, pero la fuerza de su regaño se perdió al tratar ella misma de reprimir la risa.

—Oh, Rosh, no quería burlarme de él, pero no pude remediarlo. ¿Lo viste caminar con su bolsa de dormir? —empezó nuevamente a reír aunque luchaba por dominarse—. ¿Por qué no se habrá levantado, y ya?

—Tal vez las costumbres de su gente sean distintas, Jetamio. Deben de haber viajado un largo trecho. Nunca he visto ropa como la que llevan, y su lenguaje no tiene ni parecido. La mayoría de los viajeros tienen palabras que se parecen. Creo que yo no podría pronunciar algunas de las palabras que dice.

—Puede que tengas razón. Debe de tener cierta objeción en cuanto a mostrar su piel. Lo habrías visto ruborizarse anoche, sólo porque le vi un poco de muslo. Y sin embargo, en mi vida he visto nadie tan contento al vernos.

—¿Se lo puedes reprochar?

—¿Qué tal está el otro? —dijo la joven, nuevamente seria—. ¿Ha dicho algo el Shamud, Roshario?

—Creo que la hinchazón está bajando y también la calentura. Por lo menos duerme más tranquilamente. El Shamud cree que fue embestido por un rinoceronte. No sé cómo ha podido sobrevivir. No habría vivido mucho más si el alto no hubiera pensado en la señal para pedir ayuda. Aun así, ha sido una suerte que los encontráramos. De seguro que Mudo les ha sonreído. La Madre ha favorecido siempre a los hombres jóvenes y guapos.

—No lo suficiente para impedir . . . que Thonolan fuera herido. la manera en que fue embestido . . . ¿Crees que volverá a andar, Rosh?

Roshario sonrió tiernamente a la joven.

—Si tiene la mitad de la determinación que tienes tú, caminará, Tamio.

—Creo —dijo la joven con las mejillas muy rojas— que voy a ver si el Shamud necesita algo —y echó a correr hacia la tienda, esforzándose mucho por no cojear.

—¿Por qué no le traes su mochila al alto? —le gritó Roshario— para que no tenga que llevar calzones mojados.

—No sé cuál sea la suya.

—Llévale las dos, así habrá más espacio dentro. Y pregúntale al Shamud cuándo podremos mover . . . ¿cómo se llama? . . . a Thonolan.

Jetamio asintió.

—Si vamos a quedarnos algún tiempo acá, Dolando tendrá que preparar una cacería; no traíamos mucha comida. No creo que los Ramudoi puedan pescar con el río como está, aunque creo que estarían igualmente a gusto si no tuvieran nunca que poner el pie en tierra. A mí me gusta sentir la tierra sólida bajo mis pies.

—¡Oh, Rosh!, dirías todo lo contrario si te hubieras casado con un hombre de los Ramudoi y no con Dolando.

La mujer mayor la miró con ojos penetrantes.

—¿Te ha estado haciendo proposiciones alguno de los remeros? Puedo no ser tu verdadera madre, Jetamio, pero todos saben que eres como una hija mía. Si un hombre no tiene siquiera la cortesía de preguntar, no es la clase de hombre que necesitas. No puedes confiar en esos hombres del río . . .

—No te preocupes, Rosh. No he decidido escapar con un hombre del río . . . todavía no —manifestó Jetamio con sonrisa traviesa.

—Tamio, hay muchísimos buenos hombres de Shamudoi que vendrán a vivir con nosotros . . . ¿De qué te ríes?

Jetamio se había cubierto la boca con ambas manos, tratando de tragarse la risa que se obstinaba en salir entre ronquidos y carcajadas. Roshario se volvió hacia donde miraba la joven, y se tapó la boca con una mano para no soltar la carcajada, también.

—Será mejor que vaya por esas mochilas —consiguió decir finalmente Jetamio—. Nuestro amigo alto necesita ropa seca —y volvió a reír sin poder contenerse—. Parece un bebé con pantalones largos —y echó a correr para meterse en la tienda, pero Jondalar oyó su carcajada de nuevo una vez que estuvo dentro.

—¿Hilaridad, querida mía? —preguntó el curandero alzando una ceja con mirada enigmática.

—Lo siento. No quería entrar aquí riéndome. Sólo que . . .

—Tal vez estoy en el otro mundo o tal vez seas una donii que ha venido para llevarme allí. Ninguna mujer en la Tierra puede ser tan bella. Pero no entiendo ni palabra de lo que estás diciendo.

Jetamio y el Shamud se volvieron simultáneamente hacia el hombre herido que miraba a Jetamio con débil sonrisa. La sonrisa de ella abandonó su rostro cuando se arrodilló junto a él.

—¡Lo he perturbado! ¿Cómo he podido ser tan irreflexiva?

—No dejes de sonreír, mi bella donii —dijo Thonolan, tomándole la mano.

—Sí, querida, lo has perturbado. Pero que eso no te perturbe a ti. Supongo que estará mucho más ''perturbado'' cuando termines con él.

Jetamio meneó la cabeza y echó una mirada intrigada al Shamud.

—He venido para preguntar si necesitabas algo o si podía ayudar en algo.

—Acabas de hacerlo.

La joven pareció más perpleja aún. A veces se preguntaba si llegaba siquiera a entender lo que decía el curandero.

Los ojos penetrantes asumieron una mirada más amable, con un toque de ironía.

—He hecho todo lo que podía. Él tendrá que hacer lo demás. Pero cualquier cosa que le dé mayor voluntad para vivir sólo ayudará en esta fase. Lo has logrado justo con esa preciosa sonrisa . . . querida mía.

Jetamio se ruborizó y agachó la cabeza, y entonces se dio cuenta de que Thonolan seguía teniéndola de la mano. Alzó la mirada y encontró sus ojos grises que reían. La sonrisa con que le respondió fue radiante.

El curandero carraspeó, y Jetamio cortó el contacto, un poco halagada al darse cuenta de que había estado mirando tanto rato al forastero.

—Puedes hacer algo. Puesto que está despierto y lúcido, podríamos hacerle ingerir algún alimento. Si hay caldo, creo que lo bebería, de tu mano.

—¡Oh, por supuesto! Voy a buscarlo —dijo, saliendo de prisa para disimular su confusión.

Vio que Roshario intentaba hablar con Jondalar, que estaba de pie, incómodo, y trataba de mostrarse amable. Y regresó corriendo para completar el resto de su misión.

—Tengo que llevarme sus mochilas y Roshario quiere saber cuándo se podrá mover a Thonolan —dijo Jetamio.

—¿Cómo dices que se llama?

—Thonolan. Eso es lo que me ha dicho el mayor.

—Dile a Roshario que faltan uno o dos días. Todavía no está lo suficientemente bien para realizar una travesía con el río tan agitado.

—¿Cómo sabes mi nombre, bella donii, y cómo te puedo preguntar el tuyo? —dijo Thonolan. Ella se volvió para sonreírle antes de salir corriendo con las dos mochilas. Él se tendió otra vez con una sonrisa de complacencia, pero dio un brinco al observar, por vez primera, al curandero de cabello canoso. El rostro enigmático tenía una sonrisa felina, sabia, entendida, inclusive algo depredadora.

—¿No es espléndido el amor joven? —comentó el Shamud. El significado de las palabras se perdió para Thonolan, pero no el sarcasmo; eso lo hizo fijarse mejor.

La voz del curandero no era profunda ni aguda, y Thonolan buscó algún indicio en el vestir o el comportamiento que le indicara si era una contralto femenina, o un tenor alto masculino. No pudo decidir, y aun cuando no habría sabido decir por qué, se calmó un poco, seguro de que se encontraba en las mejores manos.

El alivio de Jondalar fue tan evidente al ver que Jetamio salía de la tienda con las mochilas, que la joven sintió vergüenza por no habérselas traído antes. Comprendía su problema, pero era tan chistoso... Le dio las gracias enfáticamente con palabras desconocidas pero que de todos modos comunicaban su agradecimiento, y entonces echó a andar hacia los arbustos. Se sintió tan a gusto con ropa seca que hasta perdonó las carcajadas de Jetamio.

"Supongo que me veía ridículo", pensó, "pero esos pantalones estaban mojados y fríos. Bueno, esas carcajadas constituyen un bajo precio por su ayuda. No sé lo que habría hecho... me pregunto cómo supieron. Tal vez el curandero tenga otros poderes... eso lo explicaría. Ahora mismo, me conformo con los poderes curativos". Se interrumpió. "Por lo menos, creo que ese zelandoni tiene poderes curativos. No he visto a Thonolan. No sé si está mejor o no. Creo que es hora ya de que me entere. Al fin y al cabo, es mi hermano. No pueden mantenerme alejado si quiero verlo".

Jondalar regresó al campamento, dejó su mochila junto al fuego, estiró deliberadamente su ropa mojada para que siguiera secándose y se dirigió a la tienda.

Casi tropezó con el curandero que salía justo cuando él se agachaba para entrar. El Shamud lo miró de arriba abajo y antes de que Jondalar pudiera intentar decir nada, le sonrió de modo congraciador, se apartó y le hizo una señal con un gesto exageradamente gracioso, asintiendo al hombre alto y fuerte.

Jondalar echó una mirada al curandero para juzgarlo: no había el menor indicio de que estuviera cediendo autoridad en los ojos penetrantes que lo evaluaban a él también, aun cuando cualquier señal reveladora de intención fuera tan oscura como el color ambiguo. La sonrisa, que a primera vista había parecido congraciadora, era más irónica si uno se fijaba bien. Jondalar tuvo la sensación de que aquel curandero, como muchos de su clase, podría ser un amigo poderoso o un formidable enemigo.

Asintió, como reservándose el juicio, sonrió brevemente con agradecimiento y entró. Lo sorprendió ver que Jetamio había llegado antes que él. Estaba sosteniéndole la cabeza a Thonolan, acercando una taza de hueso a los labios de éste.

—Debí adivinarlo —dijo, y su sonrisa era de gozo puro al ver que su hermano estaba despierto y, por lo visto, muy mejorado—. Lo has vuelto a hacer.

Los dos miraron a Jondalar.

—¿Qué he vuelto a hacer, hermano mayor?

—Abres los ojos, parpadeas tres veces y ya te las has arreglado para conseguir que la mujer más guapa de los alrededores te cuide.

La sonrisa de Thonolan era la visión más agradable que pudiera imaginar su hermano.

—Tienes razón en cuanto a lo de más guapa —y Thonolan miró a Jetamio con entusiasmo—. Pero, ¿qué estás haciendo en el mundo de los espíritus? Y ahora que lo pienso, recuerda nada más que es mi propia donii personal. Puedes quedarte con tus ojazos azules.

—No te preocupes por mí, hermanito. Cada vez que me mira no puede aguantar la risa.

—Puede reírse de mí todo lo que quiera —dijo Thonolan, sonriendo a la joven. Ella le devolvió la sonrisa—. ¿Puedes imaginar, despertar de entre los muertos frente a esa sonrisa? —su inclinación empezaba a parecer adoración, al mirarla a los ojos.

Jondalar miró a su hermano y a Jetamio.

"¿Qué está pasando aquí? Thonolan acaba de despertar, no pueden haber intercambiado una sola palabra, pero juraría que está enamorado". Y volvió a mirar a la joven, esta vez más objetivamente.

Tenía el cabello de un color indefinido, un matiz de moreno claro, y era más delgada y menuda que las mujeres que atraían generalmente a Thonolan. Casi podía confundirse con una niña. Tenía el rostro en forma de corazón con rasgos regulares, y era una joven bastante común; guapa, sí, pero desde luego nada excepcional ... mientras no sonriera.

Entonces, mediante alguna alquimia misteriosa, alguna distribución inexplicable de luz y sombras, alguna modificación sutil de las proporciones, se volvía bella, absolutamente bella. La transformación era tan completa que también Jondalar la había considerado bella. Sólo tenía que sonreír una vez para crear esa impresión, y sin embargo, le parecía que no era mujer que sonriera frecuentemente. Recordó que le había parecido tímida y solemne al principio, aun cuando ahora parecía difícil de creer. Estaba radiante, de una vivacidad vibrante, y Thonolan la miraba con una sonrisa idiota, de enamorado.

"Bueno, Thonolan ya ha estado enamorado en otras ocasiones", pensó Jondalar. "Sólo espero que no le resulte demasiado penoso cuando nos marchemos".

Uno de los cordones que mantenían cerrada la solapa de la parte superior de su tienda estaba deshilado; Jondalar lo estaba mirando sin verlo. Estaba bien despierto, dentro de su bolsa de dormir, preguntándose qué lo habría sacado de la profundidad de su sueño tan rápidamente. No se movía, pero escuchaba, olía, tratando de reconocer algo insólito que pudiera haberle advertido de algún peligro inminente. Al cabo de unos cuantos momentos, se deslizó fuera de su bolsa y miró cuidadosamente por la abertura de su tienda, pero no pudo ver nada fuera de orden.

Unas cuantas personas estaban reunidas alrededor del fuego del campamento. Se acercó, sintiéndose aún inquieto y nervioso. Algo lo molestaba pero no sabía qué. ¿Thonolan? No, entre la habilidad del Shamud y el cuidado atento de Jetamio, su hermano estaba mejorando. No, no era Thonolan quien lo perturbaba, no exactamente.

—¡Hola! —dijo a Jetamio cuando ésta alzó la mirada y le sonrió.

Ya no le parecía tan chistoso. Su interés por Thonolan había comenzado a convertirse en amistad, aun cuando la comunicación se limitaba a los gestos básicos y las pocas palabras que él había aprendido.

Le dio una taza de líquido caliente. Él dio las gracias con las palabras aprendidas para expresar el concepto de agradecimiento, deseando hallar la manera de compensarles la ayuda que le habían dado. Tomó un sorbo, arrugó el entrecejo y tomó otro: era un té de hierbas, nada desagradable pero sorprendente. Por lo general, por la mañana bebían un caldo de carne. Su nariz le indicó que la caja de madera junto al fuego contenía raíces y grano que maceraba al calor, pero nada de carne. Bastó una rápida mirada para explicarse el cambio en el menú matutino: no había carne, nadie había ido a cazar.

Bebió de un trago, dejó la taza y echó a correr hacia su tienda. Mientras estuvo esperando, había terminado con las fuertes lanzas del tronco de aliso, e inclusive les había puesto puntas de pedernal. Recogió las dos fuertes astas que estaban apoyadas contra la parte posterior de la tienda, metió la mano para sacar su mochila, tomó varias de las lanzas más ligeras y regresó junto al fuego. No sabía muchas palabras, pero no era necesario hablar mucho para comunicar el deseo de ir de caza, y antes de que el sol avanzara mucho, un grupo excitado estaba reunido.

Jetamio estaba indecisa. Quería permanecer junto al forastero herido cuyos ojos sonrientes la hacían sentirse sonriendo cada vez que la miraba, pero también deseaba ir de caza. Nunca se perdía una cacería si podía evitarlo, no desde que estuvo en condiciones de cazar. Roshario la animó a que fuera.

—Él estará bien. El Shamud podrá ocuparse de él sin tu ayuda un rato; y yo estaré aquí.

La partida de caza había marchado ya cuando Jetamio gritó que la esperaran y corrió, sin aliento, atándose la capucha. Jondalar se había preguntado si la joven cazaría. Las jóvenes Zelandonii solían hacerlo. Para la mujer, era cuestión de gusto y de los hábitos de la Caverna. Una vez que empezaban a tener hijos solían permanecer más cerca de casa, excepto durante una batida; porque entonces, toda persona fuerte y sana era necesaria para perseguir una manada dentro de trampas o riscos abajo.

A Jondalar le agradaban las mujeres que cazaban; así era con todos los hombres de su Caverna, aun cuando sabía que ese sentimiento no era universal. Se decía que las mujeres que habían cazado apreciaban las dificultades y resultaban mejores compañeras. Su madre había sido reconocida especialmente por sus hazañas en el rastreo, y a menudo se había unido a una partida de caza inclusive después de tener hijos.

Esperaron a que Jetamio los alcanzara, y entonces se pusieron en marcha a buen paso. Jondalar tuvo la impresión de que la temperatura estaba bajando, pero iban tan aprisa que no estuvo seguro antes de que se detuvieran junto a un arroyuelo serpenteante que se abría paso a través de la pradera plana, en busca del camino hacia la Madre. Vio que el hielo se espesaba junto a la orilla al llenar su bolsa de agua. Echó hacia atrás la capucha, pues la piel que rodeaba su cara le limitaba el campo de visión ... pero no tardó en volver a encasquetársela; decididamente, el aire cortaba la cara.

Alguien vio huellas río arriba, y todos se reunieron alrededor mientras Jondalar las examinaba. Una familia de rinocerontes se había detenido también para beber, y no hacía mucho. Jondalar trazó el plan de ataque en la arena húmeda de la ribera con un palito, observando que los cristales de hielo estaban endureciendo el suelo. Dolando hizo una pregunta con otro palito, y Jondalar afinó el dibujo. Se llegó a un entendimiento y todos estaban deseosos de reanudar la marcha.

Se pusieron a trotar siguiendo las huellas. El paso rápido les hizo entrar en calor, y volvieron a desatar las capuchas. El cabello largo y rubio de Jondalar crepitaba y se pegaba a la piel de su capucha. Tardaron más de lo que él pensaba en alcanzarlos, pero cuando divisaron más adelante los rinocerontes lanudos de un color entre moreno y rojizo, comprendió: los animales corrían más que de costumbre ... y se dirigían directamente al Norte.

Jondalar miró al cielo con desasosiego; era un tazón de azul profundo volcado sobre ellos, con sólo unas pocas nubes dispersas en lontananza. No parecía que se estuviera preparando una tormenta, pero él estaba dispuesto a dar media vuelta, cargar con Thonolan y echar a correr. Ninguno, entre los demás, parecía tener ganas de regresar, ahora que habían avistado la manada.

Se preguntó si en sus tradiciones estaría la previsión de las nevadas mediante el movimiento de los rinocerontes hacia el Norte, pero dudaba que así fuera.

Había sido idea suya salir de caza, y no le había costado mucho comunicarla; ahora quería regresar a Thonolan y llevarlo a lugar seguro. Pero, ¿cómo explicar que se preparaba una tormenta de nieve cuando apenas había nubes en el cielo y no sabía hablar el idioma? Meneó la cabeza; tendrían que matar antes un rinoceronte.

Al acercarse, Jondalar se lanzó hacia delante, tratando de rebasar al último rezagado: un joven rinoceronte que todavía no era adulto y al que le costaba bastante seguir a los demás. Cuando el hombre alto se le adelantó, se puso a gritar y agitar los brazos, tratando de atraer la atención del animal para que cambiara de rumbo o dejara de correr. Pero el animal, siguiendo hacia el Norte con la misma determinación tenaz de los demás, ignoró al hombre. Al parecer, iba a costarles distraer a alguno de ellos, y empezó a preocuparse: la tormenta se acercaba más aprisa de lo que él había creído.

Con el rabillo del ojo observó que Jetamio le había dado alcance, y eso lo sorprendió. Ahora cojeaba más, pero se movía velozmente. Jondalar aprobó inconscientemente con una inclinación de la cabeza. Los de la partida de caza avanzaban, tratando de rodear a un animal y de espantar a los demás. Pero los rinocerontes no eran animales de manada, sociables ni fáciles de conducir o espantar, que contaran con un número apreciable para su seguridad ni la supervivencia de su especie. Los rinocerontes lanudos eran criaturas independientes, pendencieros, que pocas veces se juntaban en grupos mayores que una familia, y peligrosamente caprichosos. Los cazadores inteligentes mostraban mucha cautela con ellos.

Por acuerdo tácito, los cazadores se concentraron en el joven rezagado, pero los gritos del grupo que se acercaba rápidamente no sirvieron para apresurarlo ni detener su carrera. Finalmente Jetamio consiguió atraer su atención quitándose la capucha y agitándola en su dirección. El animal fue frenando, volvió un costado de su cabeza hacia el movimiento y pareció decididamente indeciso.

Eso dio a los cazadores la oportunidad de alcanzarlo. Se desplegaron alrededor de la bestia: los que tenían las lanzas más pesadas, más cerca, los de lanzas ligeras, detrás, formando un círculo exterior, dispuestos a correr en defensa de los que iban más pesadamente armados, en caso de necesidad. El rino se detuvo; no parecía darse cuenta de que el resto de su grupo se alejaba rápidamente. Entonces volvió a correr pero algo más despacio, girando hacia la capucha que ondeaba al viento. Jondalar se acercó más a Jetamio y observó que Dolando también hacía lo mismo.

Entonces un joven al que Jondalar reconoció como uno de los que se quedaron en la lancha, agitó su capucha y corrió delante de todos frente al animal. El confundido rino abandonó su carrera loca hacia la joven y echó a correr hacia el hombre. El blanco en movimiento, más grande, era más fácil de seguir, inclusive con una visión limitada; la presencia de tantos cazadores engañó a su agudo olfato. Justo cuando se estaba acercando, otra silueta que corría se interpuso entre él y el joven. El rino lanudo interrumpió nuevamente su carrera, tratando de decidir cuál de los dos blancos en movimiento habría de perseguir.

Cambió de dirección y se lanzó a la carga tras el segundo, que estaba tan tentadoramente cerca. Pero entonces otro cazador se interpuso, agitando una amplia capa de piel, y cuando el joven rino se acercó, otro más pasó muy cerca, tan cerca que le dio un tirón a la pelambre rojiza de la cara. El rinoceronte empezaba a sentirse algo más que confuso: estaba enojándose, y su enojo era asesino. Roncó, piafó y al ver otra de las siluetas desconcertantes que corrían, se abalanzó hacia ella a toda velocidad.

El joven de la gente del río estaba pasándolas negras para mantener la delantera, y cuando torció el rumbo, el rino hizo lo propio. Pero el animal estaba cansándose. Había estado persiguiendo a uno tras otro de los fastidiosos corredores, de acá para allá, sin poder alcanzar a ninguno. Cuando otro cazador más, agitando su capucha, se lanzó frente a la bestia lanuda, ésta se detuvo, agachó la cabeza hasta que su gran cuerno frontal tocó la tierra, y se concentró en la silueta cojeante que se movía justo fuera de su alcance.

Jondalar echó a correr hacia ellos, con la lanza en ristre. Tenía que matar antes de que el rino recobrara el aliento. Dolando, acercándose desde otro punto, tenía la misma intención, y otros más estaban acercándose. Jetamio agitó su capucha, acercándose con prudencia, tratando de mantener el interés del animal. Jondalar esperaba que estuviera tan agotado como parecía.

La atención de todos estaba fija en Jetamio y el rino. Jondalar no estuvo seguro de lo que le hizo desviar la mirada hacia el Norte . . . tal vez un movimiento periférico.

—¡*Cuidado!* —gritó, lanzándose a la carrera—. Al Norte, un rino.

Pero sus acciones fueron consideradas como inexplicables por los demás: no entendían sus gritos. Y no vieron a la hembra encolerizada que arremetía contra ellos a la carga.

—¡Jetamio! ¡Jetamio! ¡Norte! —volvió a gritar, agitando el brazo y apuntando con la lanza.

Ella miró hacia el Norte, hacia donde él señalaba, y gritó una advertencia al joven contra el que cargaba la hembra. Los demás corrieron para ayudarlo, olvidándose por un instante del pequeño. Quizá estuviera ya descansando o tal vez el olor de la hembra que corría hacia ellos lo hubiera revivido, pero de repente el joven macho acometió a la persona que agitaba una capucha tan provocativamente cerca.

Jetamio tuvo suerte al encontrarse tan cerca: el animal no tuvo tiempo para tomar impulso y su ronquido, al iniciar la carrera, hizo que la joven, así como de Jondalar, volviera su atención hacia él. Ella retrocedió, esquivando el cuerno del rinoceronte, y corrió detrás de él.

El rinoceronte perdió velocidad, buscando el blanco que se había esfumado, y no enfocó al hombre alto que cerraba la brecha a largos trancos. Y entonces fue demasiado tarde. El ojillo perdió la capacidad de enfocar; Jondalar sumió la pesada lanza en la abertura vulnerable y la atravesó hasta la sesera. Al instante siguiente, toda su visión desapareció cuando la joven metía su lanza en el otro ojo. El animal pareció sorprendido, trastabilló, cayó de rodillas y cuando la vida dejó de sostenerlo, se desplomó.

Hubo un grito. Los dos cazadores alzaron la mirada y echaron a correr en direcciones opuestas: la hembra adulta de rinoceronte estaba arremetiendo contra ellos. Pero frenó junto al pequeño, corrió unos pasos más antes de detenerse del todo: con el cuerno empujó al rinoceronte tendido en el suelo con una lanza en cada ojo, incitándolo a que se levantara. Entonces volvió la cabeza de un lado a otro, cambiando el peso de una pata a otra como si tratara de hacerse a la idea.

Algunos cazadores intentaron atraer su atención, agitaron frente a ella capuchas y capas, pero no los vio o prefirió ignorarlos. Volvió a tocar al joven rino y entonces, en respuesta a algún instinto más arraigado, reanudó su marcha hacia el Norte.

—Te lo digo, Thonolan, estuvo en un tris. Pero esa hembra estaba decidida a dirigirse al Norte . . . no quería quedarse para nada.

—¿Crees que se avecina la nieve? —preguntó Thonolan, echando una mirada a su cataplasma y después a su atribulado hermano.

Jondalar asintió con un movimiento de la cabeza.

—Pero no sé cómo decirle a Dolando que lo mejor que podemos hacer es marcharnos antes que nos sorprenda la nevada, cuando apenas hay una nube en el cielo ... aun cuando supiera hablar su lenguaje.

—Llevo días oliendo nieve en el camino. Debe de estar preparándose una gorda.

Jondalar estaba seguro de que la temperatura seguía bajando, y lo confirmó a la mañana siguiente cuando tuvo que quebrar una fina película de hielo en una taza de té que se había quedado junto al fuego. Trató nuevamente de comunicar su preocupación, al parecer sin éxito, y estuvo observando el cielo con inquietud, en espera de señales más claras de un cambio de temperatura. Se habría sentido aliviado al ver nubes redondas arremolinándose sobre las montañas y llenando el tazón azul del cielo, de no haber sido por la amenaza inminente que representarían.

A la primera señal de que levantaban el campamento, quitó su tienda y empacó su mochila y la de Thonolan. Dolando sonrió aprobando su diligencia, y le hizo señas hacia el río, pero la sonrisa del hombre era nerviosa y su mirada encerraba una honda preocupación. La aprensión de Jondalar aumentó al ver el río convertido en torbellinos y la lancha de madera, agitada, subiendo y bajando y tirando de los cables.

Las expresiones de los hombres que recogieron sus paquetes y los estibaron cerca de los restos cortados y helados del rinoceronte eran más impasibles, pero tampoco ahí encontró Jondalar nada que le infundiera ánimos. Además, a pesar de las ganas que tenía de alejarse, no se sentía nada tranquilo en cuanto al medio de transporte. Se preguntaba cómo irían a llevar a la lancha a Thonolan, y regresó para ver si podía servir de algo.

Jondalar observó cómo se levantaba el campamento con rapidez y eficiencia, sabedor de que en algunas ocasiones la mejor ayuda consiste en no estorbar. Había empezado a observar ciertos detalles del vestir, que distinguían a los que habían establecido sus tiendas en tierra firme, los que hablaban de sí mismos como Shamudoi, de los Ramudoi, los hombres que permanecían en la lancha. Y sin embargo, no parecían pertenecer a tribus muy diferentes.

Había gran facilidad de comunicación y muchas bromas, y ninguna de las cortesías complicadas que suelen indicar tensiones implícitas cuando se encuentran dos pueblos distintos. Parecían hablar el mismo idioma, compartían todas sus comidas y trabajaban bien de concierto. Observó, sin embargo, que en tierra parecía ser Dolando quien estuviera a cargo, mientras que los hombres de la lancha miraban hacia otro hombre en busca de órdenes.

El curandero salió de la tienda, seguido por dos hombres que transportaban a Thonolan en unas angarillas ingeniosas. Dos postes cortados en el grupo de alisos que había en la loma, estaban sujetos por muchos cables que los rodeaban, procedentes de la lancha, y que formaban, juntos, una especie de camilla a la que el hombre herido estaba atado firmemente. Jondalar corrió hacia ellos y vio que Rosario había comenzado a desmontar la tienda alta y redonda. Las miradas inquietas que lanzaba la mujer hacia el cielo y el río convencieron a Jondalar que no veía con más deleite que él el viaje que los esperaba.

—Esas nubes parecen estar llenas de nieve —dijo Thonolan al ver que su hermano aparecía y echaba a andar junto a la litera—. No se puede ver el pico de los montes; ya debe de estar nevando por el Norte. Te diré una cosa: en esta postura adquieres una visión distinta del mundo.

Jondalar alzó la mirada hacia las nubes que se arremolinaban por encima de los montes, ocultando los picos helados, retumbando unas contra otras mientras se empujaban, en su premura por cubrir el espacio azul claro que tenían por encima. El ceño de Jondalar parecía casi tan amenazador como el cielo, y su entrecejo se oscurecía por la preocupación, pero se esforzaba por disimular sus temores.

—¿Es el pretexto que tienes para mantenerte acostado? —dijo, intentando sonreír.

Cuando llegaron al tronco que sobresalía sobre el río. Jondalar retrocedió y observó a los dos hombres del río que se equilibraban junto con su carga a lo largo del árbol caído y vacilante y manejaban las angarillas por la pasarela más precaria aún; comprendió entonces por qué Thonolan había sido atado firmemente a su litera. Los siguió, tratando de conservar el equilibrio y miró a los hombres con mayor respeto aún.

Unos cuantos copos blancos comenzaban a filtrarse desde un cielo gris y encapotado, cuando Rosario y el Shamud entregaron atadijos apretados de postes y cueros —la tienda grande— a un par de los Ramudoi, para que los llevaran a bordo, y subieron al tronco. El río, reflejando el humor del cielo, se revolvía y arremolinaba violentamente . . . y la humedad que aumentaba en las alturas se hacía sentir río abajo.

El tronco oscilaba en una dirección distinta de la de la lancha, y Jondalar se inclinó sobre la borda y tendió la mano a la mujer. Rosario le echó una mirada de agradecimiento mientras la tomaba, y casi fue levantada en vilo para abordar. El Shamud no mostró reparo en aceptar también su ayuda, y la mirada de agradecimiento del Shamud fue tan genuina como la de Roshario. Quedaba un hombre en la orilla. Soltó una de las amarras y corrió por el tronco desde donde saltó a bordo. Se retiró rápidamente la pasarela. La embarcación agitada que estaba tratando de alejarse y llegar a la corriente estaba sujeta ya por sólo una amarra y largos remos en manos de los remeros. La amarra se deslizó con un sobresalto violento y la embarcación dio un brinco al quedar en libertad. Jondalar se sujetaba con fuerza a la borda mientras la lancha oscilaba y brincaba entre la corriente principal de la Hermana.

La tormenta de nieve se estaba fortaleciendo y los copos se arremolinaban impidiendo toda visibilidad. Objetos y desechos flotantes viajaban junto a ellos con distintas velocidades: troncos empapados en agua, arbustos y maleza, carroñas hinchadas y, de cuando en cuando, un pequeño témpano... y Jondalar temía que en cualquier momento se produjera una colisión. Veía alejarse la orilla y seguía con la mirada fija en el grupo de alisos: algo, sujeto a uno de los árboles, se sacudía al viento; una ráfaga lo arrancó y se lo llevó hacia el río. Al verlo caer, Jondalar comprendió de repente que el cuero tieso y manchado de sangre era su túnica de verano. ¿Habría estado ondeando todo el tiempo en el árbol? Flotó un instante antes de quedar completamente empapada y hundirse.

Habían desatado a Thonolan de su litera y lo habían sentado de espaldas a la borda; se veía pálido, asustado y parecía sufrir, pero sonrió valerosamente a Jetamio que estaba junto a él. Jondalar se instaló al lado de ambos, arrugando el entrecejo al recordar su temor, su pánico. Entonces recordó también su gozo incrédulo al ver que se acercaba la embarcación y volvió a preguntarse cómo habrían sabido que estaban allí. Le pasó una idea por la mente: ¿podría haber sido la túnica manchada de sangre y agitada por el viento, lo que les indicó dónde buscar? Pero, para empezar, ¿cómo supieron que tenían que buscarlos? ¿Y con el Shamud?

El lanchón brincaba sobre las aguas agitadas; mirando detenidamente cómo estaba construido, Jondalar quedó intrigado por la robustez de la embarcación. Parecía que el fondo estaba hecho de una sola pieza: un tronco de árbol entero ahuecado, más ancho en la sección central. La embarcación estaba ensanchada por tablas en hileras, traslapadas y sujetas unas a otras, extendiéndose a los costados y uniéndose en la proa. Había refuerzos espaciados

por los costados, y unas tablas entre ellos servían de bancas a
los remeros. Los tres estaban frente a la primera banca.

La mirada de Jondalar seguía la estructura de la embarcación
y se posó en un tronco que había sido apuntalado contra la proa;
volvió a mirar y le palpitó más fuerte el corazón: cerca de la
proa, atrapada en las ramas del tronco, en el fondo de la lancha,
había una túnica de cuero de verano manchada de sangre.

Capítulo 9

—Hinny, no seas tan voraz —advirtió Ayla, viendo cómo la yegua de color del heno lamía las últimas gotas de agua del fondo de un tazón de madera—. Si te lo bebes todo, tendré que derretir más nieve —la yegüita resopló, meneó la cabeza y volvió a meter el hocico en el tazón. Ayla rió—. Si es tanta tu sed, saldré por más hielo. ¿Me acompañas?

El flujo constante del pensamiento de Ayla dirigido a la yegua se había convertido en hábito. A veces no era más que imágenes mentales y a menudo el expresivo lenguaje de gestos, posturas o expresiones faciales con el que más familiarizada estaba, pero como el animalito tendía a responder mejor al sonido de su voz, Ayla se sentía incitada a vocalizar más. A diferencia del Clan, una diversidad de sonidos e inflexiones tonales le había resultado desde siempre fácil; sólo su hijo había sido capaz de igualar esa facilidad. Había resultado un juego para ambos imitar mutuamente las sílabas sin sentido, pero algunas de ellas habían comenzado a adquirir significados. En sus conversaciones con la yegua, la tendencia se extendió a verbalizaciones más complejas. Ayla imitaba el sonido de los animales, inventaba palabras nuevas combinando sonidos que conocía, inclusive incorporaba algunas de las sílabas sin sentido que habían sido un juego entre su hijo y ella. Sin nadie para lanzarle miradas reprobatorias cuando hacía sonidos innecesarios, su vocabulario oral se extendió, pero era un lenguaje que sólo ella entendía ... y en cierto sentido, también su yegua.

Ayla se envolvió en polainas de piel, se cubrió con un manto de piel de caballo peludo y se puso una capucha de piel de glotón antes de atarse los "guantes". Se pasó un dedo por la raja de la palma para fijar la honda en la correa que le servía de cinturón y sujetar su canasto. Entonces tomó un picahielo —el hueso largo de una pata delantera de caballo partido para sacarle la médula y afilado después a fuerza de golpearlo y pulirlo con una piedra— y salió.

—Anda, vamos, Hinny —señaló, apartando la pesada piel de bisonte que había sido su tienda, ahora sujeta a postes sumidos en el piso de tierra de la cueva como rompevientos en la entrada. La yegua trotó tras ella bajando el sendero abrupto.

El viento que venía del recodo la recibió violentamente mientras andaba por el río congelado. Encontró un sitio que parecía fácil de romper en la corriente paralizada por los hielos, y se puso a partir astillas y bloques.

—Es mucho más fácil recoger nieve que romper hielo para conseguir agua, Hinny —dijo, metiendo el hielo en su canasto. Se detuvo para recoger algo de leña del montón al pie de la muralla, pensando lo agradecida que estaba por tanta leña, tanto para derretir hielo como para calentarse—. Los inviernos son secos aquí, y también más fríos. Echo de menos la nieve, Hinny. La poca que cae por acá no parece nieve, sólo es fría.

Amontonó la leña junto al hogar y echó el hielo a un tazón que puso junto al fuego para que el calor comenzara a derretirlo, antes de meterlo en su olla de cuero que necesitaba algo de líquido para no quemarse cuando la pusiera sobre el fuego. Entonces echó una mirada por su confortable cueva, donde había varios proyectos en distintas etapas de elaboración, tratando de escoger en cuál trabajaría ese día. Pero estaba inquieta. Nada la atraía, hasta que observó varias lanzas nuevas que había terminado poco antes.

"Tal vez debería irme de caza", pensó. "No he salido a la estepa desde hace tiempo. Pero no puedo llevármelas". Arrugó el entrecejo. "No me servirían de nada; no podría acercarme lo suficiente para utilizarlas. Me llevaré solamente la honda y daré un paseo".

Llenó uno de los pliegues de su manto de piedras redondas que había llevado a la cueva, y estaban en montón por si se les ocurriera regresar a las hienas. Echó más leña al fuego y salió al aire libre.

Hinny trató de seguirla cuando Ayla empezó a trepar por la abrupta pendiente desde la cueva hacia la estepa, a mayor altitud, y se puso a relinchar con inquietud.

—No te preocupes, Hinny. No voy a tardar. No te pasará nada.

Cuando llegó arriba, el viento le arrebató la capucha y trató de llevársela. Ayla la sujetó, la ató más fuertemente, se alejó de la orilla y se detuvo para echar una mirada. El paisaje seco y chamuscado del verano había sido una explosión de vida, comparado con la vacuidad helada y marchita de la estepa invernal. El aullido del viento entonaba un canto fúnebre, ululando un hin agudo y penetrante que se hinchaba hasta un grito gemebundo y disminuía en un gruñido hueco y profundo. Azotaba la tierra parda dejándola desnuda, formando remolinos con la nieve granulosa que sacaba de las depresiones blancas y, envolviéndola en el lamento del viento, lanzaba los copos helados nuevamente por los aires.

La nieve así llevada parecía arena áspera que le quemaba el rostro, se lo dejaba en carne viva con su frío total. Ayla se encasquetó más la capucha, agachó la cabeza y caminó entre el rudo viento del noreste sobre una hierba seca, quebradiza, aplastada sobre la tierra. La nariz se le acalambró, y le dolía la garganta al quedársele seca por el aire tan frío. Una ráfaga inesperada la tomó por sorpresa; se quedó sin resuello, abrió la boca para respirar, tosiendo y jadeando, y escupió flema, viendo cómo se congelaba antes de llegar a la tierra dura como roca, y cómo rebotaba.

"¿Qué estoy haciendo aquí arriba?", se dijo. "No sabía que pudiera hacer tanto frío. Voy para abajo".

Se dio vuelta y quedó inmóvil, olvidándose por un instante del frío intenso. Del otro lado del barranco una pequeña manada de mamuts lanudos caminaba despacio; enormes jorobas en movimiento de piel de un moreno rojizo oscuro con largos colmillos curvos. Aquella tierra ruda y aparentemente estéril era su hogar; la áspera hierba que el frío había vuelto quebradiza era el alimento que les daba vida. Pero al adaptarse a semejante entorno, habían renunciado a la capacidad de vivir en cualquier otro. Los días de esos animales estaban contados; sólo durarían lo que durara el glaciar.

Ayla observó, fascinada, hasta que las formas indistintas desaparecieron entre remolinos de nieve, y después echó a correr; sólo se sintió tranquila cuando pasó por encima del borde y lejos del viento. Recordaba haber experimentado una sensación semejante cuando descubrió su santuario. "¿Qué habría sido de mí si no hubiera hallado este valle?" Abrazó a la potrilla que estaba esperándola delante de la cuevita, y fue hasta el borde del saliente para mirar el valle. La nieve era un poco más espesa allí, especialmente donde había soplado en montones, pero igual de seca, igual de fría.

Pero el valle brindaba protección contra el viento, y una cueva. Sin ésta y sin fuego, no habría podido sobrevivir, ella no era criatura lanuda. Parada en la orilla del risco, a sus oídos llevó el viento el aullido de un lobo y el gañido de un perro salvaje. Abajo, una zorra ártica recorría el hielo del río congelado, y su pelaje blanco casi la disimulaba a la vista cuando se detuvo y se puso rígida. Ayla vio que había movimiento abajo, en el valle, y reconoció la forma de un león cavernario; su pelaje leonado, descolorido hasta quedar casi blanco, era grueso y abundante. Los depredadores de cuatro patas se adaptaban al entorno de su presa. Ayla y sus semejantes adaptaban el entorno a sí mismos.

Ayla se sobresaltó al oír una carcajada aullante cerca y alzó la mirada: una hiena estaba más arriba que ella, en el borde del desfiladero. Se estremeció y fue a echar mano de la honda, pero el animal se apartó con su paso deslizado característico a lo largo de la orilla y se dio finalmente vuelta hacia las planicies abiertas. Hinny se acercó a la joven, frotó suavemente el hocico contra ella y la empujó un poco; Ayla apretó contra su cuerpo el manto pardo de piel de caballo, rodeó el cuello de Hinny con el brazo y regresó a la cueva.

Ayla estaba tendida en su lecho de pieles, mirando una formación de rocas familiar justo encima de su cabeza, preguntándose por qué se habría despertado tan de repente. Alzó la cabeza y miró hacia Hinny; también los ojos de ésta estaban abiertos pero no mostraba temor. Y sin embargo, Ayla estaba segura de que algo había cambiado.

Se metió nuevamente entre sus pieles, sin el menor deseo de abandonar su calor, y miró el hogar que se había formado, a la luz del orificio que había encima de la entrada de la cueva. Tenía labores empezadas por todas partes, pero había un rimero de utensilios e implementos terminados a lo largo del muro, del otro lado del tendedero. Como tenía hambre, su mirada volvió al tendedero; había vertido la grasa de la yegua, una vez derretida, en los intestinos limpios, retorciéndolos a intervalos, y las salchichitas colgaban junto a diversas hierbas secas y aromáticas que colgaban de las raíces.

Eso le hizo pensar en el desayuno. Carne seca convertida en caldo, un poco de grasa para mejorarlo, condimentos, tal vez algo de grano y grosellas secas. Como estaba demasiado espabilada para seguir acostada, apartó sus cobijas. Se puso rápidamente el manto y las abarcas, quitó de la cama la piel de lince, todavía caliente por el contacto con su cuerpo, y corrió afuera para orinar desde lo alto del extremo del saliente. Apartó al rompevientos de la entrada y se quedó sin resuello.

Los contornos angulares y afilados del saliente de roca habían sido suavizados durante la noche por una espesa sábana de nieve que relucía con un brillo uniforme reflejando un cielo azul y transparente del que colgaban montones de pelusa. Tardó un momento más en reconocer un cambio más asombroso: el aire estaba quieto, no había viento.

El valle, cobijado en la región en que la estepa continental más húmeda dejaba el paso a la estepa del loess seco, participaba de ambos climas, y el Sur era el que dominaba por el momento. La pesada nieve se parecía a las condiciones invernales que imperaban generalmente alrededor de la Caverna del Clan, y para Ayla era algo así como volver al hogar.

—¡Hinny! —gritó—. ¡Ven aquí! ¡Ha nevado! ¡De veras que ha nevado, por cambiar!

De repente recordó la razón que la había incitado a salir de la cueva, y marcó con huellas la extensión de un blanco puro al correr hacia el extremo más alejado. Al volver, vio cómo la yegüita daba un paso cauteloso tras otro en la materia incorpórea, agachaba la cabeza para oler y resoplaba después sobre la extraña superficie fría. Miró a Ayla y relinchó.

—Anda, Hinny, ven. No te hará ningún daño.

La yegua nunca había conocido la nieve profunda en una abundancia tan grande y tranquila; estaba acostumbrada a verla soplada por el viento o amontonada. El casco se le hundió al dar otro pasito y volvió a relinchar mirando a la joven, como si quisiera que la tranquilizara. Ayla condujo hacia afuera a la potrilla hasta que se sintiera más cómoda, y entonces rió al ver sus juegos cuando la curiosidad natural del animal y su carácter travieso se apoderaron de ella. No tardó mucho Ayla en comprobar que no estaba vestida para pasar mucho rato fuera de la cueva; hacía frío.

—Voy a hacerme un té caliente y algo de comer. Pero tengo poca agua, tendré que buscar hielo . . . —y rió—. No necesito partir hielo del río. ¡Me bastará solamente con llenar de nieve un tazón! ¿Qué te parecería comer unas gachas calientes esta mañana, Hinny?

Una vez que terminaron de comer, Ayla se vistió muy arropada y volvió afuera. Sin viento, la temperatura era casi benigna, pero lo que más la encantó fue la familiaridad de nieve común y corriente en el suelo. Llenó tazones y canastos, los llevó a la cueva y los dejó cerca del hogar para que se derritieran. Era muchísimo más fácil que picar hielo del río, de manera que decidió aprovechar la ocasión para lavar. Estaba acostumbrada a lavarse con nieve derretida en invierno, con regularidad, pero ya había costado bastante picar hielo en cantidad suficiente para beber y cocinar. Lavar era un lujo prescindible.

Dio mayor vigor al fuego con leña del montón que había en la parte de atrás de la cueva, después quitó la nieve que cubría la leña adicional amontonada fuera, y repuso su reserva dentro. "Ojalá pudiera almacenar el agua como la leña", pensó, mirando los recipientes llenos de nieve que se derretía. "No sé cuánto durará esto cuando el viento vuelva a soplar". Salió de nuevo por otra carga de leña, llevando consigo un tazón para quitar la nieve. Al recoger un tazón de nieve y volcarlo sobre el suelo, comprobó que conservaba su forma al retirar el tazón. "Me pregunto . . . ¿Por qué no puedo amontonarla de esa manera, ¿como un montón de leña?"

La idea despertó su entusiasmo, y muy pronto la mayor parte de la nieve que no había sido pisoteada en el saliente se encontró amontonada contra la muralla junto a la entrada de la cueva. Entonces se dedicó al sendero que conducía al río. Hinny aprovechó la pista abierta para bajar al campo. Los ojos de Ayla brillaban y sus mejillas estaban sonrosadas cuando se detuvo y sonrió, satisfecha, frente al montón de nieve que tenía junto a la cueva. Vio una pequeña sección en el extremo del saliente, que aún no había limpiado, y se dirigió hacia ella con decisión. Miró hacia el valle y rió al ver a Hinny que buscaba su camino a través de los montones de nieve que habían surgido, con pasos prudentes.

Al mirar de nuevo el montón de nieve, se detuvo y una sonrisa divertida levantó una de las comisuras de sus labios al ocurrírsele una travesura: el enorme montón de nieve estaba compuesto de muchos bultos con forma de tazón invertido, y desde donde ella lo veía, le sugerían los contornos de una cara. Recogió un poco más de nieve, la puso de golpe en su lugar y retrocedió para comprobar el efecto.

"Si la nariz fuera un poco más grande, se parecería a Brun", pensó, y recogió más nieve. La apretó en su lugar, raspó un hueco, aplastó un bulto y retrocedió para ver nuevamente su creación.

Sus ojos lanzaron un destello petulante.

"Te saludo, Brun", dijo en el lenguaje de señales, entonces se sintió algo apenada. El verdadero Brun no apreciaría que se dirigiera a un montón de nieve dándole su nombre. Las palabras-nombre eran demasiado importantes para ponérselas a cualquier cosa indiscriminadamente. "Bueno, pero se parece a él". Y la idea le hizo gracia. "Pero quizá debería mostrarme más cortés. No es propio que una mujer salude al jefe como si fuera su hermano. Debería pedirle permiso", pensó, y prolongando su juego se sentó frente al montón de nieve y bajó la mirada al suelo, en la posición correcta para solicitar audiencia a un hombre.

Sonriendo para sí por su actuación, Ayla se quedó sentada, en silencio y con la cabeza agachada, como si realmente esperara que le tocaran el hombro, señal de que tendría permiso para hablar. El silencio se prolongó, y el saliente rocoso era duro y frío. Ayla pensó lo ridículo que resultaba estar allí sentada. La réplica de Brun hecha con nieve no le tocaría el hombro, como tampoco lo había hecho Brun la última vez que se sentó a sus pies. Había sido maldita, aun cuando injustamente, y había querido rogar al viejo jefe que protegiera a su hijo de la ira de Broud. Pero Brun se había apartado de ella; era demasiado tarde ... ya estaba muerta. De repente, su humor juguetón se evaporó; se puso de pie y contempló la escultura de nieve que había hecho.

—¡Tú no eres Brun! —señaló con enojo, golpeando la parte a la que había dado una forma tan esmerada. La ira se apoderó de ella—. ¡No eres Brun! ¡No eres Brun! —y se puso a golpear el montón de nieve con pies y puños, destruyendo cualquier parecido con la forma de un rostro—. Nunca más volveré a ver a Brun. Nunca veré a Durc. ¡Nunca más volveré a ver a nadie! ¡Estoy sola! —un gemido lloroso escapó de sus labios, y un sollozo desesperado—: ¡Oh!, ¿por qué estoy tan sola?

Cayó de rodillas, se tendió en la nieve y sintió cómo se enfriaban en su rostro lágrimas ardientes. Abrazó la humedad helada contra ella, se envolvió en nieve y agradeció su contacto entumecedor. Cuando comenzó a temblar, cerró los ojos y trató de ignorar el frío que empezaba a llegarle hasta la médula.

Entonces sintió algo tibio y húmedo en su cara, y oyó el suave relincho de un caballo. También trató de ignorar a Hinny; pero la yegüita volvió a tocarla con el hocico. Ayla abrió los ojos para ver los ojos grandes y oscuros del caballito estepario. Tendió los brazos, rodeó con ellos el cuello de la potrilla y sumió el rostro en el pelaje lanudo. Al sentir que la soltaban, la yegüita relinchó suavemente.

—Quieres que me levante, ¿verdad, Hinny? —la yegua agitó la cabeza arriba y abajo, como si comprendiera, y Ayla quiso creer que así era. Su instinto de supervivencia había sido siempre fuerte; haría falta algo más que soledad para hacerle renunciar. Crecer en el Clan de Brun, aun cuando allí la amaron, había sido en cierto modo estar siempre sola. Siempre había sido diferente. Su amor hacia los demás había sido la fuerza dominante. La necesitaban: Iza cuando estuvo enferma, Creb al envejecer, su hijito, y eso había dado razón y propósito a su vida—. Tienes razón, es mejor que me levante. No puedo dejarte sola, Hinny, y aquí fuera me estoy quedando mojada y fría. Me pondré algo seco. Y después te haré unas gachas calientes. Eso te gusta, ¿verdad?

Ayla estaba observando los dos zorros árticos que gruñían y se lanzaban mordiscos, peleando por la zorra, y oliendo el fuerte olor de machos en celo inclusive desde lo alto de su saliente. "Son más bonitos en invierno; en verano sólo son de un color moreno apagado. Si quiero pieles blancas tendré que conseguirlas ahora", pensó, pero sin moverse para tomar la honda. Un macho había surgido victorioso y estaba reclamando su premio. La zorrita anunció su acción con un alarido estridente cuando aquél la montó.

"Sólo grita cuando se acoplan de esa manera. Me pregunto si le agradará o no. Nunca me gustó, inclusive después de que ya no me dolía. Pero a las otras mujeres, sí. ¿Por qué era yo tan diferente? ¿Sólo porque no me gustaba Broud? ¿Por qué sería eso la diferencia? ¿Esa zorra, simpatizará con ese macho? ¿Le gustará lo que le está haciendo? No se escapa".

No era la primera vez que Ayla se había privado de cazar con el fin de observar zorros y demás carnívoros. A menudo se había pasado largos días examinando la presa que su tótem le permitía cazar, para aprender costumbres, hábitat, y había descubierto que eran criaturas interesantes. Los hombres del clan aprendían a cazar practicando con los herbívoros, animales alimentarios, y aun cuando podían seguirles la pista y cazarlos cuando había necesidad de una piel abrigadora, nunca fueron los carnívoros su presa predilecta. No desarrollaron con ellos el nexo especial que Ayla sí tenía.

Seguían fascinándola, aun cuando los conocía bien, pero el zorro que entraba y salía rápidamente y la zorra que aullaba, le hicieron interrogarse sobre puntos que nada tenían que ver con la caza. Todos los años, hacia el final del invierno, se unían así. En primavera, cuando el pelaje de la zorra se vuelve moreno, tendrá una camada. "Me pregunto si se quedará ahí, bajo los huesos y la madera de río o si abrirá una guarida en alguna otra parte. Ojalá se quede. Los alimentará, les dará después comida para bebés medio masticada por ella; después les traerá presas muertas, ratones, topos y aves. A veces, un conejo. Cuando sus crías sean más grandes, les llevará animales todavía vivos, y les enseñará a cazar. Para el próximo otoño ya serán casi adultos, y el invierno siguiente las zorras aullarán así cuando los machos las monten.

"¿Por qué lo harán?, ¿juntarse así? Creó que él está haciéndole crías. Si lo único que ella tenga que hacer consiste en tragarse un espíritu, como siempre me lo dijo Creb, ¿por que se acoplan así? Nadie creía que yo pudiera tener un bebé; dijeron que el espíritu de mi tótem era demasiado fuerte; pero lo tuve. Si Durc fue iniciado cuando Broud me hizo eso a mí, poco importaría que mi tótem fuera fuerte.

"Pero la gente no es como los zorros. No tienen bebés únicamente en primavera, las mujeres pueden tenerlos en cualquier momento. Y hombres y mujeres no se acoplan solamente en invierno, lo hacen todo el tiempo. Pero tampoco tiene una mujer un bebé cada vez. Quizá tuviera razón Creb; tal vez el espíritu del tótem de un hombre tenga que penetrar en una mujer... pero no se lo traga. Creo que lo mete en ella cuando se juntan, con su órgano. A veces, el tótem de ella lo combate, y a veces se inicia una nueva vida.

"Creo que no quiero una piel de zorro blanca. Si mato uno, los demás se irán, y quiero ver cuántas crías va a tener. Conseguiré ese armiño que vi río abajo antes de que se ponga moreno. Tiene el pelaje blanco y más suave, y me gusta la puntita de su cola.

"Pero ese bichito es tan pequeño que su pelaje apenas alcanza para un guante, y también tendrá crías en primavera. El próximo invierno probablemente haya más armiños. Quizá no me vaya hoy de caza. Creo que será mejor que termine ese tazón".

No se le ocurrió a Ayla preguntarse por qué estaría pensando en las criaturas que pudieran encontrarse en su valle el siguiente invierno, puesto que había decidido alejarse en primavera. Estaba acostumbrándose a su soledad excepto de noche, cuando agregaba una muesca más a una vara lisa y la colocaba con un montón de varas que seguía creciendo.

Ayla trató de apartar de su cara un mechón aceitoso de cabello tieso con el dorso de la mano. Estaba partiendo una raíz secundaria de árbol para hacer un gran canasto de malla y no podía soltarla. Había estado experimentando con nuevas técnicas de tejido, empleando diversos materiales y diversas combinaciones para producir mallas y texturas diferentes. El proceso de tejer, anudar, sujetar y de hilar, retorcer y hacer cordones se había apoderado de su interés excluyendo todo lo demás. Aun cuando en ocasiones el producto final resultaba imposible, y a veces irrisorio, había logrado ciertas innovaciones llamativas, lo cual la incitó a seguir probando. Total: que se ponía a retorcer o trenzar todo lo que le caía en las manos.

Había estado trabajando desde muy temprano por la mañana en un proceso de tejido particularmente intrincado, y sólo cuando entró Hinny, empujando con la nariz el cuero rompevientos, se percató Ayla de que ya era de noche.

—¿Cómo se hizo tan tarde, Hinny? Ni siquiera tienes agua en tu tazón —dijo, poniéndose de pie y estirándose, tiesa por haber pasado tanto rato sentada sin cambiar de lugar—. Tengo que conseguir algo de comer para las dos, y había pensado cambiar el heno de mi cama.

La joven se afanó yendo de un lado a otro, buscando heno fresco para la potrilla y más para la zanja poco profunda que le servía de cama, tirando por el borde del saliente la hierba seca y aplastada. Partió el recubrimiento de hielo para conseguir la nieve que había en el montón junto a la entrada de la cueva, contenta de tenerla tan cerca. Vio que ya no quedaba mucha y se preguntó cuánto más duraría, antes de tener que bajar de nuevo al río. Discutió consigo misma si llevaría suficiente para lavarse, y entonces, pensando que tal vez no se le presentara de nuevo la oportunidad antes de la primavera, llevó la que necesitaba para lavarse también el cabello.

El hielo se derretía en tazones junto al fuego mientras ella se preparaba y cocía la comida. Mientras trabajaba, sus ideas revoloteaban alrededor de los procesos del trabajo con fibras que le estaba resultando tan absorbente. Después de comer y lavarse, se estaba desenredando el cabello húmedo con una ramita y los dedos, cuando vio el cardo seco que le servía para peinar y desenmarañar cortezas secas para retorcer las fibras; el peinar a Hinny con regularidad le había inspirado la idea de emplear el cardo con las fibras, y la consecuencia natural era que lo utilizaría también con su propia cabellera.

Los resultados la entusiasmaron. Su espesa cabellera estaba suave y lisa. No había prestado una atención especial a su cabello anteriormente, aparte de lavarla de cuando en cuando, y por lo general lo llevaba apartado de la cara, detrás de las orejas, con una especie de raya en medio. Iza le había dicho con frecuencia que era lo mejor que tenía, recordó, después de cepillarlo hacia delante para verlo a la luz de la lumbre. El color era bastante bonito, pensó, pero más atractiva era aún la textura, los largos mechones suaves. Casi sin darse cuenta se encontró trenzando una sección formando una larga trenza.

Ató un trozo de tendón en el extremo y pasó a otra sección. Se le ocurrió pensar lo raro que parecería si alguien la viera haciendo cuerdas con su propio cabello, pero eso no le impidió seguir haciéndolo, y al poco tiempo tenía toda la cabeza cubierta de muchas largas trenzas. Meneando la cabeza de un lado a otro, sonrió ante la novedad que representaba. Le gustaban las trenzas, pero no podía ponérselas detrás de las orejas para apartarlas de su rostro. Después de experimentar un poco, descubrió la manera de retorcerlas y atarlas sobre la cabeza por delante, pero le gustaba menearlas y dejó que colgaran de los lados y por la espalda.

Desde el principio, lo que la atrajo fue la novedad, pero fue la comodidad lo que la persuadió de que se trenzara el cabello: así se mantenía en su lugar, no tenía que estar siempre apartando los mechones sueltos. ¿Y a ella qué le importaba que hubiera quien la considerara rara? Podía hacer cuerdas con sus cabellos si le daba la gana . . . no tenía que dar gusto a nadie más que a sí misma.

Acabó con la nieve de su saliente poco después, pero no era ya necesario partir el hielo para obtener agua; se había acumulado nieve suficiente en montones y hoyos. La primera vez que fue a buscar, sin embargo, comprobó que la nieve al pie de su cueva tenía polvo de hollín y ceniza, de su fuego. Se fue por el río helado arriba para hallar un lugar más limpio de donde sacar hielo, pero al penetrar en el estrecho desfiladero, la curiosidad la impulsó a seguir avanzando.

Nunca había nadado tan lejos río arriba como hubiera podido. La corriente era fuerte y no lo había juzgado necesario; pero caminar no representaba más esfuerzo que el de cuidar dónde ponía los pies. A lo largo del desfiladero, donde las temperaturas a la baja atrapaban surtidores o presionaban hasta formar crestas, las fantasías de hielo habían creado una tierra mágica de ensueño. Sonrió de gusto al contemplar las formaciones maravillosas, pero no estaba preparada para lo que vería más adelante.

Llevaba un rato caminando y estaba pensando en regresar. Hacía frío en el fondo del desfiladero oscuro, y el hielo participaba en ese frío. Ayla decidió que sólo llegaría hasta el siguiente recodo del río; pero cuando llegó allí, se detuvo para contemplar, pasmada: más allá del recodo, las murallas se reunían formando una muralla de piedra que subía hasta la estepa y caía como una cascada de hielo donde se había congelado en brillantes estalactitas el agua que solía caer libremente. Duro como la piedra pero frío y blanco, parecía un trastrocamiento espectacular, como una caverna vuelta al revés.

La maciza escultura de hielo quitaba el resuello por su grandeza. Toda la fuerza del agua sujeta en el puño del invierno parecía dispuesta a desplomarse sobre ella. Era de un efecto vertiginoso, y sin embargo, la joven estaba paralizada en su lugar, capturada por su magnificencia. Tembló frente a aquel poderío inmovilizado; antes de darse vuelta, le pareció ver una gota de agua brillando en la punta de un alto carámbano, y se estremeció, más helada aún.

Ayla despertó al sentir ráfagas frías y alzó la cabeza para ver la muralla opuesta a la entrada de la cueva, y el rompevientos azotando el poste. Después de repararlo, se quedó de cara al viento.

—Hace más calor, Hinny, estoy segura de que el viento no es ya tan frío.

La yegua agitó las orejas y miró a la joven con expresión de espera. Pero sólo era conversación; no había señales ni sonidos que exigieran respuesta de parte de la yegüita, ni indicación de que se acercara o que se apartara, ni señales de que hubiera alimentos ni caricias ni demás formas de afecto. Ayla no había estado adiestrando conscientemente a la yegua; consideraba a Hinny como compañera y amiga. Pero el inteligente animal había comenzado a percibir que ciertas señales y ciertos sonidos estaban asociados a ciertas actividades, y había aprendido a responder adecuadamente a muchos de ellos.

También Ayla estaba comenzando a comprender el lenguaje de Hinny. La yegua no necesitaba emplear palabras para expresarse; la mujer estaba acostumbrada a distinguir finos matices de significado en imperceptibles signos de la expresión o la postura. Los sonidos habían representado siempre una forma secundaria de comunicación en el Clan. Durante el prolongado invierno que había impuesto una asociación muy íntima, la mujer y el caballo habían establecido un cálido nexo de afecto y logrado un alto nivel de comunicación y comprensión. Por lo general, Ayla sabía cuándo Hinny se sentía feliz, contenta, nerviosa o perturbada, y respondía a las señales de la yegua de que necesitaba ser atendida: alimento, agua, afecto. Pero la mujer fue quien adoptó el papel dominante, de manera intuitiva; había comenzado a proporcionar señales y directivas con cierto fin a la yegua, y ésta respondía.

Ayla estaba de pie justo dentro de la entrada de la cueva, examinando su trabajo de reparaciones y el estado del cuero del rompevientos. Había tenido que hacer nuevos orificios a lo largo del borde superior, debajo de los que se habían rasgado, y pasar por ellos una nueva correa para colocar nuevamente la pieza de cuero en el travesaño superior. De repente sintió algo húmedo en la nuca.

—Hinny, no... —se dio media vuelta, pero la yegua no se había movido; otra gota la salpicó. Miró a su alrededor y alzó la vista hacia un largo carámbano colgando del orificio para el humo. La humedad de sus guisados y de la respiración, elevada por el calor de la lumbre, al encontrarse con el aire frío que entraba por el agujero, formaba hielo. Pero el viento seco absorbía justo la humedad suficiente para impedir que ese hielo creciera demasiado. Durante la mayor parte del invierno, sólo unos flecos de hielo habían decorado la parte superior del agujero. A Ayla la sorprendió ver el carámbano largo y sucio, lleno de hollín y ceniza.

Una gota de agua se desprendió de la punta y le cayó en la frente antes de que hubiera superado lo suficiente su sorpresa como para apartarse; se secó la frente y entonces dio un grito triunfal.

—¡Hinny! ¡Hinny! ¡Ya llega la primavera! El hielo empieza a fundirse —corrió hacia la yegüita y rodeó con sus brazos el cuello peludo, calmando la nerviosidad súbita que ésta manifestaba—. ¡Oh, Hinny!, pronto empezarán a tener yemas los árboles, las primeras plantas comenzarán a salir. ¡No hay nada tan bueno como los primeros vegetales de la primavera! Espera a probar la hierba de primavera. ¡Te encantará!

Ayla salió corriendo al amplio saliente como si esperara contemplar un mundo verde en vez de blanco. El viento frío la hizo regresar a toda prisa, y su excitación ante las primeras gotas de agua de fusión se convirtió en desaliento al presenciar la peor tormenta de nieve de la temporada que se desató días después por el desfiladero del río. Pero a pesar de la capa de hielo glacial, la primavera siguió inexorablemente pisándole los talones al invierno, y el hálito tibio del sol derritió la costra helada que aprisionaba la tierra. Las gotas de agua habían anunciado realmente el cambio de hielo a agua en el valle... y más de lo que habría imaginado Ayla.

Las primeras gotas tibias de fusión fueron alcanzadas pronto por lluvias primaverales que ayudaron a suavizar y barrer la nieve y el hielo acumulados, aportando la humedad de la estación a la seca estepa. Sin embargo, hubo más que una acumulación local. El manantial del río del valle consistía en agua de fusión del glaciar mismo, y en primavera, esa agua de fusión recibía afluentes a lo largo de su recorrido, inclusive muchos que no existían cuando Ayla llegó al valle.

Crecidas súbitas en lechos anteriormente secos tomaban por sorpresa a animales desprevenidos y los transportaban brutalmente río abajo. En aquella turbulencia alocada, cadáveres enteros eran desgarrados, golpeados, aplastados y convertidos en osamentas limpias. En ocasiones, otros ríos eran ignorados por la corriente. El agua de fusión abría nuevos canales, arrancando de raíz arbustos y árboles que habían luchado para crecer durante años en un entorno hostil, y los barría. Piedras y rocas, inclusive enormes bloques que el agua volvía brillantes, eran arrastrados, empujados entre los desechos, a toda velocidad.

Las angostas murallas del desfiladero, río arriba de la cueva de Ayla, encerraban el agua violenta que caía desde la alta cascada. La resistencia fortalecía la corriente y, con el volumen acrecentado, subió el nivel del río. Las zorras habían abandonado su guarida bajo el montón de desechos del año anterior, mucho antes de que la playa pedregosa al pie de la cueva estuviera anegada.

Ayla no aguantaba quedarse dentro de la cueva. Desde el saliente observaba los remolinos y torbellinos espumosos del río que subía día a día. Abalanzándose desde el angosto desfiladero —podía ver cómo se precipitaba el agua al liberarse— golpeaba contra el muro saliente y dejaba partes de los desechos que transportaba al pie de éste. Finalmente comprendió Ayla cómo se había alojado allí aquel montón de huesos, madera de flotación y bloques erráticos que tan útiles le habían resultado, y entonces fue cuando apreció la suerte que había tenido al encontrar una cueva tan arriba.

Podía sentir cómo se estremecía el saliente cuando un bloque rocoso grande o un árbol daba contra su base. Eso la asustaba, pero ya había llegado a considerar la vida de manera fatalista: si había de morir, moriría; de todos modos, había sido maldita y se suponía que ya estaba muerta. Tenía que haber fuerzas más poderosas que ella misma para controlar su destino, y si la muralla había de ceder mientras ella se encontraba arriba, nada podía hacer para impedirlo. Y la violencia insensata de la naturaleza la tenía fascinada.

Todos los días presentaba un aspecto nuevo. Uno de los altos árboles que crecían junto a la muralla opuesta cedió a la marejada. Cayó contra el saliente, pero no tardó en ser barrido por el río crecido. Ayla vio cómo era lanzado por el recodo por la corriente que se extendía en forma de lago largo y estrecho por la pradera más baja, inundando la vegetación que otrora había bordeado la ribera de aguas tranquilas. Ramas de árboles y maleza enmarañada que se aferraban a la tierra por debajo del río turbulento, agarraron y trataron de sujetar al gigante derribado, pero el árbol fue arrancado de sus garras o ellas fueron arrancadas de la tierra.

Ayla supo qué día perdió el invierno su dominio sobre las cascadas de hielo. Un fragor que se repercutió en ecos a lo largo del cañón anunció la aparición de témpanos de hielo flotando en el río, oscilando y vacilando al capricho de la corriente, Se precipitaron todos juntos contra la muralla, después la rodearon y perdieron su forma y su definición al ser arrastrados.

La playa familiar había cambiado de carácter cuando las aguas retrocedieron por fin lo suficiente para que Ayla pudiera bajar por el abrupto sendero hasta la orilla del río. El montón lodoso de desechos al pie de la muralla había adquirido dimensiones nuevas, y entre los huesos y la madera de río había cadáveres y árboles. La forma del pequeño terreno pedregoso había cambiado, y árboles familiares habían desaparecido; pero no todos. Las raíces se sumían profundamente en un terreno esencialmente seco, sobre todo las de la vegetación que crecía lejos de la orilla; árboles y arbustos estaban acostumbrados a la inundación anual, y la mayoría de los que habían sobrevivido a varias estaciones estaban firmemente arraigados. Cuando comenzaron a mostrarse las primeras yemitas verdes de las matas de frambuesas, Ayla pensó en la fruta roja y madura y eso precipitó un problema.

De nada servía pensar en bayas que no madurarían antes del verano. Ella no estaría en el valle, no, claro, si había de reanudar su busca de los Otros. Los primeros estremecimientos de la primavera le habían impuesto la necesidad de tomar una decisión: cuándo abandonar el valle. Era más difícil de lo que parecía.

Estaba sentada en el extremo más alejado del saliente, en un lugar de su predilección. En el lado frente al prado había un lugar plano donde podía sentarse, y justo a la distancia conveniente enfrente, otro punto donde apoyar los pies. No podía ver el agua al venir del recodo ni la playa pedregosa, pero veía claramente todo el valle, y si volvía la cabeza, podía ver el desfiladero río arriba. Había estado observando a Hinny en el prado y la había visto emprender el camino de regreso. La yegua se había ocultado a la vista mientras rodeaba la punta saliente de la muralla, pero Ayla podía oír que subía por el sendero y esperaba verla de un momento a otro.

La mujer sonrió al ver la ancha cabeza de caballo estepario con sus orejas oscuras y sus crines morenas y tiesas. Mientras se acercaba, Ayla pudo ver que el pelaje amarillo y despeinado de la yegua amarilla estaba perdiéndose, y que aparecía la raya salvaje, moreno oscuro, que se extendía por su lomo hasta terminar en una larga cola de caballo de crines oscuras. Había una leve sugerencia de rayas en las patas delanteras, más arriba que la parte inferior, moreno oscuro. La yegua miró a la mujer y relinchó suavemente, esperando ver si la llamaba, y entonces entró en la cueva. Aunque no había terminado de engordar, la yegua añera había alcanzado ya su tamaño de adulta.

Ayla volvió al paisaje y a los pensamientos que habían estado ocupando su mente durante días y le habían quitado el sueño en las noches. "No puedo marcharme ahora . . . primero tengo que cazar un poco y tal vez esperar que maduren algunas frutas. ¿Y qué voy a hacer con Hinny?" Ahí estaba el meollo del problema. No quería seguir viviendo sola, pero no sabía nada de la gente que el Clan llamaba "los Otros", salvo que era una de ellos. "¿Y si me encuentro con gente que no me deje tenerla? Jamás me habría permitido Brun tener un caballo adulto, especialmente tan joven y tierno. ¿Y si quieren matarla? Ni siquiera se le ocurriría huir, se quedaría quieta y les dejaría. Y si les dijera que no, ¿me prestarían atención? Broud la mataría, no importaría lo que dijera yo. ¿Y si los hombres de los Otros son como Broud?, ¿o peores? Al fin y al cabo, mataron al bebé de Oga, aun cuando no lo hicieron a propósito.

"Tengo que encontrar a alguien en algún momento, pero puedo pasar aquí un poco más de tiempo. Por lo menos, hasta cazar algo, y quizá cuando algunas de las raíces estén buenas. Eso haré. Me quedaré hasta que las raíces estén a punto para arrancarlas".

Se sintió mejor una vez tomada su decisión de aplazar la partida, y tuvo ganas de hacer algo. Se levantó y fue hasta el otro lado del saliente. El olor de la carne en putrefacción subía desde el nuevo montón al pie de la muralla; vio movimiento más abajo y observó una hiena que partía con poderosas mandíbulas la pata delantera de lo que probablemente fue un venado. Ningún otro animal, depredador o aficionado a la carroña, tenía semejante fuerza concentrada en mandíbulas y cuartos delanteros, pero eso brindaba a la hiena una estructura desproporcionada, completamente desgarbada.

La primera vez que vio una de espaldas, con sus cuartos traseros bajos y sus patas ligeramente torvas, rebuscando en el montón, se tuvo que dominar; pero al ver que sacaba un trozo de osamenta a medio pudrir, la dejó tranquila, agradeciendo por una vez el servicio que prestaban. Las había estudiado y había observado otros animales carnívoros. A diferencia de lobos o felinos, no necesitaban fuertes patas traseras para lanzarse al ataque. Cuando cazaban, buscaban las vísceras, el bajo vientre, blando, y las glándulas mamarias. Pero su dieta habitual era la carroña . . . en cualquier estado.

La corrupción las deleitaba. Ayla las había visto hurgando en montones de basura humana, desenterrar cadáveres que no estuvieran cuidadosamente sepultados; inclusive comían excrementos, y olían tan mal como su dieta. Su mordedura, si no era inmediatamente mortal, solía causar la muerte por infección; y cazaban crías.

Ayla hizo una mueca y se estremeció de asco. Las odiaba y tenía que dominar el impulso de perseguir con la honda a las que estaban abajo. Era una actitud irracional, pero no podía remediar la repulsión que le inspiraban los animales moteados. Para ella, no tenían una sola característica aceptable. Otros buscadores de carroña no la molestaban tanto, aun cuando frecuentemente olían igual de mal.

Desde el punto ventajoso que le proporcionaba el saliente, vio un glotón persiguiendo abiertamente una liebre. El glotón parecía un osezno de rabo largo, pero ella sabía que eran más bien parecidos a las comadrejas, y que sus glándulas de almizcle eran tan dañinas como las de las mofetas. Los glotones eran comedores de carroña con malos instintos; eran capaces de asolar cavernas o de abrir lugares sin la menor necesidad. Pero eran animales inteligentes, belicosos, depredadores absolutamente ajenos al miedo, que atacarían lo que fuera, inclusive un reno gigantesco aunque también podían conformarse con ratones, pájaros, ranas, pescado o bayas. Merecían respeto, y su pelaje tenía una calidad única —que no dejaba congelarse el aliento— que lo hacía valioso.

Observó una pareja de milanos rojos que salía volando de su nido, muy alto en un árbol del otro lado del río, y se elevaban rápidamente hacia el cielo; extendieron amplias alas rojizas y colas partidas y se dejaron caer hacia la playa pedregosa. También los milanos se alimentaban con carroña, pero al igual que otros rapaces, también encontraban su presa en pequeños mamíferos y reptiles. La joven no estaba tan familiarizada con las aves de presa, pero sabía que las hembras solían ser más grandes que los machos, y que daba gusto mirarlas.

Ayla podía tolerar los buitres, a pesar de la cabeza calva horrorosa y el olor tan desagradable como el aspecto. Su pico en forma de gancho era afilado y fuerte, apropiado para desgarrar y desmembrar animales muertos, pero en sus movimientos había majestuosidad. Ver uno deslizándose y cirniéndose sin esfuerzo, cabalgando las corrientes del aire con alas muy abiertas y, de repente, al vislumbrar alimento, dejarse caer a tierra y correr hacia el cadáver con el cuello tendido y las alas entrecerradas, contemplarlo maniobrar así, resultaba fantástico.

Los animales de presa que había allá abajo se estaban dando un banquete, inclusive cuervos que estaban obteniendo su ración, y Ayla estaba encantada. Con el olor de los cadáveres en putrefacción tan cerca de su cueva, podía tolerar inclusive las odiadas hienas. Cuanto antes limpiaran, más contenta estaría. De repente se sintió abrumada por el hedor inaguantable; necesitaba una bocanada de aire no contaminado por emanaciones pestilentes.

—¡Hinny! —llamó. La yegua sacó la cabeza de la cueva al oír su nombre—. Voy a dar un paseo. ¿Quieres venir conmigo? —la yegua percibió la señal de acercamiento y caminó hacia la joven, agitando la cabeza.

Bajaron por el angosto sendero, dieron un rodeo para mantenerse alejadas de la playa pedregosa y sus ruidosos habitantes, y se pegaron a la muralla rocosa. La yegua pareció relajarse a medida que seguían el borde de maleza que delineaba la orilla del río, nuevamente encerrado en sus riberas normales. El olor de la muerte ponía nerviosa a la yegua, y su temor irracional de las hienas tenía su base en una experiencia lejana. Ambas disfrutaban de la libertad que les brindaba el día primaveral lleno de sol, después de un prolongado invierno que las había tenido encerradas, aunque en el aire había aún cierta humedad fría. También olía más fresco en la pradera abierta, y las aves de presa no eran las únicas que banqueteaban, aunque al parecer, otras actividades resultaban más importantes.

Ayla fue deteniendo la marcha para observar una pareja de grandes picamaderos moteados, el macho con corona carmesí, la hembra, blanca, entregados a exhibiciones aéreas, tamborilear en un tocón muerto y volar persiguiéndose alrededor de los árboles. Ayla conocía esos pájaros carpinteros: vaciaban el corazón de un árbol viejo y forraban el nido con viruta. Pero una vez que los huevos morenos y moteados, más o menos seis, estaban puestos e incubados, y las crías cubiertas de plumas y educadas, los dos miembros de la pareja se separarían y tomarían cada uno su camino para buscar insectos en los troncos de árboles de su territorio, y llenar los bosques con su fuerte carcajada.

Las alondras no eran así. Sólo se separaban por parejas en tiempo de reproducción, esas aves sociables que vivían en parvadas; y los machos se portaban entonces como agresivos gallos de pelea con sus viejos amigos. Ayla oyó el glorioso canto cuando una pareja se elevó en línea recta; lo cantaban a un volumen tal que aún podía oírlo cuando, alzando la vista, sólo los divisaba como dos puntos en el cielo. De repente se dejaron caer como un par de piedras, y volvieron a elevarse cantando de nuevo.

Ayla llegó al lugar donde había abierto una zanja para cazar una yegua parda; por lo menos, creía que ese era el lugar; no quedaba la menor huella. La inundación primaveral había arrasado con la maleza cortada para ocultar la depresión. Más allá, se detuvo a beber y sonrió al ver un aguzanieves que corría a lo largo de la orilla; parecía una alondra pero era más delgado, con la pancita amarilla, y mantenía su cuerpo horizontal para evitar que se le mojara la cola, por lo que la meneaba de arriba abajo.

Un chorro de notas líquidas llamó su atención hacia otro par de aves que no se preocupaban por el agua. Los mirlos acuáticos estaban saludándose, exhibiendo su cortejo, pero Ayla se maravillaba siempre al verlos caminar bajo el agua sin que se les mojara el plumaje. Cuando regresó a campo abierto, Hinny estaba paciendo los retoños verdes. Nuevamente sonrió al ver una pareja de abadejos morenos que la regañaban gritándole *chic-chic* porque pasó demasiado cerca de su matorral. En cuanto se alejó, cambiaron a un canto alto, claro, fluido que cantó primero uno y después el otro en réplicas alternas.

Ayla se detuvo y se sentó en un tronco, escuchando los dulces cantos de varias aves distintas, y entonces se sorprendió al oír que un silbido del zorzal imitó el coro completo en un surtidor de melodía. Aspiró, pasmada ante el virtuosismo de la avecilla, y el ruido que ella misma hizo la sorprendió. Un pinzón verde la siguió con su nota característica como una aspiración de aliento, y el silbido imitador lo repitió otra vez.

Ayla estaba encantada. Le parecía haberse convertido en parte del coro alado, y volvió a intentarlo. Juntando los labios, aspiró pero sólo consiguió producir un silbido muy tenue; su siguiente intento produjo un mayor volumen, pero se le llenaron tanto de aire los pulmones que tuvo que expelerlo, produciendo un silbido fuerte; esto se parecía mucho más a lo que hacían las aves. El siguiente esfuerzo sólo dejó pasar aire entre sus labios, y no tuvo mejor suerte con otras tentativas más. Volvió a silbar para dentro y tuvo más éxito en el silbido pero le faltó volumen.

Siguió intentándolo, silbando para dentro y para fuera, y de cuando en cuando producía un sonido agudo. Se dedicó tanto a sus ensayos que no se dio cuenta de que Hinny erguía las orejas cuando el silbido era más agudo. La yegua no sabía cómo responder, pero era curiosa y dio varios pasos para acercarse a la joven.

Ayla vio que la yegua se acercaba enderezando las orejas con expresión intrigada.

—Hinny, ¿te sorprende que yo pueda producir sonidos? También a mí. No sabía que podía cantar como un pajarillo. Bueno, tal vez no exactamente, pero si sigo practicando creo que podría hacerlo muy parecido. Déjame ver si puedo hacerlo de nuevo.

Aspiró, juntó los labios y, concentrándose, dejó escapar un silbido prolongado y fuerte. Hinny meneó la cabeza, relinchó y se acercó corveteando. Ayla se puso de pie y abrazó el cuello de la yegua, dándose cuenta súbitamente de lo que había crecido.

—Estás tan alta, Hinny. Los caballos crecen tan rápidamente que casi eres una yegua adulta. ¿A qué velocidad puedes correr ahora? —Ayla le dio un azote en la cadera—. Vamos, Hinny, corre conmigo —señaló, echando a correr por el campo lo más rápidamente que podía.

La yegua la dejó atrás en unos cuantos trancos y siguió corriendo, estirándose mientras iba a galope. Ayla la seguía, corriendo porque le daba gusto correr. Siguió hasta que no pudo más, y se detuvo sin aliento. Vio cómo galopaba la yegua por el largo valle, girando y regresando a medio galope. "Ojalá pudiera correr como tú", pensó, "y así podríamos ir las dos corriendo adonde quisiéramos. Me pregunto si no me iría mejor siendo un caballo y no un ser humano. Entonces no estaría sola.

"No estoy sola: Hinny es buena compañía, aunque no es humana. Es lo único que tengo y yo soy lo único que tiene. Pero, ¿no sería maravilloso que pudiera correr como ella?"

La yegua estaba cubierta de espuma cuando volvió, y Ayla rió de buena gana al verla revolcarse en el prado con las patas al aire y hacer ruiditos de gusto. Cuando volvió a ponerse en pie, se sacudió y se puso a pacer de nuevo. Ayla siguió observándola, pensando en lo excitante que sería correr como un caballo, y después volvió a sus prácticas con el canto de las aves. A la vez siguiente que logró expeler un silbido agudo y penetrante, Hinny alzó la cabeza, la miró y se le acercó a medio galope; Ayla abrazó a la yegua, contenta de verla aparecer cuando silbaba; pero no podía apartar de su mente la idea de correr con la yegua.

Entonces se le ocurrió una idea.

Esa idea no se le habría ocurrido de no haber vivido todo el invierno con el animal, pensando en ella como amiga y compañera. Y desde luego no habría llevado a la práctica la idea si hubiera seguido viviendo con el Clan. Pero Ayla se había acostumbrado a seguir más sus impulsos.

"¿La molestaría?", se preguntaba Ayla. "¿Me dejaría?" Llevó a la yegua hacia el tronco y se subió a éste, después puso los brazos alrededor del cuello de la yegua y alzó una pierna. "Corre conmigo, Hinny. Corre y llévame contigo", pensó, y entonces montó a caballo.

La yegua no estaba acostumbrada a llevar carga sobre su lomo: aplastó las orejas hacia atrás y se puso a corvetear, nerviosa. Pero aun cuando el peso no era acostumbrado, la mujer sí lo era, y los brazos de Ayla alrededor de su cuello ejercían una influencia tranquilizadora. Hinny estuvo a punto de encabritarse para deshacerse del peso, pero en cambio echó a correr para lograrlo. Lanzada a galope, recorrió el campo con Ayla pegada a su lomo.

Pero la yegua había corrido ya mucho, y la vida que llevó en la cueva había sido más sedentaria de lo normal. Aun cuando había comido el heno joven del valle, no había tenido manada cuyo paso se viera forzada a seguir, ni depredadores de los que debiera correr. Y todavía era joven. No tardó mucho en perder velocidad; se detuvo finalmente con la cabeza colgando y los flancos subiendo y bajando con esfuerzo.

La mujer se dejó deslizar por el lomo de la yegua.

—¡Hinny, ha sido maravilloso! —señaló, con los ojos brillantes de excitación. Alzó el hocico caído con ambas manos y puso su mejilla contra la nariz del animal; entonces metió la cabeza de la yegua bajo su axila en un gesto afectuoso que no había repetido desde que la yegua era pequeña. Era un abrazo especial, reservado para ocasiones especiales.

La cabalgada fue una excitación que apenas podía dominar. La sola idea de ir con un caballo a galope llenaba a Ayla de una sensación maravillada. Nunca había soñado que fuera posible; nadie lo había soñado.

Capítulo 10

Ayla no podía mantenerse lejos del lomo de la yegua. Cabalgar mientras la yegua iba a galope tendido era un gozo indecible. La hacía palpitar más que nada que hubiera experimentado anteriormente. Y parecía que también Hinny lo disfrutaba; se había acostumbrado muy pronto a llevar a la joven a cuestas. El valle no tardó en volverse demasiado pequeño para encerrar a la mujer y su corcel galopante. A menudo corrían a través de la estepa, al este del río, que era de fácil acceso.

Ayla sabía que pronto tendría que recolectar y cazar, procesar y almacenar los alimentos silvestres que la naturaleza le brindaba para que se preparara con vistas al siguiente ciclo de las estaciones. Pero a principios de la primavera, cuando la tierra todavía estaba despertando del prolongado invierno, sus dádivas eran escasas. Unas pocas verduras frescas prestaban diversidad a la dieta seca del invierno, pero ni raíces ni yemas ni flancos huesudos habían llegado a su sazón. Ayla aprovechaba su ocio forzoso para cabalgar con tanta frecuencia como podía, casi siempre desde la mañana hasta la noche.

Al principio sólo cabalgaba, sentada pasivamente, yendo adonde iba la yegua. No pensaba en términos de dirigir a la potranca; las señales que había aprendido Hinny eran visuales —Ayla no trataba de comunicarse sólo mediante palabras—, y no podía verlas cuando la mujer estaba sentada sobre su lomo. Pero para la mujer, el lenguaje corporal siempre había formado parte del habla al igual que los gestos específicos, y cabalgar permitía un contacto íntimo.

Después de un periodo inicial de dolores naturales, Ayla comenzó a observar el juego muscular de la yegua, y después de su ajuste inicial, Hinny pudo sentir la tensión y la relajación de la

191

joven. Ambas habían desarrollado ya la capacidad de sentir mutuamente sus necesidades y sentimientos, y el deseo de responder a éstos. Cuando Ayla deseaba seguir una dirección dada, sin darse cuenta se inclinaba hacia allá, y sus músculos le comunicaban a la yegua el cambio de tensión. La yegua comenzó a reaccionar a la tensión y la relajación de la mujer que llevaba a cuestas cambiando de dirección o de velocidad. La respuesta del animal a los movimientos apenas perceptibles, hacía que Ayla se tensara o moviera de la misma manera cuando deseaba que Hinny volviera a responder de ese modo.

Fue un periodo de entrenamiento mutuo, y cada una de ellas aprendió de la otra, con lo que sus relaciones se volvieron más profundas. Pero sin percatarse de ello, Ayla estaba tomando el mando. Las señales entre la mujer y la yegua eran tan sutiles, y la transición de aceptación pasiva a dirección activa fue tan natural, que al principio Ayla no se dio cuenta, como no fuera a nivel subconsciente. La cabalgada casi continua se convirtió en un curso de entrenamiento concentrado e intenso. A medida que la relación se hizo más sensible, las reacciones de Hinny llegaron a afinarse de tal manera, que Ayla sólo tenía que *pensar* hacia dónde deseaba dirigirse y a qué velocidad, para que el animal respondiera como si fuera una extensión del cuerpo de la mujer. La joven no se daba cuenta de que había transmitido señales a través de nervios y músculos a la piel, altamente sensible, de su montura.

Ayla no había pensado en entrenar a Hinny. Fue el resultado del amor y la atención que ella prodigaba al animal, y de las diferencias innatas entre caballo y humano. Hinny era inteligente y curiosa, podía aprender y tenía mucha memoria, pero su cerebro no estaba tan evolucionado y la organización de éste era diferente. Los caballos eran animales sociales, normalmente reunidos en manadas, y necesitaban la intimidad y el calor de sus congéneres. El sentido del tacto era particularmente importante y estaba muy desarrollado en cuanto a establecer una relación estrecha; pero los instintos de la joven yegua la impulsaban a seguir indicaciones, a ir adonde la llevaban. Cuando eran presa del pánico, inclusive los jefes de la manada solían correr con los demás.

Las acciones de aquella mujer tenían finalidad, iban dirigidas por un cerebro en el cual la previsión y el análisis interactuaban constantemente con el conocimiento y la experiencia. Su situación vulnerable mantenía agudos sus instintos de supervivencia, y la obligaba a tener constantemente conciencia de todo lo que la rodeaba, lo cual en conjunto había precipitado y acelerado el proceso de adiestramiento. Al ver una liebre o una marmota gigantesca, aun cuando sólo cabalgara por gusto, Ayla mostraba tendencia a echar mano de la honda y perseguirla. Hinny interpretó muy pronto su deseo, y su primer paso en esa dirección la llevó finalmente a que la joven controlara, estrecha aun cuando inconscientemente, a la yegua. Sólo cuando Ayla mató una marmota gigantesca se percató plenamente del hecho.

Todavía no estaba muy avanzada la primavera. Habían espantado inadvertidamente al animal, pero tan pronto como Ayla lo vio correr, se inclinó hacia él . . . echando mano de la honda mientras Hinny lo seguía. Al acercarse, el cambio de posición de Ayla que llegó junto con la idea de poner pie a tierra, hizo que la yegua se detuviera a tiempo para que bajara y lanzara una piedra.

"Sería bueno tener carne fresca esta noche", pensaba, mientras regresaba hacia la yegua que la esperaba. "Debería cazar más, pero ha sido tan divertido montar a Hinny . . .

"¡Estaba montando a Hinny! Echó a correr tras la marmota. ¡Y se detuvo cuando yo necesitaba que lo hiciera!" Los pensamientos de Ayla volvieron rápidamente al primer día en que montó a caballo y abrazó el cuello de la yegua. Hinny había bajado la cabeza para mordisquear una mata de hierba nueva y tierna.

—¡Hinny! —gritó la joven. La yegua alzó la cabeza y enderezó las orejas en actitud de espera.

La joven quedó asombrada. No sabía cómo explicárselo. La idea misma de montar a caballo había sido lo suficientemente avasalladora, pero que el caballo fuera adonde Ayla quisiera ir era más difícil de comprender que aprender el procedimiento para ambas. La yegua se acercó.

—¡Oh, Hinny! —repitió, con la voz quebrada por un sollozo, aun cuando no sabía ni por qué, mientras abrazaba el cuello peludo. Hinny resopló y arqueó el cuello para poder reposar la cabeza sobre el hombro de la joven.

Al tratar de montar nuevamente a caballo, Ayla se sintió torpe, la marmota parecía ser un estorbo. Fue hasta un tronco, aunque hacía ya tiempo que no lo usaba; pensándolo bien, se dio cuenta de que había brincado a lomos alzando la pierna y montando con facilidad. Después de cierta confusión inicial, Hinny tomó el camino de la cueva. Cuando trató Ayla de dirigir conscientemente a la potranca, sus señales inconscientes perdieron algo de decisión, y lo mismo sucedió con la respuesta de Hinny. No comprendió cómo había estado dirigiendo a la yegua.

Ayla aprendió a confiar de nuevo en sus reflejos al descubrir que Hinny respondía mejor si se relajaba, aun cuando al hacerlo desarrolló algunas señales llenas de sentido. Al avanzar la temporada, comenzó a cazar más. Al principio detenía la yegua y bajaba para usar la honda, pero no tardó mucho en intentar hacerlo montada. Errar el tiro sólo le dio razones para ejercitarse: un reto más. Al principio, había aprendido a usar el arma practicando ella sola. Entonces era un juego, y no podía haberle pedido a nadie que la entrenara; se suponía que no debía cazar. Y después de que un lince la tomó desarmada al errar un tiro, había creado una técnica para disparar rápidamente dos piedras sucesivas, practicando hasta perfeccionarse.

Hacía mucho que no necesitaba practicar con la honda, y se volvió a convertir en juego aun cuando no menos serio porque fuera divertido. Sin embargo, era ya tan hábil que no tardó mucho en volverse tan atinada a caballo como sobre sus propios pies. Pero inclusive corriendo a caballo y acercándose a una liebre de pies alados, la joven seguía sin captar, sin imaginar siquiera toda la serie de ventajas y el provecho que tenía a su disposición.

Al principio, Ayla llevaba su botín a casa como lo había hecho siempre: en un cuévano a la espalda. Un paso fácil de dar fue depositar la presa delante de ella, a través del lomo de Hinny. Idear un canasto especialmente adaptado para que lo llevara la yegua era lógicamente lo que vendría después. Tardó un poco más producir un par de canastos a cada lado de la yegua, fijos por una larga correa que la rodeara. Pero al agregar el segundo canasto, comenzó a percibir algunas de las ventajas que representaba dominar la fuerza de su amiga de cuatro patas. Por vez primera pudo llevar a la cueva una carga mayor de lo que habría podido llevar sola.

Una vez que comprendió lo que podría lograr con ayuda de la yegua, sus métodos cambiaron. Cambió todo el patrón de vida para ella. Permaneció fuera más tarde, llegó mucho más lejos, y regresó con más verduras o materiales vegetales o animales pequeños al mismo tiempo. Y después pasaba los días siguientes procesando el resultado de sus incursiones.

Una vez que vio fresas silvestres que empezaban a madurar, registró una vasta zona para encontrar todas las que pudiera. Las maduras escaseaban al principio de la temporada, y estaban alejadas unas de otras. Tenía buen ojo para las señales que le impedían extraviarse, pero antes de llegar al valle se había vuelto demasiado oscuro para divisarlas. Cuando sintió que ya estaba cerca de la cueva, confió en el instinto de Hinny para guiar a ambas, y en excursiones ulteriores dejó a menudo que la yegua encontrara el camino de regreso.

Pero después de aquello se llevó siempre una piel para dormir, por si acaso. Entonces, una noche decidió que dormiría en la estepa, al aire libre, porque se había hecho tarde y pensó que le gustaría pasar nuevamente una noche bajo las estrellas. Prendió un fuego, pero apretada contra Hinny para recibir su calor, apenas si lo necesitaba; era más bien un disuasor para la vida nocturna y salvaje. A todas las criaturas de la estepa el olor a humo las alejaba. Había veces en que terribles incendios de hierba duraban días enteros, acabando —o asando— todo lo que estaba en su camino.

Después de aquella primera vez, fue más fácil pasarse una o dos noches lejos de la cueva, y Ayla comenzó a explorar la región al este del valle de manera más amplia.

No se lo confesaba a sí misma, pero estaba buscando a los Otros, con la esperanza de hallarlos, y temerosa a la vez. En cierto sentido, era una manera de aplazar la decisión de abandonar el valle. Sabía que pronto tendría que hacer preparativos para marchar, si había de reanudar la búsqueda, pero el valle se había convertido en su hogar. No quería irse, y todavía estaba preocupada por Hinny. No sabía lo que le pudieran hacer Otros desconocidos. Si había gente que viviera a distancia de su cueva pero accesible a caballo, tal vez podría observar antes de revelar su presencia, y enterarse de algo al respecto.

Los Otros eran su gente, pero no podía recordar nada de su vida anterior a la vida que había llevado con el Clan. Sabía que la habían encontrado inconsciente junto a un río, medio muerta de hambre y ardiendo por arañazos infectados de un león cavernario. Estaba casi muerta cuando Iza la recogió y la llevó con ellos en su búsqueda de una nueva caverna. Pero en cuanto intentaba recordar algo de su vida anterior, un temor horrible se apoderaba de ella con la incómoda sensación de que la tierra se agitaba bajo sus pies.

El terremoto que había lanzado a una niña de cinco años, sola por comarcas desiertas, abandonada al destino —y a la compasión de personas tan distintas— había sido demasiado fuerte para una mente tan joven. Había perdido hasta el recuerdo del terremoto y de las personas entre las que había nacido. Para ella eran como para el resto del Clan: los Otros.

Al igual que la indecisa primavera que oscilaba de chubascos helados a un cálido sol y otra vez lo mismo, la inclinación de Ayla pasaba de un extremo a otro. Los días no eran malos. En su época de crecimiento, había pasado muchos días vagando por el campo cerca de la caverna, en busca de hierbas para Iza o, más adelante, cazando, y por entonces ya estaba acostumbrada a la soledad. De manera que por la mañana y por la tarde, cuando estaba ocupada y llena de actividad, sólo quería quedarse en el valle abrigado con Hinny. Pero por la noche, en su pequeña caverna, con un caballo y un fuego por única compañía, echaba de menos la presencia de algún ser humano que mitigara su soledad. Era más difícil estar sola en la primavera cálida que durante el frío invierno. Sus pensamientos volvían al Clan y a la gente que amaba, y le dolían los brazos por la necesidad de mecer a su hijo. Todas las noches tomaba la decisión de prepararse para salir al día siguiente, y todas las mañanas lo posponía y en cambio montaba a Hinny para recorrer las planicies del este.

Su cuidadoso y vasto examen le permitió conocer no sólo el territorio sino también la vida que anidaba en la vasta pradera. Manadas de rumiantes habían comenzado su migración, y eso le hizo pensar en cazar de nuevo un animal grande. A medida que la idea se apoderaba de sus pensamientos, desplazó en cierto modo su preocupación por la existencia solitaria que llevaba.

Vio caballos, pero ninguno regresó a su valle. No importaba. No tenía la intención de cazar caballos. Tendría que ser algún otro animal. Aun cuando no sabía cómo podría usarlas, comenzó a llevarse las lanzas cuando salía a caballo. Los largos palos resultaron incómodos hasta que ideó la manera de sujetarlos, uno en cada canasto a ambos lados de la yegua.

Sólo al observar una manada de hembras de reno empezó a cobrar forma una idea. Siendo niña, y cuando aprendía subrepticiamente a cazar, a menudo encontraba un pretexto para trabajar cerca de los hombres cuando discutían de caza ... su tópico predilecto de conversación.

Por aquel entonces, lo que más le interesaba era todo lo referente a la caza con honda —su arma—, pero de todos modos la intrigaba todo lo que decían sobre la cacería en general. A primera vista, había pensado que la manada de renos de poca cornamenta eran machos; después se fijó en las crías y recordó que entre todas las variedades de reno, sólo las hembras llevaban cornamenta. Al recordarlo, le volvió a la memoria toda una serie de recuerdos asociados ... incluyendo el sabor de la carne de reno.

Y lo más importante: recordó que los hombres decían que cuando los renos emigran al Norte en primavera, siguen un mismo camino, como si fuera una senda que sólo ellos podían ver, y que emigran en grupos separados. Primero las hembras y los pequeños inician la jornada, seguidos por una manada de machos jóvenes. Más adelante en la estación, los viejos machos siguen, formados en grupos pequeños.

Ayla cabalgaba a paso descansado detrás de una manada de renos con cornamenta acompañados de sus crías. La horda veraniega de moscas y mosquitos que gustaban de anidar en el pelaje de los renos, especialmente junto a ojos y orejas, incitando a los renos a buscar climas más fríos donde no abundaran tanto los insectos, estaban haciendo su aparición. Ayla espantó distraídamente los pocos que zumbaban alrededor de su cabeza. Cuando se puso en camino, una niebla matutina todavía cubría las hondonadas y depresiones bajas; el sol naciente convertía en vapor las bolsas profundas proporcionando una humedad inusitada a la estepa. Los renos estaban acostumbrados a la presencia de otros ungulados, por lo que no hicieron caso de Hinny ni de su pasajera humana, mientras no se aproximaran.

Observándolos, Ayla pensaba en la caza. Si los machos jóvenes siguen a las hembras, deberían pasar pronto por este camino. "Quizá pudiera cazar un reno joven; sabré el camino que van a seguir. Pero eso no me servirá de nada si no puedo acercarme lo suficiente para hacer uso de mis lanzas. Tal vez podría abrir otra zanja. No: se desviarían y la evitarían, y no hay suficiente maleza para hacer una valla que no pudieran saltar. Tal vez si consiguiera hacerlos correr, uno caería.

"Y si cae, ¿cómo voy a sacarlo? No quiero volver a destazar un animal en el fondo de un hoyo lodoso. Además, también tendré que secar aquí la carne, a menos que me lo pudiera llevar a la cueva".

La mujer y la yegua siguieron a la manada el día entero, deteniéndose de cuando en cuando para comer y descansar, hasta que las nubes se colorearon de rosa en un cielo cuyo azul iba oscureciéndose. Ayla había llegado más al Norte que nunca anteriormente, y la zona le era desconocida. A lo lejos había visto una línea de vegetación, y a la luz que se iba apagando a medida que el cielo enrojecía, vio que el color se reflejaba más allá de unos densos matorrales. Los renos se formaron uno por uno para atravesar angostos pasos y llegar al agua de un río grande, y se pusieron a lo largo de la orilla poco profunda para beber antes de cruzar.

Un crepúsculo gris apagó el verde fresco de la tierra mientras ardía el cielo, como si el color robado por la noche fuera devuelto en un matiz más fuerte. Ayla se preguntó si sería el mismo río que había cruzado ya varias veces. En ocasiones se cruzaba varias veces el mismo río y no arroyos, riachuelos y corrientes, afluentes todos de un río más grande, porque los meandros del río bañaban planicies herbosas, volviendo sobre sus pasos y formando recodos y canales en que se dividía. Si su suposición fuera cierta, desde el otro lado del río podría llegar a su valle sin tener que atravesar más ríos anchos.

Los renos, mordisquear.do líquenes, parecían prepararse para pasar la noche al otro lado del río. Ayla decidió seguir su ejemplo. Era largo el camino de regreso, y tendría que cruzar el río en algún punto. No quería correr el riesgo de mojarse y pasar frío ahora que caía la noche. Se deslizó por el flanco de la yegua, retiró los canastos y dejó que Hinny correteara mientras ella preparaba su campamento. Pronto ardieron maderas del río y ramas secas de la maleza, gracias a su pirita y su pedernal. Después de una cena compuesta de chufas feculentas envueltas en hojas y asadas, así como de un surtido de verduras como relleno de una marmota cocida, levantó su tienda baja. Ayla silbó para llamar a la yegua, pues deseaba tenerla cerca, y se metió en sus pieles para dormir con la cabeza fuera de la entrada de la tienda.

Las nubes se habían asentado en el horizonte; allá arriba, las estrellas eran tantas y estaban tan juntas que parecía que una luz de imposible brillantez estuviera pugnando por abrirse paso por la barrera negra y rajada del cielo nocturno. Creb decía que eran fuegos en el cielo, hogares del mundo de los espíritus, y también los hogares de los espíritus totémicos. Los ojos de la joven recorrieron el firmamento hasta encontrar el diseño que buscaba: "Ahí está el hogar de Ursus, y más arriba mi tótem, el León Cavernario. Es curioso cómo pueden circular por el cielo, sin que cambie el dibujo. Me pregunto si irán de cacería y regresarán después a sus cavernas.

"Necesito cazar un reno. Y será mejor que lo piense rápidamente; los machos llegarán pronto. Eso significa que cruzarán aquí". Hinny sintió la presencia de un depredador de cuatro patas, resopló y se acercó más al fuego y a la mujer.

—¿Hay algo ahí fuera, Hinny? —preguntó la joven empleando palabras y gestos, palabras diferentes de las que usaba el Clan. Podía producir un relincho suave que no se distinguía de los que hacía Hinny. Podía gañir como una zorra, aullar como un lobo, y estaba aprendiendo rápidamente a cantar como cualquier pájaro. Muchos de esos sonidos se habían integrado en su lenguaje privado. Apenas recordaba ya el mandato del Clan en contra de los sonidos innecesarios. La capacidad normal y fácil de su especie para vocalizar se estaba afirmando.

La yegua se metió entre Ayla y el fuego, pues ambos le inspiraban seguridad.

—Quítate, Hinny, me tapas el fuego.

Ayla se levantó y agregó otro palo al fuego, rodeó con el brazo el cuello del animal, al sentir que estaba nervioso. "Creo que pasaré la noche en vela atendiendo al fuego", pensó. "Lo que esté ahí se interesará mucho más en esos renos que en ti, amiga mía, mientras te mantengas cerca del fuego. Pero podría ser buena idea tener un fuego muy hermoso un buen rato".

Se encuclilló, miró las llamas y vio cómo las chispas se fundían con la oscuridad cada vez que agregaba otro tronco. Del otro lado del río le llegaron ruidos que demostraban que un reno o dos habían sido presa de algo, sin duda algún felino. Sus pensamientos regresaron a la caza de un reno para sí. En cierto momento empujó al caballo para ir por leña y súbitamente se le ocurrió una idea. Más tarde, cuando Hinny estuvo más tranquila, Ayla volvió a sus pieles dándole vueltas en la cabeza mientras la idea se perfeccionaba y bifurcaba en otras posibilidades palpitantes. Para cuando se quedó dormida, los principales lineamientos del plan estaban ya trazados, aplicando un concepto tan increíble que no pudo menos de sonreír ante la audacia que implicaba.

Por la mañana, cuando cruzó el río, la manada de renos, reducida en uno o dos miembros, había marchado ya, pero Ayla había dejado de seguirla. Hizo que Hinny galopara de regreso hacia el valle; si quería estar preparada oportunamente, tendría que ocuparse de muchas cosas.

—Así, Hinny, ya ves que no pesa tanto —decía Ayla, alentando a la yegua, que arrastraba pacientemente una combinación de tiras de cuero y cuerdas fijadas alrededor del pecho, de las que colgaba un pesado tronco. Al principio, Ayla había puesto las correas que sostenían el peso alrededor de la frente de Hinny, a la manera de la correa que se ponía ella misma cuando debía transportar una pesada carga. Pronto se percató de que la yegua necesitaba mover libremente la cabeza y que jalaba mejor con el pecho y los hombros. De todos modos, la joven yegua esteparia no estaba acostumbrada a arrastrar peso, y el arnés le limitaba los movimientos. Pero Ayla estaba decidida; era la única manera en que podría funcionar su plan.

La idea había surgido mientras alimentaba el fuego para alejar a los depredadores. Había empujado a Hinny para recoger leña, pensando, con afecto, en la yegua adulta que, con toda su fuerza, iba a ella en busca de protección. Un pensamiento fugaz "ojalá tuviera yo tanta fuerza como ella" se convirtió en un instante en una solución posible para el problema que había estado tratando de resolver. Tal vez la yegua pudiera sacar un venado de una zanja.

Entonces pensó en procesar la carne, y el nuevo concepto se amplió. Si destazara el animal en la estepa, el olor a sangre atraería carnívoros, inevitables y desconocidos. Tal vez no fuera un león cavernario lo que oyó la noche aquella atacando a los renos, pero desde luego fue algún felino. Tigres, panteras y leopardos podrían tener sólo la mitad del tamaño de los leones cavernarios, mas de todos modos, contra ellos la honda no constituía defensa. Podría matar un lince, pero los gatos grandes eran otra cosa, especialmente a campo abierto. Pero cerca de su cueva, con la espalda protegida contra la pared, podría rechazarlos. Una piedra disparada con fuerza no sería fatal, pero la sentirían. Si Hinny pudiera arrastrar un reno fuera de la zanja, ¿por qué no por todo el camino hasta la cueva?

Pero antes que nada tendría que convertir a Hinny en caballo de tiro. Ayla creía que bastaría con idear una manera de atar el reno con cuerdas y correas al caballo. No se le ocurrió que la yegua pudiera repropiarse. Aprender a montar había sido un proceso tan inconsciente, que no creyó que tendría que entrenar a Hinny para arrastrar cargas. Mas en cuanto le ajustó el arnés, lo comprobó. Después de varias tentativas, que comprendieron una revisión total del concepto y algunos ajustes, la yegua comenzó a aceptar la idea, y Ayla decidió que podría funcionar.

Mientras la joven veía cómo la yegua jalaba del tronco, pensó en el Clan y meneó la cabeza. "Ya habrían pensado que soy rara sólo porque vivo con una yegua. Y ahora me pregunto qué dirían los hombres. Pero ellos eran muchos, y había mujeres para secar la carne y cargarla a la espalda. Ninguno de ellos tuvo nunca que intentarlo solo".

Abrazó espontáneamente a la yegua apretando su frente contra el cuello del animal.

—¡Eres una ayuda tan grande! Nunca habría creído que pudieras ayudarme tanto. No sé qué haría sin ti, Hinny. ¿Y si los Otros son como Broud? No puedo permitir que nadie te lastime. Ojalá supiera qué hacer.

Se le llenaron los ojos de lágrimas mientras estaba abrazada al caballo; se las secó y retiró el arnés. "Pero por el momento sé perfectamente lo que voy a hacer. No debo perder de vista a esa manada de machos jóvenes".

Los renos jóvenes no llevaban muchos días de retraso respecto a las hembras. Viajaban a paso calmado. Una vez que los vio Ayla, no le costó mucho trabajo observar sus movimientos y confirmar que iban siguiendo la misma pista; recogió su equipo y galopó adelantándose a ellos. Estableció su campamento junto al río, más abajo que el cruce de las hembras. Entonces, llevándose el palo de cavar para aflojar el terreno, el hueso afilado a modo de azada y pala, y el cuero de la tienda para transportarla, se dirigió al cruce que habían tomado las hembras para pasar al otro lado del río.

Dos pistas principales y dos sendas secundarias atravesaban la maleza. Escogió una de las pistas principales para su trampa, lo suficientemente cerca del río para que los renos la tomaran de uno en uno, pero lo suficientemente lejos para poder cavar un hoyo profundo sin que se le llenara de agua. Para cuando terminó de cavar, el sol del atardecer estaba acercándose al final de la Tierra. Silbó para llamar a la yegua y cabalgó de regreso para comprobar hasta dónde había avanzado la manada, calculando que llegarían al río en algún momento del siguiente día.

Cuando volvió hasta el río la luz estaba disminuyendo, pero el enorme hoyo abierto se veía claramente. Ninguno de aquellos renos iba a caer en semejante agujero; lo verían y darían un rodeo, pensó Ayla, desalentada. "Bueno, de todos modos es demasiado tarde para remediarlo. Quizá se me ocurra algo por la mañana".

Pero la mañana no le levantó los ánimos ni le inspiró ideas brillantes. Por la noche el cielo se había cubierto de nubes. Al despertar Ayla por una salpicadura de agua en la cara, se encontró con un feo amanecer de luz difusa. No había montado el cuero como tienda la noche anterior, puesto que el cielo estaba claro al acostarse, y el cuero, húmedo y lodoso. Lo había dejado tendido para que se secara allí cerca, pero ahora estaba más empapado. La gota de agua en su cara sólo fue la primera entre muchas. Se envolvió en las pieles que usaba para dormir y después de rebuscar en los canastos, descubrió que había olvidado llevarse la capucha de piel de glotón; entonces se tapó la cabeza con una esquina y se arrebujó sobre los restos tibios de su fuego.

Un destello brillante cruzó las planicies del este: relámpago que iluminó la tierra hasta el horizonte. Al cabo de un rato, un retumbar lejano gruñó una advertencia. Como si hubiera sido una señal, las nubes que tenía encima desataron un nuevo diluvio. Ayla agarró la tienda mojada y se cubrió con ella.

Poco a poco la luz del día enfocó mejor el paisaje, sacando sombras de las grietas. Una palidez gris empañó el verdor de las estepas en primavera, como si los nimbos chorreantes hubieran deslavado el color. Inclusive el cielo tenía un matiz indescriptible de nada, ni azul ni gris ni blanco.

El agua comenzó a hacer charcos a medida que se saturaba la delgada capa de suelo permeable por encima del nivel del permafrost subterráneo. Y sin embargo, cerca de la superficie la tierra helada que había debajo del mantillo era tan sólida como la muralla helada al Norte. Cuando la temperatura más alta derritiera el suelo más profundamente, el nivel helado bajaría, pero el permafrost era impenetrable; no había drenaje. En ciertas condiciones, el suelo saturado podría convertirse en ciénagas de arenas movedizas tan traicioneras que en ocasiones se habían tragado un mamut adulto. Y si eso sucedió cerca de la orilla de un glaciar, la cual avanzaba de manera impredecible, una congelación que llegara de repente podría conservar al mamut durante milenios enteros.

El cielo plomizo dejaba caer grandes salpicaduras en el charco negro que había sido una hoguera. Ayla las veía hacer erupción como cráteres, extenderse en anillos, y deseaba encontrarse en su cuevita seca del valle. Un frío que la calaba hasta los huesos atravesaba sus abarcas de cuero a pesar de la grasa con que las había untado y la hierba de que estaban rellenas. La pesadilla mojada deprimía su entusiasmo por la caza.

Pasó a una lomita de terreno más alto cuando los charcos desbordaron y llevaron riachuelos de agua lodosa al río, arrastrando ramitas, hierbas y hojas secas de la estación pasada. "¿Por qué no regreso?", pensó llevando consigo los canastos al cambiar de sitio. Miró levantando un poco las tapas: la lluvia corría por el tranzado y el contenido permanecía seco. "De nada sirve. Debería cargar éstos en Hinny y marcharme. Nunca conseguiré un reno. Uno de ellos no se va a meter de un brinco en esa zanja, sólo porque yo lo deseo. Quizá pueda conseguir uno de los viejos rezagados más adelante. Pero su carne es dura y tienen el cuero lleno de cicatrices".

Ayla lanzó un suspiro y se envolvió más estrechamente en sus pieles y el cuero de la tienda. "He estado haciendo planes y trabajando tanto que no puedo permitir que un poco de lluvia me detenga. Tal vez no consiga un reno; no sería la primera vez que un cazador regresa con las manos vacías. Pero algo es seguro: no conseguiré uno si no lo intento".

Escaló una formación rocosa cuando las aguas amenazaron con deshacer su lomita, y entrecerró los ojos para tratar de divisar a través de la lluvia si ésta amainaba. No había refugio en la

gran pradera descubierta ni árboles grandes ni farallones inclinados. Como la yegua empapada que tenía a su lado, Ayla estaba
en medio del aguacero, esperando pacientemente que dejara de
llover. Esperaba que también los renos estuvieran esperando; no
estaba preparada para recibirlos. Su decisión volvió a flaquear
a media mañana, pero para entonces ya no estaba como para marcharse.

Con la disposición generalmente caprichosa de la primavera,
la cubierta de nubes se partió a eso de mediodía, y un viento vivi-
ficante la alejó. Por la tarde no quedaba huella de nubes y los
colores frescos y brillantes de la temporada relucían, recién lavados, bajo la plena gloria del sol. La tierra echaba humo en su
entusiasmo por devolverle la humedad a la atmósfera. El viento
seco que había hecho desaparecer las nubes, la aspiraba con ava-
ricia, como si tuviera conciencia de que debería entregarle su
parte al glaciar.

Ayla sintió que volvía su determinación, aunque no su confianza. Se desprendió de su piel de bisonte empapada y la colgó de
un alto matorral, esperando que esta vez lograra secarse un poco.
Tenía los pies húmedos pero no fríos, de modo que no les hizo
caso —todo estaba húmedo— y se fue al cruce de los renos. No
pudiendo descubrir su zanja se desanimó. Mirando más de cerca
pudo ver un charco desbordante de lodo y lleno de hojas, palos
y desechos allí donde había cavado su zanja.

Apretando las mandíbulas, fue en busca de un canasto para
agua con el fin de achicar el hoyo. Al regreso, tuvo que buscar
cuidadosamente para ver la zanja desde lejos. Entonces, súbitamente, sonrió: "Si yo tengo que buscarla, cubierta de hojas y ramitas como está, quizá un reno que vaya corriendo tampoco la
vea. Pero no puedo dejar el agua dentro . . . me pregunto si habría
otra manera . . ."

"Las varas de sauce serían suficientemente largas para pasar
de un lado a otro. ¿Por qué no hacer una cubierta para la zanja
con varitas de sauce, y taparla con hojarasca? No sería lo suficientemente fuerte para sostener un reno pero sí ramitas y hojas". De repente soltó una carcajada; la yegua relinchó en respuesta y se acercó a ella.

—¡Oh, Hinny!, tal vez esa lluvia no haya sido tan mala después
de todo.

Ayla vació la zanja; no le importó que la tarea fuera un asco.
No era demasiado profunda, pero cuando trató de seguir cavando,
vio que el nivel del agua estaba más alto: se volvía a llenar de
agua. Vio que el río estaba más crecido cuando miró la corriente

arremolinada y lodosa. Y aun cuando no lo sabía, la lluvia tibia había aflojado un poco la tierra subterránea helada que constituía la base de una dureza de roca, que había bajo la tierra.

Disimular el hoyo no era tan fácil como ella había creído. Tuvo que volver río abajo para recoger una buena brazada de varas largas del sauce retorcido, y completarlas con juncos. La amplia estera se hundió en el centro cuando la colocó sobre la zanja, y tuvo que fijarla por los lados. Una vez recubierta de hojas y ramitas, le pareció demasiado visible; no estaba muy satisfecha pero tenía la esperanza de que sirviera.

Cubierta de lodo, volvió río abajo, miró el agua con nostalgia y silbó para llamar a Hinny. Los renos no estaban tan cerca como ella creía; si la planicie hubiera estado seca, se habrían apresurado por llegar al río, pero con tantos charcos de agua y riachuelos fugaces, avanzaban más despacio. Ayla estaba segura de que la manada de machos jóvenes no llegaría al cruce del río antes de la mañana.

Regresó al campamento y, con gran satisfacción, retiró manto y abarcas antes de meterse en el río. Estaba frío pero se había acostumbrado al agua fría; tenía los pies blancos y arrugados por haber estado metidos en cuero húmedo —hasta las plantas endurecidas se le habían ablandado y agradeció el calor del sol sobre la roca; también le serviría de base seca para prender fuego.

Por lo general, las ramas bajas y muertas de los pinos se mantienen secas bajo la lluvia más fuerte, y aun cuando reducidos al tamaño de arbustos, los pinos junto al río no eran una excepción. Ayla llevaba consigo yesca seca, y gracias a su pirita y su pedernal, pronto comenzó a arder una pequeña fogata. La alimentó con ramitas y leña hasta que se secó la madera, más lenta en arder, formando pirámide sobre las llamitas cortas. Podía iniciar y mantener un fuego prendido inclusive bajo la lluvia . . . mientras no fuera un aguacero. Era cuestión de comenzar con poco y seguir así hasta que el fuego prendiera en maderos suficientemente grandes para ir secándose mientras ardían.

Suspiró, satisfecha con su primer sorbo de té caliente, después de haber comido bollos de viaje. Los bollos eran alimenticios y llenaban, y se podían comer mientras se avanzaba . . . pero el líquido caliente proporcionaba una mayor satisfacción. Aun cuando estaba todavía húmeda, habría puesto la tienda cerca de la fogata donde podría terminar de secarse mientras ella durmiera. Echó una mirada a las nubes que cubrían las estrellas hacia el Oeste, y abrigó la esperanza de que no volvería a llover. Entonces, acariciando con afecto a Hinny, se metió entre sus pieles y las apretó contra su cuerpo.

Imperaba la oscuridad. Ayla estaba tendida, totalmente inmóvil, con los oídos esforzándose por oír. Hinny se movió y resopló suavemente. Ayla se enderezó para mirar a su alrededor; podía verse un leve resplandor hacia levante. Entonces oyó algo que le puso de punta los pelos de la nuca, y comprendió qué la había despertado: no lo había oído con frecuencia, pero reconoció el rugido procedente del otro lado del río: era de un león cavernario. La yegua relinchó, nerviosa, y Ayla se levantó.

—Todo está bien, Hinny. Ese león está lejos —echó más leña al fuego—. Tiene que ser un león cavernario lo que oí la última vez que estuvimos aquí. Sin duda viven al otro lado del río. Y también cobrarán un reno. Me alegra pensar que será de día cuando atravesemos su territorio, y espero que estén hartos de reno antes de que pasemos. Voy a hacer té ... y entonces será el momento de prepararse.

El resplandor del cielo por levante estaba volviéndose rosáceo cuando la joven terminó de empacarlo todo en los canastos que sujetó con una correa alrededor del cuerpo de Hinny. Metió una lanza en el lazo que tenía cada canasto y las sujetó firmemente, después montó, sentándose por delante de los canastos, entre las dos astas afiladas que se alzaban verticalmente.

Cabalgó hacia la manada, haciendo un amplio círculo hasta que pasó a la retaguardia de los renos que avanzaban. Apremió a su yegua hasta ver los machos jóvenes, y los siguió sin prisa. Hinny adoptó fácilmente la marcha migratoria. Observando la manada desde la posición envidiable a lomo de la yegua, al acercarse al río vio que el reno que iba a la cabeza redujo el paso y olisqueó desde lejos el amasijo de lodo y hojarasca en el sendero hacia el río. Inclusive la mujer pudo sentir la nerviosidad que se transmitió a los renos.

El primero había alcanzado la orilla cerrada por matorrales al dirigirse hacia el agua por el sendero alterno, cuando Ayla decidió que había llegado el momento de actuar. Respiró profundamente y se inclinó sobre su montura adelantándose a un aumento de velocidad, que indicaba su intención, y de repente soltó un grito agudo, ululante, mientras la yegua emprendía el galope hacia la manada.

Los renos de la retaguardia brincaron hacia delante, por encima de los que los precedían y empujando a éstos de lado. Mientras la yegua galopaba hacia ellos con una mujer aullante a lomos, todos los renos se pusieron a brincar hacia delante, espantados. Pero todos parecían evitar el sendero de la zanja. Ayla se desanimó al ver cómo los animales daban un rodeo, brincaban por encima o se las arreglaban de algún modo para evitar el hoyo.

Entonces sorprendió alguna perturbación en la manada acelerada, y creyó ver que caían un par de astas mientras otros brincaban y se iban de lado alrededor del espacio. Ayla sacó las lanzas de sus lazos y bajó del caballo, corriendo tan pronto como sintió la tierra bajo sus pies. Un reno con ojos enloquecidos estaba encenagado en el lodo rezumante del fondo de la zanja, intentando salir de un salto. Esta vez tuvo buena puntería: metió la pesada lanza en el cuello del reno y le rompió una arteria. El magnífico ejemplar se desmoronó en el fondo: había dejado de luchar.

Todo terminó. Se acabó. Tan rápidamente y con mayor facilidad de lo que ella había pensado. Estaba respirando con fuerza, pero no había perdido el resuello por agotamiento. Haberlo pensado tanto, preocupándose, gastando demasiada energía nerviosa planeando . . . y ahora, una ejecución tan fácil que aún no se reponía. Seguía muy tensa y no había manera de que desfogara el exceso de energía ni nadie con quien compartir el éxito.

—¡Hinny! ¡Lo logramos! ¡Lo logramos! —sus gritos y gesticulaciones sobresaltaron al joven animal. Entonces Ayla brincó sobre su lomo y ambas se lanzaron en una cabalgada desaforada por la planicie.

Con las trenzas volando, los ojos calenturientos de excitación, una sonrisa de lunática en el rostro, era una mujer salvaje. Y más aterradora aún porque montaba un animal salvaje cuyos ojos espantados y orejas acostadas revelaban un frenesí de índole algo distinta.

Cabalgaron en un amplio círculo y, de regreso, Ayla detuvo el caballo, se bajó y terminó el circuito corriendo con sus propias piernas. Esta vez, al mirar la zanja lodosa y el reno muerto, jadeaba fuertemente y con razón.

Una vez que recobró el resuello, sacó la lanza del cuello del reno y llamó a la yegua, silbando. Hinny estaba nerviosa, y Ayla trató de tranquilizarla, alentándola y mostrándole afecto antes de ponerle el arnés. Llevó la yegua hasta la zanja; sin brida ni arreos para controlarla, Ayla tuvo que acariciar y convencer al animal nervioso. Cuando finalmente se calmó Hinny, la mujer ató las cuerdas que colgaban del arnés a las astas del reno.

—Ahora, jala, Hinny —dijo Ayla—, lo mismo que el tronco —la yegua avanzó, sintió la resistencia y retrocedió. Entonces, respondiendo a más incitaciones, volvió a avanzar, apoyándose en el arnés cuando se tensaron las cuerdas. Lentamente, con la ayuda de Ayla en lo que podía, Hinny sacó el reno de la zanja.

Ayla estaba encantada. Por lo menos, eso significaba que no tendría que preparar la carne en el fondo de un hoyo lodoso. No estaba muy segura de lo que Hinny consentiría; esperaba que arrastrara el reno con toda su fuerza hasta llegar al valle, pero sólo daría un paso adelante a la vez. Ayla llevó a la yegua hasta la orilla del río, desprendiendo las astas del reno de la maleza que se enredaba en ellas. Entonces volvió a empacar los canastos metiendo uno dentro del otro y afianzándoselos a la espalda. Era una carga incómoda con las dos lanzas erguidas, pero con ayuda de una roca consiguió montar a caballo. Llevaba los pies descalzos, pero se subió el manto para que no se le mojara e incitó a Hinny a meterse en el río.

Normalmente era una parte del río poco profunda, perfectamente vadeable y ancha: por eso mismo los renos habían escogido el lugar para cruzar; pero la lluvia había elevado el nivel de las aguas. Hinny consiguió no perder pie en la rápida corriente, y una vez que el reno entró en el agua empezó a flotar. Jalar del animal por el agua representaba una ventaja en la que no había pensado Ayla: limpió la sangre y el lodo, y para cuando abordaron la otra orilla, el reno estaba limpio.

Hinny vaciló de nuevo al sentir el peso, pero Ayla ya había puesto pie en tierra y ayudaba a tirar del reno una corta distancia playa arriba. Entonces desató las cuerdas. El reno estaba un paso más cerca del valle, pero antes de seguir adelante, Ayla tenía que llevar a cabo algunas tareas. Partió el cuello del reno con su afilado cuchillo de pedernal, y entonces abrió una raja recta desde el ano vientre arriba, hasta el pecho, y la garganta. Sostenía el cuchillo en mano con el dedo índice sobre el lomo y el filo hacia arriba, insertado justo bajo la piel. Si el primer corte se realizaba limpiamente, sin cortar la carne, resultaría mucho más fácil desollar el animal después.

El siguiente corte fue más profundo, para retirar las entrañas. Limpió lo aprovechable —estómago, intestino, vejiga— metiéndolas en la cavidad intestinal junto con las partes comestibles.

Enrollada dentro de uno de los canastos había una estera de hierba, muy amplia. La abrió sobre el suelo y entonces, empujando y gruñendo consiguió colocar encima el reno. Dobló la estera sobre el cadáver y la sujetó con cuerdas; y entonces ató esas cuerdas al arnés de Hinny. Volvió a empacar los canastos, metiendo una lanza en cada uno, y sujetó firmemente éstos. Entonces, bastante complacida consigo misma, montó a caballo.

Sería la tercera vez que tuvo que poner pie en tierra para liberar la carga de obstáculos que impedían el avance —matas de hierba, piedras, maleza— cuando dejó de sentirse complacida. Finalmente, se conformó con caminar junto a la yegua, animándola con palabras cariñosas hasta que el reno envuelto tropezara con algo, y volviendo sobre sus pasos para liberarlo. Sólo al detenerse para calzar sus abarcas comprobó que una manada de hienas la seguía. Las primeras piedras de su honda sólo sirvieron para revelar a los odiosos rapaces la distancia de su alcance. Y entonces, se mantuvieron a mayor distancia.

"Apestosos y feos bichos", pensó, arrugando la nariz y estremeciéndose de asco. Sabía que también ellos cazaban, lo sabía demasiado bien. Ayla había matado una de ellas con su honda ... revelando así su secreto. El clan supo que cazaba y tuvo que ser castigada por ello. A Brun no le quedó más remedio; era la ley del Clan.

También a Hinny la preocupaban las hienas. Era mucho más que su instintivo temor de los depredadores; nunca olvidó el hato de hienas que la atacó después de que Ayla mató a su madre. Y Hinny estaba ya suficientemente nerviosa. Conseguir llevar el reno hasta la cueva iba a resultar un problema mayor de lo que Ayla había previsto. Esperaba llegar antes de que anocheciera.

Se detuvo a descansar en un punto en que el río hacía un recodo sobre su propio rumbo. Todas aquellas paradas y puestas en marcha eran agotadoras. Llenó de agua su bolsa y un gran canasto impermeable, y llevó éste a Hinny, que seguía anclada con el polvoriento paquete del reno. Sacó un bollo de viaje y se sentó para comérselo; tenía la mirada fija en el suelo, sin verlo, tratando de idear una mejor manera de llevar su presa hasta el valle; tardó un poco antes de que tierra revuelta penetrara en su conciencia, pero cuando lo hizo, despertó su curiosidad. La tierra estaba revuelta, pisoteada, la hierba, aplastada, y las huellas eran recientes. Una gran conmoción se había producido allí hacía poco. Se puso de pie para examinar de más cerca las huellas y pudo reconstituir la historia poco a poco.

Por la huella en el lodo seco junto al río, podía decir que aquel era desde hacía mucho tiempo el territorio donde se habían establecido leones cavernarios. Pensó que probablemente habría un vallecito cerca, y una caverna confortable donde una leona había parido un par de cachorros saludables aquel mismo año. Éste había sido un lugar predilecto de descanso. Los cachorros habían estado peleando por un trozo de carne sangrante, a modo de juego, mordisqueando pedacitos de carne sueltos con dientes de leche, mientras los machos saciados estaban tendidos al sol de la mañana y las elegantes hembras observaban con indulgencia las travesuras de los cachorros.

Los enormes depredadores eran dueños y señores de su dominio. Nada tenían que temer, ni había razón para que previeran un ataque de parte de su presa. Los renos, en circunstancias normales, nunca se habrían acercado tanto a sus depredadores naturales, pero la humana que cabalgaba dando gritos ululantes los había sumido en el pánico. El río rápido no había detenido la estampida: habían cruzado y sin darse cuenta se encontraron en medio de una familia de leones. Unos y otros quedaron sorprendidos. Los renos en fuga, comprendiendo demasiado tarde que habían salido de un peligro para caer en otro mucho peor, se dispersaron en todas direcciones.

Ayla siguió las huellas y llegó a la conclusión de la historia: un cachorro que había tardado demasiado en ponerse a salvo de los cascos veloces, había sido pisoteado por la manada asustada.

La mujer se agachó junto al cachorro de león cavernario, y con la mano experta de curandera buscó señales de vida. El cachorro estaba caliente, probablemente tenía las costillas rotas. Moribundo, aún respiraba. Por las señales que revelaba la tierra, Ayla comprendió que la leona había encontrado su cachorro y lo había incitado a levantarse, pero en vano. Entonces, de acuerdo con la manera de ser de todos los animales —excepto el que caminaba con dos pies— que deben dejar que los débiles mueran para que los demás sobrevivan, volvió su atención hacia su otro cachorro y se alejó.

Sólo el animal llamado humano depende, para sobrevivir, de algo más que fuerza y buen estado físico. Débil, si se compara con sus competidores carnívoros, la humanidad dependía de la compasión y la cooperación para su supervivencia.

"Pobre bebé", pensó Ayla. "Tu madre no pudo ayudarte, ¿verdad?" No era la primera vez que se le enternecía el corazón ante una criatura lastimada e indefensa. Por un instante pensó en llevarse el cachorro a la cueva, pero rechazó la idea inmediatamente. Brun y Creb le habían permitido llevar animalitos a la caverna del Clan para que los cuidara, mientras estuvo aprendiendo las artes curativas, aunque la primera vez eso causó una verdadera conmoción. Pero Brun no había autorizado un lobezno. El cachorro de león era ya tan grande como un lobo; algún día alcanzaría el tamaño de Hinny.

Se enderezó y se quedó mirando el cachorro moribundo, meneando la cabeza, y fue a llevar nuevamente a Hinny esperando que la carga que arrastraba no se atascara muy pronto. Al echar a andar, Ayla vio que las hienas se preparaban para seguirlas. Agarró una piedra y vio que el hato se había distraído: era normal, era la relación funcional que la madre naturaleza les concediera; habían encontrado el cachorro de león. Pero en cuanto se trataba de hienas, Ayla dejaba de mostrarse razonable.

—¡Largo de ahí, apestosos animales! ¡Dejen en paz a ese bebé!

Ayla volvió sobre sus pasos, lanzando piedras. Un aullido le hizo saber que una de ellas había dado en el blanco. Las hienas volvieron a retroceder, fuera de su alcance, mientras la mujer avanzaba hacia ellas, presa de una ira justiciera.

"¡Ahí va! Eso las mantendrá alejadas", pensó, erguida, con las piernas abiertas, protegiendo al cachorro entre sus pies. Y de repente una sonrisa torcida llena de incredulidad le pasó por el rostro. "¿Qué estoy haciendo? ¿Por qué las alejo de un cachorro de león que de todos modos está condenado a morir? Si dejo que las hienas se queden con él, no volverán a molestarme a mí.

"No me lo puedo llevar. No podría siquiera llevarlo a cuestas. En todo caso, no todo el camino. Tengo que preocuparme por llevarme el reno. Es ridículo pensarlo siquiera.

"¿Lo es? ¿Y si Iza me hubiera dejado a mí? Creb decía que era el espíritu de Ursus el que me había puesto en su camino, o quizá el espíritu del León Cavernario, porque nadie más se habría detenido a recogerme. Iza no podía soportar ver que alguien estuviera enfermo o lastimado sin tratar de ayudar. Eso hacía de ella una curandera tan buena.

"Soy una curandera. Ella me adiestró. Tal vez ese cachorro ha sido puesto en mi camino para que yo lo recoja. La primera vez que llevé aquel conejito a la caverna porque estaba lastimado, Iza dijo que eso demostraba que mi destino era ser curandera. Bueno, pues aquí hay un bebé lastimado. No puedo abandonárselo a esas horribles hienas.

"¿Pero cómo voy a llevar este bebé hasta la cueva? Si no tengo cuidado, una costilla rota puede perforar un pulmón. Tendré que vendarlo antes de moverlo. Ese cuero ancho que solía emplear para que Hinny jalara debería servir. Todavía me queda algo".

Ayla silbó para llamar a la yegua. Era sorprendente que la carga que arrastraba no se trabara con nada, pero Hinny estaba irritada. No le gustaba encontrarse en el territorio de leones cavernarios; también su especie era presa natural para ellos. Había estado nerviosa desde que comenzó la cacería, y eso de detenerse a cada momento para destrabar la pesada carga que restringía sus movimientos, no había contribuido a calmarla.

Pero como Ayla se estaba concentrando en el bebé león no prestaba atención a las necesidades de la yegua. Después de haber vendado las costillas del joven carnívoro, la única manera que podía idear para trasladarlo a la cueva era el lomo de Hinny. Eso era más de lo que podía aguantar la potranca. Cuando la joven recogió al joven felino y trató de ponérselo encima, la yegua se encabritó; presa de pánico, brincó y corveteó tratando de liberarse de las cargas y artefactos que tenía atados al cuerpo, y de repente se volvió y echó a correr por la estepa. El reno, envuelto en su estera de hierbas, brincaba y oscilaba detrás del caballo hasta que quedó trabado en una roca. El frenazo incrementó el pánico de Hinny que se abandonó a un nuevo frenesí de brincos y corcovos.

De repente las correas de cuero se partieron y, con la sacudida, los canastos, desequilibrados por las largas y pesadas lanzas, cayeron hacia atrás. Con la boca abierta por el asombro, Ayla vio cómo la yegua sobreexcitada corría furiosamente y en línea recta. El contenido de los canastos cayó a tierra, pero no las lanzas tan bien aseguradas: sujetas todavía a los canastos cuya correa rodeaba el cuerpo de la yegua, las dos largas astas se arrastraban detrás de ella, con las puntas hacia abajo, sin obstaculizar su huida.

Ayla percibió al instante las posibilidades: se había estado devanando los sesos para idear alguna forma de llevar al animal muerto y el cachorro de león hasta la cueva. Esperar a que Hinny se calmara tomó un poco más de tiempo. Ayla, preocupada a la idea de que la yegua pudiera hacerse daño, silbaba y llamaba; quería correr tras ella, pero tenía miedo de dejar el reno o el cachorro abandonados a los atentos cuidados de las hienas. Pero los silbidos produjeron su efecto; era un sonido que Hinny asociaba al afecto, la seguridad y la respuesta; abriendo un amplio círculo, emprendió el camino de regreso hacia la joven.

Cuando la agotada yegua cubierta de sudor se acercó por fin, Ayla sólo pudo abrazarla, profundamente aliviada. Desató el arnés y la cincha y la examinó cuidadosamente para asegurarse de que no había sufrido daño. Hinny se recostaba en la joven, haciendo suaves relinchos de angustia, con las patas delanteras separadas, jadeando y temblando.

—Tú descansa, Hinny —dijo Ayla, cuando la yegua pareció haberse calmado, dejando de temblar—. De todos modos tengo que arreglar esto.

No se le ocurrió a la mujer enojarse porque la yegua se había encabritado y había echado a correr tirando las cosas que llevaba No pensaba que el animal le perteneciera ni estuviera bajo sus órdenes. Hinny era una amiga, una compañera. Si la yegua se había espantado, tenía buenas razones para ello. Se le había pe dido demasiado. Ayla juzgaba que debería aprender cuáles eran los límites de la yegua, no enseñarle un mejor comportamiento Para Ayla, Hinny ayudaba porque quería, y ella cuidaba de la yegua por amor.

La joven recogió lo que pudo encontrar del contenido de los canastos, y volvió a componer el arreglo de arnés-cincha, canas tos, sujetando las dos lanzas tal como habían caído, con las pun tas para abajo. Sujetó la estera de hierbas, que estaba rodeada de correas envolviendo el reno, a las dos astas de lanza, creando así una plataforma entre ambas ... detrás de la yegua pero sin contacto con la tierra. Con el reno bien sujeto, ató cuidadosamen te al cachorro de león, inconsciente. Una vez calmada, Hinny pa reció aceptar de mejor grado las cinchas y el arnés, y se quedo quieta mientras Ayla llevaba a cabo sus ajustes.

Cuando los canastos estuvieron en su sitio, Ayla volvió a exa minar al cachorro y montó a lomos de Hinny. Mientras se dirigían al valle, se sentía pasmada ante la eficacia de su nuevo medio de transporte. Con sólo los extremos de las lanzas arrastrándose por tierra, sin un peso muerto trabado en cualquier obstáculo, la yegua podía tirar de la carga con una facilidad mucho mayor, pero Ayla no respiró tranquila antes de que llegaran al valle y a su cueva.

Se detuvo para dar de beber a Hinny y dejar que descansara y volvió a atender al cachorro de león cavernario. Seguía respi rando, pero no estaba segura de que viviera. "¿Por qué fue puesto en mi camino?", se preguntaba. Tan pronto como vio al cachorro recordó su tótem ..., ¿querría el espíritu del León Cavernario que ella lo cuidara?

Entonces se le ocurrió otro pensamiento. Si no hubiera deci dido llevar consigo el cachorro nunca habría pensado en la rastra ¿Sería el medio escogido por su tótem para mostrárselo? ¿Sería una dádiva? Sea lo que fuere, Ayla estaba segura de que el cacho rro había sido puesto en su camino por alguna razón, y haría todo lo que estuviera en su poder para salvarle la vida.

Capítulo 11

—Oye, Jondalar: no tienes que quedarte aquí forzosamente porque yo me quedo.

—¿Qué te hace pensar que sólo por ti me quedo? —dijo el hermano mayor con una irritación mayor de lo que habría deseado mostrar. No habría querido mostrarse tan irritable por esa cuestión, pero las palabras de Thonolan encerraban una verdad mucho mayor de lo que él habría querido admitir.

Se percató de que había estado esperándolo. No quería convencerse de que su hermano se quedaría y se casaría con Jetamio. Y sin embargo, lo sorprendió su decisión súbita de permanecer también con los Sharamudoi. No quería regresar solo; sería un viaje muy largo sin la compañía de Thonolan, y había algo más profundo aún. Ya había provocado una respuesta inmediata anteriormente, cuando se decidió a realizar con su hermano el viaje, en primer lugar.

—No deberías haber venido conmigo.

Por un instante se preguntó Jondalar si su hermano sería capaz de leerle el pensamiento.

—Tenía la sensación de que nunca regresaría a casa. No que creyera en la posibilidad de encontrar a la única mujer a quien podría amar, pero tenía la impresión de que seguiría la marcha hasta encontrar una razón para detenerme. Los Sharamudoi son buena gente . . . supongo que la mayoría lo es cuando llegas a conocerla. Pero no me importa establecerme y convertirme en uno de ellos. Jondalar, tú eres un Zelandonii; nunca sentirás que estás en casa en ningún otro lugar. Regresa, hermano. Haz feliz a una de esas mujeres que han andado tras de ti. Establécete y crea una familia numerosa, y cuéntales a los hijos de tu hogar todo lo de tu largo viaje y el hermano que se quedó. ¿Quién sabe?

Tal vez uno de los tuyos o uno de los míos, decida realizar un largo viaje algún día, para encontrarse con gente de su familia.

—¿Por qué soy yo más Zelandonii que tú? ¿Qué te hace pensar que no podría ser aquí tan feliz como tú?

—Para empezar, no estás enamorado. Aun cuando lo estuvieras, estarías haciendo planes para llevártela de regreso, no para quedarte aquí con ella.

—¿Y por qué no llevarnos a Jetamio con nosotros de regreso? Es capaz, voluntariosa y sabe cuidarse. Sería una buena mujer Zelandonii. Inclusive caza con los mejores . . . le iría bien.

—No quiero pasarme el tiempo, perder un año en el viaje de retorno. He encontrado la mujer con la que deseo vivir. Quiero establecerme, darle la oportunidad de iniciar una familia.

—¿Qué le pasó a mi hermano aquel, que deseaba viajar hasta el final, hasta donde termina el río Gran Madre?

—Algún día llegaré. No hay prisa. Ya sabes que no está muy lejos. Quizá vaya alguna vez con Dolando, la próxima vez que tenga que ir para negociar y traer sal. Podría llevarme a Jetamio. Creo que le gustaría; pero nunca sería feliz lejos de su hogar por mucho tiempo. Para ella es más importante. No conoció a su propia madre, estuvo a punto de morir por la parálisis. Su gente es importante para ella. Lo comprendo, Jondalar. Tengo un hermano que se parece mucho a ella en eso.

—¿Por qué estás tan seguro? —y Jondalar bajó la mirada, evitando cruzarla con la de su hermano—. ¿O de que no estoy enamorado? Serenio es una bella mujer, y Darvo —el hombre alto y rubio sonrió, y las líneas de preocupación que le surcaban la frente se borraron— necesita que haya un hombre cerca. Sabes, puede terminar siendo un buen tallador de pedernal, algún día.

—Hermano mayor, te conozco desde hace tiempo. Vivir con una mujer no significa, para ti, que la ames. Ya sé que estás encariñado con el niño, pero no es razón suficiente para permanecer aquí y comprometerte con su madre. No es muy mala razón para unirse, pero no es lo suficientemente buena para asentarse. Vuelve a casa y busca una mujer mayor que tenga hijos, si eso quieres . . . entonces podrás estar seguro de tener un hogar lleno de jóvenes que se hagan talladores de pedernal. Pero regresa.

Antes de que pudiera responder Jondalar, un muchacho, que apenas andaría por los diez años de edad, corrió hasta ellos sin aliento. Era alto para su edad, pero esbelto, con rasgos demasiado delicados y finos para un varón, y un rostro delgado. Su cabello moreno oscuro era lacio pero los ojos de color avellana le brillaban con una viva inteligencia.

—¡Jondalar! —jadeó—. Os he estado buscando por todas partes. Dolando ya está preparado, esperando junto al río,

—Dile que llegamos, Darvo —dijo el alto y rubio en el idioma de los Sharamudoi. El joven echó a correr, adelantándose a ellos. Los dos hombres se volvían para seguirlo cuando Jondalar se detuvo—. Los buenos deseos son oportunos, hermanito —y la sonrisa de su rostro revelaba claramente su sinceridad—, no puedo decir que no estuviera esperando ver que lo hicieras oficial. Y no sigas empeñándote en deshacerte de mí; no todos los días encuentra un hermano a la mujer de sus sueños. No me perdería la ceremonia de tu unión por el amor de una donii.

La sonrisa de Thonolan le iluminó el rostro.

—Sabes, Jondalar, eso pensé la primera vez que la vi: un bello espíritu joven de la Madre que había venido para convertir en placer mi viaje al otro mundo. Y me habría ido con ella sin luchar... lo haría ahora mismo.

Mientras Jondalar echaba a andar detrás de Thonolan, su ceño se contrajo; lo preocupaba pensar que su hermano pudiera seguir a cualquier mujer hasta la muerte.

El sendero bajaba en zigzag por una pendiente muy inclinada, formando tramos horizontales con lo que el descenso era menos empinado, a través de un bosque densamente poblado. El camino que tenían por delante se abrió al aproximarse a una muralla de piedra que los condujo hasta la orilla de un abrupto farallón. Se había abierto un sendero laboriosamente a lo largo del farallón, lo suficientemente ancho para dar paso de frente a dos personas, pero algo incómodo. Jondalar siguió detrás de su hermano mientras rodeaban la muralla. Seguía experimentando una sensación dolorosa en las ingles al mirar por el borde del sendero el ancho y profundo río, la Gran Madre, allá abajo, aunque habían pasado todo el invierno con los Shamudoi de la caverna de Dolando. Y sin embargo, recorrer aquel sendero peligroso era mejor que el otro.

No todas las Cavernas de gente vivían en cavernas; era común que se levantaran refugios construidos en terrenos abiertos. Pero los refugios naturales que brindaba la roca eran buscados y apreciados, especialmente durante los fríos de un riguroso invierno. Una caverna o un saliente de roca podía ser la razón de que se escogiera un lugar de asentamiento que, de otra manera, habría sido desdeñado. Dificultades aparentemente insuperables se superaban tranquilamente con tal de aprovechar la ventaja de esos refugios permanentes. Jondalar había vivido en cavernas abiertas en farallones precipitosos, pero ninguna de ellas parecida a esta Caverna de Shamudoi.

En una era anterior, la corteza terrestre compuesta de rocas sedimentarias —caliza, arenisca y esquistos— se había plegado alzándose en picos cubiertos de hielo. Pero una roca cristalina más dura, arrojada por erupciones volcánicas causadas por esas mismas convulsiones, estaba entremezclada con las rocas más suaves. Toda la planicie que los dos hermanos recorrieran durante el verano anterior, que había sido otrora la cuenca de un amplio mar interior, estaba rodeada de montañas. Durante largos eones el desagüe del mar fue erosionando su camino a través de una sierra que en otros tiempos se unía a la gran cordillera del norte con una extensión de ésta hacia el Sur, y vació la cuenca.

Pero la montaña se mostraba renuente a ceder allí donde la materia era más blanda, y sólo permitió una angosta brecha reforzada por rocas resistentes. El río Gran Madre, llevando consigo a su Hermana y todos los canales y afluentes para formar un caudaloso conjunto, penetraba por esa misma brecha. A lo largo de una distancia que alcanzaba tal vez un centenar de millas, una serie de cuatro enormes desfiladeros constituía la entrada de su curso inferior y, finalmente, de su destino final. Había lugares, a lo largo del camino, donde se extendía hasta una milla de ancho; en otros puntos, menos de doscientas yardas separaban murallas de piedra desnuda y escarpada.

En el prolongado esfuerzo que representa cortar a través de cien millas de cadena montañosa, las aguas del mar que retrocedía se convirtieron en corrientes, cascadas, lagos y pozas, muchas de las cuales dejarían su huella. Muy alto en la muralla izquierda, casi junto al inicio del primer paso angosto, había una amplia ensenada: un bajío ancho y profundo con el suelo sorprendentemente plano. Había sido en tiempos muy remotos una pequeña bahía, una pequeña caleta de lago, excavada por la cuña constante del agua y el tiempo. Hacía mucho que había desaparecido el lago, dejando la terraza recortada en forma de U muy arriba, por encima de la línea de aguas existente; tan arriba que ni siquiera las crecidas primaverales, que podían alterar espectacularmente el nivel del río, se acercaban al saliente.

Un vasto campo cubierto de hierba se extendía hasta el borde vertical del farallón, aunque el mantillo no era profundo, lo que podía comprobarse viendo los hoyos abiertos para hacer fuegos y cocinar que estaban abiertos en la piedra dura. Más o menos a medio camino, detrás, comenzaron a aparecer arbustos y matorrales, abrazando las ásperas murallas y trepando por ellas. Los árboles alcanzaban un tamaño respetable cerca de la muralla posterior, y los matorrales se espesaban y recubrían la pendiente abrupta de la vertiente trasera. Cerca de la parte de atrás, sobre una muralla lateral, estaba lo mejor de la alta terraza: un saliente de arenisca formando techo, con la parte inferior cóncava. Debajo del saliente se habían construido varios refugios de madera, dividiendo la superficie en unidades habitacionales, y un espacio más o menos circular con un piso para el fuego principal y otros más pequeños, que constituía a la vez una entrada y un lugar de reuniones.

En el ángulo opuesto había otra ventaja inestimable: una cascada larga y delgada, que caía de un alto reborde, jugueteaba entre rocas un buen tramo y finalmente se vertía en un saliente de arenisca más pequeño sobre una poza viva. Corría a lo largo de la muralla más alejada hasta el fin de la terraza donde Dolando y varios hombres se encontraban esperando a Jondalar y Thonolan.

Dolando los llamó en cuanto aparecieron por la muralla saliente, y comenzó entonces a bajar por el reborde. Jondalar trotaba detrás de su hermano y llegó a la muralla apartada justo cuando Thonolan iniciaba el descenso por un sendero inseguro a lo largo del arroyuelo que saltaba por una serie de rebordes hasta llegar al río. La pista no habría sido practicable de no haber escalones difícilmente tallados en la roca, y fuertes barandas de cuerda. De todos modos, el agua que caía sin cesar y la pulverización constante la hacían muy resbaladiza, inclusive en verano. En invierno constituía una masa intransitable de bultos de hielo.

En primavera, aun cuando la inundaban desbordamientos y estaba sembrada de trozos de hielo pegado, los Sharamudoi —tanto los Shamudoi cazadores de venados como los Ramudoi, habitantes del río, que constituían la otra mitad de su pueblo— trepaban y descendían como los ágiles antílopes que habitaban aquellos terrenos abruptos. Mientras Jondalar veía bajar a su hermano como si hubiera pasado allí toda su vida, pensó que Thonolan había acertado en una cosa: si él, Jondalar, hubiera de pasarse allí toda la vida, nunca se habituaría a esta llegada al alto saliente. Echó una ojeada a las aguas turbulentas del enorme río, respiró hondo, apretó los dientes y pasó por encima del reborde.

Más de una vez sintió agradecimiento por la cuerda, al sentir que su pie resbalaba sobre hielo invisible, y expulsó un profundo suspiro al llegar al río. Un embarcadero flotante hecho con troncos amarrados, que oscilaba al movimiento de la rápida corriente, resultaba una estabilidad muy apreciable, por contraste. Sobre una plataforma elevada que cubría más de la mitad del embarcadero había una serie de estructuras de madera parecidas a las que se encontraban bajo el saliente de la terraza superior.

Jondalar intercambió saludos con varios de los habitantes de las casas flotantes mientras recorría las vigas atadas y se dirigía al extremo del muelle donde Thonolan estaba metiéndose en una de las lanchas amarradas allí. Tan pronto como abordó, se alejaron de un empujón y se pusieron a remar río arriba con remos de largos mangos. La conversación se limitaba al mínimo. La corriente profunda y fuerte era impulsada por la fusión primaveral, mientras los hombres del río remaban, Dolando y sus hombres no perdían de vista el agua, al acecho de desechos flotantes. Jondalar se acomodó y se puso a meditar acerca de la relación singular existente entre los Sharamudoi.

La gente que él conociera se especializaba de distintas maneras, y con frecuencia se había preguntado qué los habría conducido por sus caminos particulares. Con algunos, todos los hombres solían desempeñar una función exclusivamente y las mujeres, otra, de tal modo que cada función llegaba a estar tan asociada con un sexo en particular que ninguna mujer haría lo que consideraba trabajo de hombres, y no había hombre que accediera a ejecutar una tarea femenina. Con otros, las tareas y obligaciones tendían a recaer más bien de acuerdo con la edad: los jóvenes realizaban las tareas más penosas, y los mayores, las más sedentarias. En algunos grupos, las mujeres se encargaban de los niños en todos los aspectos, en otros, gran parte de la responsabilidad de atender y enseñar a los niños pequeños correspondía a los ancianos, de ambos sexos.

Con los Sharamudoi, la especialización había seguido tendencias distintas, y se habían formado dos grupos diferentes aunque relacionados. Los Shamudoi cazaban gamos y otros animales en los altos riscos y peñascos de montañas y farallones, mientras que los Ramudoi se especializaban en cazar —porque el procedimiento era más de cacería que de pesca— al enorme esturión, que alcanzaba hasta los treinta pies de largo, del río. También pescaban percas, lucios y grandes carpas. La división del trabajo pudiera haber sido causa de la división en dos tribus distintas, pero las necesidades mutuas que tenían, unos de otros, los habían mantenido unidos.

Los Shamudoi habían perfeccionado un procedimiento para sacar una gamuza suave y aterciopelada de las pieles de gamo. Era algo tan único que tribus alejadas de la misma región negociaban para obtenerlas. Era un secreto muy bien guardado, pero Jondalar se había enterado de que los aceites producidos por ciertos pescados entraban en el tratamiento. Eso daba a los Shamudoi una buena razón para mantener sus estrechos vínculos con los Ramudoi. Por otra parte, las lanchas se hacían de encino con algo de haya y de pino para los accesorios, y las largas tablas laterales estaban fijas mediante sauce y tejo. La gente del río necesitaba de los conocimientos que de los bosques tenían los habitantes de la montaña, para hallar la madera conveniente.

Dentro de la tribu Sharamudoi, cada familia Shamudoi tenía su contrapartida en una familia Ramudoi que estaba emparentada con ella de una forma que tendría o no que ver con nexos de sangre. Jondalar no había logrado reconocerlos todos, pero después de que su hermano quedara oficialmente unido a Jetamio, él, Jondalar, se encontraría súbitamente dotado de una serie de "primos" en ambos grupos, emparentados con él a través de la compañera de Thonolan, aun cuando ella no tenía parientes vivos. Ciertas obligaciones mutuas deberían cumplirse, aun cuando para él eso no representaría mucho más que emplear títulos de respeto al dirigirse a los conocidos entre su nueva parentela.

Como varón soltero, seguiría en libertad de marcharse si quisiera, aun cuando todos preferirían que se quedara. Pero los nexos que unían a ambos grupos eran tan fuertes, que si las habitaciones llegaran a congestionarse y una familia o dos de los Shamudoi decidiera marcharse e iniciar una nueva Caverna, su correspondiente familia de Ramudoi no tendría más remedio que mudarse con ella.

Había ritos especiales para intercambiar vínculos si la familia correspondiente no quisiera marcharse y otra familia, sí. Sin embargo, en principio los Shamudoi podrían insistir, y los Ramudoi se verían obligados a seguirlos porque en cuestiones relacionadas con la tierra, los Shamudoi eran los que tenían derecho a decidir. Sin embargo, los Ramudoi no carecían de apalancamiento: podían negarse a transportar a sus parientes Shamudoi o a ayudarlos a buscar un lugar conveniente, dado que las decisiones relacionadas con el agua les correspondían a ellos. En la práctica, cualquier decisión de importancia tan grande como una mudanza solía tomarse en forma solidaria.

Se habían desarrollado nexos suplementarios, tanto prácticos como rituales, para fortalecer la relación, y muchos de ellos se centraban en las lanchas. Aun cuando las decisiones respecto a las embarcaciones en el agua eran prerrogativa de los Ramudoi, las embarcaciones mismas pertenecían también a los Shamudoi, quienes por consiguiente se beneficiaban con los productos de su uso, en proporción con las ventajas concedidas a cambio. Aquí también, el principio que había surgido para resolver disputas era mucho más complicado que la práctica. Compartir mutuamente con un entendimiento tácito y el respeto de los derechos ajenos, sus territorios y su pericia, era algo que contribuía a que las disputas fueran poco frecuentes.

La construcción de las embarcaciones era un esfuerzo conjunto por la razón, muy práctica, de que exigía a la vez productos de la tierra y conocimiento de las aguas, y eso daba a los Shamudoi un derecho válido sobre las embarcaciones utilizadas por los Ramudoi. Los ritos fortalecían el nexo, dado que ninguna mujer de una u otra parte podía unirse a un hombre que no tuviera semejante derecho. Thonolan tendría que ayudar a construir o reconstruir una embarcación, antes de poder unirse oficialmente a la mujer que amaba.

También Jondalar ansiaba tomar parte en la construcción. La insólita embarcación lo tenía intrigado; se preguntaba cómo estaba hecha, y cómo podía impulsarse y navegar con ella. Habría preferido disponer de alguna justificación distinta, no de la decisión de su hermano en cuanto a quedarse allí y unirse a una Shamudoi, para descubrirlo. Pero esa gente le había interesado desde el principio. La facilidad con que viajaban por el gran río y cazaban el enorme esturión superaba las habilidades de todos los pueblos de que había oído hablar.

Conocían el río en todos sus humores. A él le había costado captar todo su volumen mientras no vio todas sus aguas juntas, y todavía no estaba lleno. Pero no era desde la embarcación desde donde se podía apreciar su enormidad. En invierno, cuando la pista de la cascada se estaba congelando y no podía utilizarse, pero antes de que los Ramudoi subieran a vivir con sus parientes Shamudoi, el comercio entre ambos se realizaba mediante cuerdas y grandes plataformas tejidas, colgadas por encima del reborde de la terraza Shamudoi y bajando hasta el muelle de los Ramudoi.

Las cascadas no se habían congelado aun cuando llegaron Thonolan y él, pero su hermano no se encontraba en condiciones de efectuar el peligroso ascenso; a los dos los izaron en un canasto.

Al ver el río desde aquella perspectiva por vez primera, Jondalar comenzó a comprender la extensión total del río Gran Madre. Palideció, su corazón comenzó a palpitar ante el impacto que le produjo comprender, mientras miraba hacia abajo al agua y las montañas redondas del otro lado del río. Estaba espantado y dominado por un profundo respeto hacia la Madre, cuyas aguas de nacimiento habían formado el río en su maravilloso acto de creación.

Más adelante se enteró de que había una subida más larga y fácil, aunque menos espectacular, para llegar a las moradas de los Shamudoi. Formaba parte de una pista que se extendía de Oeste a Este por los desfiladeros montañosos y que bajaba a la vasta llanura fluvial en el extremo oriental de la entrada. La parte occidental de la pista, en las tierras altas y los contrafuertes que conducían al inicio de la serie de desfiladeros, era más áspera, pero en algunos puntos llegaba a la orilla del agua. Hacia allí se dirigían.

La embarcación estaba separándose ya del centro del río hacia un grupo de gente que hacía señales llenas de excitación, a lo largo de una playa de arena gris, cuando al oír un boqueo, el hermano mayor volvió la cabeza.

—¡Mira, Jondalar! —y Thonolan señalaba río arriba.

Dirigiéndose a ellos en un esplendor ominoso, siguiendo el medio de la corriente, había un enorme témpano brillante, recortado. Facetas de cristal reflejaban desde los ángulos traslúcidos un rielar inconsútil que rodeaba el monolito de un halo, pero las profundidades verdeazuladas de sus sombrías profundidades conservaban un corazón que no se derretía. Con habilidad nacida de la práctica, los hombres que remaban cambiaron la dirección y la velocidad de la lancha y después, dejando los remos en posición horizontal, se detuvieron para contemplar una muralla de frío brillante deslizarse junto a ellos con mortal indiferencia.

—Nunca le des la espalda a la Madre —oyó Jondalar que decía el hombre sentado delante de él.

—Markeno, yo diría que fue la Hermana la que trajo éste —comentó su vecino.

—¿Cómo ... hielo grande ... llegó, Carlono? —le preguntó Jondalar.

—Témpano —dijo Carlono, dándole por vez primera la palabra—. Puede haber venido de un glaciar en movimiento, desde uno de esos montes —prosiguió, avanzando la barbilla hacia los picos blancos, por encima de su hombro, puesto que estaba remando nuevamente—. O puede haber venido de mucho más lejos, probablemente por la Hermana. Es más profundo, no tiene tantos canales ... especialmente en esta época del año. Hay mucho más en ese témpano que la parte que ves. La mayor parte está bajo el agua.

—Es difícil creer ... témpano ... tan grande, llega tan lejos —dijo Jondalar.

—Nos llega hielo cada primavera. No siempre tan grande. Pero no durará mucho más ... el hielo está podrido. Un buen golpe y se quebrará y además hay una roca en medio de la corriente, justo debajo de la superficie del agua. No creo que ese témpano consiga pasar por la entrada —agregó Carlono.

—Un buen golpe de eso y seríamos nosotros los que nos quebraríamos —dijo Markeno—. Por eso nunca le des la espalda a la Madre.

—Markeno tiene razón —agregó Carlono—. Nunca confíes en ella. Este río puede hallar varias maneras desagradables de recordarte que debes prestarle atención.

—Yo conozco algunas mujeres así; ¿tú no, Jondalar?

Jondalar recordó súbitamente a Marona. La sonrisa entendida que mostraba su hermano le hizo comprender que Thonolan estaba pensando en ella. No había pensado en la mujer que había esperado unirse con él durante la Reunión Matrimonial de Verano, desde algún tiempo atrás. Con un poco de nostalgia se preguntó si volvería a verla. Era una mujer hermosa. "Pero también Serenio lo es", pensó; "tal vez deberías pedirla. En algunos aspectos es mejor que Marona". Serenio era mayor que él, pero se había sentido atraído muchas veces por mujeres mayores. ¿Por qué no unirse al mismo tiempo que Thonolan, y quedarse?

"¿Cuánto tiempo llevamos fuera? Más de un año . . . dejamos la Caverna de Dalanar la primavera pasada. Y Thonolan nunca regresará. Todos están excitados por él y Jetamio . . . quizá deberías esperar, Jondalar", se dijo. "No querrás apartar la atención del día de ellos . . . y Serenio podría pensar que fue sólo una idea de última hora . . . Más adelante . . ."

—¿Por qué han tardado tanto? —gritó alguien desde la ribera—. Hemos estado esperando, y eso que llegamos por el camino más largo, por la pista.

—Tuvimos que encontrar a estos dos. Creo que se querían esconder —repuso Markeno, riendo.

—Ay, Thonolan, ya es demasiado tarde para esconderte. Ésta te ha echado el anzuelo —dijo uno desde la ribera, vadeando detrás de Jetamio para agarrar la lancha y ayudar a vararla. Hizo la mímica de lanzar un arpón y de jalarlo hacia atrás para engancharlo.

Jetamio se ruborizó y después sonrió.

—Bueno, Barono, admite que ha sido una buena presa.

—Tú, buena pescadora —replicó Jondalar—. Anteriormente siempre escapó.

Todos rieron. Aun cuando no dominaba perfectamente el lenguaje, se sentían complacidos al ver que tomaba parte en las bromas. Y comprendía mejor que hablaba.

—¿Qué haría falta para atrapar uno grande como tú, Jondalar? —preguntó Barono.

—¡La carnada apropiada! —repuso Thonolan, sonriéndole a Jetamio.

La lancha fue arrastrada por la angosta playa de arena guijarrosa, y después de que sus ocupantes bajaron a tierra, fue levantada y transportada por una pendiente hasta un área vasta, un calvero en medio de un bosque denso de roble negro. Era evidente que el lugar había estado en uso por años. Vigas, trozos y restos de madera cubrían el suelo: el lugar para el fuego, delante de un cobertizo muy grande que había a un costado, no sufría escasez de combustible; y sin embargo, había allí maderas abandonadas desde hacía tanto tiempo, que se estaban pudriendo. La actividad estaba concentrada en diversas áreas, y cada una de éstas contenían una embarcación en alguna fase de su construcción.

La embarcación que los había traído fue dejada en tierra, y los recién llegados corrieron hacia el atrayente calor del fuego. Otros abandonaron sus tareas para reunirse con ellos. Un té aromático de hierbas humeaba desde una artesa, ahuecada en un tronco. Pronto se vació mientras se iban sumiendo en él tazas y tazas. Piedras redondas para calentar, procedentes de la orilla del río, estaban amontonadas allí cerca, y un bulto de hojas empapadas, cuya naturaleza no podía adivinarse, se encontraba en medio de un arroyuelo lodoso detrás del tronco.

La artesa quedándose vacía y a punto de volver a llenarse. Dos personas hicieron rodar la viga para desechar los restos del lote de té anterior, mientras otra ponía los cantos rodados sobre el fuego. El té estaba siempre en la artesa, a la disposición de quien quisiera tomar una taza, y las piedras de cocer estaban en el fuego para calentar una taza cuando se enfriara. Después de más chistes y bromas dedicados a la pareja a punto de unirse, todos dejaron sus tazas de madera o de fibras fuertemente tejidas y retornaron a sus diversas tareas. A Thonolan se lo llevaron para iniciarlo en la construcción de lanchas, con un trabajo duro pero que no exigía mucha pericia: derribar un árbol.

Jondalar había estado conversando con Carlono acerca del tema predilecto del jefe de los Ramudoi: las embarcaciones, y lo estaba alentando haciéndole preguntas.

—¿Cuál es la madera que sirve para hacer buenas lanchas? —había preguntado Jondalar.

Carlono, disfrutando del interés de aquel joven, obviamente inteligente, se lanzó en una explicación animada.

—La de encino verde es la mejor; dura pero flexible; fuerte, pero no demasiado pesada. Pierde flexibilidad si se seca, pero se puede cortar en invierno, y almacenar los troncos en una poza o una charca durante un año, inclusive dos. Más que eso y se empapará de agua volviéndose dura para el trabajo, y es difícil que la lancha adquiera el equilibrio correcto en el agua. Pero más importante aún es escoger el árbol correcto —y Carlono se dirigía al bosque mientras hablaba.

—¿Uno grande? —preguntó Jondalar.

—No es sólo el tamaño. Para la base y las tablas hacen falta árboles altos de troncos rectos —y Carlono condujo al alto Zelandonii hasta un bosquecillo de árboles que crecían muy juntos—. En los bosques densos, los árboles crecen para ir en busca del sol . . .

—¡Jondalar! —y el hermano mayor alzó la vista, sorprendido por el tono de la voz de Thonolan. Estaba de pie, junto con otros cuantos, rodeando un roble enorme en medio de otros árboles altos y rectos cuyas ramas partían desde muy alto, tronco arriba—. ¡Qué gusto me da verte! A tu hermano pequeño no le vendría mal tu ayuda. Ya sabes que no puedo establecerme antes de que se haya construido un barco nuevo y éste —y señaló expresivamente con la cabeza el árbol alto— debe ser derribado para las *tracas* . . . sean lo que fueren. ¡Mira el tamaño de este mamut! No sabía yo que hubiera árboles tan altos . . . tardaremos hasta siempre en derribarlo. Hermano mayor, seré un anciano antes de llegar al día de mi unión.

Jondalar sonrió meneando la cabeza.

—Las tracas son los tablones que forman los costados de los barcos más grandes. Para ser un Sharadumoi, tendrás que saber lo que son.

—Voy a ser un Shamudoi. Dejaré las embarcaciones a los Ramudoi. La caza de gamos es algo que yo entiendo. He cazado muflones y cabras montesas en altiplanos antes de ahora. ¿Ayudarás? Necesitamos todo el músculo que esté disponible.

—Si no ayudo, la pobre Jetamio tendrá que esperar a que seas un anciano, de modo que tendré que ayudar. Además, será interesante ver cómo se hace —dijo Jondalar, y se volvió entonces hacia Carlono agregando, en Sharamudoi—: Ayuda Thonolan cortar árbol. ¿Hablamos más después?

Carlono sonrió su aquiescencia y retrocedió para ver cómo saltaban las primeras astillas de corteza. Pero no se quedó mucho rato; derribar al gigante del bosque se llevaría la mayor parte del día, y antes de caer, reuniría a todos a su alrededor.

Comenzando muy arriba y trabajando hacia abajo en ángulo agudo, para encontrarse con otros cortes horizontales, fueron desprendidas astillas pequeñas. Las hachas de piedra no cortaban muy hondo. El filo necesitaba cierto grosor para tener fuerza, y no podía penetrar muy profundamente en la madera. Mientras avanzaban hacia el corazón del enorme encino, se veía más mordisqueado que cortado, pero cada astilla que caía permitía penetrar más adentro hacia el corazón del viejo gigante de los bosques.

El día tiraba a su fin cuando Thonolan recibió un hacha. Con todos los que habían estado trabajando, reunidos a proximidad dio unos cuantos golpes finales y se apartó de un brinco al oír un crujido y ver oscilar el grueso tronco. Tambaleándose lentamente al principio, el alto encino aumentó su velocidad a medida que caía. Arrancando ramas de los gigantes vecinos y llevándose consigo otros más pequeños, el árbol viejo y enorme, crujiendo y chasqueando para manifestar su resistencia, tronó sobre la tierra; rebotó, tembló y, finalmente, se quedó inmóvil.

El silencio se apoderó del bosque; como manifestando un profundo respeto, hasta los pajarillos callaron. El majestuoso y viejo encino había sido derribado, separado de sus raíces vivientes, y su tocón era una cicatriz viva en las sombras de la tierra enmudecida del bosque. Entonces, con una dignidad tranquila, Dolando se arrodilló junto al tocón mutilado y abrió un hoyito con la mano, antes de dejar caer una semilla.

—Que la Bendita Mudo acepte nuestra oferta y dé vida a otro árbol —dijo, y entonces cubrió la semilla y vertió encima una taza de agua.

El sol se ponía en un horizonte brumoso y convertía las nubes en celajes dorados cuando todos se pusieron en marcha por la larga pista hacia el alto saliente. Antes de llegar a la antiquísima ensenada, los colores pasaron por toda la gama de los oros y los bronces, y después de los rojos hasta un morado profundo. Cuando la comitiva llegó a la muralla saliente, Jondalar tuvo que detenerse ante la belleza intangible del panorama que se extendía ante sus miradas. Dio unos pasos hacia el borde, por una vez demasiado interesado por la vista para fijarse en el precipicio que tenía a sus pies. El río Gran Madre, tranquilo y lleno, devolvía la imagen del cielo vibrante y de las sombras oscuras de los elevados montes que se alzaban del otro lado, y su aceitosa superficie se revelaba llena de vida por el movimiento de su profunda corriente.

—Es muy bello, ¿verdad?

Jondalar se volvió al oír la voz y sonrió a una mujer que se había acercado a él.

—Sí, muy bello, Serenio.

—Gran fiesta esta noche para celebrar. Por Jetamio y Thonolan. Están esperando. Debes venir.

Se volvió para alejarse, pero Jondalar la tomó de la mano y la retuvo allí, observando los últimos resplandores del poniente que se reflejaban en las pupilas de la mujer.

Había en ella una dulzura rendida, una aceptación eterna que nada tenía que ver con la edad... apenas tenía unos cuantos años más que él. Y tampoco era renunciamiento. Más bien era que no reclamaba nada, no esperaba nada. La muerte de su primer compañero, de un segundo amor antes del momento de unirse, y el aborto de un segundo hijo que habría bendecido la unión, la había templado por medio del dolor. Al aprender a vivir con el suyo, había desarrollado la capacidad de absorber el dolor ajeno. No importa cuál fuera su pena o su frustración, todos se volvían hacia ella y experimentaban alivio, porque ella no imponía obligación ni agradecimiento a cambio de su comprensión.

Debido a su efecto calmante sobre seres amados perturbados o pacientes asustados, a menudo ayudaba al Shamud y había aprendido algunas habilidades médicas gracias a su asociación. Fue así como Jondalar la conoció, cuando estaba ayudando al curandero a cuidar a Thonolan para devolverle la salud. Cuando su hermano pudo levantarse y se repuso lo suficiente para llegar hasta el hogar de Dolando y Roshario, y más especialmente de Jetamio, Jondalar había pasado a vivir con Serenio y su hijo Darvo. No había pedido; ella no esperaba que lo hiciera.

Los ojos de Serenio parecían reflejar siempre, pensó, mientras se inclinaba para darle un beso ligero de saludo antes de acercarse a la brillante fogata. Nunca podía llegar a sus profundidades. Apartó un pensamiento inoportuno: que lo agradecía; era como si ella lo conociera mejor de lo que se conociera él mismo; que supiera su incapacidad de entregarse por completo, de enamorarse como lo había hecho Thonolan. Inclusive parecía saber que la manera que él tenía de compensar su falta de profundidad emocional consistía en hacerle el amor con una pericia tan consumada, que la dejaba jadeante. Lo aceptaba, aceptaba sus malos humores eventuales sin hacerle sentirse culpable.

No era reservada, no exactamente —sonreía y hablaba con comodidad y facilidad—, sólo que guardaba la compostura y no era totalmente accesible. La única vez en que pudo captar un destello de algo más fue cuando la sorprendió mirando a su hijo.

—¿Por qué tardaban tanto? —dijo el muchacho con alivio al verlos llegar—. Íbamos a comer, pero todos los están esperando.

Darvo había visto juntos a Jondalar y su madre en el borde alejado, pero no había querido interrumpirlos. Al principio se había resentido por tener que compartir la atención indivisa de su madre en el hogar. Pero descubrió que en vez de tener que compartir el tiempo de su madre, ahora había alguien más que le prestaba atención a él. Jondalar le hablaba, le contaba sus aventuras durante el viaje, discutía la cacería y comentaba las costumbres de su pueblo, y lo escuchaba con un interés que no era fingido. Más excitante aún, Jondalar había comenzado a mostrarle algunas técnicas de la confección de herramientas, que el muchacho había captado con una aptitud que sorprendió a Jondalar y él mismo.

El joven se había alegrado sobremanera cuando el hermano de Jondalar decidió unirse a Jetamio, y esperaba con fervor que Jondalar decidiera quedarse y se uniera a su madre. Había tenido buen cuidado de mantenerse aparte cuando estaban juntos, tratando a su manera de no obstaculizar sus relaciones. No se daba cuenta de que, en todo caso, las fomentaba.

En verdad, la idea había estado rondando por la mente de Jondalar todo el día. Se dio cuenta de que estaba justipreciando a Serenio. Tenía el cabello más claro que su hijo, más rubio oscuro que moreno. No era delgada, pero tan alta que daba esa impresión. Era una de las pocas mujeres que conocía que le llegaban a la barbilla, y a él le parecía que esa era una estatura confortable. Había un gran parecido entre madre e hijo, inclusive el color avellana de los ojos, aun cuando los del niño carecían de la impasibilidad de los de la madre. Y en ella, los finos rasgos eran bellos.

"Podría ser feliz con ella", pensó. "¿Por qué no se lo pido?" Y en aquel instante la deseaba realmente, deseaba vivir con ella.

—¿Serenio?

La mujer alzó la vista y se quedó presa del magnetismo de sus ojos increíblemente azules. Su necesidad, su deseo la enfocaron. La fuerza de su carisma —inconsciente y, por ende, mucho más potente— la tomó desprevenida y derribó las defensas que había levantado tan cuidadosamente para no tener que sufrir. Estaba abierta, vulnerable, atraída casi a pesar suyo.

—Jondalar . . . —su aceptación estaba implícita en la textura de su voz.

—Yo . . . pienso mucho hoy —Jondalar luchaba con el lenguaje, pero le estaba costando hallar el modo de expresar sus pensamientos—. Thonolan, mi hermano . . . Viajamos lejos juntos. Ahora él ama Jetamio, quiere quedarse. Si tú . . . yo quiero . . . —no alcanzó a terminar la frase.

—Vengan los dos. Todos tienen hambre y la comida está . . . —Thonolan se interrumpió al ver que ambos estaban muy juntos, perdidos en las profundidades de sus respectivas miradas—. ¡Ay! . . . lo siento; creo que he interrumpido algo.

Los dos se apartaron; el momento había pasado.

—No importa, Thonolan. No queremos dejar esperando a nadie. Podremos hablar después —dijo Jondalar.

Cuando miró a Serenio, ésta pareció sorprendida y confusa, como si no supiera lo que le había sucedido y luchara por recobrar la compostura que le servía de escudo protector.

Llegaron al área que estaba protegida por el saliente de piedra arenisca y sintieron el calor de la enorme fogata central. Cuando aparecieron, todos se situaron alrededor de Thonolan y Jetamio que se encontraban en un espacio central vacío, detrás del fuego. La Fiesta del Compromiso indicaba el inicio festivo de un periodo ritual que culminaría con la celebración matrimonial. Durante el intervalo, la comunicación y el contacto entre los dos jóvenes se verían severamente reducidos.

El espacio cálido formado por la gente, impregnado del sentimiento de comunidad, rodeaba a la pareja. Unieron sus manos y viendo sólo perfección en los ojos del otro, quisieron anunciar su dicha al mundo y afirmar su compromiso mutuo. El Shamud dio un paso adelante. Jetamio y Thonolan se arrodillaron para que el curandero y guía espiritual colocara una corona de espino con frescos capullos sobre sus cabezas. Fueron conducidos, sin soltarse las manos, alrededor de la fogata y de la gente allí reunida, tres veces, y de nuevo a su lugar, cerrando un círculo que abarcaba con su amor la Caverna de los Sharamudoi.

El Shamud se volvió frente a ellos y con los brazos en alto, pronunció:

—El círculo comienza y termina en un mismo punto. La vida es como un círculo que comienza y termina con la Gran Madre; la Primera Madre que, en su soledad, creó toda la vida —la voz vibrante se oía fácilmente por toda la silenciosa reunión y por encima de las llamas crepitantes—. Mudo la Bendita es nuestro comienzo y nuestro fin. De Ella venimos; a Ella retornamos. Ella ve por nosotros en todos los aspectos. Somos sus hijos, toda vida proviene de Ella. Da libremente de Su abundancia. De Su cuerpo obtenemos sustento: alimento, agua y abrigo. De Su espíritu vienen dádivas de sabiduría y calor: habilidades y talentos, fuego y amistad. Pero las dádivas más grandes vienen de Su amor que lo abarca todo.

"La Gran Madre Tierra se deleita con la felicidad de Sus hijos. Goza nuestros gozos y, por lo tanto, nos ha brindado la maravillosa Dádiva del Placer. La honramos, le demostramos respeto cuando compartimos Su Dádiva. Pero para las Benditas entre nosotros ha reservado Su Dádiva más grande, al dotarlas con Su maravilloso poder de crear Vida", el Shamud miró a la joven.

"Jetamio, eres una de las Bendecidas. Si honras a Mudo en todas las formas, puedes verte dotada de la Dádiva de Vida por la Madre, y dar a luz. Y sin embargo, el espíritu de Vida que llevas en ti sólo proviene de la Gran Madre.

"Thonolan, cuando te comprometes a hacerte cargo de otra persona, te vuelves como Ella que se hace cargo de todos nosotros. Al honrarla así, Ella podrá dotarte a ti del poder creador también, de manera que un hijo traído por la mujer de quien estás encargado u otra de las Bendecidas por Mudo, puede ser de tu espíritu", el shamud miró al grupo.

"Cada uno de nosotros, cuando nos ocupamos unos de otros y proveemos para ellos, honra a la Madre y es bendecido por Su fecundidad".

Thonolan y Jetamio se sonrieron y, cuando el Shamud retrocedió, se sentaron en esteras tejidas. Era la señal para que comenzara el festín. Primeramente llevaron a la joven pareja una bebida ligeramente alcohólica hecha de flores de amargón y miel, fermentada desde la última luna nueva. Entonces, de esa misma bebida se sirvió a todos los demás.

Aromas tentadores que flotaban en el aire contribuyeron a que todos se percataran de cuánto habían trabajado aquel día. Inclusive los que habían permanecido en la elevada terraza habían estado ocupados, lo cual se hizo obvio en cuanto apareció el primer plato aromático. Pescado blanco en tablilla, atrapado en trampas aquella mañana y asado cerca del fuego al aire libre, fue presentado por Markeno y Tholie a Jetamio y Thonolan: eran su contraparte en la familia Ramudoi. Fuerte acedera leñosa, cocida y aplastada hasta convertirla en pulpa fue la salsa que acompañaba el plato.

El sabor, nuevo para Jondalar, le gustó inmediatamente y le pareció constituir un complemento excelente para el pescado. Canastos de alimentos pequeños pasaron de mano en mano para acompañar el plato. Cuando Tholie se sentó, le preguntó qué eran.

—Nueces de haya, recogidas el otoño pasado —contestó, y explicó en todos sus detalles la manera en que se les retiraba la corteza exterior gruesa con finas hojitas de pedernal; después se tostaban cuidadosamente sacudiéndolas con carbones calientes en canastos planos en forma de fuentes que se agitaban constantemente para evitar que se quemaran, y finalmente se envolvían en sal marina.

—Tholie trajo la sal —dijo Jetamio—. Fue parte de su dote.

—Tholie, ¿viven muchos Mamutoi cerca del mar? —preguntó Jondalar.

—No, nuestro campamento era uno de los más próximos al Mar de Beran. La mayoría de los Mamutoi viven más al Norte. Los Mamutoi son cazadores de mamuts —explicó orgullosamente—, Todos los años nos íbamos al Norte para las cacerías.

—¿Cómo te casas con mujeres Mamutoi? —preguntó a Markeno el rubio Zelandonii.

—La rapté —respondió, haciendo un guiño a la joven.

—Es cierto —dijo Tholie, sonriendo—. Por supuesto, todo estaba arreglado.

—Nos conocimos una vez que fui en expedición comercial al Este. Viajamos todo el camino hasta el delta de la Madre. Fue mi primer viaje. A mí no me importaba que fuera Sharamudoi o Mamutoi: no habría regresado sin ella.

Markeno y Tholie relataron las dificultades que había causado el deseo de unirse en matrimonio. Hicieron falta prolongadas negociaciones para resolver todos los arreglos, y entonces él tuvo que "raptarla" para poder hacer caso omiso de ciertas costumbres. Ella estaba más que dispuesta; sin su consentimiento, no habría podido realizarse la unión. Pero había precedentes; aun cuando no eran cosa habitual, uniones como la suya se habían celebrado ya anteriormente.

Las poblaciones de humanos eran escasas y estaban tan distantes unas de otras, que pocas veces invadían unos el territorio de otros, por lo que el contacto poco frecuente con extraños resultaba una novedad. Aunque un poco cautelosa al principio, la gente no solía mostrarse hostil, y no era raro ser bien recibido. La mayoría de los pueblos cazadores estaban acostumbrados a recorrer grandes distancias, siguiendo a menudo rebaños migratorios con una regularidad de temporada, y muchos tenían tradiciones muy antiguas de viajes individuales.

Era más frecuente que las fricciones surgieran de la familiaridad. Las hostilidades tendían a producirse intramuros —encerradas dentro de la comunidad— cuando se producían. Los códigos de comportamiento mantenían dentro de los límites a los temperamentos violentos, y casi siempre todo se ponía en orden gracias a costumbres ritualizadas ... aun cuando tales costumbres no estaban petrificadas. Los Sharamudoi y los Mamutoi estaban en buenas relaciones comerciales, y existían similitudes en costumbres y lenguajes. Para los primeros, la Gran Madre Tierra era Mudo, para los segundos, era Mut, pero seguía siendo la Primera Madre, Antepasada Original y Deidad.

Los Mamutoi eran un pueblo con una fuerte imagen de sí mismos, que se manifestaba abierta y amistosa. Como grupo, no temían a nadie ... al fin y al cabo, eran cazadores de mamuts. Eran confiados, impetuosos, algo ingenuos, y estaban convencidos de que todos los demás los veían como se veían ellos a sí mismos. Aun cuando las discusiones se le habían antojado interminables a Markeno, no habían constituido un problema insuperable contra la unión.

Tholie misma era característica de su gente: abierta, amistosa y segura de que todos la querían. En realidad, pocos eran los que pudieran resistirse a su sincera exuberancia. Nadie se ofendía siquiera cuando hacía las preguntas más personales, pues resultaba obvio que no había intención maliciosa en ellas. Sucedía que ella se interesaba y no veía razón alguna para dominar su curiosidad.

Una joven se acercó con un niño en brazos.

—Tholie, Shamio se despertó. Creo que tiene hambre.

La madre agradeció con la cabeza y dio el pecho al bebé, sin apenas interrumpir la conversación ni la comida. Se pasaron más comestibles: hayucos encurtidos que habían macerado en salmuera y pacanas frescas. El pequeño tubérculo parecía zanahoria silvestre, una chufa dulce que ya conocía Jondalar, y el primer bocado sabía a nuez, pero el segundo gustillo a rábano fue una sorpresa. Su sabor fuerte era predilecto de la Caverna, pero él no estaba seguro de que le gustara. Dolando y Roshario llevaron los siguientes platillos a la joven pareja: un rico guisado de gamo y un vino de arándano de un rojo oscuro.

—El pescado me pareció delicioso —dijo Jondalar a su hermano—, pero este guisado es soberbio.

—Dice Jetamio que es tradicional. Está sazonado con las hojas desecadas del mirto de la ciénaga. Se emplea la corteza para curtir las pieles de gamo: eso les da su color amarillo. Crece en pantanos, especialmente ahí donde la Hermana se une con la Madre. Tuve suerte de que anduvieran recogiéndola por ahí el otoño pasado, pues de lo contrario no nos habrían encontrado.

El entrecejo de Jondalar se arrugó mientras recordaba aquellos tiempos.

—Tienes razón; tuvimos suerte. Pero me gustaría saber cómo podría compensar por ello a esta gente —y su frente se ensombreció aún más cuando recordó que su hermano estaba convirtiéndose en uno de ellos.

—Este vino es el regalo de boda de Jetamio —dijo Serenio. Jondalar tendió la mano hacia su copa, bebió un sorbo y asintió:

—Es bueno. Es mucho bueno.

—Muy bueno —lo corrigió Tholie—. Es muy bueno —a ella no le daba vergüenza corregir su lenguaje; ella misma tenía aún algunos problemas para expresarse, y suponía que él preferiría hablar bien.

—Muy bueno —repitió Jondalar sonriendo a la joven bajita y robusta con el niño pegado a su amplio pecho. Le gustaban su honradez sincera y su naturaleza extrovertida que superaba con tanta facilidad la timidez y la reserva de los demás. Se volvió hacia su hermano—. Tiene razón, Thonolan. Este vino es muy bueno. Inclusive madre estaría de acuerdo, y nadie hace mejor vino que Marthona. Creo que ella aprobaría a Jetamio —y de repente Jondalar deseó no haberlo dicho. Thonolan no llevaría nunca a su mujer para presentársela a su madre; lo más probable era que nunca volviera a ver a Marthona.

—Jondalar, deberías hablar Sharamudoi. Aquí nadie más puede entenderte cuando hablas en Zelandonii, y aprenderás mucho más aprisa si te obligas a hablarlo todo el tiempo —dijo Tholie, inclinándose algo preocupada. Consideraba que la experiencia hablaba por su voz.

Jondalar se sintió un poco molesto, pero no podía enojarse. Tholie era tan sincera, y él había sido descortés al hablar en un lenguaje que nadie más que él y su hermano conocían. Se ruborizó pero sonriendo.

Tholie observó que Jondalar estaba apenado; aunque sincera, no era una mujer insensible.

—¿Por qué no aprendemos nuestros lenguajes, recíprocamente? Podemos olvidar el propio si no tenemos con quien hablarlo de cuando en cuando. El Zelandonii tiene un sonido tan musical, me gustaría aprenderlo —sonrió a Jondalar y Thonolan—. Pasaremos un rato, todos los días aprendiendo —declaró, como si pensara que todos los demás tenían que estar de acuerdo.

—Tholie, tal vez quieras aprender Zelandonii, pero quizá ellos no deseen aprender Mamutoi —dijo Markeno—. ¿No se te había ocurrido?

Ahora le tocó a ella ruborizarse.

—No, no se me había ocurrido —dijo, sorprendida a la vez que apenada por su presunción.

—Bueno, yo sí quiero aprender Mamutoi y Zelandonii. Creo que es una buena idea —dijo Jetamio con firmeza.

—También a mí me parece una buena idea, Tholie —confirmó Jondalar.

—¡Vaya mezcla la que estamos logrando aquí! La mitad Ramudoi es en parte Mamutoi y la mitad Shamudoi va a ser en parte Zelandonii —dijo Markeno, sonriendo con gran ternura a su mujer.

El afecto entre ambos saltaba a la vista. "Forman una buena pareja", pensó Jondalar, aunque no pudo menos que sonreír. Markeno era tan alto como él, aunque no tan musculoso, y cuando estaban juntos, el fuerte contraste destacaba las características físicas de cada uno: Tholie parecía más bajita y redonda, Markeno más alto y más delgado.

—¿Alguien más puede aproximarse? —preguntó Serenio—. Me parece interesante estudiar Zelandonii, y creo que a Darvo el Mamutoi le resultaría útil si quiere hacer viajes de negocios algún día.

—¿Por qué no? —preguntó Thonolan riendo—. Cuando se hace un viaje, ya sea al Este o el Oeste, ayuda mucho saber el lenguaje —miró a su hermano—. Pero aunque no lo sepas, eso no te impide comprender a una bella mujer, ¿verdad Jondalar? Especialmente cuando se tienen grandes ojos azules —dijo, sonriendo, en Zelandonii.

Jondalar sonrió a la pulla de su hermano.

—Debes hablar Sharamudoi, Thonolan —dijo, guiñándole el ojo a Tholie. Sacó una verdura de su tazón de madera con su cuchillo para comer; todavía no le parecía natural emplear la mano izquierda para hacerlo, aun cuando así era la costumbre de los Sharamudoi—. ¿Cómo se llama esto? —le preguntó—. En Zelandonii se llama "hongo".

Tholie le dijo la palabra que servía para el hongo de sombrero peludo en su lenguaje y en Sharamudoi. Entonces, Jondalar pinchó un alto tallo y lo alzó, con expresión interrogante.

—Es el tallo de la bardana joven —dijo Jetamio, pero entonces se dio cuenta de que la palabra no significaría gran cosa para él. Se levantó y fue hasta el montón de basura junto a la zona de cocina, y regresó con algunas hojas marchitas pero que todavía podían reconocerse— Bardana —dijo, mostrándole las partes de hoja anchas, con pelusa, de un verde grisáceo, que habían sido arrancadas de los tallos. Él asintió para mostrar que había comprendido. Entonces Jetamio mostró una hoja verde, larga y ancha, de olor inconfundible.

—¡Eso es! Ya sabía yo que era un sabor conocido —dijo a su hermano—. Yo no sabía que el ajo tuviera esas hojas —y volviendo a Jetamio dijo—: ¿Cómo se llama?

—Escaluña —dijo. Tholie no tenía nombre mamutoi para eso, pero sí tenía para el trozo de hoja seca que sacó Jetamio después.

—Alga marina —dijo—. Traje éstas conmigo. Crece en el mar y hace más gordo el guisado —trató de explicar, pero no estaba segura de que la entendieran. El ingrediente se había añadido a la receta tradicional debido a su íntima relación con la nueva pareja, y porque proporcionaba un sabor y una textura interesantes—. Ya no quedan muchas. Era parte de mi regalo de bodas —Tholie recostó al bebé sobre su hombro dándole golpecitos en la espalda—. ¿Ya has hecho tu regalo al Árbol de la Bendición, Tamio?

Jetamio agachó la cabeza, sonriendo modestamente. Era una pregunta que no solía hacerse abiertamente, pero tampoco totalmente indiscreta.

—Espero que la Madre bendiga mi unión con un bebé tan saludable y feliz como el tuyo, Tholie. ¿Ya terminó Shamio de mamar?

—Le gusta seguir chupando para sentirse a gusto. Si la dejara, se quedaría colgada de mí el día entero. ¿Quieres tenerla un poco? Tengo que alejarme.

Cuando regresó Tholie, el tema de la conversación había cambiado. Habían quitado de en medio la comida, se había servido más vino, y alguien estaba practicando ritmos en un tambor de una sola piel, improvisando la letra de una canción. Cuando Tholie tomó de nuevo a su hijita en brazos, Thonolan y Jetamio se pusieron de pie y buscaron la manera de escabullirse; de repente se encontraron rodeados por varias personas que sonreían ampliamente.

Era costumbre que los novios que estaban por casarse abandonaran temprano el banquete para pasar a solas unos cuantos momentos antes de su separación prematrimonial. Pero como ambos eran los invitados de honor, no podían marcharse, sin descortesía, mientras alguien les estuviera dirigiendo la palabra. Tendrían que escurrirse en un momento en que nadie los viera; como es natural, todo el mundo lo sabía. Se volvió un juego, y ambos quisieron desempeñar su papel: hicieron fintas para huir mientras todos fingían mirar hacia otro lado, y se excusaban cortésmente cuando los descubrían. Al cabo de muchas bromas y chistes, les dejarían escapar.

—No tendrás prisa por marcharte, ¿verdad? —preguntaron a Thonolan.

—Se está haciendo tarde —soslayaba Thonolan, sonriendo.

—Todavía es temprano. Toma otro poco, Tamio.

—No me cabría ni un solo bocado.

—Entonces un poco de vino. Thonolan, no puedes rechazar un vaso de vino del maravilloso vino de arándanos de Tamio, ¿verdad?

—Bueno . . . poquito.

—¿Otro poquito para ti, Tamio?

Ella se acercó más a Thonolan y echó una mirada de conspiradora por encima de su hombro.

—Sólo un poquito, pero alguien tendrá que ir por nuestras tazas; están allí.

—Naturalmente. Esperen aquí, ¿eh?

Una persona se destacó para ir a buscar las tazas, mientras las demás hacían como que miraban adónde iba. Thonolan y Jetamio se lanzaron a la carrera más allá de la fogata.

—Thonolan, Jetamio. Creí que tomarían una copa de vino con nosotros.

—Oh, claro que sí. Pero tenemos que salir un momento. Ya saben lo que pasa cuando se come tanto —explicó Jetamio.

Jondalar, de pie junto a Serenio, sentía un fuerte impulso por proseguir la conversación interrumpida. Estaban disfrutando las bromas. Se inclinó más cerca para hablar en privado, para pedirle que se fueran también en cuanto se cansaran todos y dejaran ir a la joven pareja. Si había de comprometerse con ella tendría que ser ahora, antes de que la renuencia que empezaba a afirmarse le hiciera aplazarlo.

Los ánimos estaban muy alegres; los arándanos azules habían sido especialmente dulces el otoño pasado, y el vino estaba más fuerte que de costumbre. La gente circulaba, embromando a Thonolan y Jetamio, riendo. Algunos estaban iniciando un cantar de preguntas y respuestas. Alguien quiso que se recalentara el guisado; alguien más puso agua para hacer té, después de vaciar lo último que quedaba en la taza de alguien. Los niños, que no estaban lo suficientemente cansados para irse a dormir, corrían y se perseguían unos a otros. La confusión indicaba el cambio de actividades.

Entonces un niño que gritaba corrió y tropezó con un hombre que no estaba demasiado firme sobre sus pies. Tropezó y cayó sobre una mujer que llevaba una taza de té caliente, justo cuando un alboroto de gritos colectivos acompañaba el escape de la pareja.

Nadie oyó el primer chillido, pero los gritos altos e insistentes de un bebé que sufría pusieron un fin a todo.

—¡Mi nenita! ¡Mi nenita!, ¡está quemada! —lloraba Tholie.

—¡Gran Doni! —jadeó Jondalar mientras corría junto con Serenio hacia la madre sollozante y su nena que daba alaridos.

Todos querían ayudar, todos al mismo tiempo. La confusión resultó peor que antes.

—Que dejen pasar al Shamud. Apártense —la presencia de Serenio representaba una influencia tranquilizadora. El Shamud retiró rápidamente la ropa del bebé.

—Serenio, agua fría y pronto. ¡No! ¡Espera! Darvo, vete por agua. Serenio . . . la corteza de tilo, ¿sabes dónde está?

—Sí —contestó, alejándose a toda prisa.

—Roshario, ¿hay agua caliente? Si no la hay, pon algo a calentar. Necesitamos una infusión de corteza de tilo, y una infusión más ligera como sedante. Las dos están escaldadas.

Darvo regresó corriendo con un recipiente lleno de agua de la fuente, que se derramaba por encima.

—Bien, hijo. Lo has hecho rápidamente —dijo el Shamud con sonrisa de aprecio, y echó agua fría sobre las quemaduras encarnadas, que ya comenzaban a formar ampollas—. Necesitamos un vendaje, algo que calme, mientras se prepara la infusión —el curandero vio una hoja de bardana en el suelo y recordó la comida—. ¿Qué es esto, Jetamio?

—Bardana —contestó—. Había en el guisado.

—¿Queda algo?, ¿de hojas?

—Sólo empleamos el tallo. Hay muchas ahí.

—Tráelas.

Jetamio corrió hasta el montón de desperdicios y regresó con dos puñados de las hojas arrancadas. El Shamud las sumió en el agua y se las puso encima de las quemaduras a la madre y la hija. Los gritos desesperados de la nenita se redujeron a sollozos con hipo, con algún espasmo eventual, y el efecto calmante de las hojas comenzó a sentirse.

—Ayuda —dijo Tholie. No supo que estaba quemada hasta que el Shamud lo dijo. Había estado sentada y charlando dejando que el bebé mamara para dejarla callada y contenta. Cuando el té hirviendo se derramó sobre ellas, sólo se había percatado del dolor de la nenita—. ¿Estará bien Shamio?

—Las quemaduras harán ampolla, pero no creo que dejen cicatrices.

—¡Oh, Tholie, qué mal me siento! —dijo Jetamio—. Es espantoso. Pobrecita Shamio . . . y también tú.

Tholie estaba tratando de que la nenita mamara otra vez, pero la asociación con el dolor la hacía negarse. Finalmente, el contento que recordaba se sobrepuso al temor, y los gritos de Shamio callaron en cuanto tomó el pecho, lo cual calmó a Tholie.

—¿Por qué estáis todavía aquí, Thonolan y tú? —preguntó—. Es la última noche que vais a estar juntos.

—No puedo irme si Shamio y tú estáis lastimadas. Quiero ayudar.

La nenita volvía a agitarse; la bardana ayudaba pero la quemadura seguía doliendo.

—Serenio, ¿está ya la infusión? —preguntó el curandero, cambiando las hojas por otras frescas empapadas en agua fría.

—La corteza de tilo ha remojado lo suficiente, pero tardará en enfriarse. Tal vez pueda apresurarlo si saco un poco.

—¡Frío!, ¡frío! —gritó Thonolan, y echó a correr de repente alejándose de la protección del saliente.

—¿Adónde ha ido? —preguntó Jetamio a Jondalar.

El hombre alto se encogió de hombros meneando la cabeza. La respuesta resultó evidente al regresar Thonolan corriendo, sin aliento, pero con carámbanos mojados en la mano: los había arrancado de la escarpada escalerilla que conducía hacia el río.

—¿Ayudará esto algo? —preguntó, tendiéndolos.

El Shamud miró a Jondalar.

—El joven es brillante —había un dejo de ironía en la declaración, como si no se esperara esa genialidad.

Las mismas cualidades de la corteza de tilo que mitigaban el dolor, la hacían eficaz como sedante. Tholie y la nenita estaban dormidas. Finalmente, Thonolan y Jetamio se habían dejado convencer de que podían irse un rato a solas, pero toda la diversión alegre de la Festividad del Compromiso se había disipado. Nadie quería decirlo, pero el accidente había arrojado una sombra de infortunio sobre el matrimonio.

Jondalar, Serenio, Markeno y el Shamud estaban sentados cerca de la gran fogata, aprovechando el último calor de las brasas mortecinas y tomando sorbitos de vino blanco mientras hablaban en voz baja. Todos los demás se habían dormido, y Serenio estaba animando a Markeno para que también él fuera a acostarse.

—Ya no puedes hacer nada más, Markeno, no hay razón para que te pases la noche en vela. Yo me quedaré con ellas; tú, vete a dormir.

—Tiene razón, Markeno —dijo el Shamud—. Estarán bien. También tú deberías descansar, Serenio.

Ella se puso de pie, tanto para animar a Markeno como para sí misma. Los demás también se pusieron de pie. Serenio dejó su taza, tocó ligeramente con su mejilla la de Jondalar, y se dirigió a las estructuras con Markeno.

—Si algo pasa, yo te despertaré —le dijo al marchar.

Cuando se hubieron ido, Jondalar sacó dos tazas del último líquido del jugo de arándano fermentado, y tendió una a la silueta enigmática que esperaba en la oscuridad silenciosa. El Shamud la tomó, comprendiendo tácitamente que tenían más cosas que decirse. El joven empujó los últimos carbones que había cerca de la orilla del círculo ennegrecido, echó un poco de leña y consiguió que brillara un fuego pequeño. Se quedaron sentados durante un rato bebiendo vino en silencio, acurrucados cerca del calor parpadeante.

Cuando Jondalar alzó la mirada, los ojos, cuyo color indefinible era simplemente oscuro a la luz del fuego, estaban examinándolo. Sintió que eran potentes e inteligentes, pero él justipreciaba con una intensidad igual. Las llamas crepitantes y sibilantes lanzaban sombras movedizas a través del viejo rostro, emborronando los rasgos, pero inclusive a la luz del día, Jondalar no había podido definir características específicas que no fueran vejez. Inclusive eso era un misterio.

Había fuerza en el rostro arrugado, lo cual le prestaba juventud a pesar de la blancura llamativa de la larga mata de cabello. Y aun cuando la silueta bajo el ropaje flojo era menuda y frágil, el paso tenía resorte. Las manos eran lo único que hablaba inequívocamente de ancianidad, pero a pesar de sus nudos artríticos en las articulaciones y de la piel de venas azules, seca como pergamino, ningún temblor convulsivo sacudía la taza que se llevaba a la boca.

El movimiento interrumpió el contacto visual. Jondalar se preguntó si lo habría hecho deliberadamente el Shamud para aliviar una tensión creciente. Bebió un sorbo.

—El Shamud buen curandero, tiene habilidad —dijo.

—Es una dádiva de Mudo.

Jondalar se esforzó por percibir algún matiz en el timbre o el tono que permitiera colocar al curandero andrógino en una u otra dirección, sólo por satisfacer una curiosidad que lo torturaba. No había reconocido aún si el Shamud era hembra o varón, pero tenía la impresión de que a pesar de la neutralidad del género, el curandero no había llevado vida de soltero. Las bromas de carácter satírico iban frecuentemente acompañadas de miradas de connivencia. Quería preguntar pero no sabía cómo expresar su pregunta con tacto.

—La vida del Shamud no fácil, debe dar mucho —dijo Jondalar, tentativamente—. ¿Quiso casarse el curandero?

Por un breve instante los ojos inescrutables se abrieron mucho, y entonces el Shamud soltó una carcajada sardónica. Jondalar sintió que le subía el calor a la cara.

—¿Con quién querrías casarme a mí, Jondalar? Ahora, si hubieras llegado aquí en mis años jóvenes, podría haber experimentado la tentación. Ah, ¿pero habrías sucumbido a mis encantos? Si hubiera colgado del Árbol que Bendice una hilera de cuentas, ¿podría haberte atraído a mi lecho? —expresó el Shamud con una leve y recatada inclinación de la cabeza. Por un instante, Jondalar estuvo convencido de que quien hablaba era una mujer joven—. ¿O debería haber mostrado mayor circunspección? Tus apetitos están bien desarrollados; ¿podría haber despertado yo tu curiosidad respecto a un placer nuevo?

Jondalar se puso colorado, seguro de estar equivocado, y sin embargo, curiosamente atraído hacia la mirada de lascivia sensual y la gracia sinuosa, felina, que proyectó el Shamud con un movimiento de su cuerpo. Por supuesto, el curandero era un hombre, pero con aficiones de mujer en cuanto a sus placeres. Muchos curanderos participaban a la vez del principio femenino y del masculino; eso les proporcionaba mayores poderes. Y de nuevo oyó la carcajada sardónica.

—Pero aun cuando la vida de un curandero es difícil, es peor aún para su compañera. Una compañera debería ser la primera consideración del hombre. Por ejemplo, resultaría muy difícil dejar a una como Serenio en mitad de la noche para ir a cuidar a algún enfermo, y además, se imponen largos periodos de continencia ...

El Shamud estaba inclinándose hacia delante, hablando de hombre a hombre, con una chispa en la mirada al pensar en una mujer tan bella como Serenio. Jondalar meneó la cabeza, intrigado. Entonces, con un ademán de los hombros, la masculinidad adquirió un carácter distinto que lo excluía a él.

— ...y no estoy seguro de que me gustaría dejarla sola, habiendo muchos hombres rapaces alrededor.

El Shamud era una mujer, pero no una que se sintiera nunca atraída por él ni él por ella como no fuera en calidad de amigos. Era cierto que el poder de curar provenía del principio de ambos sexos, pero era el de una mujer con aficiones de hombre.

El Shamud rió de nuevo, y la voz no llevaba matiz alguno en cuanto al género. Con una mirada serena de persona a persona, que pedía comprensión humana, el viejo curandero prosiguió:

—Dime, Jondalar, ¿cuál de los dos soy? ¿Con cuál te unirías? Algunos intentan hallar una relación, de una manera u otra, pero nunca dura mucho tiempo. Las dádivas no son una bendición sin mezcla. El curandero carece de identidad excepto en el sentido más amplio. El nombre personal le es retirado, el Shamud retira la suya para asumir la esencia de todos. Hay ventajas, pero el matrimonio no suele contarse entre ellas.

"Cuando se es joven, haber nacido predestinado no es forzosamente deseable. No resulta fácil ser diferente. Tal vez no se quiera perder la propia identidad. Pero no importa ... el destino es tuyo. No existe ningún otro lugar para quien lleva en sí, en un solo cuerpo, la esencia de hombre y mujer".

A la luz menguante del fuego, el Shamud parecía tan antiguo como la Tierra misma, mirando los carbones sin verlos, como si contemplara otra época y otro lugar. Jondalar se levantó para echar más astillas y cuidó el fuego hasta que lo hizo resplandecer de nuevo. Cuando las llamas se afirmaron, el curandero se enderezó y la mirada irónica retornó a sus ojos.

—Eso fue hace mucho tiempo, y ha habido ... compensaciones. La menor de todos no ha sido descubrir el talento que se tiene y aumentar los conocimientos. Cuando la Madre lo llama a uno a Su servicio, no todo es sacrificio.

—Con los Zelandonii, no todos los que sirven a la Madre saben cuando jóvenes, no todos como Shamud. Una vez pensé servir a Doni. No todos son llamados —dijo Jondalar, y el Shamud se sorprendió al ver cómo se le apretaban los labios y se le arrugaba el ceño, revelando así una amargura que seguía ardiendo. Había lastimaduras enterradas muy profundamente en el alto joven que parecía tan favorecido.

—Es cierto, no todos los que pudieran desearlo son llamados, y no todos los llamados tienen los mismos talentos ... o inclinaciones. Si uno no está seguro, hay medios para descubrirlo, para poner a prueba su fe y su voluntad propias. Antes de ser iniciado, hay que pasar cierto tiempo a solas. Puede ser ilustrativo, pero se puede aprender muchas cosas más sobre uno mismo de las que uno quisiera saber. A menudo aconsejo a quienes consideran entrar al servicio de la Madre, que vivan solos una temporada. Si no pueden, entonces nunca podrán soportar las pruebas más rigurosas.

—¿Qué clase de pruebas? —como el Shamud nunca se había mostrado tan sincero con él, Jondalar estaba fascinado.

—Periodos de abstinencia y continencia durante los cuales hay que prescindir de todos los placeres; periodos de silencio durante los cuales no podemos hablar con nadie. Periodos de ayuno, temporadas en que hay que permanecer sin dormir el mayor tiempo posible. Aprendemos a aplicar esos métodos para buscar respuestas, revelaciones de la Madre, especialmente para los que están en la fase de adiestramiento. Al cabo de algún tiempo se aprende a inducir el estado conveniente a voluntad, pero es benéfico seguir provocándolo de cuando en cuando.

Hubo un prolongado silencio. El Shamud se las había arreglado para facilitar la conversación acerca de la cuestión real, las respuestas que Jondalar deseaba. Sólo tenía que preguntar.

—Sabes lo que es necesario. ¿Dirá el Shamud lo que significa... todo esto? —y Jondalar tendió el brazo en un ademán que lo abarcaba todo.

—Sí. Sé lo que quieres. Te preocupa tu hermano después de lo sucedido esta noche, y en un sentido más amplio, también lo de él y Jetamio... y tú —Jondalar asintió con la cabeza—. No hay nada seguro... eso ya lo sabes —Jondalar asintió nuevamente. El Shamud lo miró, estudiándolo para saber cuánto podría revelar. Entonces el viejo rostro se volvió hacia el fuego y una mirada vacua quedó fija en sus ojos. El joven sintió un distanciamiento, como si un gran espacio los hubiera separado aun cuando ninguno se había movido—. Es fuerte el amor que le tienes a tu hermano —había un eco fantasmagórico, hueco, en la voz, una resonancia de otro mundo—. Te preocupa porque sea demasiado fuerte, y temes llevar la vida de él y no la tuya. Estás equivocado. Él te conduce adonde debes ir, pero adonde no irías solo. Tú sigues tu propio destino, no el suyo; sólo caminas con él por un tiempo.

"Vuestras fuerzas son de índole diferente. Tú tienes un gran poder cuando tu necesidad es grande. Sentí que me necesitabas para tu hermano aun antes de que halláramos su camisa ensangrentada en el tronco que me fue enviado".

—Yo no mandé tronco. Fue casualidad, suerte.

—No fue casualidad que sintiera tu necesidad. Otros lo han sentido. No se te puede negar. Ni siquiera la Madre te lo negaría. Es tu dádiva. Pero sé prudente con las dádivas de la Madre. Te pone en deuda con Ella. Con una dádiva tan fuerte como la tuya, es que tiene algún propósito para ti. Nada se da sin obligación. Inclusive su Dádiva del Placer no es generosidad; hay un propósito en ello, ya lo sepamos o no...

"Recuerda esto: tú sigues el propósito de la Madre. No necesitas llamado, naciste para este destino. Pero serás sometido a prueba. Causarás dolor y eso te hará sufrir..."

Los ojos del joven se abrieron mucho, revelando su asombro.

—. . . Serás lastimado. Buscarás la plenitud y hallarás frustración; buscarás la certidumbre y sólo hallarás indecisión. Pero hay compensaciones. Estás favorecido en mente y cuerpo, tienes habilidades especiales, talentos exclusivos, y tienes el don de una sensibilidad más que ordinaria. Tus desazones serán el resultado de tu capacidad. Recibiste demasiado. Deberás aprender de tus pruebas.

"Recuerda también esto: servir a la Madre no es sólo sacrificio. Hallarás lo que buscas. Es tu destino".

—Pero, ¿y Thonolan?

—Siento una ruptura; tu destino sigue otro camino. Él debe seguir el suyo. Es uno de los predilectos de Mudo.

Jondalar frunció el entrecejo. Los Zelandonii tenían un dicho semejante, pero eso no significaba forzosamente buena suerte. La Gran Madre Tierra tenía fama de ser celosa de Sus predilectos y los llamaba pronto de regreso junto a Ella. Esperó, pero el Shamud no dijo nada más. Jondalar no había comprendido muy bien el sentido de "necesidad", "poder" y "propósito de la Madre". . . Los que Servían a la Madre solían hablar en términos oscuros, pero no le gustó la impresión que le había producido.

Cuando el fuego se apagó, Jondalar se puso de pie para alejarse. Se dirigía a los abrigos en la parte posterior del saliente, pero el Shamud no había terminado.

—¡No! ¡La madre y el hijo, no! . . . —lloró la voz suplicante en la oscuridad.

Jondalar, tomado por sorpresa, sintió un frío que le recorría el espinazo. Se preguntó si Tholie y su bebé estarían más quemados de lo que él creía, y por qué estaría temblando si no tenía frío.

Capítulo 12

—¡Jondalar! —gritó Markeno. El hombre alto y rubio esperó a que el otro alto le diera alcance—. Halla el modo de retrasar la subida esta noche —dijo Markeno en voz baja—. Ya ha tenido Thonolan suficientes restricciones y rituales desde el Compromiso. Es hora de que se divierta un poco —retiró el tapón de una bolsa de agua y tendió a Jondalar el orificio, para que oliera el vino de arándano, sonriendo astutamente.

El Zelandonii asintió y le devolvió la sonrisa. Había diferencias entre su pueblo y los Sharamudoi, pero algunas costumbres, por lo visto, estaban muy difundidas. Se preguntó si los jóvenes no proyectarían un "ritual" por su cuenta. Los dos echaron a andar marcando el mismo paso mientras seguían vereda abajo.

—¿Cómo están Tholie y Shamio?

—A Tholie le preocupa que Shamio vaya a tener una cicatriz en la cara, pero ambas están sanando. Serenio dice que no cree que la quemadura deje marca, pero ni siquiera el Shamud lo puede afirmar con seguridad.

La expresión preocupada de Jondalar hacía juego con la de Markeno hasta que llegaron a una curva de la pista y tropezaron con Carlono que se encontraba estudiando un árbol y que sonrió ampliamente al verlos. Su parecido con Markeno se acentuaba al sonreír. No era tan alto como el hijo de su hogar, pero la constitución fibrosa y delgada era la misma. Volvió a mirar el árbol y después meneó la cabeza.

—No, no sirve.

—¿No sirve? —preguntó Jondalar.

—Para soportes —dijo Carlono—. No veo la barca en este árbol. Ninguna de las ramas seguirán la curva interior, ni siquiera después de trabajarlas.

243

—¿Cómo sabes? Barca no terminada —dijo Jondalar.

—Él sabe —repuso Markeno—. Carlono siempre encuentra ramas con el encaje correcto. Puedes quedarte hablando de árboles si quieres. Yo bajo hasta el calvero.

Jondalar lo vio alejarse a grandes trancos y después preguntó a Carlono:

—¿Cómo ves en árbol que encaja barca?

—Tienes que desarrollar un sentido . . . eso necesita práctica. No buscarás árboles altos y rectos esta vez. Quieres árboles con curvas y nudos en las ramas. Entonces piensas en la manera en que reposarán sobre el fondo y se curvarán a los lados. Buscas árboles que crecen solos ahí donde hay lugar para crecer como quieran. Como los hombres: algunos se desarrollan mejor acompañados, se esfuerzan por superar a los demás. Otros necesitan desarrollarse a su manera, aun cuando sea algo solitario. Ambos tienen su valor.

Carlono se apartó del sendero principal por una veredita no tan trillada. Jondalar fue tras él.

—A veces encontramos dos que crecen juntos —prosiguió el jefe Ramudoi— inclinándose y cediendo sólo el uno al otro, como esos —y señaló un par de árboles enroscados uno con otro. Decimos que son un par de amantes. A veces, si cortas uno, el otro muere también —dijo Carlono, y el ceño de Jondalar se arrugó.

Llegaron a un claro y Carlono condujo al hombre alto por una pendiente soleada hacia un gigante macizo, un viejo encino torcido y nudoso. Mientras se acercaban, a Jondalar le pareció ver frutas curiosas en el árbol. Cuando estuvo más cerca aún, se sorprendió al ver que estaba decorado con un surtido insólito de objetos. Había canastillos diminutos y delicados con diseños de plumas secas teñidas, bolsitas de cuero bordadas con cuentas de concha de molusco, y cuerdas retorcidas y anudadas formando dibujos. Un largo collar se había colgado alrededor del viejo tronco tanto tiempo atrás, que estaba incrustado en la corteza. Examinándolo de cerca, vio que estaba compuesto de cuentas de concha cuidadosamente formadas con orificios que atravesaban el centro de cada una, alternando con vértebras separadas de raspa de pescado que tenían un orificio central natural. Vio barquitas finamente esculpidas colgando de las ramas, caninos oscilando de correas de cuero, plumas de ave, colas de ardillas. Nunca había visto nada semejante.

Carlono rió bajito ante su reacción y sus ojos pasmados.

—Es el Árbol que Bendice o de las Bendiciones. Me imagino que Jetamio le habrá traído un obsequio. Generalmente lo hacen las mujeres cuando desean que Mudo las bendiga con un hijo. Las mujeres creen que el árbol es suyo, pero más de un hombre le ha traído ofrendas. Piden suerte en la primera cacería, favor para una nueva barca, felicidad con una nueva compañera. No se pide con frecuencia, sólo tratándose de algo especial.

—¡Es tan enorme!

—Sí. Es el árbol de la Madre, pero no te he traído aquí por eso. ¿Ves lo curvas e inclinadas que están sus ramas? Éste sería demasiado grande, aun cuando no fuera el Árbol de las Bendiciones, pero para soportes buscarás árboles como éste. Entonces, estudias las ramas para descubrir cuáles encajarán en el fondo de tu barca.

Siguieron un camino diferente para bajar al calvero donde se construían las embarcaciones y se acercaron a Markeno y Thonolan, que estaban trabajando en un tronco que tenía dimensiones muy grandes a lo largo y a lo ancho. Estaban abriéndole un canal con hachuelas. En esta fase, el tronco parecía más la artesa rústica que se usaba para hacer el té que una de las graciosas embarcaciones, pero la forma basta ya había sido esbozada. Más tarde se labrarían la popa y la roda, pero debería terminarse primero el interior.

—A Jondalar le está interesando mucho la construcción de embarcaciones —dijo Carlono.

—Tal vez tengamos que encontrarle una mujer del río para que se pueda convertir en Ramudoi. Sería justo puesto que su hermano va a ser Shamudoi —dijo Markeno, en broma—. Sé de un par de ellas que le han estado echando miradas muy prolongadas. Una de ellas podría dejarse persuadir.

—No creo que lleguen muy lejos, con Serenio por aquí —dijo Carlono guiñándole un ojo a Jondalar—. Pero algunos de los mejores constructores de barcos son Shamudoi. No es el barco en tierra, es el barco sobre el agua lo que hace al hombre del río.

—Si tantas ganas tienes de aprender la construcción de barcos, ¿por qué no agarras un hacha y ayudas? —preguntó Thonolan—. Me parece que a mi hermano mayor le gusta más hablar que trabajar —tenía las manos negras y una mejilla embarrada del mismo color—. Te puedo prestar la mía —agregó, arrojándole la herramienta a Jondalar que la tomó al vuelo en un movimiento reflejo. El hacha, una hoja robusta montada en ángulo recto sobre un mango, le dejó una huella negra en la mano.

Thonolan bajó de un brinco y se fue a ver un fuego cercano; se había quedado en brasas de las cuales surgían lenguas de llama anaranjada de cuando en cuando. Agarró un trozo de tabla rota cuya parte superior tenía orificios quemados, y con una rama barrió carbones ardiendo hacia fuera y los recogió con la tabla; se los llevó de regreso al tronco, los dispersó y, en medio de un surtidor de humo y chispas, en el canal que estaban abriendo. Markeno agregó más carbón al fuego y volvió al tronco con un recipiente lleno de agua: querían que los carbones quemaran el tronco y lo ahuecaran, no que lo incendiaran.

Thonolan agitó los carbones con un palo, y después agregó un chorrito de agua en lugar estratégico. Un silbido de vapor y un fuerte olor a madera quemada evidenciaron la batalla elemental entre el agua y el fuego. Pero finalmente, el agua ganó la partida. Thonolan recogió los restos de carbón mojado, volvió a subirse al canal del tronco y comenzó a raspar la madera chamuscada, ahondando y ensanchando el canal.

—Déjame hacerlo un rato —dijo Jondalar después de haber observado.

—Me estaba preguntando si te ibas a quedar mirando todo el día —observó Thonolan con una sonrisa. Los dos hermanos tenían tendencia a volver a su lenguaje natural cuando hablaban entre sí. La facilidad y familiaridad que representaba eran confortables. Los dos estaban mejorando su uso del nuevo lenguaje, pero Thonolan lo hablaba mejor.

Jondalar se detuvo para examinar la cabeza de piedra del hacha después de los primeros hachazos, trató de hacerlo siguiendo otro ángulo, volvió a mirar los bordes cortantes y halló el movimiento adecuado. Los tres jóvenes trabajaron juntos, hablando poco, hasta que se detuvieron a descansar.

—Yo no veía antes usar fuego para abrir canal —dijo Jondalar mientras se dirigían al cobertizo—. Siempre ahondar con hachuela.

—Se puede usar solamente el hacha, pero el fuego acelera el trabajo. El encino es madera dura —observó Markeno—. A veces empleamos pino de más arriba. Es más blando, más fácil de ahuecar. Pero el fuego ayuda siempre.

—¿Lleva largo tiempo hacer barca? —quiso saber Jondalar.

—Depende de lo duro que trabajes y de cuántos trabajen contigo. Esta barca no tardará mucho. Es la reclamación de Thonolan, y ya sabes que debe terminarse antes de que pueda establecerse con Jetamio —Markeno sonrió—. Nunca he visto trabajar a nadie tan esforzadamente, y además está impulsando a otros. Pero una vez que has comenzado, es buena idea no cejar hasta terminarlo. Eso evita que se seque. Vamos a partir tablas esta tarde, para las tracas. ¿Quieres ayudar?

—Más le vale —dijo Thonolan.

El enorme encino que Jondalar había contribuido a derribar, después de verse despojado de sus ramas, había sido llevado al otro lado del calvero. Para moverlo tuvieron que colaborar casi todos los adultos, y casi otros tantos se habían reunido para partirlo. Jondalar no había necesitado que su hermano lo "impulsara". No se lo habría perdido.

Primeramente, una serie de cuñas de asta fue colocada en línea recta en el sentido de la textura todo a lo largo del tronco. Se introducían las cuñas a martillazos con pesados mazos de piedra manejados a mano. Las cuñas abrían una grieta en el tronco macizo, pero al principio éste se abría con renuencia. Las astillas intermedias se iban cortando a medida que los gruesos topes de las piezas de asta triangulares eran aporreadas y penetraban más adentro del corazón de la madera hasta que, con un fuerte chasquido, el tronco cayó limpiamente partido en dos.

Jondalar meneó la cabeza, maravillado, y eso que tan sólo era el comienzo. Las cuñas se colocaron nuevamente más abajo del centro de cada mitad, y el proceso se repitió hasta que se partieron en dos. Al terminar el día, el enorme tronco se había reducido a un montón de tablas partidas radialmente, cada una de ellas afilándose hacia el centro, de modo que un largo filo era más delgado que el otro. Unas pocas tablas eran más cortas debido a algún nudo, pero tendrían su utilidad. Había muchas más tablas de lo que se necesitaba para hacer los costados de las embarcaciones. Se emplearían para construir un cobertizo para la pareja, por debajo del saliente de arenisca en la terraza alta, comunicando con la morada de Roshario y Dolando, y lo suficientemente amplio para que Markeno, Tholie y Shamio pudieran pasar allí la parte más fría del invierno. Madera del mismo árbol, utilizada para barca y habitación, suponía agregar la fuerza del encino a la relación.

Al ponerse el sol, Jondalar vio que algunos de los hombres más jóvenes se escurrían hacia el bosque, y Markeno dejó que Thonolan lo persuadiera de seguir trabajando en el fondo de la barca que estaban construyendo, hasta que no quedó casi nadie. Finalmente fue Thonolan quien tuvo que reconocer que estaba ya demasiado oscuro.

—Hay muchísima luz —dijo una voz tras él—. ¡Tú no sabes lo que es oscuridad!

Antes de que Thonolan pudiera volverse a ver quién había hablado, le vendaron los ojos y lo agarraron de los brazos.

—¿Qué está pasando? —gritó, mientras luchaba en vano por liberarse.

La única respuesta fue una risa contenida. Lo alzaron en vilo y se lo llevaron hasta cierta distancia; cuando lo depositaron en el suelo, sintió que lo estaban desvistiendo.

—¡Déjenme! ¿Qué estáis haciendo! ¡Hace mucho frío!

—No tendrás frío mucho rato— dijo Markeno cuando le quitaron la venda de los ojos. Thonolan vio a media docena de jóvenes sonrientes, todos desnudos. El lugar era desconocido, especialmente porque la oscuridad era tan profunda, pero sabía que estaban cerca del agua.

A su alrededor el bosque era una masa negra y densa, pero se aligeraba en un lado para descubrir la silueta de árboles aislados sobre un cielo lavanda oscuro. Más allá de ellos, un camino se abría revelando un reflejo plateado que lanzaba destellos sinuosos desde las ondas suavemente aceitosas del río Gran Madre. Cerca brillaba una luz a través de los intersticios de una pequeña y baja estructura de madera. Los jóvenes se subieron al techo y se metieron en la choza por un agujero, empleando un tronco inclinado con escalones tallados.

Se había prendido un fuego en el interior de la choza, en una base central, y se habían puesto a calentar piedras encima. Las paredes formaban un banco con el piso, cubierto de tablas arenadas y suavizadas con piedra arenisca. Tan pronto como todos estuvieron dentro, se cubrió el orificio de entrada; el humo saldría por los intersticios. El carbón brillaba rojo bajo las piedras calientes, y pronto reconoció Jondalar que Markeno había tenido razón: ya no hacía frío. Alguien arrojó agua sobre las piedras y una oleada de vapor subió, lo que contribuyó a que se viera todavía menos en la penumbra.

—¿Lo tienes tú, Markeno? —preguntó alguien a su lado.

—Aquí mismo, Chalono —y le tendió la bolsa para agua llena de vino.

—Bueno, pues vamos a darle. Tienes suerte, Thonolan. Unirte con una mujer que hace un vino de arándanos tan bueno como éste —hubo un coro de aprobación y de carcajadas. Chalono pasó el pellejo de vino, y mostrando un cuadro de cuero amarrado como bolsa, dijo con sonrisa taimada—: He encontrado algo más.

—Me preguntaba por qué no estarías aquí todo el día —observó uno de los hombres—. ¿Estás seguro de que son de los buenos?

—No te preocupes, Rondo, sé de hongos. Por lo menos conozco estos hongos —declaró Chalono.

—Naturalmente: los recoges a la menor oportunidad —más carcajadas tras la pulla.

—Quizá desee convertirse en Shamud, Tarluno —agregó Rondo en tono de burla.

—Éstos no son los hongos del Shamud ¿verdad? —preguntó Markeno—. Esos de sombrero rojo y motitas blancas pueden ser mortales si no se preparan bien.

—No, éstos son bonitos hongos inofensivos que sólo hacen que te sientas bien. No me gusta bromear con los del Shamud. No quiero tener una mujer dentro . . . —dijo Chalono, y después, con una risita boba—: prefiero estar dentro de una mujer.

—¿Quién tiene el vino? —preguntó Tarluno.

—Yo se lo pasé a Jondalar.

—Quítaselo. ¡Con lo grandote que es podría bebérselo todo!

—Yo se lo di a Chalono —dijo Jondalar.

—Yo no he visto esos hongos . . . ¿te vas a quedar con el vino y también con los hongos? —protestó Rondo.

—No me apremies. He estado tratando de abrir esta bolsa. Ya está. Thonolan, eres el huésped de honor. Tú escoges primero.

—Markeno ¿es cierto que los Mamutoi hacen una bebida con una planta y que sabe mejor que el vino o los hongos? —preguntó Tarluno.

—No diría que es mejor, pero lo probé una vez.

—¿Qué tal otro poco de vapor? —dijo Rondo, vertiendo una taza de agua sobre las piedras ardientes, suponiendo que todos asentirían.

—Alguna gente, al Oeste, mete algo en vapor —dijo Jondalar.

—Y una Caverna sopla humo de planta. Te dejan probar pero no te dicen qué es —agregó Thonolan.

—Esos dos deben de haberlo probado casi todo . . . en todos sus viajes —dijo Chalono—. Eso me gustaría a mí: probar de todo lo que haya.

—He oído decir que los cabezas chatas beben algo . . . —afirmó Tarluno.

—Son animales . . . beben cualquier cosa que encuentren —dijo Chalono.

—¿No era eso lo que dijiste hace un momento que desearías hacer? —le replicó Rondo burlonamente; una carcajada colectiva saludó su burla.

Chalono se dio cuenta de que los comentarios de Rondo solían provocar carcajadas . . . a veces a sus expensas. Para no ser menos, comenzó un cuento que otras veces había tenido éxito:

—Ya sabes esa acerca del viejo que estaba tan ciego que atrapó una hembra de cabeza chata y creyó que era una mujer . . .

—Sí, y se le cayó el pito. Es asqueroso, Chalono —dijo Rondo—. ¿Y qué hombre iba a confundir una hembra de cabeza chata con una mujer?

—Algunos no se equivocan, lo hacen a propósito —dijo Thonolan—. Hombres de la Caverna al Oeste, obtienen Placeres con hembras de cabeza chata, provocan disgustos para las Cavernas.

—¡Estás bromeando!

—No es broma. Toda una manada de cabezas chatas nos rodea —confirmó Jondalar—. Enojados. Después oímos hombres toman mujeres cabezas chatas, causan problemas.

—¿Y cómo escapásteis?

—Nos dejan —dijo Thonolan—. Jefe de la manada, él listo. Los cabezas chatas más listos de lo que la gente piensa.

—Oí contar de un hombre que se consiguió una hembra de cabeza chata por una apuesta —dijo Chalono.

—¿Quién? ¿Tú? —preguntó despectivamente Rondo—. Dijiste que deseabas probarlo todo.

Chalono intentó defenderse, pero las carcajadas ahogaron su voz. Cuando se apagaron, volvió a intentarlo:

—No quería decir eso. Estaba hablando de hongos y vino y cosas así, cuando dije que deseaba probarlo todo —empezaba a sentir los efectos y la lengua se le estaba poniendo pesada—. Pero muchos mozos hablan de hembras de cabeza chata antes de saber lo que son las mujeres. Oí de uno que tomó una hembra de cabeza chata por una apuesta, o por lo menos eso dijo.

—Los muchachos dicen cualquier cosa —comentó Markeno.

—¿Y de qué crees que hablan las muchachas? —preguntó Tarluno.

—No quiero seguir escuchando esas cosas —dijo Rondo.

—Tú abriste la boca más de la cuenta cuando éramos más jóvenes, Rondo —dijo Chalono, comenzando a enfadarse.

—Bueno, he crecido. Ojalá tú también. Estoy harto de tus repugnantes observaciones.

Chalono se sintió ofendido, y algo borracho. Si lo iban a acusar de repugnante, les iba a dar algo repugnante de veras.

—¿De veras, Rondo? Pues verás, oí hablar de una mujer que tuvo su Placer con un cabeza chata, y la Madre le dio un bebé de espíritus mezclados . . .

—¡Ooooy! —exclamó Rondo, torciendo el labio y estremeciéndose de asco—. Chalono, eso no es tema de bromas. ¿Quién lo invitó a esta fiesta? Sáquenlo de aquí. Me siento como si me hubieran arrojado basura a la cara. No me importa bromear un poco, pero él ha ido demasiado lejos.

—Rondo tiene razón —dijo Tarluno—. ¿Por qué no te marchas, Chalono?

—No —dijo Jondalar—. Cálmense, oscuro. No hacer marcharse. Cierto, bebés de espíritus mezclados no para broma, pero ¿cómo todos saben de ellos?

—¡Abominaciones medio humanas medio animales! —rezongó Rondo—. No quiero hablar de ellos. Aquí hace demasiado calor. ¡Voy a salir antes de que me den náuseas.

—Se supone que ésta es la fiesta de Thonolan para relajarse —dijo Markeno—. ¿Por qué no salimos todos a darnos un baño y nadar un poco, y regresar después y volver a empezar. Queda todavía mucho del vino de Jetamio. No lo había dicho antes, pero traje dos bolsas llenas.

—No creo que estén las piedras suficientemente calientes, Carlono —dijo Markeno. En su voz había cierta tensión contenida.

—No es bueno dejar que el agua permanezca demasiado tiempo en la barca. No queremos que se hinche la madera, sólo que se ablande lo suficientemente para ceder. Thonolan, ¿están los puntales a mano, para que los tengamos cerca cuando hagan falta?

—Aquí —replicó, indicando los postes de troncos de aliso, cortados a lo largo, tendidos en el suelo junto al enorme tronco abierto en canal y lleno de agua.

—Será mejor comenzar, Markeno, y ojalá que las piedras estén muy calientes.

Jondalar seguía pasmado ante la transformación, aun cuando la había visto producirse paso a paso. El tronco de encino había dejado de serlo: el interior había sido vaciado y suavizado, y el exterior tenía las líneas esbeltas de una larga canoa. El grosor del casco no era más que el largo de un nudillo humano, excepto por la roda y la popa, sólidas. Había observado mientras Carlono rasuraba un verdadero pellejo de madera, cuyo grosor no era más del de una varilla, con una hachuela de piedra en forma de cincel, para dar a la embarcación su dimensión definitiva. Después de probar si él podía hacerlo, Jondalar quedó más asombrado aún por la habilidad y destreza del hombre. La barca se ahusaba en una proa aguda, extendiéndose hacia delante. Tenía la quilla bastante aplastada, una proa menos pronunciada, y era larguísima en proporción con su ancho.

Los cuatro llevaron rápidamente los cantos que habían estado calentándose en la fogata hasta la barca llena de agua, logrando que el agua hirviera y echara vapor. El proceso no era diferente del de calentar piedras para hacer hervir el té en el cobertizo adjunto, dentro de la artesa, pero en mayor escala. Y el propósito era diferente: el calor y el vapor no debían cocer nada sino dar nueva forma al recipiente.

Markeno y Carlono, uno frente a otro en la parte media de la barca, estaban poniendo a prueba la flexibilidad del casco, tirando cuidadosamente para ensancharla pero sin quebrar la madera. El duro trabajo de vaciar y dar forma a la barca habríase perdido si se agrietara al ensancharse. Era un momento de tensión. Mientras la parte media era ensanchada, Thonolan y Jondalar estaban preparados con el puntal más largo, y cuando el ensanchamiento fue suficiente, encajaron el tirante por el través, pero la expansión había alterado las líneas en otro aspecto importante. Al ensancharse el medio, las secciones de proa y popa se elevaron, dando a la embarcación una graciosa curvatura hacia arriba en los extremos. Los resultados de la expansión no eran solamente una manga más ancha para una mayor capacidad y una mejor estabilidad, sino una proa y una popa más altas que partirían el agua para aguantar con mayor facilidad las olas o las aguas turbulentas.

—Ahora es la barca de un hombre perezoso —comentó Carlono mientras pasaban a otra zona del calvero.

—¡Hombre perezoso! —exclamó Thonolan, recordando su trabajo esforzado.

Carlono sonrió, pues esperaba esa exclamación.

—Hay un cuento muy largo sobre un hombre perezoso con una mujer regañona, que dejó su barca a la intemperie todo el invierno. Cuando volvió a encontrarla, estaba llena de agua, y la nieve y el hielo la habían ensanchado. Todos creyeron que estaba echada a perder, pero era la única barca que tenía. Cuando se secó, la botó al agua y descubrió que se manejaba mucho mejor. Después de aquello, según la historia, todos hicieron las embarcaciones de esa manera.

—Es una anécdota chistosa cuando la cuentan bien —dijo Markeno.

—Y puede encerrar algo de verdad —agregó Carlono—. Si estuviéramos haciendo una barquichuela, habríamos terminado, menos los acabados —comentó mientras se acercaban a un grupo de gente ocupada en perforar agujeros a lo largo de las orillas de tablones, con taladros de piedra. Era una tarea fastidiosa y difícil, pero muchas manos aceleraban el trabajo, y la compañía aliviaba el aburrimiento.

—Y yo estaría ya a punto de matrimoniarme —dijo Thonolan, viendo que Jetamio formaba parte del grupo.

—Vienen sonriendo, lo cual significa que se estiró cumplidamente —dijo la joven dirigiéndose a Carlono, aunque sus ojos se volvieron rápidamente hacia Thonolan.

—Estaremos más seguros cuando se seque —dijo Carlono, por miedo a tentar al destino—. ¿Qué tal van las tracas?

—Están terminadas. Ahora trabajamos en los tablones para la casa —respondió una mujer mayor. Se parecía a Carlono, a su manera, tanto como Markeno, especialmente cuando sonreía—. Una pareja joven necesita algo más que una barca. Hay algo más en la vida, querido hermano.

—Tu hermano está tan deseoso de tenerlos casados como tú, Carolio —dijo Barono, sonriendo mientras los dos jóvenes se lanzaban sonrisas amorosas, aun cuando no decían palabra—. Pero ¿qué es una buena casa sin una barca?

Carolio le echó una mirada ofendida. Era un aforismo tradicional entre los Ramudoi, supuestamente espiritual, que se había vuelto molesto a fuerza de repetirlo.

—¡¡Ah!! —exclamó Barono— ha vuelto a romperse.

—Está muy torpe hoy —dijo Carolio—. Es el tercer taladro que rompe. Creo que está tratando de librarse de abrir agujeros.

—No seas tan dura con tu compañero —dijo Carlono—. A cualquiera se le rompe un taladro, no se puede evitar.

—En algo tiene razón: abrir agujeros. No hay nada que dé más ganas de bostezar —dijo Barono sonriendo ampliamente ante el gruñido general.

—Se cree muy chistoso. ¿Puede haber algo peor que un compañero que se cree chistoso? —y Carolio pedía la comprensión de toda la compañía. Todos sonrieron: bien sabían que los regaños sólo disimulaban un profundo afecto.

—Si tienen otro taladro, yo abrir hoyos —dijo Jondalar.

—¿Qué le pasa a este joven? ¿Anda mal? Nadie quiere abrir hoyos —dijo Barono, pero se puso de pie rápidamente.

—Jondalar se está interesando mucho en la construcción de barcos —explicó Carlono—. Ha estado probando hacer un poco de todo.

—¡Todavía podemos convertirlo en Ramudoi! —dijo Barono—. Siempre me pareció que era un joven inteligente. Pero no estoy tan seguro en cuanto al otro —agregó, sonriendo a Thonolan que no había prestado atención a nadie más que a Jetamio—.

Creo que aunque le cayera un árbol encima, ni se enteraría. ¿No se le puede poner a hacer algo que valga la pena?

—Podría recoger leña para la caja de vapor o cortar juncos para coser las tablas —dijo Carlono—. Tan pronto como esté seco el vaciado y tengamos perforados los orificios alrededor del casco, estaremos listos para combar las tablas de modo que se ajusten. ¿Cuánto crees que falta para terminarla, Barono? Tenemos que informarle al Shamud, y así se podrá fijar el día del casamiento. Dolando tendrá que enviar mensajeros a las otras Cavernas.

—¿Qué más falta por hacer? —preguntó Barono, mientras echaban a andar hacia una zona en la que robustos postes estaban hundidos en el suelo.

—Queda por rebajar los postes de proa y popa, y . . . ¿vienes, Thonolan? —dijo Markeno.

—¿Qué . . . ? ¡Oh! . . . sí, vengo.

Cuando se alejaban, Jondalar recogió un taladro de hueso metido en un mango de asta y observó cómo Carolio utilizaba otro.

—¿Por qué hoyos? —preguntó, después de haber hecho unos cuantos.

La hermana gemela de Carlono estaba tan preocupada por los barcos como su hermano —a pesar de sus bromas— y era tan experta en cuanto a ajustes y encajes como él en lo concerniente a vaciar y formar. Se puso a explicar, después se puso de pie y condujo a Jondalar a otra área donde había una barca parcialmente desmantelada.

A diferencia de la balsa, que depende para flotar de la ligereza de sus materiales estructurales, el principio de la embarcación de los Sharamudoi consistía en encerrar una bolsa de aire dentro de una cáscara de madera. Era una importante innovación, que permitía una mayor maniobrabilidad y proporcionaba la posibilidad de transportar cargas mucho más pesadas. Las tablas que se empleaban para extender el vaciado básico y constituir una embarcación mucho mayor, estaban combadas de manera que se ajustaran al casco curvo; eso se lograba también mediante calor y vapor; entonces se cosían literalmente, por lo general con mimbres, por los agujeros previamente perforados, y se aseguraban con clavijas a los sólidos postes de proa y popa. Soportes colocados a intervalos a lo largo de ambos costados, se agregarían más adelante para servir de refuerzo y permitir que se fijaran asientos.

Cuando estaba bien hecho, el resultado era una cáscara impermeable que podría resistir a las tensiones y la fuerza de una utilización intensa durante varios años. Pero finalmente el uso y el deterioro de las fibras de sauce exigían que los barcos se desmantelaran y se volvieran a hacer. Entonces también se sustituían las tablas debilitadas, con lo cual se prolongaba considerablemente la vida útil de las embarcaciones.

—Ve ... ahí donde se quitaron las tracas —dijo Carolio, señalando a Jondalar la barca desmantelada— hay orificios a lo largo del borde superior del vaciado —le mostró una tabla con una curva que se ajustaba al casco—. Era la primera traca. Los orificios a lo largo del borde más largo se ajustan a la base. Ves, estaba traslapada de esta manera y cosida a la parte superior del casco. Entonces, la tabla superior estaba cosida a ésta.

Dieron vuelta a la embarcación, por el lado que aún no se había desmantelado. Carolio mostró las fibras deshiladas y rotas en algunos de los agujeros.

—Esta barca tenía mucha necesidad de reparaciones, pero puedes ver cómo se traslapan las tracas. Para barcas pequeñas, de una o dos personas, no necesitas costados, sólo el casco. Son más difíciles de manejar en aguas turbulentas, eso sí. Pueden descontrolarse antes de que estés en condiciones de hacer nada.

—Algún día me gusta aprender —dijo Jondalar. Entonces, al ver la traca combada, preguntó—: ¿Cómo se comban tablas?

—Con vapor y tensión, como la base que se ensanchó. Los postes de ahí, donde están tu hermano y Carlono, son para que las cuerdas de retén mantengan las tracas en su sitio mientras se están cosiendo. No se tarda mucho cuando todos trabajamos juntos, una vez que se han perforado los agujeros. Hacer éstos es un problema más importante. Afilamos los taladros de hueso pero se quiebran con demasiada facilidad.

Al anochecer, cuando todos regresaban en grupo hacia la terraza elevada, Thonolan observó que su hermano parecía insólitamente callado.

—¿En qué estás pensando, Jondalar?

—En la construcción de barcas. Se encierra muchísimo más de lo que yo imaginaba. Nunca había oído de barcas como éstas antes, ni visto hombres tan hábiles sobre el agua como estos Ramudoi. Creo que los jovencitos están más cómodos en sus barquitos que caminando. Y son tan hábiles con sus herramientas ... —Thonolan vio que se le iluminaban los ojos a su hermano—. Las he estado examinando. Creo que si pudiera desprender una lasca grande del filo de esa hachuela que estaba usando Carlono, quedaría una cara interior cóncava y suave, con lo que resultaría mucho más fácil de usar. Y estoy seguro de que podría hacer un buril con pedernal, y así los agujeros se perforarían más rápidamente.

—¡Eso era, pues! Estaba creyendo que te interesaba realmente la construcción de embarcaciones, hermano mayor. Debería haberlo adivinado. No son las barcas sino las herramientas empleadas para hacerlas. Jondalar, en el fondo de tu corazón siempre serás un hacedor de herramientas.

Jondalar sonrió, comprendiendo que Thonolan tenía razón. El proceso de la construcción de barcos era interesante, pero lo que se había apoderado de su imaginación fueron las herramientas. Había buenos talladores de pedernal en el grupo, pero ninguno se había especializado. Ninguno era capaz de ver cómo unas pocas modificaciones podrían proporcionar una mayor eficacia a las herramientas. Siempre se había deleitado haciendo herramientas adecuadas para la tarea, y su mente técnicamente creativa estaba ya imaginando posibilidades para mejorar las que utilizaban los Sharamudoi. Y tal vez por ese medio podría comenzar a compensar a ese pueblo, al que tanto debía, gracias a sus conocimientos y habilidades.

—¡Madre! ¡Jondalar! ¡Acaba de llegar más gente! Hay tantas tiendas ya que no sé dónde van a encontrar espacio —gritó Darvo corriendo al refugio. Salió otra vez a todo correr; sólo había venido para traer la noticia. No podía quedarse quieto: las actividades allá fuera eran demasiado excitantes.

—Han venido más visitantes que cuando se unieron Markeno y Tholie, y a mí me parecía que aquella reunión era numerosa —dijo Serenio—. Pero, a decir verdad, la mayoría sabía de los Mamutoi aun cuando no conocieran a ninguno. Nadie ha oído hablar de los Zelandonii.

—¿No creen que tenemos dos ojos y dos brazos y dos piernas, como ellos? —preguntó Jondalar.

Estaba algo abrumado ante el número de asistentes. Una Reunión de Verano de los Zelandonii solía reunir a más, pero éstos eran todos forasteros, excepto los residentes de la Caverna de Dolando y el Muelle de Carlono. Se había corrido la voz tan aprisa, que inclusive habían venido otros que no eran Sharamudoi. Algunos parientes Mamutoi de Tholie, y otros más, lo suficientemente curiosos para acompañarlos, fueron de los primeros en llegar. También vino gente de río arriba . . . de ambos ríos, la Madre y la Hermana.

Y muchas de las costumbres de la Ceremonia del Casamiento eran desconocidas. Todas las Cavernas viajaban a un lugar de reunión previamente establecido para un Matrimonial Zelandonii, y se unían oficialmente varias parejas a un mismo tiempo. Jondalar no estaba acostumbrado a que tantas personas visitaran la caverna de una pareja para atestiguar su unión. Como único pariente de sangre de Thonolan, tendría un lugar destacado en las ceremonias, y se sentía nervioso.

—Jondalar, ¿sabes que casi todos se sorprenderían de ver que no siempre estás tan seguro de ti mismo como pareces? No te preocupes, lo harás todo bien —dijo Serenio, acercándose a su cuerpo y rodeándole el cuello con los brazos—. Siempre lo haces bien.

Había hecho lo correcto. Sentirla cerca representaba una distracción placentera —ella lo apartaba de sí mismo sin exigencias— y sus palabras eran tranquilizadoras. La acercó más aún, oprimió la boca tibia con la suya y se quedó así, permitiéndose el respiro de un momento de gozo sensual antes de que la aprensión se apoderara nuevamente de él.

—¿Tú crees que tengo buen aspecto? Esta ropa de viaje, no para situación especial —preguntó, súbitamente consciente de que vestía con prendas Zelandonii.

—Aquí nadie lo sabe. Son especiales, exclusivas. Yo creo que están perfectamente apropiadas para la ocasión. Sería demasiado ordinario si te pusieras algo acostumbrado, Jondalar. La gente va a mirarte a ti tanto como a Thonolan. Para eso han venido. Si te pueden ver a distancia tal vez no sientan la necesidad de acercarse, y tú sabes que te sientes a gusto con esa ropa. Y se ve bien; te sienta bien.

La soltó y miró por un resquicio la multitud que había fuera, contento de no tener que hacerle frente, todavía. Fue hacia la parte de atrás hasta donde el techo inclinado no le permitía seguir, regresó a la parte delantera y volvió a mirar.

—Jondalar, voy a prepararte un té. Es una mezcla especial que me enseñó el Shamud. Te calmará los nervios.

—¿Parezco nervioso?

—No, pero tienes derecho a estarlo. Sólo es cuestión de un instante.

Vertió agua en una olla rectangular y agregó piedras muy calientes. El agarró un taburete de madera —demasiado bajo— y se sentó. Sus pensamientos no estaban allí, y miraba sin verlos unos dibujos de forma geométrica que adornaban la olla; una serie de líneas inclinadas, paralelas, por encima de otra hilera inclinada en dirección opuesta, lo cual producía un efecto de espina de pescado.

Los costados de las ollas cortadas estaban hechos de una sola tabla en la que se habían marcado surcos o tajos, pero sin atravesar. Empleando vapor para poder doblar la madera, las tablas se combaban fuertemente en los surcos para formar ángulos, y los extremos de la tabla formaban el cuarto ángulo sujeto con clavijas. Se daba también un tajo cerca de la orilla inferior, y allí se encajaba una pieza del fondo. Las cajas u ollas eran impermeables, especialmente después de haberse hinchado por los líquidos. Cubiertas de tapas separadas, se utilizaban para muchos fines, desde cocinar hasta almacenar.

La caja le recordó a su hermano y le hizo desear estar junto a él a estas horas antes de su unión definitiva. Jondalar había comprendido muy pronto la forma en que los Sharamudoi combaban y daban forma a la madera. Su especialidad en la fabricación de lanzas se basaba en los mismos principios de calor y vapor para enderezar un asta o para combar una y hacer un esquí para la nieve. Pensar en eso recordó a Jondalar el principio de su viaje, y con un sentimiento de nostalgia se preguntó si volvería a ver su hogar algún día. Desde que había vuelto a ponerse su ropa había estado luchando contra crisis de nostalgia que conseguían hacer presa en él cuando menos se lo esperaba, por medio de algún recuerdo vívido o conmovedor. Esta vez fue la caja de cocinar de Serenio la que lo había provocado.

Se puso rápidamente de pie derribando el taburete y como se precipitara para recogerlo evitó por un pelo a Serenio que llegaba con una taza de té caliente para él. El casi accidente le recordó el desafortunado incidente durante el Banquete de Compromiso. Tanto Tholie como Shamio parecían estar bien y sus quemaduras estaban casi curadas, pero experimentó una sensación de incomodidad al recordar la conversación que tuvo después con el Shamud.

—Jondalar, toma el té; estoy segura de que te ayudará a relajarte un poco.

Se había olvidado de la taza que tenía en la mano; sonrió, tomó un sorbo: el té tenía un sabor agradable ... le pareció reconocer manzanilla entre los ingredientes; su calor resultaba calmante. Al cabo de un rato sintió que su tensión se aliviaba.

—Tienes razón, Serenio. Siento mejor. No sé qué está mal.

—No es frecuente que tu hermano tome compañera. Se comprende que estés un poco nervioso.

Volvió a tomarla en sus brazos y la besó con una pasión que le hizo desear no tener que salir tan pronto.

—Te veo esta noche, Serenio —le susurró al oído.

—Jondalar esta noche habrá un festival para honrar a la Madre —le recordó Serenio—. No creo que ninguno de los dos deba comprometerse, habiendo tantos visitantes. ¿Por qué no dejar que la noche transcurra como quiera? Podemos estar juntos en cualquier momento.

—Se me olvidó —dijo, asintiendo, pero por alguna razón sintió que lo habían rechazado. Era curioso; nunca anteriormente se había sentido así. En realidad, siempre había sido él quien se aseguraba de quedar en libertad durante un festival. ¿Por qué había de sentirse lastimado si Serenio se lo había facilitado? El impulso del momento le hizo tomar la decisión de que pasaría la noche con ella . . . Festival de la Madre o no.

—¡Jondalar! —Darvo llegaba otra vez corriendo—. Me mandan a buscarte. Quieren que vayas —estaba ahogándose de excitación por haberse visto confiar misión tan importante, y piafaba de impaciencia—. Apúrate, Jondalar, quieren que vayas.

—Tranquilo, Darvo —dijo el hombre, sonriendo al muchacho—. Ya voy. No perder Matrimonial de hermano.

Darvo sonrió con apocamiento, comprendiendo que no comenzarían sin la presencia de Jondalar, pero eso no mitigó su impaciencia. Echó nuevamente a correr. Jondalar respiró hondo y lo siguió.

Hubo un crescendo en el murmullo de voces, cuando apareció, y se alegró al ver a las dos mujeres que lo estaban esperando. Roshario y Tholie lo condujeron al montículo donde esperaban los demás. De pie en la parte superior del montículo, dominando a la multitud con hombros y cabeza, se encontraba un personaje de blanca cabellera, con el rostro parcialmente cubierto por un antifaz hecho de madera que representaba las facciones estilizadas de un ave.

Mientras se acercaba, Thonolan le hizo una sonrisa nerviosa. Jondalar trató de transmitirle su comprensión al sonreírle también. Si él había estado tenso, podía imaginar cómo debería sentirse Thonolan, y lamentaba que las costumbres Sharamudoi les hubieran impedido estar juntos. Vio lo bien que encajaba allí su hermano, y experimentó una punzada aguda, intensa, de pena. No podía haber habido dos personas que se sintieran más próximas que los dos hermanos mientras realizaron su viaje, pero ya habían tomado caminos diferentes, y Jondalar sentía la separación. Por un instante se sintió abrumado por un dolor inesperado.

Cerró los ojos y apretó los puños para dominarse. Oyó voces de la multitud y pensó reconocer algunas palabras: "alto" y "ropas". Al abrir los ojos se le hizo evidente que una de las razones por las que Thonolan encajaba tan bien allí era porque sus ropas eran totalmente Shamudoi.

No era extraño que se hicieran comentarios sobre sus prendas de vestir, y por un momento lamentó haber decidido ponerse un atuendo tan fuereño. Pero en verdad Thonolan ya era uno de ellos, había sido adoptado para facilitar el casamiento. Jondalar seguía siendo Zelandonii.

El hombre alto se unió al grupo de la nueva parentela de su hermano. Aun cuando oficialmente no era Sharamudoi, también eran su parentela. Ellos, además de los parientes de Jetamio, fueron quienes aportaron alimentos y regalos que serían repartidos entre los invitados. Y como había seguido llegando gente, se habían traído más contribuciones. El gran número de visitantes contribuía a la alta posición y consideración de la joven pareja, pero sería vergonzoso que se fueran insatisfechos.

Un silencio repentino les hizo volver a todos la cabeza en dirección de un grupo que avanzaba hacia ellos.

—¿La has visto? —preguntó Thonolan impaciente poniéndose de puntillas.

—No, pero ya viene, ya lo sabes —dijo Jondalar.

Al llegar adonde Thonolan y su parentela, la falange protectora abrió una brecha para revelar su tesoro oculto. Se le secó la garganta a Thonolan al contemplar la belleza cubierta de flores que le lanzó la sonrisa más radiante que hubiera visto en su vida. Su felicidad era tan transparente que también Jondalar sonrió, divertido y contento. Así como la abeja es atraída por la flor, Thonolan fue atraído hacia la mujer que amaba, llevando su séquito al centro de su grupo, hasta que la parentela de Jetamio rodeó a Thonolan y sus parientes.

Los dos grupos se fusionaron y después se formaron en parejas, mientras el Shamud comenzaba a tocar con el caramillo una serie de silbidos que se repetía. El ritmo estaba marcado por otra persona que llevaba puesto un antifaz de pájaro y que tocaba un tambor grande, de un solo aro. Otro Shamud, supuso Jondalar. La mujer le era desconocida y sin embargo tenía aspecto familiar, tal vez fuera sólo la similitud que comparten Todos los que Sirven a la Madre, pero le hizo recordar el hogar.

Mientras los miembros de las dos series de parientes se formaban y volvían a formarse en diseños que parecían complicados pero que, en realidad, eran variaciones sobre una serie simple de pasos, el Shamud de cabellera blanca tocaba el caramillo. Se trataba de un palo largo, vaciado con un carbón ardiente, que tenía una boquilla de silbato, orificios abiertos a lo largo y una cabeza de ave con el pico abierto labrada en el extremo. Y algunos de los sonidos que emanaban del instrumento imitaban exactamente los gorjeos de los pájaros.

Los dos grupos terminaron haciéndose frente en dos hileras con las manos unidas y levantadas para formar un largo arco. Mientras la pareja iba pasando por debajo, los que estaban detrás los siguieron hasta que un séquito de parejas conducidas por el Shamud se encontró camino al extremo de la terraza rodeando la muralla. Jetamio y Thonolan iban justo detrás del flautista, seguidos por Markeno y Tholie, después Jondalar y Roshario como los parientes más próximos de la joven pareja. El resto del grupo de parientes iba detrás, y toda la multitud de miembros de la Caverna e invitados cerraba la retaguardia. El Shamud visitante que tocaba el tambor se unió a la gente de su Caverna.

El Shamud de cabellera blanca los condujo por el sendero abajo hacia el calvero donde se construían los barcos, pero se desvió hacia un camino lateral y los condujo hasta el Árbol de las Bendiciones. Mientras los asistentes los alcanzaban y se repartían alrededor del enorme y viejo encino, el Shamud habló bajo a la pareja... dándoles instrucciones y consejos para asegurar una relación dichosa y de esa manera incitar las bendiciones de la Madre. Sólo los parientes cercanos y unos pocos más que estaban al alcance de la voz, se enteraron de esta parte de la ceremonia. Los demás charlaban entre ellos hasta que se dieron cuenta de que el Shamud estaba esperando pacientemente.

Los miembros del grupo se hicieron señas mutuamente para callar, pero su silencio estallaba en espera de lo que se avecinaba. En la quietud intensa, el graznido estridente de un grajo fue un clamor exigente, y el tableteo de un picamadero de grandes manchas resonó por el bosque. Y entonces un cantar más dulce llenó el aire al alzar el vuelo una alondra del bosque.

Como si estuvieran esperando esa señal, el personaje con antifaz de ave hizo señas a los dos jóvenes de que se acercaran. El Shamud sacó un trozo de cuerda y con medio nudo formó un bucle. Mirándose y sin ojos para nadie más, Jetamio y Thonolan unieron sus manos y las introdujeron en el bucle.

—Jetamio a Thonolan, Thonolan a Jetamio: os uno el uno a la otra —dijo el Shamud, y tiró de la cuerda, tensándola, uniendo sus muñecas en un nudo estrecho—. Así como ato este nudo, estáis unidos, comprometidos el uno a la otra, y a través de vosotros a los nexos de parentesco y Caverna. Con vuestra unión, completáis el cuadro iniciado por Markeno y Tholie —estos dos se acercaron al oír sus nombres, y los cuatro unieron sus manos—. Así como los

Shamudoi comparten las dádivas de la tierra, y los Ramudoi comparten las dádivas del agua, así juntos sois ahora Sharamudoi para ayudaros por siempre el uno a la otra.

Tholie y Markeno volvieron a su lugar, y mientras el Shamud iniciaba una música aguda en el caramillo, Thonolan y Jetamio comenzaron lentamente a dar la vuelta al viejo encino. A la segunda vuelta, los espectadores les gritaron sus buenos deseos arrojándoles plumón de aves, pétalos de flores y agujas de pino.

A la tercera vuelta al Árbol de las Bendiciones, los espectadores se unieron a ellos, riendo y gritando. Alguien comenzó un canto tradicional, y surgieron más caramillos para acompañar a los cantantes. Otros golpeaban tambores y tubos huecos. Entonces, una de las Mamutoi que habían venido de visita, sacó el omoplato de un mamut. Lo golpeó con un mazo y todos se detuvieron un instante: el tono vibrante y lleno de resonancia sorprendió a la mayoría, pero como la mujer seguía tocando, se sorprendieron aún más, porque podía cambiar el tono y el timbre golpeando el hueso en diferentes puntos, y seguía la melodía del cantante y del caramillo. Al terminar el tercer circuito, el Shamud estaba nuevamente frente a todos, y condujo el grupo hacia el calvero junto al río.

Jondalar había faltado a los últimos toques que se dieron a la barca. Aunque había colaborado en casi todas las fases de su construcción, el producto terminado lo dejó sin aliento. Parecía mucho más grande de lo que recordaba, y desde el principio no había sido pequeño, pero ahora sus 50 pies de longitud estaban equilibrados con altas bandas de tablas suavemente combadas y un alto poste saliente en la proa. Pero la sección de proa fue la que provocó exclamaciones maravilladas: la proa curva se había extendido graciosamente en un ave acuática de largo cuello esculpida en madera y ensamblada con clavijas.

La pieza de proa estaba pintada con ocre rojo oscuro y amarillos de ocre pardo, negros de manganeso y los blancos de piedra caliza calcinada. Los ojos estaban pintados muy abajo en el casco, para ver por debajo del agua y evitar los peligros subacuáticos, y diseños geométricos cubrían proa y popa. Los asientos para los remeros ocupaban el interior, y ahora estaban listos remos de mango largo y anchas palas. Un toldo de piel de gamo amarilla coronaba la sección mediana como protección contra lluvia o nieve, y la embarcación entera estaba adornada con flores y plumas.

Era una gloria. Causaba pasmo. Y Jondalar experimentó una sensación de orgullo y un nudo en la garganta a la idea de que había tomado parte en su creación.

Todos los casamientos necesitaban que una barca, nueva o reconstruida, fuera parte de la ceremonia, pero no todos gozaban de una tan grande y espléndida. Fue sólo casualidad que la Caverna decidiera que se necesitaba otra embarcación grande más o menos al mismo tiempo que los jóvenes manifestaban sus intenciones. Pero ahora parecía especialmente apropiada, sobre todo porque habían llegado tantos visitantes. La Caverna Sharamudoi así como la pareja habían visto aumentar su estimación gracias a ese logro.

La pareja de recién casados subió a la nave, algo torpemente porque sus muñecas todavía estaban atadas, para sentarse bajo el toldo. Muchos de sus próximos parientes los siguieron y algunos tomaron los remos. La embarcación había estado colocada entre troncos para evitar que se volcara, y esos troncos llegaban hasta la orilla del agua. Miembros de la Caverna y visitantes se agruparon para botar la embarcación y, con muchos gruñidos y risas, la nueva barca entró en el río.

La mantuvieron cerca de la orilla hasta que fue declarada apta, sin inclinación indebida ni entradas de agua, y entonces se fueron río abajo para el viaje inaugural hasta el muelle Ramudoi. Varias barcas más de diferentes tamaños se lanzaron al agua y rodearon al gran pájaro acuático como si fueran patitos.

Los que no regresaban por el río se apresuraron en seguir de nuevo el sendero, esperando llegar a la elevada ensenada antes que la joven pareja. En el muelle, varias personas treparon por el escarpado sendero y se prepararon para lanzar abajo el enorme canasto plano en que Thonolan y Jondalar habían sido subidos por vez primera hasta la terraza. Esta vez serviría para Thonolan y Jetamio, que llegaron alzados hasta arriba con las manos atadas. Habían aceptado unirse el uno a la otra y, por lo menos ese día, no se separarían.

Se sirvieron enormes cantidades de comida, empujadas con enormes tragos de vino de amargón de luna nueva, y se dieron regalos a todos los visitantes, que se devolvieron en medida similar: era cuestión de prestigio. Pero al llegar la noche, el nuevo alojamiento que había sido construido para la joven pareja comenzó a presenciar la llegada de visitantes, cuando los invitados se deslizaban dentro y dejaban "algo" para los recién casados, deseándoles lo mejor. Los regalos eran anónimos, para no quitar méritos a la riqueza nupcial desplegada por la Caverna anfitriona. Pero en realidad el valor de los objetos repartidos, se calcularía respecto a los apuntes mentales, comparándose con un registro en la memoria, porque los regalos no eran anónimos.

En efecto, la forma, el diseño y los rasgos pintados o labrados anunciaban al donador tan claramente como si se hubieran presentado los regalos abiertamente; no el artesano individual, que tenía relativamente poca importancia, sino la familia, el grupo o la Caverna. Mediante sistemas de valores conocidos y mutuamente comprendidos, los obsequios entregados y recibidos tendrían un impacto de peso sobre el prestigio, el honor y la posición relativos de los diversos grupos. Aun cuando no era violenta, la competencia en pos de la estimación resultaba feroz.

—Desde luego, le están prestando muchísima atención, Thonolan —observó Jetamio, viendo un puñado de mujeres que rodeaban al hombre alto y rubio recostado en un árbol cerca del saliente.

—Siempre es así. Sus grandes ojos azules hacen que las mujeres vayan a él como ... las palomillas al fuego —dijo Thonolan, ayudando a Jetamio a levantar una caja de encino llena de vino de arándano y llevarla a los invitados—. ¿No has observado? ¿Ni siquiera sientes atracción?

—Tú me sonreíste primero —contestó, y la amplia sonrisa del joven provocó su bella respuesta—. Pero creo que lo entiendo. Es algo más que los ojos. Se destaca, especialmente con ese atuendo; se ve bien en él. Pero es más que eso. Creo que las mujeres sienten que es ... que busca. Busca a alguien. Y responde tanto ... es sensible ... alto, y tan buen tipo. Realmente, muy guapo. Y hay algo en sus ojos. ¿Te has fijado que se vuelven de color violeta junto al fuego?

—Creí que no sentías atracción ... —dijo Thonolan con voz desalentada, hasta que ella le hizo un guiño travieso.

—¿Le tienes envidia? —preguntó cariñosamente.

—No —contestó Thonolan después de un silencio—. No, nunca. No sé porqué, muchos hombres envidiosos. Míralo, crees que lo tiene todo. Como tú dices, bien hecho, guapo; mira todas esas bellas mujeres alrededor. Y más. Bueno con las manos, mejor tallador de pedernal que he visto. Buena cabeza, pero no hablador. La gente lo quiere; hombres, mujeres, todos. Debería ser feliz pero no. Necesita encontrar a alguien como tú, Tamio.

—No, como yo, no. Pero alguien. Quiero a tu hermano, Thonolan. Espero que encuentre lo que busca. Quizá una de esas mujeres.

—No lo creo. Lo he visto antes. Puede ser que disfrute de una o más; pero no encuentra lo que quiere —vertieron algo de vino en bolsas para agua y dejaron el resto para los parranderos, y se dirigieron a Jondalar.

—¿Y qué hay de Serenio? Parece interesado en ella, y sé que ella siente por él más de lo que quiere admitir.

—Está interesado en ella, en Darvo también. Pero... quizá no haya nadie para él. Quizá busca un ensueño, una donii —y Thonolan sonrió con efecto—. Primera vez que me sonríes, creo que eres donii.

—Decimos que el espíritu de la Madre se vuelve ave. Ella despierta el sol con sus llamadas, trae consigo la primavera desde el Sur. En otoño, algunas quedan aquí para recordárnosla. Las aves de presa, las cigüeñas, cada una de las aves constituye algún aspecto de Mudo —una ringlera de chiquillos que corrían pasaron delante de ellos, retrasando su avance—. A los niños pequeños no les gustan las aves, sobre todo cuando son niños malos. Creen que la Madre los está observando y que lo sabe todo. Algunas madres les cuentan eso a sus hijos. He oído historias de hombres adultos que llegaron a confesar alguna mala acción impulsados por la visión de ciertas aves. Entonces, hay otros que dicen que Ella te guía hacia tu casa si estás perdido.

—Nosotros decimos que el espíritu de Madre se vuelve donii, vuela con el viento. Tal vez Ella parezca pájaro. Nunca pienso en eso antes —dijo él, apretándole la mano. Entonces, mirándola y experimentando una oleada de amor, susurró con voz trémula por la emoción—: Nunca creo que te encontraré —trató de rodearla con el brazo pero se encontró con que tenían las muñecas atadas—. Me alegro de que atemos el nudo, pero ¿cuándo lo cortamos? Quiero abrazarte, Tamio.

—Tal vez se supone que lleguemos a descubrir que estamos atados demasiado estrechamente —dijo ella, riendo—. Pronto podremos retirarnos de la celebración. Vamos a llevarle un poco de vino a tu hermano antes de que se acabe.

—Quizá no quiera. Ostensiblemente bebe mucho, pero en realidad, no. No le gusta perder el control, hacer tonterías —cuando salieron de entre las sombras del saliente, los presentes se percataron de que allí estaban.

—¿Ahí estaban? Yo quería desearte felicidad, Jetamio —dijo una joven, era una Ramudoi de otra Caverna, joven y llena de vivacidad—. Qué suerte tienes; nunca tenemos visitantes guapos que vengan a hibernar con nosotras —lanzó al hombre alto lo que ella creía una sonrisa seductora, pero él estaba mirando a otra de las jóvenes con aquellos ojos asombrosos.

—Es cierto, tengo suerte —dijo Jetamio, sonriendo rendidamente a su compañero.

La joven miró a Thonolan y soltó un profundo suspiro.

—Los dos son tan guapos. ¡No creo que yo habría podido escoger!

—Y no habrías escogido, Cherunio —dijo la otra joven—. Si quieres casarte tendrás que decidirte por uno.

Hubo una carcajada general, pero la joven estaba encantada de la atención que la rodeaba.

—Lo que pasa es que no he encontrado al hombre con quien deseara asentarme —dijo, sonriendo a Jondalar con todos sus hoyuelos.

Cherunio era la mujer más bajita del grupo, y era cierto que Jondalar no la había visto nunca anteriormente; entonces la vio. Aunque bajita, era toda una mujer, y tenía una cualidad de entusiasmo vivaz muy atractiva. Era casi el tipo opuesto a Serenio. Sus ojos mostraron el interés que sintió, y Cherunio casi se estremeció de gozo al haber conseguido atraer su atención. De repente volvió la cabeza, atraída por unos sonidos.

—Oigo el ritmo . . . van a bailar por parejas —dijo—. Ven, Jondalar.

—No conozco pasos —repuso él.

—Yo te enseñaré; no son difíciles —dijo Cherunio, remolcándolo ansiosamente hacia la música. Él cedió a la invitación.

—Esperen, también nosotros vamos —dijo Jetamio.

La otra joven no se alegró mucho de que Cherunio hubiera capturado tan rápidamente la atención de Jondalar, y éste oyó que Radonio decía: "No son difíciles . . . todavía", y que los demás reían a carcajadas. Pero mientras los cuatro se acercaban al lugar del baile, no se enteró del murmullo misterioso que siguió.

—Aquí queda el último pellejo de vino, Jondalar —dijo Thonolan—. Jetamio dice que se supone que nosotros abrimos el baile, pero no tenemos que quedarnos. Vamos a escabullirnos tan pronto como sea posible.

—¿No quieres llevártelo? ¿Para celebrar en privado?

Thonolan sonrió con picardía a su compañera.

—Bueno, en realidad no es el último, tenemos uno escondido. Pero no creo que nos haga falta. Estar a solas con Jetamio será suficiente celebración.

—¡Qué bonito sonido tiene su lenguaje! ¿No lo crees así, Jetamio? —dijo Cherunio—. ¿Puedes comprender lo que dicen?

—Un poquito, pero voy a aprender más. Y también Mamutoi. Fue idea de Tholie que todos aprendamos el lenguaje de los demás.

—Tholie dice que mejor manera aprender Sharamudoi es hablar todo el tiempo. Tiene razón. Lo siento, Cherunio. No correcto hablar Zelandonii.

—¡Oh, a mí no me importa! —dijo Cherunio, aunque sí le importaba. No le agradaba que la dejaran fuera de la conversación. Pero la excusa la calmó sobradamente, y formar parte del selecto grupo con los recién casados y el alto y guapo Zelandonii, tenía sus ventajas. Se daba perfecta cuenta de las miradas de envidia que le lanzaban varias jóvenes.

Cerca de la parte posterior del campo, fuera del saliente, ardía una fogata. Se detuvieron en las sombras y se pasaron el pellejo de vino, y entonces, mientras se estaba formando un grupo, las dos jóvenes mostraron a los hombres los movimientos básicos del baile. Flautas, tambores y matracas iniciaron una melodía animada, que fue captada por la que tocaba el hueso de mamut, y las cualidades tonales que parecían las de un xilófono se unieron con su sonido particular.

Una vez iniciado el baile, Jondalar observó que los pasos básicos podrían complicarse con variaciones limitadas únicamente por la imaginación del bailarín, y en ocasiones una persona o una pareja revelaba un entusiasmo tan excepcional, que todos los demás dejaban de bailar para darles ánimos a gritos y marcar el compás con los pies. Un grupo se reunió alrededor de los que bailaban, cantando y oscilando, y sin quiebre consciente, la música pasó a un ritmo distinto. Y siguió así. La música y el baile nunca se detenían, pero había gente que venía a tomar parte —músicos, bailarines, cantantes— y que se salía a voluntad, creando una variación interminable de tono, compás, ritmo y melodía; y aquello continuaría mientras hubiera alguien con el deseo de continuar.

Cherunio era una pareja llena de vida, y Jondalar, bebiendo más vino que de costumbre, se había dejado influenciar por el humor de la fiesta. Alguien comenzó una canción de respuestas diciendo la primera línea conocida. Pronto descubrió que era un cantar en el cual las palabras para ajustarse a la ocasión eran inventadas por cualquiera, con el fin de provocar risas, a menudo con insinuaciones sobre Dádivas y Placeres. Pronto se convirtió en una competencia entre los que trataban de ser chistosos y los que se esforzaban por no reír. Algunos participantes hacían muecas para lograr la respuesta esperada. Entonces llegó un hombre al centro del círculo que oscilaba siguiendo el ritmo de la música.

—Ahí está Jondalar, tan grande y alto, que podría escoger entre todas. Cherunio es dulce pero chiquita. Se va a romper la espalda, o quizá se caiga.

Las palabras del hombre consiguieron el resultado esperado: carcajadas.

—¿Cómo lo harás, Jondalar? —gritó alguno—. Tendrás que partirte el lomo sólo para darle un beso.

Jondalar sonrió con picardía a la joven.

—No quebrar lomo —dijo, entonces alzó en vilo a Cherunio y la besó mientras todos golpeaban el piso con los pies y reían con aprobación. Literalmente arrebatada, la joven le rodeó el cuello con sus brazos y lo besó con emoción. Él había observado que varias parejas abandonaban el grupo para dirigirse a las tiendas o a esteras apartadas, y había estado calculando algo así por su propia cuenta. El entusiasmo notable de la joven al besarlo le hizo suponer que ella no se opondría.

No pudieron alejarse inmediatamente —sólo provocarían más carcajadas— pero pudieron comenzar a retirarse. Algunas personas llegaron junto a cantantes y espectadores, y el ritmo estaba cambiando. Sería buen momento para esfumarse entre las sombras. Mientras dirigía a Cherunio hacia la orilla del círculo, Radonio se presentó súbitamente.

—Lo has tenido para ti sola toda la noche, Cherunio. ¿No crees que ya es hora de compartirlo? Al fin y al cabo, es un festival para honrar a la Madre, y se supone que compartimos Su Dádiva.

Radonio se insinuó entre los dos y besó a Jondalar. Entonces, otra mujer lo abrazó, y otra más, y otras. Estaba rodeado de jóvenes, y al principio aceptó y devolvió besos y caricias. Pero cuando varios pares de manos se pusieron a manosearlo muy íntimamente, no estaba ya tan seguro de que le agradara. Se suponía que los placeres eran cosa de elegir. Oyó una lucha sorda pero de repente se encontró ocupado esquivando manos que trataban de desatarle los pantalones para metérsele. Eso ya fue demasiado.

Se las sacudió sin el menor asomo de dulzura; cuando finalmente las muchachas comprendieron que no permitiría que ninguna lo tocara, se retiraron un poco, sonriendo afectadamente. De repente Jondalar se dio cuenta de que faltaba alguien.

—¿Dónde Cherunio está? —preguntó.

Las mujeres se miraron unas a otras riendo a carcajadas.

—¿Dónde Cherunio está? —preguntó con fuerza, y cuando vio que sólo obtenía risas por respuesta, dio un paso rápido adelante y agarró a Radonio. Le estaba lastimando el brazo, pero ella no quiso admitirlo.

—Pensamos que debía compartirte —dijo Radonio, con sonrisa forzada—. Todas quieren al alto y guapo Zelandonii.

—Zelandonii no quiere a todas. ¿Dónde Cherunio está?

Radonio volvió la cabeza y se negó a contestar.

—¿Quieres alto Zelandonii, dices? —estaba enojado y su voz lo revelaba—. Vas a tener al Zelandonii grandote —y la obligó a arrodillarse.

—¡Me estás haciendo daño! ¿Por qué no me ayudan las demás?

Pero las otras jóvenes no estaban tan seguras de querer aproximarse demasiado. Sujetándola por los hombros, Jondalar empujó a Radonio contra el suelo junto al fuego. La música se había interrumpido, y la gente se estaba acercando sin saber si debería intervenir o no. La joven luchaba por levantarse y él la tenía inmóvil con su propio cuerpo.

—Querías Zelandonii grandote y lo tienes. Ahora ¿dónde Cherunio?

—Aquí estoy, Jondalar. Me estaban sujetando ahí atrás con algo en mi boca. Dijeron que sólo estaban haciendo una broma.

—Mala broma —dijo él enderezándose y ayudando a Radonio a ponerse de pie. La joven tenía lágrimas en los ojos y se frotaba el brazo.

—Me estabas haciendo daño —dijo, llorosa.

Súbitamente Jondalar se percató de que habían intentado una broma, y que él no había sabido llevarla. No lo habían lastimado y tampoco a Cherunio. No debería haber lastimado a Radonio. Su enojo se evaporó, sustituido por pena.

—Yo... no tenía intención de lastimarte... yo...

—No la lastimaste, Jondalar. No tanto —dijo uno de los hombres que habían estado presenciando la escena—. Y se lo tenía merecido. Siempre empieza líos y provoca molestias.

—Eso quisieras, que empezara líos contigo —dijo una de las jóvenes acudiendo en defensa de Radonio, ahora que habían vuelto las cosas a la normalidad.

—Puedes creer que a un hombre le agrada que todas se le echen así, pero no es cierto.

—Estás mintiendo —dijo Radonio—. Si crees que no los oímos hacer bromas cuando creen estar solos, sobre esta y la otra mujer. Les he oído hablar de que querían mujer, todas a un tiempo. Inclusive les he oído decir que deseaban mujeres antes de los Primeros Ritos, cuando saben que no se las puede tocar, aunque la Madre las haya preparado ya.

El joven se ruborizó y Radonio aprovechó su ventaja.

—¡Algunos hablan inclusive de tomar mujeres cabeza chata!

De repente, dominando desde las sombras, a la orilla de la fogata, apareció una mujer. No era tanto que fuera alta sino gorda, de enorme obesidad; un repliegue asiático de sus ojos revelaba su origen extranjero, al igual que el tatuaje de su rostro, aun cuando llevaba puesta una túnica de cuero Shamudoi.

—¡Radonio! —dijo—. No hay por qué hablar de cosas sucias en un festival en honor de la Madre —entonces Jondalar la reconoció.

—Lo siento, Shamud —dijo Radonio agachando la cabeza. Tenía el rostro colorado de vergüenza y estaba realmente apesadumbrada.

Jondalar se dio cuenta entonces de que era muy joven; todas ellas eran poco más que muchachitas. Él se había portado de un modo abominable.

—Querida —dijo dulcemente la mujer a Radonio—. Al hombre le agrada que lo inviten, no que lo invadan.

Jondalar miró más detenidamente a la mujer; él pensaba más o menos igual.

—Pero no íbamos a hacerle daño. Pensábamos que le agradaría . . . después de un rato.

—Y tal vez le agradara, si se hubieran mostrado más sutiles. A nadie le gusta que lo obliguen. A ti no te gustó cuando creíste que podría forzarte, ¿verdad?

—¡Me hizo daño!

—¿De veras? ¿O más bien te obligó a hacer algo en contra de tu voluntad? ¿Y qué me dices de Cherunio? ¿Ninguna pensó que podrían estar haciéndole daño? No se puede obligar a nadie a disfrutar Placeres. Eso no es hacer honor a la Madre; es abusar de Su Dádiva.

—Shamud, es tu puesta . . .

—Estoy suspendiendo el juego. Vamos, Radonio, ven. Es el Festival. Mudo quiere que Sus hijos sean felices. Ha sido un incidente sin importancia . . . no debe echar a perder tu diversión, querida. El baile se reanuda; anda, ve a bailar.

Mientras la mujer regresaba a su juego, Jondalar tomó las manos de Radonio.

—Yo . . . lo siento. No pienso. No quiero lastimarte. Por favor, estoy avergonzado. ¿Perdonas?

El primer impulso de Radonio —apartarse y retirarse enojada— cambió al levantar la vista hacia el rostro serio y los profundos ojos color de violeta.

—Ha sido una broma tonta . . . infantil —dijo, y casi abrumada por lo imponente de su presencia, se tambaleó hacia él, que la sostuvo y se inclinó para darle un beso largo, experto.

—Gracias, Radonio —dijo, y se volvió para alejarse.

—¡Jondalar! —le gritó Cherunio—. ¿Adónde vas?

Se dio cuenta, con cierto remordimiento, de que se había olvidado de ella. Regresó hacia la joven bajita, guapa y vivaz —no cabía duda: era atractiva—, la alzó y la besó con ardor y ... pesadumbre.

—Cherunio, hice una promesa. Nada de eso sucede si no falto a promesa tan fácilmente, pero tú haces fácil olvidar. Espero ... alguna otra vez. Por favor, no estés enojada —dijo Jondalar, y se alejó rápidamente hacia los refugios debajo del saliente de arenisca.

—¿Por qué has tenido que intervenir y echarlo todo a perder, Radonio? —preguntó Cherunio mientras seguía a Jondalar con la mirada.

La aleta de cuero que cerraba la morada que compartía con Serenio estaba echada, pero no había tablas cruzadas que impidieran el paso. Jondalar dio un suspiro de alivio: por lo menos, no estaba allí dentro con otro. Cuando apartó la aletilla, el interior estaba sumido en la oscuridad. Tal vez no estuviera, tal vez, finalmente, estaba con otro. Pensándolo bien, no la había visto en toda la noche, no después de la ceremonia. Y ella era la que no quería compromisos; él sólo se había prometido a sí mismo que pasaría la noche con ella. Quizá ella tuviera otros planes o quizá lo hubiera visto con Cherunio.

Llegó a tientas hasta el fondo del alojamiento donde una plataforma estaba cubierta con pieles y una almohadilla rellena de plumas. El lecho de Darvo junto a la pared lateral estaba vacío. Era de esperarse. Los visitantes no eran frecuentes, especialmente de su edad; probablemente habría conocido algunos muchachos y pasaría la noche con ellos, tratando de pasársela en vela.

Al acercarse al fondo, tendió el oído: ¿sería una respiración lo que oía? Tendió la mano por la plataforma y sintió un brazo, y una sonrisa de gozo le iluminó el rostro.

Volvió a salir, tomó un carbón ardiendo del fuego central y se lo llevó sobre un trozo de madera, apresuradamente. Prendió la mecha de musgo de una lamparita de piedra, colocó dos tablas cruzadas en la parte exterior de la entrada: señal de que no deberían interrumpirlos. Tomó la lámpara y se acercó silenciosamente a la cama, contemplando a la mujer dormida. ¿Debería despertarla? Decidió que sí, pero despacio y con dulzura.

Esa idea hizo vibrar sus ijares. Se desvistió antes de deslizarse junto a la mujer, rodeando el calor que se desprendía de ella. Serenio masculló algo y se volvió hacia la pared. Jondalar la acarició con toques prolongados por el cuerpo, sintiendo el calor del sueño y respirando el olor a hembra. Exploró todos los contornos del brazo hasta las yemas de los dedos, sus agudos omoplatos y el ondulante espinazo que conducía a la parte sensible al final de la espalda, donde se hinchaban sus nalgas; después, muslos y corvas, pantorrillas y tobillos. Serenio apartó los pies cuando el hombre le tocó las plantas. Tendiendo el brazo para aprisionar un seno con la mano, Jondalar sintió que el pezón se endurecía contra su palma. Experimentó el ansia de chuparlo pero se contuvo; cubrió con su cuerpo la espalda de la mujer y se puso a besarle hombros y cuello.

Le gustaba tocarle el cuerpo, explorarlo y volver a descubrirlo; pero bien sabía que no se trataba sólo del cuerpo de ella: amaba el cuerpo de todas las mujeres, por ellos mismos y por las sensaciones que despertaban en el suyo. Su virilidad estaba ya palpitando y empujando, ansiosa pero todavía controlable. Siempre era mejor si no cedía demasiado pronto.

—¿Jondalar? —dijo una voz soñolienta.

—Sí —contestó.

Serenio se puso de espaldas y abrió los ojos.

—¿Amanece ya?

—No —se alzó sobre un codo y la miró mientras sobaba un seno, y se inclinó para chupar el pezón que había deseado tener en la boca poco antes. Le acarició el estómago y metió entonces la mano en el calor entre los muslos, dejándola reposar en el vello del montecillo. Ella tenía el vello púbico más suave y sedoso que cualquier mujer que conociera antes.

—Te deseo, Serenio. Quiero honrar a la Madre contigo esta noche.

—Tendrás que darme tiempo para despertar —dijo, pero una sonrisa jugueteaba en las comisuras de sus labios—. ¿Queda algo de té frío? Quiero enjuagarme la boca... el vino siempre le da un sabor terrible.

—Voy mirar —dijo, levantándose.

Serenio sonrió lánguidamente cuando regresó con una taza. A veces le agradaba mirarlo sin más... era tan maravillosamente varonil: los músculos ondeaban a través de su espalda cuando se movía, su potente pecho de rizos rubios, su estómago duro y sus piernas, todas ellas fibra y fuerza. Tenía el rostro casi demasiado perfecto: mandíbula fuerte y cuadrada, nariz recta, boca sensual... sabía lo sensual que esa boca podía ser. Tenía las facciones tan bien moldeadas y proporcionadas que lo habrían considerado bello de no ser tan masculino... o si *bello* fuera una palabra que se aplicara generalmente a los hombres. Inclusive sus manos eran fuertes y sensibles, y sus ojos ... sus expresivos, imperiosos, imposibles ojos azules capaces de hacer palpitar el corazón de una mujer con una sola mirada, que podían hacerle desear que esa virilidad dura, orgullosa y magnífica se irguiera por delante, aun antes de haberla visto.

La primera vez que lo vio así la asustó un poco, antes de que ella comprendiera lo bien que la utilizaba. Nunca se la impuso, sólo le daba lo que ella podía recibir. En todo caso, era ella quien se esforzaba, deseándolo todo, deseando poder absorberlo todo. Estaba contenta de que la hubiera despertado. Se irguió cuando él le entregó la taza, pero antes de tomar un sorbo se inclinó y encerró en su boca la cabeza palpitante; cerrando los ojos, Jondalar dejó que el placer se apoderara de él.

Serenio se sentó y tomó un sorbo; después se levantó.

—Tengo que salir —dijo—. ¿Hay todavía gente levantada? No quiero tener que vestirme.

—Gente bailando aún, tal vez. Quizá debes usar caja.

Mientras regresaba a la cama, Jondalar la observó. ¡Oh, Madre! Era una hermosa mujer, con facciones tan bellas y cabellos tan suaves. Tenía las piernas largas y graciosas, las nalgas pequeñas pero bien formadas. Sus senos eran pequeños, duros, bien formados, con pezones altos y salientes ... todavía era el pecho de una joven. Unas pocas señales sobre el estómago eran la única indicación de maternidad, y las pocas arrugas en las comisuras de los ojos, la única indicación de la edad que tenía.

—Creí que regresarías tarde ... es Festival —dijo Serenio.

—¿Por qué tú aquí? Dijiste "no compromiso".

—No encontré a nadie que me interesara, y estaba cansada.

—Tú interesante ... yo no cansado —dijo Jondalar, sonriendo. La tomó entre sus brazos y besó la boca cálida, con la lengua apremiante, y la apretó fuerte. Ella sintió algo duro y palpitante contra su vientre y una marejada de calor la recorrió.

Él había tenido la intención de prolongarlo, de controlarse hasta que ella estuviera más que dispuesta, pero se encontró apresándole la boca con fruición, chupando y tirando de su cuello, sus pezones, mientras ella sujetaba la cabeza de él contra su pecho. La mano de él buscó el montecillo velloso y lo encontró húmedo y caliente. Un leve grito escapó de los labios de la mujer al sentir que él tocaba el diminuto órgano duro entre sus repliegues calientes. Se irguió y se apretó contra él mientras le acariciaba el lugar que bien sabía le produciría placer.

Esta vez supo lo que ella deseaba. Cambiaron de posición: él rodó sobre un costado, ella de espaldas. Alzando una pierna sobre la cadera de él, metió la otra entre sus muslos y mientras él acariciaba y sobaba el centro del placer de ella, ella tendió la mano para dirigir la virilidad de él hacia su profunda hendidura. Cuando él penetró, Serenio gritó con pasión y experimentó la excitación exquisita de las dos sensaciones a la vez.

Jondalar sintió que el calor de la mujer lo envolvía al avanzar dentro de ella mientras ella se apretaba para tratar de recibirlo entero. Él se retiró y volvió a embestir hasta que no pudo ir más allá. Ella se empinó hacia la mano de él, y él frotó más fuerte mientras volvía a penetrar en ella. Estaba tan lleno, tan dispuesto, y ella gritaba a medida que sus tensiones crecían. Ella se impulsó hacia él, los ijares de Jondalar se tensaron. Masajeando y penetrando una y otra vez, hasta que enormes oleadas los reunieron mientras ambos alcanzaban una cima insoportable y se inundaron de un alivio glorioso. Unos cuantos golpes más provocaron un estremecimiento y una satisfacción total.

Se quedaron quietos, respirando fuerte, con las piernas todavía enlazadas. Ella se tendió sobre él. Sólo ahora, antes de que se quedara fláccido pero sin estar ya plenamente hinchado, podía tomar todo su miembro dentro de ella. Él parecía siempre darle a ella más de lo que ella le daba a él. No quería moverse ya Jondalar, podría quedarse dormido pero tampoco quería dormir. Finalmente sacó su miembro agotado y rodeó a la mujer con su cuerpo; ella estaba tendida, quieta, pero él sabía que no dormía.

Jondalar dejó que su mente vagabundera y de repente se encontró pensando en Cherunio y Radonio y las demás jovencitas. ¿Qué tal habría sido con todas ellas a un tiempo? Sentir todos esos cuerpos de hembras cálidos y núbiles a su alrededor, con sus muslos calientes y sus traseritos redondos y sus fuentes húmedas. Tener el seno de una en la boca y cada mano explorando otros dos cuerpos de mujer. Estaba experimentando una excitación nueva. ¿Por qué las había rechazado? A veces se portaba de una manera estúpida.

Miró a la mujer que tenía junto a sí y se preguntó cuánto tardaría en tenerla nuevamente dispuesta, y le respiró al oído; ella sonrió. Le besó el cuello y después la boca; esta vez sería más lento, con todo el tiempo por delante. "Es una mujer bella, maravillosa . . . ¿por qué no puedo enamorarme?"

Capítulo 13

Al llegar al valle, Ayla se encontró con un problema. Había pensado destazar y secar la carne en la playa, durmiendo al aire libre, como lo había hecho anteriormente. Pero para atender debidamente al cachorro de león cavernario herido tendría que estar en la cavernita. El cachorro era tan grande como una zorra y mucho más robusto, pero podía cargar con él. Un ciervo adulto era muy distinto. Las puntas de las dos lanzas que se arrastraban detrás de Hinny, y que eran los postes de apoyo de la rastra, estaban demasiado separadas para pasar por el estrecho sendero cuesta arriba hasta la cueva. No sabía cómo conseguiría subir hasta allí el ciervo que tanto le había costado, y no se atrevía a dejarlo en la playa sin protección, con las hienas pisándole los talones.

Estaba preocupada y con razón. Justo en el breve lapso que tardó en llevar hasta la cueva al cachorro, las hienas estaban gruñendo sobre el ciervo envuelto en la estera de hierbas, todavía en la rastra, a pesar de los movimientos nerviosos de Hinny para evitarlas. La honda de Ayla estuvo en movimiento antes de llegar a medio camino, y una piedra fuertemente lanzada resultó mortal. Agarró la hiena por la pata trasera y la dejó en el prado, aunque odiaba tocar al animal. Olía a la carroña que había comido últimamente, y Ayla se lavó las manos en el río antes de volver a ocuparse de la yegua.

Hinny estaba temblando, sudando y agitando la cola en un estado de agitación nerviosa. Había sido casi más de lo que podía soportar, tener tan cerca el olor a león cavernario. Peor aún fue el olor a hiena sobre su pista. Había tratado de dar vueltas cuando los animales intentaron lanzarse contra la presa de Ayla, pero una pata de la rastra se había quedado atrapada en una grieta de la roca; Hinny estaba a punto de abandonarse al pánico.

—Ha sido un día duro para ti, ¿verdad Hinny? —dijo Ayla por señas, y entonces rodeó el cuello de la yegua con sus brazos y la tuvo así, como habría hecho con un niño asustado. Hinny se recostó contra ella temblando, respirando fuerte por los ollares, pero finalmente la proximidad de la mujer acabó por calmarla. La yegua siempre había sido tratada amorosamente y con paciencia, y a cambio daba confianza y esfuerzo voluntarioso.

Ayla comenzó a desmantelar la rastra, sin saber aún cómo habría de subir el ciervo hasta la caverna, pero cuando aflojó una de las lanzas, ésta se acercó a la otra de modo que las dos puntas quedaron muy cerca una de otra: el problema se había resuelto solo. Volvió a sujetar la lanza para que aguantara y ayudó a Hinny camino arriba. La carga era inestable, pero la distancia por recorrer también sería corta.

El esfuerzo era mayor para Hinny; el reno y el caballo pesaban más o menos lo mismo, y el camino era empinado. La tarea hizo que Ayla apreciara mejor la fuerza de la yegua y percibiera la ventaja que representaba para ella habérsela pedido. Cuando llegaron al pórtico de roca, Ayla retiró toda la carga y abrazó a la yegua con gratitud. Entró en la caverna, esperando que Hinny la siguiera, y volvió sobre sus pasos al oír el relincho suave y angustiado de la yegua.

—¿Qué pasa? —preguntó por señas.

El cachorro de león cavernario se encontraba exactamente en el mismo lugar en que ella lo había dejado. "¡El cachorro!", pensó. "Hinny huele el cachorro", y salió de nuevo.

—Todo está bien, Hinny. Ese bebé no puede hacerte daño —acarició la nariz suave de Hinny poniéndole un brazo alrededor del robusto cuello, la incitó dulcemente a que entrara. La confianza en la mujer se sobrepuso una vez más al temor; Ayla condujo a la yegua hasta el cachorro de león. Hinny olisqueó, nerviosa, retrocedió relinchando, y volvió a bajar el hocico para oler al cachorro inmóvil. El olor del depredador estaba presente, pero el leoncito no amenazaba, Hinny resopló y tocó con el hocico al cachorro, y entonces pareció hacerse a la idea de aceptar la nueva presencia en la caverna. Fue hasta su lugar y se puso a comer.

Ayla volvió su atención hacia el bebé herido. Era una criaturita cubierta de pelusa con leves manchas morenas sobre un fondo beige más claro. Parecía muy joven pero Ayla no podía estar segura del todo. Los leones cavernarios eran depredadores de la estepa; ella sólo había estudiado animales carnívoros que vivían en las regiones boscosas cerca de la caverna del clan. Nunca había cazado hasta entonces en las planicies abiertas.

Trató de recordar todo lo que los cazadores del clan habían dicho acerca de los leones cavernarios. Éste parecía de un matiz más claro que los que había visto anteriormente, y recordó que los hombres habían advertido frecuentemente a las mujeres: los leones cavernarios eran difíciles de distinguir. Se asimilaban tan bien al color de la hierba seca y la tierra polvorienta, que se podía tropezar con uno inadvertidamente. Toda una familia, dormida a la sombra de arbustos o entre piedras y vegetación cerca de sus guaridas, parecía un grupo de rocas, inclusive desde muy cerca.

Cuando lo pensó, reconoció que las estepas de aquella zona parecían de un matiz más claro de beige en general, y los leones que vivían a proximidad se fundían seguramente con el entorno. No se había detenido a pensar en ello anteriormente, pero parecía lógico que tuvieran un pelaje más claro que los del Sur. Tal vez debería dedicar algún tiempo al estudio de los leones cavernarios.

Con un toque hábil y entendido, la joven curandera tentó para descubrir hasta qué grado estaba lesionado el cachorro. Tenía una costilla rota, pero tal vez no provocara ningún daño más. Espasmos y contracciones así como unos sonidos como si maullara, indicaban dónde le dolía; tal vez tuviera lesiones internas. El peor problema era una herida abierta en la cabeza, causada indudablemente por un casco duro.

La hoguera se había consumido desde hacía mucho, pero eso había dejado de ser un problema. Había llegado a contar con sus pedernales, y podía prender un fuego rápidamente cuando tenía buena yesca. Puso agua a hervir, después envolvió con una faja de cuero, suave pero firmemente las costillas del bebé. Mientras pelaba la cáscara negra de las raíces de consuelda que había recogido al hacer el camino de regreso, empezó a manar un mucílago pegajoso. Echó flores de caléndula en el agua hirviendo, y cuando el líquido adquirió un tono dorado, sumió en él una piel suave y absorbente para lavar la herida que tenía el cachorro en la cabeza.

Al retirar la sangre seca, la hemorragia se reanudó, y Ayla pudo comprobar que el cráneo estaba partido pero no aplastado. Picó la raíz blanca de consuelda y aplicó la sustancia pegajosa directamente sobre la herida —detuvo la hemorragia y ayudaría a sanar el hueso— y la envolvió entonces con más piel suave. No sabía qué uso tendrían las pieles de casi todos los animales que había matado, pero ni en sus sueños más desbocados podría haber imaginado el uso que dio a algunas.

"¿No se sorprendería Brun de verme?", pensó, sonriendo. "No permitió nunca animales cazadores, ni siquiera me permitió llevar a la caverna aquel lobezno. Y ahora, mírame ¡con un cachorro de león! Me parece que voy a aprender muchas cosas acerca de los leones cavernarios, y rápidamente ... si éste vive."

Puso más agua a cocer para un té de hojas de consuelda y manzanilla, aunque no sabía cómo podría lograr administrar la medicina interna al leoncito. Entonces dejó al cachorro y salió para desollar el reno. Cuando las primeras tajadas, finas y en forma de lengua, estuvieron dispuestas para colgar, se encontró súbitamente desconcertada. Allí no había una capa de tierra en la que pudiera sumir los palos que solían usar para tender cuerdas, aquello era roca viva. Ni siquiera había pensado en eso cuando se preocupó tanto por llevar el cadáver del reno hasta la caverna. ¿Por qué sería que las pequeñeces eran siempre lo que parecía paralizarla? No se podía estar seguro de nada.

En su frustración, no le pasó por las mientes ningún remedio. Estaba cansada y sobreexcitada, y el haber llevado un cachorro de león a casa la tenía preocupada. No estaba segura de que debería haberlo llevado, y ¿qué iba a hacer con él? Tiró el palo y se puso de pie. Avanzando hasta el extremo exterior del pórtico natural, echó una mirada al valle mientras el viento le azotaba el rostro. ¿En qué había estado pensando? ¿Llevar un cachorro de león que necesitaría cuidados, cuando lo que debería hacer era prepararse para marchar y proseguir su búsqueda de los Otros? Tal vez debería llevárselo a la estepa ahora y dejarle seguir el destino de todas las criaturas débiles en la naturaleza. El hecho de vivir sola y aislada, ¿le habría quitado la capacidad para pensar razonablemente? De todos modos, no sabía cómo debería atenderlo. ¿Cómo alimentarlo? Y si se recuperara ¿qué iba a suceder? Entonces no podría devolverlo a la estepa; su madre no lo aceptaría más, y moriría. Si estaba dispuesta a quedarse con el cachorro tendría que quedarse en el valle. Para seguir su búsqueda, no le quedaría más remedio que devolverlo a la estepa.

Regresó a la cueva y se quedó mirando al cachorro; todavía no se había movido. Le tocó el pecho; tenía calor y respiraba, y su pelaje velloso le recordó el de Hinny cuando era pequeña. Era bonito y con aspecto tan chistoso por su cabeza vendada, que Ayla tuvo que reír. Pero ese lindísimo bebé se va a convertir en un león muy grande, se le impuso. Se puso de pie y volvió a mirarlo. No importaba. No le era posible llevar ese bebé a la estepa y dejar que muriera.

Salió de nuevo y se quedó mirando la carne. Si se quedara en el valle tendría que empezar a pensar en almacenar nuevamente alimentos. Y sobre todo ahora, que tendría una boca más que mantener. Recogió el palo, tratando de pensar algún medio para mantenerlo vertical. Vio un montón de piedras caídas junto a la pared posterior, cerca del extremo más apartado, y trató de insertarle el palo; éste quedaba de pie, pero no podría soportar el peso de hileras de carne. Pero eso le dio una idea. Entró en la cueva, agarró un canasto y echó a correr cuesta abajo hasta la playa.

Después de unos cuantos intentos, descubrió que una pirámide de cantos de la playa podría sostener un palo largo. Hizo varios viajes para recoger guijarros y cortó trozos de madera convenientes antes de lograr tender varias hileras de cuerda a través del saliente, para secar la carne; y entonces volvió a la tarea de cortarla. Hizo una fogata cerca del lugar en que estaba trabajando y ensartó una rabadilla para asarla y cenársela, pensando otra vez en cómo iba a alimentar al cachorro y a administrarle la medicina. Lo que le hacía falta eran alimentos para leones bebé.

Las crías podían comer lo mismo que los adultos, recordó, sólo que en forma más suave, más fácil de mascar y tragar. Quizá un caldo de carne, picando ésta muy finamente. Lo había hecho para Durc, ¿por qué no para el cachorro? Y a todo esto, ¿por qué no hacer el caldo con el té que había hecho para la medicina?

Puso inmediatamente manos a la obra, cortando los trocitos de carne de reno que destazó seguidamente. Se los llevó adentro para meterlos en la olla de madera, y decidió entonces agregar un poco de la raíz de consuelda que había sobrado. El cachorro no se había movido, pero parecía estar descansando mejor.

Poco después pensó oír ruidos de movimiento y entró para ver cómo se encontraba. Estaba despierto, maullando suavemente, incapaz de rodar y ponerse en pie, pero cuando Ayla se acercó al gatazo, éste bufó enseñando los dientes y trató de retroceder. Ayla sonrió y se dejó caer a su lado.

"Cosita asustada", pensó. "No te lo reprocho. Despertar en una guarida desconocida, con dolores, y ver alguien que no se parece en nada a tu madre ni tus hermanos...", tendió una mano: "toma, no voy a hacerte daño ¡Ay! ¡Tus dientecillos son agudos! Adelante, pequeñito, prueba mi mano, hazte al olor que tengo yo; eso facilitará que te acostumbres a mí. Ahora yo tendré que ser tu madre. Aun cuando supiera dónde está tu guarida, tu madre no sabría cómo cuidarte... si te aceptara. No sé mucho de leones cavernarios, pero tampoco sabía mucho de caballos.

Un bebé es un bebé. ¿Tienes hambre? No puedo darte leche. Espero que te guste el caldo con carne desmenuzada. Y con la medicina, te sentirás mejor".

Se levantó para ver cómo estaba la olla. La sorprendió bastante la consistencia densa del caldo frío, y cuando lo revolvió con un hueso de costilla, encontró que la carne se había vuelto compacta en el fondo de la olla. Finalmente, la sacó con una brocheta aguda y obtuvo una masa congelada de carne con un líquido espeso y viscoso que colgaba en hilos. De repente comprendió y soltó la carcajada. El cachorro se asustó tanto que casi sacó fuerzas suficientes para levantarse.

"Por eso es tan buena la raíz de consuelda para curar heridas. Si sujeta la carne desgarrada tan bien como ha pegado esta carne de reno, ¡tiene que servir para curar!"

—Bebe, ¿crees que podrás tomar algo de esto? —indicó con señas al leoncito cavernario. Vertió algo del líquido pegajoso en un plato de corteza de abedul; el cachorro se había salido de la estera de hierbas y luchaba por ponerse en pie. Ayla le puso el plato bajo el hocico; el cachorro le bufó y retrocedió.

Ayla oyó el ruido de cascos subiendo por el sendero, y un instante más tarde Hinny entró. Vio el cachorro, muy despierto ahora y en movimiento, y se acercó a investigar; inclinó la cabeza para olisquear a la criatura peludita. El leoncito cavernario, que cuando fuera adulto inspiraría pánico en cualquiera de la especie de Hinny, sintió pavor por otro enorme animal desconocido que se acercaba por encima de él. Escupió y mostró los dientes y retrocedió hasta encontrarse casi en el regazo de Ayla. Sintió el calor de su pierna, recordó un olor menos desconocido y se acurrucó allí. Había demasiadas cosas extrañas en aquel lugar.

Ayla subió al leoncito sobre su regazo, lo abrazó haciendo ruiditos tranquilizadores, como habría hecho con cualquier bebé. Como lo había hecho con el suyo.

—Todo está bien. Ya te acostumbrarás a nosotras.—Hinny meneó la cabeza y relinchó. El león cavernario que estaba en brazos de Ayla no parecía amenazador aunque sus instintos le decían que debería serlo. Ella había cambiado de costumbres anteriormente en favor de esa mujer, viviendo con ella. Tal vez ese león cavernario, en particular, pudiera tolerarse.

El animalito respondió a las caricias y los mimos de Ayla buscando con el hocico un lugar donde mamar. "¿Tienes hambre, verdad, bebé?" Ayla tendió la mano hacia el plato de caldo espeso y se lo puso al cachorro bajo el hocico; él olisqueó pero no supo qué hacer. Ayla metió dos dedos en la masa y se los metió en el hocico; entonces sí supo qué hacer; como cualquier bebé, se puso a chupar.

Y allí se quedó, sentada en su pequeña caverna, sosteniendo al cachorro de león cavernario, meciéndolo mientras él le chupaba los dos dedos, tan abrumada por el recuerdo de su hijo que ni siquiera se percató de que las lágrimas le bañaban el rostro y goteaban en el pelaje tupido.

En aquellos primeros días se estableció un vínculo —días y noches, cuando se llevaba al cachorro de león a la cama para mimarlo mientras él le chupaba los dedos— entre la joven y el cachorro de león cavernario; un vínculo que jamás se habría establecido entre el cachorro y su madre natural. Los caminos de la naturaleza son rudos, especialmente para las crías del más potente de todos los depredadores. Aunque la leona amamantaba a sus crías durante las primeras semanas —e inclusive les permitiera mamar, en ocasiones, hasta seis meses—, tan pronto como abrían los ojos los cachorros de león comenzaban a comer carne. Pero la jerarquía del alimento en una familia de leones no dejaba lugar a sentimentalismos.

La leona era la cazadora y, a diferencia de otros miembros de la familia felina, cazaba en grupo. Tres o cuatro leonas juntas representaban un equipo de caza formidable; eran capaces de derribar un saludable reno gigantesco o un bisonte en la flor de la edad. El único que era inmune al ataque era el mamut adulto, aunque jóvenes y viejos eran vulnerables. Pero la leona no cazaba para sus crías, cazaba para el macho; el león guía siempre conseguía la parte del león. Tan pronto como se presentaba, las leonas se apartaban, y sólo después de que estuviera ahíto podían cobrar su parte las hembras. Los leones adolescentes mayores venían después, y sólo entonces, si quedaba algo, podían los cachorros gozar de la oportunidad de pelear por los restos.

Si un cachorrillo, desesperado por el hambre, tratara de saltar para llevarse un bocado antes de tiempo, lo probable era que recibiera un golpe mortal. La madre solía llevarse sus crías lejos de una presa muerta, aunque estuvieran famélicas, para evitar ese peligro. Las tres cuartas partes de la camada nunca llegaban a madurez. Y la mayoría de los que se convertían en adultos eran expulsados por la familia para convertirse en nómadas ... y los nómadas eran mal recibidos en todas partes, especialmente si eran machos. Las hembras tenían una ligera oportunidad; se les podía permitir permanecer cerca de una familia que estuviera escasa de cazadoras.

La única manera de que un macho podía ser aceptado consistía en luchar para conseguirlo, a menudo a muerte. Si el macho dominante en la familia era viejo o estaba herido, un miembro más joven de la familia, o más probablemente un vagabundo, podía expulsarlo y hacerse cargo. El macho era mantenido para defender el territorio de la familia —señalado por sus glándulas odoríferas o por la orina de la hembra principal— y para asegurar la continuación de la familia como grupo reproductor.

En ocasiones, un macho y una hembra vagabundos se unían para formar el núcleo de una nueva familia, pero tenían que abrir su territorio a fuerza de zarpazos entre territorios colindantes. Era una existencia precaria.

Pero Ayla no era una leona madre: era humana. Los padres humanos no sólo protegían a sus crías sino que las alimentaban. Bebé, como siguió llamándolo, fue tratado como nunca león cavernario: no tuvo que pelear con hermanos por las sobras ni evitar los rudos golpes de sus mayores. Ayla lo alimentaba; cazaba para él. Pero aun cuando le daba su parte, no cedía la suya. Le dejaba chuparle los dedos cuando el cachorro sentía la necesidad de hacerlo, y solía llevárselo a la cama.

Él estaba naturalmente acostumbrado a hacer sus necesidades fuera, y salía de la caverna, excepto cuando al principio no podía moverse. Pero aun entonces, cuando se ensuciaba, hacía una mueca de asco tal ante aquello que Ayla no podía menos que sonreír. No fue la única ocasión en que la hacía sonreír. Las payasadas de Bebé provocaban a veces sus carcajadas. El cachorro gustaba de acecharla, y le gustaba todavía más si ella fingía no darse cuenta y se hacía la sorprendida cuando él se dejaba caer sobre sus espaldas, aunque a veces ella lo sorprendía a él volviéndose de repente y recibiéndolo en sus brazos.

Siempre se había consentido a los niños del Clan; el castigo era pocas veces algo más que ignorar un comportamiento que pretendía llamar la atención. A medida que iban creciendo y se percataban más de la posición concedida a los hermanos mayores y los adultos, los niños empezaban a resistirse contra los mimos, por demasiado infantiles, y a emular los modales de los mayores. Cuando esto provocaba la aprobación inevitable, era lógico que continuara.

Ayla mimaba de la misma manera al león cavernario, especialmente al principio, pero a medida que fue creciendo, hubo veces en que sus juegos le hicieron daño sin querer. Si arañaba alocadamente o la derribaba con un ataque fingido, la respuesta usual de Ayla consistía en dejar de jugar, acompañada generalmente del gesto del Clan para: "¡Ya!" Bebé era sensible a los humores de la joven. Si se negaba Ayla a jugar, a jalar de un palo o de un trozo viejo de cuero, a menudo trataba de congraciársela con un comportamiento que la hacía sonreír o intentaba chuparle los dedos.

Comenzó a responder a las señales de "¡Ya!" con las mismas acciones. Con la sensibilidad habitual de Ayla ante acciones y posturas, observó la conducta del cachorro y empezó a utilizar la señal para detenerlo tan pronto como quería que dejara de hacer lo que estaba haciendo. No era tanto cuestión de adiestrarlo sino de respuesta mutua, pero el animal aprendía rápidamente. Se detenía a medio camino o trataba de interrumpir un brinco en medio del aire, cuando ella hacía la señal. Por lo general necesitaba ser tranquilizado chupándole los dedos siempre que le hacía Ayla la señal de detenerse con una fuerza imperiosa, como si comprendiera que había hecho algo que le desagradaba.

Por otra parte, ella era sensible a sus humores y no lo constreñía físicamente. Era tan libre de ir y venir como ella misma o la yegua. Nunca se le ocurrió a Ayla encerrar ni atar a sus compañeros animales. Eran su familia, su clan, criaturas vivientes que compartían su caverna y su vida. En su mundo solitario, eran sus únicos amigos.

Pronto olvidó lo raro que le parecería al Clan verla vivir con animales, pero se preguntó acerca del tipo de relación existente entre la yegua y el león. Eran enemigos naturales, presa y depredador. Si ella hubiera recordado eso al encontrar al cachorro herido, tal vez no se hubiera llevado el león a la caverna que compartía con una yegua. No habría creído que pudieran vivir juntos, menos aún algo más.

Al principio Hinny se había limitado a tolerar al cachorro, pero una vez que éste se puso en pie y circuló, resultaba difícil ignorarlo. Cuando vio que Ayla tiraba de un extremo de un trozo de cuero mientras Bebé sujetaba el otro extremo entre sus dientes, agitando la cabeza y amenazando, la curiosidad natural de la yegua fue la más fuerte. Tuvo que acercarse y ver lo que estaba pasando. Después de olisquear el cuero, a veces lo agarraba con los dientes haciendo un juego de tres. Cuando Ayla lo soltaba, era un juego entre yegua y león. Con el tiempo, Bebé adquirió el hábito de arrastrar un trozo de cuero —bajo su cuerpo y entre sus patas delanteras, como habría de arrastrar una presa algún día— a través del camino de la yegua, tratando de provocarla para que agarrara un extremo y jugara con él. Hinny solía darle gusto. Como no tenía hermanos con quienes jugar juegos de león, Bebé se las arreglaba con las criaturas que tenía a mano.

Otro juego —que no divertía tanto a Hinny pero al que por lo visto Bebé no podía resistirse— consistía en atrapar-la-cola. Principalmente la cola de Hinny. Bebé la acechaba; agazapado, la veía moverse de un lado a otro tan provocativamente, que avanzaba silenciosa y furtivamente, estremecido de excitación. Entonces, con un culebreo de gozo anticipado, brincaba y acababa con un delicioso bocado de crines. A veces estaba segura Ayla de que Hinny jugaba también, perfectamente consciente de que su cola era objeto de un deseo tan intenso pero fingiendo no darse cuenta. También la yegua era juguetona; pero no había tenido con quien jugar anteriormente. Ayla no era propensa a inventar juegos; nunca había aprendido.

Pero al cabo de un rato, cuando ya había jugado bastante, Hinny se volvía contra el atacante y mordisqueaba la rabadilla de Bebé. Aunque también ella era indulgente, nunca cedía su posición dominante. Bebé podía ser un león cavernario, pero sólo era un bebé. Y si Ayla era su madre, Hinny se convirtió en su niñera. Mientras los juegos entre ambos se fueron desarrollando con el tiempo, el cambio de la simple tolerancia a un cuidado activo fue el resultado de una característica en particular: a Bebé le gustaba el excremento.

Los excrementos de animales carnívoros no eran interesantes, a Bebé sólo le gustaban los de herbívoros y rumiantes, y cuando salían a la estepa, se revolcaba en el excremento que encontrara. Como sucedía con la mayor parte de sus juegos, esto formaba parte de su preparación para sus cacerías futuras. El excremento de un animal puede disimular el olor a león, pero no por ello reía menos Ayla cuando lo veía descubrir un nuevo montón de excrementos. El de mamut era particularmente agradable para él; Bebé abrazaba las gruesas bolas, las rompía y después se tendía encima.

Pero no había excremento tan maravilloso como el de Hinny. La primera vez que encontró el montón de excrementos secos que utilizaba Ayla para complementar la leña, no podía saciarse. Los llevaba por ahí, se revolcaba encima, jugaba, se bañaba literalmente. Cuando Hinny entró en la caverna, olió su propio olor en él. Desde aquel instante dejó de sentirse nerviosa cerca del cachorro y lo adoptó como su entenado. Lo guiaba, lo cuidaba, y si él respondía a veces de una forma extraña, eso no influyó en el atento cuidado que le prodigaba.

Aquel verano Ayla fue más feliz que nunca desde que se alejó del Clan. Hinny había sido una compañía y algo más que una amiga;

Ayla no sabía qué habría hecho sin ella durante el prolongado invierno solitario. Pero la introducción de Bebé en su vida le proporcionó una nueva dimensión: él la hacía reír. Entre el caballo protector y el cachorro juguetón, siempre estaba ocurriendo algo chistoso.

Un caluroso día de mediados del verano, Ayla se encontraba en el prado vigilando al cachorro y la yegua practicando un juego nuevo. Corrían uno tras otro en un amplio círculo. Al principio el leoncito se detenía justo un poco para que Hinny lo alcanzara, después brincaba hacia delante mientras ella frenaba algo hasta que él cerraba el círculo y la alcanzaba por detrás. Entonces ella brincaba hacia delante y él corría relativamente despacio hasta que ella volvía a lo mismo. Ayla consideraba que era lo más chistoso que había visto en su vida; reía y reía y reía hasta que cayó de espaldas contra un árbol sujetándose el estómago.

Cuando fueron apagándose sus carcajadas, por alguna razón, cobró conciencia de sí misma. ¿Qué ruido era ese que hacía cuando algo la divertía? ¿Por qué lo hacía? Salía tan fácilmente cuando no había allí nadie para recordarle que no era conveniente. ¿Por qué no lo era? No podía recordar haber visto nunca a nadie del Clan riendo o sonriendo, excepto su hijo. Y sin embargo, entendían el humorismo, cuentos chistosos eran aprobados y una expresión complacida se asentaba principalmente en los ojos. La gente del Clan hacía una mueca parecida a la sonrisa de ella, recordó; pero transmitía un temor nervioso o una amenaza, no la dicha que ella sentía.

Pero si la risa la hacía sentirse tan bien y salía tan fácilmente ¿podía ser algo malo? Las otras personas como ella, ¿reirían? Los Otros. Sus cálidos sentimientos de gozo se esfumaron; no le gustaba pensar en los Otros. Eso le hacía comprender que había dejado de buscarlos y la llenaba de emociones complejas. Iza le había dicho que los buscara, y vivir sola podría ser peligroso. Si se enfermara o sufriera un accidente, ¿quién la ayudaría?

Pero ¡era tan feliz en el valle con su familia animal! Ni Hinny ni Bebé le echaban miradas reprobadoras cuando se olvidaba y echaba a correr. Nunca le decían que no sonriera, que no llorara, ni lo que podría cazar ni cuándo ni con qué armas. Podía hacer lo que quisiera, y eso la hacía sentirse libre. No consideraba que el tiempo que pasaba atendiendo a sus necesidades materiales —como el alimento, el calor y el abrigo— limitaran su libertad, aunque representaba la mayoría de sus esfuerzos. Justo lo contrario: le inspiraba confianza en sí misma saber que se podía cuidar sola.

Con el paso del tiempo, y especialmente desde la llegada de Bebé, la pena que sentía por la gente a quien amaba se había calmado. El vacío, la necesidad de contacto humano, era una pena tan constante que ya parecía normal. Cualquier alivio significaba gozo, y los dos animales contribuían mucho a llenar el vacío. Le gustaba pensar en su organización, en algo así como Iza y Creb y ella cuando era pequeña, salvo que Hinny y ella se ocupaban de Bebé. Y cuando el cachorro de león, con las garras sumidas, la abrazaba con las patas delanteras mientras ella lo mimaba por la noche, casi podía imaginar que era Durc.

No tenía ganas de salir en busca de Otros desconocidos, cuyas costumbres y restricciones ignoraba; Otros que pudieran privarla de su risa. "No lo harán", se decía. "No volveré a vivir con nadie que no me permita reír".

Los animales se habían cansado de jugar. Hinny estaba paciendo y Bebé descansaba cerca de ella, con la lengua fuera, jadeando. Ayla silbó, lo cual atrajo a Hinny con el león caminando pesadamente tras ella.

—Tengo que ir a cazar, Hinny —indicó por señas—. Este león come mucho y se está poniendo muy grande.

Una vez que el leoncito cavernario se restableció de sus heridas, siempre andaba detrás de Ayla o de Hinny. Los cachorros nunca se quedaban solos, como tampoco se dejaba solos a los bebés del Clan, de manera que aquella conducta parecía perfectamente normal. Pero representaba un problema. ¿Cómo podría cazar con un cachorro de león sobre sus talones? Sin embargo, al despertarse el instinto protector de Hinny, el problema se resolvió solo. Era costumbre que una madre leona formara un subgrupo con sus cachorros y una hembra joven, cuando eran pequeños. La hembra joven se ocupaba de los cachorros mientras la leona iba de caza, y Bebé aceptó que Hinny desempeñara ese papel. Ayla sabía que ninguna hiena o animal de esa clase se atrevería a desafiar las coces de la yegua irritada en defensa de su pupilo, pero eso significaba que tendría que volver a cazar a pie. Sin embargo, recorrer la estepa cerca de la caverna, en busca de animales pequeños adecuados para su honda de dos piedras, le dio una oportunidad inesperada.

Ayla había evitado siempre acercarse a la familia de leones cavernarios que recorrían el territorio al este de su valle. Pero la primera vez que vio unos cuantos leones descansando a la sombra de pinos retorcidos, decidió que había llegado la hora de enterarse de algo más acerca de las criaturas que personificaban a su tótem.

Ocupación peligrosa; aun cuando era cazadora, le sería fácil convertirse en presa. Pero había observado anteriormente a depredadores y aprendido la manera de pasar inadvertida. Los leones sabían que los estaba observando, pero después de unas cuantas veces, decidieron ignorarla. Eso no eliminaba el peligro; uno de ellos podría volverse contra ella en cualquier momento, sin más razón que un mal humor, pero cuanto más los observaba, más fascinación sentía.

Se pasaban la mayor parte del tiempo descansando o durmiendo, pero cuando cazaban, se convertían en velocidad y furia en acción. Los lobos, cazando en manada, podían matar un gran ciervo; una leona cavernaria sola era capaz de hacerlo y con mayor rapidez. Sólo cazaban cuando tenían hambre, y podían limitarse a comer solamente una vez en varios días. No necesitaban almacenar alimentos, como ella; cazaban a lo largo de todo el año.

Tendían a ser cazadores nocturnos en verano, cuando hacía calor de día; en invierno, cuando la naturaleza daba mayor densidad a sus mantos, aclarando el matiz hasta el color marfil para facilitarles la fusión con el paisaje, los había visto cazar de día. El riguroso frío impedía que la tremenda energía que quemaban al cazar los acalorara exageradamente. De noche, cuando bajaba la temperatura, dormían amontonados en una cueva o un saliente rocoso que los protegiera del viento, o en medio de las piedras de un cañón que habían acumulado el calor del lejano sol durante el día, y que lo devolvían en la oscuridad.

La joven regresaba a su valle después de un día de observación en que había experimentado un respeto mayor aún por el animal del espíritu de su tótem. Había estado viendo cómo las leonas derribaban a un viejo mamut cuyos colmillos eran tan largos que se incurvaban hacia atrás y se cruzaban por delante. Toda la familia se había empapuzado con la presa. ¿Cómo pudo ella salvarse de uno de ellos cuando sólo tenía cinco años de edad, y quedarse con sólo unas cicatrices para atestiguarlo? se preguntaba, comprendiendo mejor el pasmo del Clan. "¿Por qué me escogió el León Cavernario?" Durante un instante experimentó un curioso presentimiento; nada específico, pero eso la dejó pensando en Durc.

Al acercarse al valle, una piedra veloz cobró una liebre para Bebé, y de repente se puso a preguntarse si habría sido juicioso llevarse el cachorro a su caverna, imaginándoselo como un león cavernario adulto. Sus aprensiones sólo duraron hasta que el leoncito corrió a ella, anhelante y feliz por su regreso, buscando sus dedos para chupárselos y lamiéndola con su lengua rasposa.

Más tarde aquella noche, después de despellejar la liebre y cortarla en trozos para Bebé, limpiar el sitio de Hinny y llevarle un poco de heno fresco, y preparar su cena, estaba sentada bebiendo té caliente, mirando fijamente el fuego y recordando los sucesos del día. El joven león cavernario estaba dormido en el fondo de la caverna, lejos del calor directo del fuego. Ayla se puso a recordar las circunstancias que la habían impelido a adoptar al cachorro, y sólo pudo llegar a la conclusión de que tal había sido el deseo de su tótem. No sabía por qué, pero el Gran León Cavernario había enviado a uno de los suyos para que ella lo criara.

Tocó el amuleto que colgaba de la correa que llevaba al cuello y tentó los objetos que contenía, con el lenguaje oficial y silencioso del Clan, dirigiéndose a su tótem: "Esta mujer no había comprendido cuán poderoso es el León Cavernario. Esta mujer agradece que se le haya mostrado. Esta mujer puede no llegar nunca a saber por qué fue escogida, pero esta mujer está agradecida por el bebé y la yegua." Se detuvo y después agregó: "Algún día, Gran León Cavernario, esta mujer sabrá para qué fue enviado el cachorro . . . si su tótem decide decírselo."

La carga de trabajo habitual para Ayla en verano, preparándose para la estación fría que se avecinaba, se complicó por la presencia del león cavernario: era un carnívoro puro y simple, y necesitaba cantidades de carne con que satisfacer las exigencias de su rápido crecimiento. Cazar animales pequeños con la honda le llevaba muchísimo tiempo; necesitaría perseguir presas más grandes, tanto para sí misma como para el león. Pero para eso, necesitaría a Hinny.

Bebé supo que Ayla estaba planeando algo especial al verla salir con el arnés y silbar para llamar a la yegua; había que ajustarlo para que pudiera arrastrar dos palos robustos tras ella. La rastra había demostrado su utilidad, pero Ayla deseaba encontrar un mejor medio de sujetarla para poder utilizar los canastos. Además, quería que uno de los postes pudiera moverse de modo que la yegua subiera su carga hasta la cueva. También había funcionado bien el procedimiento de secar la carne en el saliente.

No estaba segura de lo que haría Bebé ni cómo iba a poder cazar llevándose a Bebé, pero tendría que intentarlo. Cuando todo estuvo listo, montó a Hinny y se puso en camino. Bebé siguió detrás como habría seguido a su madre. Era tan fácil y conveniente pasar al territorio al este del río que, excepto unas cuantas excursiones exploratorias, nunca iba al Oeste. La muralla misma del lado oeste se prolongaba muchas millas antes de que una cuesta empinada y pedregosa abriera finalmente una brecha hacia las planicies en esa dirección. Puesto que podía avanzar mucho más lejos a caballo, se había familiarizado con el lado este, y esto también le facilitaba la cacería.

Mucho había aprendido acerca de las manadas de aquella estepa, sus costumbres migratorias, sus caminos habituales y los vados de los ríos. Pero aún tenía que abrir zanjas a lo largo de caminos de animales conocidos, y no era una tarea que mejorara con la interferencia de un cachorro de león lleno de vida, que creía que la joven acababa de inventar un juego maravilloso para divertirlo a él.

Fue arrastrándose hasta el agujero, quebrando la orilla con sus zarpas, brincó por encima, saltó adentro y salió de otro brinco con una facilidad igual. Se revolcó en montones de tierra que Ayla había metido en la vieja tienda de cuero y que seguía usando para llevarse la tierra removida. Cuando echó a andar arrastrándola, Bebé decidió que también él jalaría, por su lado. Y entonces se volvió el juego de jalar del cuero derramando toda la tierra alrededor.

—¡Bebé! ¿Cómo quieres que abra esta zanja —dijo Ayla, exasperada pero muerta de risa, cosa que resultó otra incitación—. Ven, voy a buscar algo para que tú lo arrastres —se puso a buscar en los canastos, que había retirado del lomo de Hinny para que ésta pudiera pacer cómodamente, y encontró la gamuza que había llevado consigo para ponerla sobre la tierra si lloviera—. Jala de esto, Bebé —señaló, y lo arrastró delante del cachorro: era lo único que necesitaba. No podía resistir una piel arrastrada; estaba tan contento de sí mismo, arrastrando la piel entre sus patas delanteras, que Ayla no pudo menos que sonreír.

A pesar de la ayuda de Bebé, Ayla consiguió abrir la zanja y cubrirla con un viejo cuero que había llevado con esa finalidad, y con una capa de tierra por encima. Apenas estaba el cuero en su sitio, sujeto con cuatro estaquillas, y todo listo, cuando Bebé tuvo que ir a investigar, cayó en la trampa y luego salió de ella brincando con un aire de indignación escandalizada, pero después se mantuvo alejado.

Una vez preparada la trampa, Ayla silbó a Hinny, y dieron un gran rodeo para ponerse bajo el viento, del otro lado de una manada de onagros. No podía volver a cazar caballos, e inclusive el onagro le causaba cierta incomodidad. El medio burro se parecía demasiado al caballo, pero la manada estaba tan bien colocada para empujarla hacia la trampa, que no podía pasarla por alto.

Después de las travesuras de Bebé junto a la zanja, Ayla estaba todavía más preocupada a la idea de que pudiera perjudicar la cacería, pero en cuanto se situaron detrás de la manada, la actitud del cachorro cambió por completo. Se acercó cautelosamente a los onagros, como había acechado la cola de Hinny, como si realmente fuera capaz de derribar uno aunque era demasiado joven aún. Ella se dio cuenta entonces de que los juegos del cachorro habían sido versiones infantiles de las habilidades de un león adulto que habría de necesitar para cazar. Era cazador de nacimiento; su entendimiento de la necesidad de cautela era instintivo.

Con gran sorpresa suya, Ayla descubrió que el cachorro la estaba ayudando. Cuando la manada estuvo lo suficientemente cerca de la trampa hacia la que el olor a humano y león cavernario la desviaba, Ayla apremió a Hinny, gritando y haciendo ruidos para provocar una estampida. El cachorro comprendió que esa era la señal, y se abalanzó también detrás de los animales. El olor a león cavernario incrementó el pánico de los onagros que se dirigieron, de cabeza, a la trampa.

Ayla se deslizó al suelo, lanza en mano, corriendo a toda velocidad hacia un onagro que gritaba tratando de salirse del agujero, pero Bebé se le adelantó: brincó sobre el lomo del animal —sin saber todavía cómo aferraba el león la garganta de la presa para asfixiarla— y con dientes de leche demasiado pequeños para causar mucho daño, le mordió el cuello. Pero era una experiencia prematura para él.

De haber seguido con su familia, ningún adulto le habría permitido tomar parte en una matanza. Cualquier intento habría sido detenido con un zarpazo mortal. A pesar de su velocidad, los leones sólo corrían distancias cortas, mientras que sus presas naturales eran corredores para largas distancias. Si el león no mataba en el primer impulso de velocidad, lo probable era que se quedaran sin la presa. No podían permitir que un cachorro practicara su pericia cazadora como no fuera jugando, antes de ser casi adulto.

Pero Ayla era humana. No tenía la velocidad de la presa ni del depredador, así como carecía de colmillo y garra. Su arma era su cerebro; con éste ideaba los medios de sobreponerse a su falta de dotes naturales para la caza. La trampa —que permitía que el ser humano, más lento y débil, pudiera cazar— daba inclusive a un cachorro la oportunidad de intentarlo.

Cuando llegó Ayla, sin aliento, el onagro tenía los ojos desorbitados por el espanto, atrapado en una zanja con un gatito cavernario aferrado a su lomo y tratando de darle el apretón mortal con dientes de leche. La mujer puso fin a la lucha del animal con un lanzazo seguro. Con el cachorro colgando de él —los dientecillos habían desgarrado la piel— el onagro se desplomó. Bebé no lo soltó antes de que cesara todo movimiento. La sonrisa de Ayla era la sonrisa orgullosa de una madre, alentando a su hijo, mientras el leoncito cavernario, parado sobre un animal mucho mayor que él, lleno de orgullo y convencido de que él lo había matado, intentaba rugir.

Entonces Ayla saltó a la zanja con él y lo hizo a un lado:

—Quítate, Bebé, que tengo que atar esta cuerda alrededor de su cuello para que Hinny pueda sacarlo.

El cachorro era un manojo de energía nerviosa mientras la yegua, haciendo fuerzas contra el cinto que le cruzaba el pecho, sacaba al onagro de la zanja. Bebé saltó al hoyo y salió de un brinco, y cuando el onagro estuvo finalmente fuera del agujero, el cachorro saltó sobre el animal y volvió a bajarse. No sabía qué hacer consigo mismo; el león que mataba solía ser el primero en comer su parte, pero los cachorros no mataban. Según la costumbre dominante, eran los últimos.

Ayla tendió al onagro para hacer el corte abdominal que comenzaba en el ano y terminaba en la garganta. Un león habría abierto el animal en forma similar, arrancando primero la parte blanda del vientre. Con Bebé observándola ávidamente, Ayla cortó la parte inferior, después se volvió y montó a horcajadas sobre el animal para terminar el corte.

Bebé no pudo esperar más. Se sumió en el abdomen abierto y metió la zarpa en las entrañas sangrientas y abultadas; aferrándolas con los dientes, tiró hacia atrás a la manera de su juego de jalar el cuero.

Ayla terminó de cortar, se dio vuelta y soltó una carcajada incontenible; se revolvía de risa hasta que se le saltaron las lágrimas. Bebé se había apoderado de un trozo de intestino pero, inesperadamente y mientras retrocedía, no halló resistencia: seguía saliendo; había seguido jalando ansiosamente hasta que una larga manguera de entrañas desenrolladas estuvo estirada varios pies de largo, y la mirada de sorpresa del cachorro era tan chistosa que Ayla no podía contenerse. Cayó al suelo sujetándose el costado y tratando de recobrar la compostura.

El cachorro, al no saber lo que estaba haciendo la mujer tirada en el suelo, soltó la manga y se fue a investigar. Sonriendo mientras lo veía acercarse a saltos, Ayla le agarró la cabezota y se frotó la mejilla contra su pelaje. Entonces le rascó detrás de las orejas y alrededor de los belfos manchados de sangre, mientras él le lamía los dedos y trataba de subirse a su regazo. Encontró los dos dedos y oprimiéndole los muslos alternativamente con cada una de sus zarpas delanteras, chupó, haciendo un ronroneo profundo en la garganta.

"No sé lo que te trajo, Bebé", pensó Ayla, "pero me alegro de que estés aquí".

Capítulo 14

Al llegar el otoño, el león cavernario era más grande que un lobo grande, y su gordura de bebé estaba dejando paso a patas larguiruchas y fuerza muscular. Pero a pesar del tamaño seguía siendo un cachorro, y Ayla llevaba a veces la señal de sus travesuras en forma de moretón o arañazo. Nunca lo golpeaba: era un bebé. Sin embargo, lo reprendía con la señal de: "¡Ya, Bebé!" y lo empujaba agregando: "Ya basta, eres demasiado rudo", y se alejaba de él.

Con eso bastaba para que un cachorro apenado la siguiera, haciendo ademanes sumisos, como hacían los miembros de una familia de leones con los que predominaban. Ella no podía resistir, y las turbulencias que seguían al perdón solían ser más calmadas. Él enfundaba las garras antes de ponerle las zarpas sobre los hombros para empujarla —no para derribarla— y poder rodearla con sus patas delanteras. Ella tenía que abrazarlo y aunque él pelaba los dientes al morderle el hombro o el brazo —como lo haría algún día al aparearse con una hembra—, lo hacía con suavidad sin rasgarle la piel.

Ella aceptaba sus caricias y gestos afectuosos y se los devolvía, pero en el Clan, mientras no matara su primer animal y llegara a la edad adulta, el hijo obedecía a la madre; Ayla no iba a permitir que fuera de otra manera; el cachorro la aceptaba como madre y, por tanto, era natural para ella mostrarse dominadora.

La mujer y el caballo eran la familia de él; eran lo único que tenía. Las pocas veces que había visto otros leones, al ir por la estepa con Ayla, sus insinuaciones amistosas e investigadoras fueron rechazadas groseramente, como lo demostraba la cicatriz que tenía en el hocico. Después de la refriega que mandó a Bebé de regreso con la nariz ensangrentada, la mujer evitaba a los leo-

293

nes cuando llevaba consigo al cachorro, pero cuando salía sola, seguía observando.

Se dio cuenta de que estaba comparando los cachorros de las familias salvajes con Bebé. Una de sus primeras observaciones fue que Bebé era grande para su edad; a diferencia de las crías de una familia de leones, nunca conoció periodos de hambre con las costillas sobresaliendo como ondulaciones en la arena; y no sufría la amenaza de morir de hambre, ni mucho menos; con Ayla prodigándole cuidados incesantes y sustentándolo, podría alcanzar el grado sumo de su potencial físico. Como una mujer del Clan con un bebé saludable y satisfecho, Ayla se enorgullecía de ver a su cachorro crecer brillante y enorme en comparación con los cachorros salvajes.

Observó que había otro aspecto de su desarrollo en el que su joven león estaba más adelantado que sus contemporáneos: Bebé era un cazador precoz. Después de la primera vez, cuando se deleitó sobremanera cazando onagros, siempre acompañó a la mujer. En vez de jugar al acecho y la caza con otros cachorros, estaba practicando con presas verdaderas. Una leona le habría impedido por la fuerza participar, pero Ayla lo alentaba y, de hecho, agradecía su ayuda. Los métodos instintivos que aplicaba el cachorro para cazar eran tan compatibles con los de ella, que cazaban en equipo.

Sólo una vez inició Bebé la caza prematuramente y dispersó una manada mucho antes de llegar a la zanja. Entonces Ayla estuvo tan indignada con él que Bebé comprendió que había cometido un error perjudicial. La vez siguiente la observó con cuidado y se contuvo hasta que ella se lanzó. Aun cuando no había logrado matar nunca un animal atrapado antes de que Ayla llegara, ella estaba segura de que el pequeño león no tardaría mucho en matar algo.

Bebé descubrió que cazar piezas pequeñas en compañía de Ayla y su honda también resultaba divertido. Si Ayla estaba recogiendo alimentos que a él no le interesaban, cazaba cualquier cosa en movimiento . . . a menos que estuviera dormido. Pero cuando ella cazaba, aprendió a quedarse inmóvil al mismo tiempo que ella, a la vista de la presa. Esperando y observando mientras ella sacaba la honda y una piedra, tan pronto como había lanzado, salía disparado; a menudo se lo encontró arrastrando la caza, pero otras veces lo sorprendió con los dientes rodeando el cuello del animal. Se preguntó si habría sido su piedra o si él habría rematado la tarea asfixiando, a la manera de los leones que ahogaban un animal para matarlo. Con el tiempo, se acostumbró a mirar cuando él se inmovilizaba, pues olía la presa antes de que ella la viera y, si era un animal pequeño, él atacaba primero.

Bebé había estado jugueteando con un trozo de carne que ella le había dado, sin interesarse de veras, y se había echado a dormir. Despertó al oír que Ayla subía del lado abrupto hacia la estepa por encima de su caverna, con hambre. Hinny no estaba por allá. Los cachorros abandonados sin compañía en despoblado eran fácil presa de hienas y demás depredadores; Bebé había aprendido la lección temprano y bien. Brincó para seguir a Ayla, llegó arriba primero, y entonces echó a andar junto a ella. Ayla, sin fijarse en la marmota gigantesca, lo vio detenerse, pero ésta los había visto y echó a correr antes de que ella lanzara la piedra. No estaba segura de haber dado en el blanco.

Bebé se había lanzado al instante. Cuando ella llegó hasta donde estaba él, con las mandíbulas sumidas en las entrañas sangrantes, quiso ver quién de los dos había matado. Lo apartó para ver si hallaba una señal del golpe. Bebé sólo resistió un instante —lo suficiente para que ella lo mirara severamente— y entonces cedió sin discutir. Había recibido suficientes alimentos de la mano de ella como para saber que siempre proveía. Inclusive después de examinar la marmota, no supo con certeza cómo había muerto, pero se la devolvió al león, alabándolo. Haber roto él solo la piel era ya un logro.

El primer animal del que estuvo segura que lo había matado él, era una liebre. Fue una de las pocas veces en que su piedra resbaló. Sabía que había lanzado mal —la piedra cayó a sólo unos pies de ella—, pero el movimiento de lanzar había indicado al joven león cavernario que se lanzara en persecución; cuando Ayla llegó, ya estaba Bebé destripando al animal.

—¡Qué maravilloso eres, Bebé! —lo halagó generosamente con aquella combinación tan suya de sonidos y ademanes, como se alababa a los mozos del Clan cuando mataban su primer animal pequeño. El león no comprendió lo que le decía, pero sí comprendió que estaba complacida. Su sonrisa, su actitud, su postura: todo ello comunicaba su sentimiento. Aun cuando era joven para eso, había satisfecho su necesidad instintiva de cazar, y había obtenido la aprobación del miembro dominante de su familia; había actuado bien y lo sabía.

Los primeros vientos fríos del invierno provocaron el descenso de la temperatura, la aparición de hielo quebradizo en el río, y sentimientos de inquietud en la joven. Había acumulado abundantes existencias de alimentos vegetales y carne para sí, y una cantidad de carne seca para Bebé. Pero sabía que no duraría todo el invierno; disponía de heno y granos para Hinny, pero para la yegua el forraje era un lujo, no una necesidad. Los caballos se pasaban el invierno forrajeando, aun cuando bien sabía ella que cuando la nieve era profunda pasaban hambre hasta que los vientos la barrieran, y no todos sobrevivían a la estación fría.

También los depredadores buscaban su alimento durante el invierno, desechando a los débiles, dejando más alimento para los fuertes. Las poblaciones de depredadores y presas aumentaban y disminuían por ciclos, pero por lo general conservaban cierto equilibrio unas en relación con las otras. Durante los años en que había menos herbívoros y rumiantes, morían más carnívoros. El invierno era la estación más dura para todos.

Al llegar el invierno, la preocupación de Ayla aumentó. No podía cazar animales grandes con la tierra congelada y dura como piedra; su método exigía abrir zanjas. La mayoría de los animales pequeños hibernaban o vivían en nidos de los alimentos que tenían almacenados; y eso dificultaba la posibilidad de encontrarlos, especialmente cuando no se tenía la capacidad de olfatear su presencia. Dudaba mucho poder cazar los suficientes animales para alimentar a un león cavernario que estaba en plena fase de crecimiento.

Durante la primera parte de la temporada, cuando el frío aumentó lo suficiente para mantener helada la carne, y después, congelada, trató de matar todos los animales grandes que pudo, almacenándolos en escondites debajo de montones de piedras. Pero no estaba tan familiarizada con las costumbres de las manadas en movimiento invernal, y sus esfuerzos no fueron todo lo afortunados que había esperado. Aun cuando sus preocupaciones le quitaban el sueño a veces, nunca lamentó haber recogido al cachorro y tenerlo en casa. Entre el cachorro y la yegua, la joven experimentaba pocas veces esa soledad introspectiva que solía provocar un prolongado invierno. En cambio la caverna se llenaba frecuentemente de carcajadas.

Siempre que salía y comenzaba a descubrir un nuevo escondrijo, Bebé estaba junto a ella tratando de llegar al animal muerto, aun antes de que Ayla quitara la primera piedra.

—¡Bebé!, ¡quítate de en medio! —y sonreía al ver al leoncito tratando de meterse entre las piedras. Arrastraba al animal rígido por el sendero y hasta la caverna. Como si supiera que había sido ocupado anteriormente por leones cavernarios, hizo suyo el pequeño nicho del fondo, y se llevaba allí al animal congelado para que se derritiera. Le gustaba mascar una buena tajada antes que nada, y lo hacía con deleite. Ayla esperaba a que se derritiera, y entonces cortaba un trozo para sí.

Como la provisión de carne en los escondrijos comenzaba a disminuir, ella se puso a observar el tiempo. Al amanecer de un día claro, tonificante y frío, decidió que había llegado la hora de cazar ... o por lo menos, de intentarlo. No tenía pensado ningún plan específico, aunque no era por falta de pensar en ello. Esperaba que algo se le ocurriera mientras anduviera fuera, o al menos que una buena ojeada sobre el terreno y las condiciones revelara nuevas posibilidades. Tenía que hacer algo, y no iba a esperar hasta que se terminaran las reservas de carne.

Bebé supo que iban a salir de caza tan pronto como vio que Ayla echaba mano de las canastas de Hinny, y se puso a entrar y salir corriendo, presa de excitación, gruñendo y caminando impacientemente. Hinny, agitando la cabeza y relinchando, estaba igualmente complacida ante la perspectiva. Para cuando llegaron a la soleada y fría estepa, la tensión y la preocupación de Ayla desaparecían ante la esperanza y el placer de la actividad.

La estepa estaba blanca, cubierta de una delgada capa de nieve recién caída que apenas perturbaba un viento ligero. El aire tenía una crepitación estática tan intensa que no parecía que el sol estuviera presente, como no fuera por la luz que arrojaba. Los tres lanzaban chorros de vapor al respirar, y el hielo que se formaba alrededor del hocico de Hinny se desparramaba en una pulverización de hielo en cuanto resoplaba. Ayla estaba contenta de tener su capucha de piel de glotón y las pieles adicionales que todas sus cacerías le habían proporcionado.

Echó una mirada al felino flexible que avanzaba con una gracia silenciosa, y de repente se dio cuenta de que Bebé era casi tan largo como Hinny y que pronto alcanzaría la altura de la yegua. El león adolescente estaba mostrando el inicio de una melena rojiza, y Ayla se preguntó cómo no se había percatado de ello antes; súbitamente más espabilado, Bebé comenzaba a adelantarse con la cola muy tiesa tras él.

Ayla no estaba acostumbrada a seguir pistas por la estepa en invierno, pero inclusive montando a caballo se percibían las huellas de lobos en la nieve. Las huellas de patas eran claras y fuertes, no desgastadas por el viento o el sol, y evidentemente, eran recientes. Bebé siguió adelantándose: estaban cerca. Ayla incitó a Hinny para que galopara y alcanzaron a Bebé justo a tiempo para ver una manada de lobos cerrando el círculo alrededor de un viejo macho que se había quedado rezagado, lejos de un hato poco numeroso de antílopes saiga.

También los vio el joven león; incapaz de dominar su excitación, se lanzó entre todos ellos dispersando el hato y frustrando el ataque de los lobos. Éstos, que se mostraban sorprendidos y descontentos, habrían provocado la risa de Ayla, pero no quería alentar a Bebé; "sólo es excitable", pensó, "¡hace tanto tiempo que no cazamos!"

Saltando en brincos potentes inducidos por el pánico, los antílopes se lanzaron a través de la planicie. La manada de lobos se reunió nuevamente y siguió, a paso menos rápido pero cubriendo rápidamente el terreno sin cansarse antes de dar nuevamente alcance al hato. Mientras Ayla hacía su composición del lugar, echó una mirada severa a Bebé para demostrarle que no lo aprobaba. Él echó a andar tras ella, pero se había divertido demasiado para mostrarse apenado.

Mientras Ayla, Hinny y Bebé seguían a los lobos, una idea comenzaba a tomar forma en la mente de la mujer. No sabía si podría matar un antílope saiga con la honda, pero sabía que podía matar un lobo. No le agradaba el sabor de la carne de lobo, pero si Bebé tenía hambre suficiente, se la comería, y la cacería se había emprendido para él.

Los lobos habían reanudado el paso. El viejo macho saiga había vuelto a rezagarse, demasiado agotado para mantenerse en el grupo. Ayla se inclinó hacia delante, Hinny aumentó su velocidad. Los lobos rodearon al viejo macho, cuidándose de cuernos y pezuñas. Ayla se acercó para apuntarle a uno de los lobos. Metiendo la mano en la bolsa de su manto de piel en busca de piedras, escogió un lobo en particular. Mientras Hinny se acercaba a galope, Ayla lanzó la piedra y luego otra en rápida sucesión.

Dio en el blanco; el lobo cayó, y Ayla pensó en primer lugar que la conmoción subsiguiente se debía al lobo derribado. Pero entonces vio cuál era la razón verdadera: Bebé había considerado su lanzamiento de honda como una señal para la persecución, pero el lobo no le interesaba, no cuando tenía a la vista el muchísimo más sabroso antílope. La manada de lobos cedió el terreno al caballo galopante con una mujer encima que manejaba la honda, y a la carga decidida del león.

Pero Bebé no era exactamente el cazador que anhelaba ser... todavía no. Su ataque carecía de la fuerza y la sutileza de un león adulto. A Ayla le costó un instante captar la situación. "¡No, Bebé! No es ese animal", pensó. Pero se corrigió muy pronto: "Por supuesto, ha escogido el animal correcto." Bebé estaba luchando por la presa mortal, colgándose del macho que huía y al que el mismo miedo había infundido nuevas fuerzas.

Ayla alcanzó la lanza que había en el canasto tras ella; Hinny, respondiendo a su urgencia, corrió detrás del viejo saiga. El impulso del viejo macho fue de corta duración, perdía velocidad; el caballo acelerado cerró pronto la brecha. Ayla blandió la lanza y, justo al darle alcance, golpeó sin darse cuenta de que estaba lanzando un grito de pura exuberancia primitiva.

Hizo regresar al caballo y éste trotó de regreso para encontrarse con que el joven león cavernario estaba montado en el viejo macho. Entonces, por vez primera, proclamó su hazaña. Aunque todavía carecía del tronar estentóreo del macho adulto, el rugido triunfante de Bebé encerraba la promesa de su potencial. Hasta la propia Hinny retrocedió al oírlo.

Ayla se deslizó del lomo de la yegua y le acarició el cuello para tranquilizarla.

—No pasa nada, Hinny. Sólo es Bebé.

Sin considerar la posibilidad de que el león pusiera alguna objeción, y pudiera causarle alguna herida grave, Ayla lo hizo a un lado y se preparó para destripar el antílope antes de llevárselo. Él cedió el lugar ante su predominio y ante algo que era exclusivo de Ayla: la confianza en el amor que sentía por él.

Ayla decidió buscar al lobo para despellejarlo. La piel de lobo era caliente. Al volver, se sorprendió al ver a Bebé arrastrando el antílope, y comprendió que pretendía llevárselo él solo hasta la caverna. El antílope era un adulto, y Bebé no lo era. Eso permitió que Ayla apreciara mejor la fuerza de su cachorro ... y la potencia que habría de adquirir. Pero si arrastraba el antílope por todo el camino, se estropearía la piel. La saiga estaba muy esparcida; esos antílopes vivían en la montaña y en el llano, pero no abundaban. Ayla no había cazado ninguno anteriormente, y además tenía un significado especial para ella: el antílope saiga había sido el tótem de Iza. Ayla quería esa piel.

Hizo la señal de "¡Ya!" y Bebé vaciló sólo un instante antes de soltar "su" caza; la fue cuidando por todo el camino dando vueltas a la rastra hasta que regresaron a la caverna. Contempló con un interés mayor que de costumbre mientras Ayla retiraba la piel y cornamenta. Cuando le fue entregado el cadáver entero, lo arrastró hasta su nicho del fondo. Después de hartarse, siguió cuidándolo y durmió junto a él.

Eso divertía a Ayla; comprendía que estaba protegiendo su presa. Parecía como si comprendiera que había algo especial en ese animal. A Ayla también le parecía eso, aunque por distintas razones. La excitación no la había abandonado del todo; la velocidad, la persecución y la cacería habían sido excitantes ....pero lo más importante era que ahora disponía de otro medio para cazar. Con ayuda de Hinny, y ahora de Bebé, podría cazar en todo tiempo, verano o invierno. Se sentía poderosa y agradecida. La yegua estaba tendida, perfectamente tranquila a pesar de la proximidad de un león cavernario. La mujer acarició a la yegua y, sintiendo la necesidad de tenerla cerca, se tendió a su lado. Hinny lanzó un breve resoplido por los ollares, satisfecha por la proximidad de la mujer.

Cazar en invierno con Hinny y Bebé, sin tener que abrir zanjas era un juego, un deporte. Desde los primeros días en que aprendió a manejar la honda, le había gustado cazar. Cada nueva técnica que dominaba —seguir la pista, lanzar las dos piedras seguidas, la zanja y la lanza— le producían una nueva sensación de logro. Pero nada igualaba lo divertido que era cazar con la yegua y el león cavernario. Ambos parecían disfrutarlo tanto como ella. Mientras Ayla hacía los preparativos, Hinny meneaba la cabeza y danzaba sobre sus cuatro patas con las orejas erguidas y la cola levantada, y Bebé entraba y salía de la caverna produciendo suaves gruñidos impacientes. La temperatura la había preocupado hasta el día en que Hinny la llevó a casa a través de una ventisca cegadora.

Los tres solían salir, poco después del alba. Si veían pronto alguna presa, a menudo estaban de vuelta en casa antes de mediodía. Su método habitual consistía en seguir algún candidato probable hasta ubicarse en una buena posición. Entonces Ayla hacía señas con la honda y Bebé, anhelante y dispuesto, brincaba hacia delante. Hinny, al sentir la urgencia de Ayla, galopaba tras él. Con el leoncito cavernario colgado del lomo de un animal espantado —colmillos y garras sacaban sangre, aun cuando no mataban—, no tardaba mucho la yegua en alcanzarlo a galope tendido. En cuanto estaban a su lado, Ayla sumía la lanza.

Al principio, no siempre tuvieron éxito. A veces el animal escogido era demasiado rápido, o Bebé se descolgaba, incapaz de aferrarse sólidamente. En cuanto a Ayla, aprender a manejar la pesada lanza en pleno galope, también le costó algo de práctica. Falló muchas veces o sólo impartía un golpe leve, y en ocasiones Hinny no se acercó lo suficiente. Pero inclusive cuando fallaban, era un deporte excitante, y siempre podían volver a intentarlo.

Con la práctica, los tres mejoraron. A medida que cada uno comenzó a comprender las necesidades y capacidades del otro, el trío increíble se convirtió en un equipo eficaz de caza: tan eficaz, que cuando Bebé mató su primera pieza sin ayuda, casi pasó inadvertido como parte de los esfuerzos del equipo.

Acercándose a galope tendido, Ayla vio que el ciervo trastabillaba; estaba derribado antes de que llegara hasta ellos. Hinny fue frenando en cuanto pasaron, la mujer saltó a tierra y corrió antes de que la yegua se detuviera. Llevaba la lanza en ristre, lista para terminar la faena, pero se encontró con que Bebé ya lo había hecho. Entonces se preparó para llevarse el ciervo a la caverna.

En ese momento se percató de la importancia del hecho: Bebé, a pesar de ser tan joven, ¡era un león cazador! En el Clan, eso lo convertiría en adulto. Así como a ella la habían llamado la Mujer que Caza, antes de que fuera mujer, Bebé había llegado a la edad adulta antes de alcanzar la madurez. "Debería tener una ceremonia de virilidad", pensó. "Pero ¿qué clase de ceremonia tendría significado para él?" Entonces Ayla sonrió.

Desató al ciervo de la rastra, puso de nuevo los palos y la estera de hierbas en los canastos. Era su caza, y tenía derecho pleno a ella. Al principio Bebé no comprendía; iba y venía entre el cadáver y Ayla. Entonces, al ver que Ayla se marchaba, tomó entre los dientes el cadáver del ciervo y, arrastrándolo por debajo de su cuerpo, lo llevó todo el camino hasta la playa, lo subió por el empinado sendero y lo metió en la caverna.

Ella no vio diferencia alguna inmediatamente después de que Bebé mató aquella primera pieza. Seguían cazando juntos. Pero con mucha frecuencia la persecución de Hinny resultó superflua, y la lanza de Ayla, innecesaria. Si ella quería algo de carne, se servía primero; si quería la piel, despellejaba el animal. Aunque en estado salvaje el jefe de la familia leonina siempre se hacía con la porción mejor y más grande, Bebé era todavía joven. No sabía lo que era el hambre, como su volumen creciente lo atestiguaba, y estaba acostumbrado a que ella dominara.

Pero al avecinarse la primavera, Bebé empezó a salir de la caverna con mayor frecuencia, explorando por cuenta propia. Pocas veces se prolongaba su ausencia, pero sus excursiones se hacían de día en día más frecuentes. Una vez regresó con la oreja bañada en sangre. Ayla comprendió que había tropezado con otros leones. Eso le hizo comprender que ella no le bastaba ya; estaba en busca de otros de su especie. Limpió la oreja y Bebé se pasó el día siguiéndola de tan cerca que lo tenía todo el tiempo entre los pies. Por la noche, se deslizó en la cama de ella y le buscó los dedos para chupárselos.

"Pronto se marchará", pensó, "necesitará una familia propia, compañeras que cacen para él y cachorros a los que domine. Necesita su propia especie". Recordó a Iza. «Eres joven, necesitas un hombre tuyo, uno de tu propia gente. Encuentra a tu compañero»; "eso fue lo que dijo. Pronto será primavera. Debería pensar en marcharme, pero todavía no". Bebé iba a ser enorme, inclusive para un león cavernario. Ya superaba con creces a los leones de su edad, pero no era adulto; aún no podría sobrevivir.

La primavera llegó pisándole los talones a una fuerte nevada. La inundación los tuvo encerrados a todos, a Hinny más que a los otros dos. Ayla podía trepar a la estepa, allí arriba, y Bebé llegaba fácilmente de un brinco, pero las pendientes eran demasiado empinadas para la yegua. Finalmente las aguas bajaron y el montón de huesos adquirió nuevos contornos; entonces, finalmente, Hinny pudo bajar el sendero hasta el prado. Pero se mostraba irritable.

Ayla observó algo fuera de lo corriente cuando Bebé lloró tras una patada equina. La mujer se sorprendió; Hinny nunca se había mostrado impaciente con el leoncito; tal vez un mordisco de cuando en cuando para que no se saliera de la raya, pero desde luego nunca lo había pateado. Pensó que la conducta insólita era consecuencia de su inactividad forzosa, pero Bebé mostraba tendencia a permanecer alejado del lugar de la yegua en la caverna, respetuoso de su territorio, a medida que maduraba, y Ayla se preguntaba qué lo había llevado allá. Fue a ver, y entonces se percató de un olor fuerte que había percibido sin fijarse mucho durante toda la mañana. Hinny estaba en pie con la cabeza colgando, las patas traseras muy apartadas y la cola hacia la izquierda. Tenía el orificio vaginal hinchado y palpitante; la yegua miró a Ayla y se quejó.

La serie de emociones que se sucedieron rápidamente en Ayla la llevaron a extremos opuestos. Lo primero fue alivio; de modo que ese es el problema. Ayla sabía del ciclo del estro en animales. En algunos, la época del apareamiento se producía con mayor frecuencia, pero tratándose de herbívoros, lo usual era una vez al año. Era la temporada en que los machos solían pelear por el derecho a aparearse, y era el momento en que machos y hembras se mezclaban, inclusive los que en tiempo normal cazaban por separado o formaban parte de manadas distintas.

La temporada del apareamiento era uno de esos aspectos misteriosos del comportamiento animal que intrigaban a Ayla, como que los ciervos se desprendieran de su cornamenta y crearan una nueva y mayor todos los años. El tipo que hacían quejarse a Creb de que preguntaba demasiado, cuando era más pequeña. No sabía, tampoco él, por qué se apareaban los animales, aunque una vez sugirió que era el momento en que los machos mostraban su dominio de las hembras, o quizá, como la gente, los machos tenían que aliviar sus necesidades.

Hinny había tenido una temporada de apareamiento la primavera anterior, pero entonces, aunque oyó que un garañón relinchaba por la estepa, no le fue posible ir a reunirse con él; pero esta vez parecía que la necesidad de la yegua joven era más apremiante. Ayla no recordaba que hubiera estado tan hinchada ni que se hubiera quejado tanto. Hinny se dejó acariciar y abrazar por la joven; después, la yegua dejó caer la cabeza y volvió a quejarse.

De repente, el estómago de Ayla se le contrajo de ansiedad. Se recostó en la yegua como ésta solía hacerlo contra ella, cuando se sentía perturbada o asustada. ¡Hinny iba a dejarla! Resultó tan inesperado; Ayla no había tenido tiempo de prepararse para la separación aun cuando debió haberlo hecho. Estuvo pensando en el porvenir de Bebé y en el suyo propio. Y en cambio, lo que había llegado había sido la época del apareamiento para Hinny. La yegua necesitaba un garañón, un compañero.

Con gran renuencia, Ayla salió de la caverna haciéndole señas a Hinny de que la siguiera. Cuando llegaron a la playa pedregosa que se extendía abajo, Ayla montó. Bebé se preparaba para seguirlas cuando Ayla hizo señas de: "¡Ya!", no deseaba llevar consigo al león cavernario. No iba de caza, pero Bebé no podía saberlo. Ayla tuvo que detenerlo una vez más, firme y decididamente, antes de que se quedara atrás, viendo cómo se alejaban.

Hacía calor a la vez que fresco y húmedo, en la estepa. El sol, a medio camino hacia mediodía, brillaba en un cielo azul pálido rodeado de un velo; el azul parecía desvaído, blanqueado por la intensidad de la brillantez. Nieve derretida echaba una niebla fina que no limitaba la visibilidad, pero que suavizaba los ángulos agudos, y la niebla que se pegaba a las sombras frescas alisaba los contornos. La perspectiva se perdía, y toda la vista se presentaba como escorzada, prestando a todo el paisaje un aspecto de proximidad, una sensación de tiempo presente, aquí y ahora, como si no existieran más tiempo ni lugares. Los objetos distantes parecían hallarse a pocos pasos, y sin embargo se tardaba una eternidad en alcanzarlos.

Ayla no guiaba al caballo; dejaba que Hinny la llevara, observando inconscientemente la dirección y los puntos de referencia. No le importaba adónde iba, no sabía que sus lágrimas estaban agregando su humedad salada a la humedad ambiente. Estaba sentada como floja, traqueteada, con los pensamientos dirigidos hacia dentro. Recordó la primera vez que llegó al valle y la manada de caballos que había en la pradera. Pensó en la decisión que había tomado de quedarse, en su necesidad de cazar. Recordó haber llevado a Hinny a la seguridad de su caverna y de su fuego. Debería haber comprendido que no podía durar, que Hinny regresaría a los suyos, al igual que necesitaba hacerlo ella.

Un cambio en el trote de la yegua le llamó la atención. Hinny había encontrado lo que buscaba: allá delante había un pequeño hato de caballos.

El sol había derretido la nieve que cubría una colina baja, revelando diminutos brotes verdes que emergían de la tierra. Los animales, deseosos de gozar un cambio de la paja seca del invierno pasado, estaban mordisqueando la suculenta hierba nueva. Hinny se detuvo cuando los demás caballos levantaron la cabeza para mirarla. Ayla oyó el relincho de un semental. A un lado, sobre una loma que ella no había visto al llegar, lo contempló: era de un color moreno rojizo y tenía negras las crines, la cola y la parte inferior de las patas. Nunca había visto un caballo de color tan oscuro; casi todos tenían matices de gris moreno o beige quemado o, como Hinny, el color amarillo del heno maduro.

El semental gritó, alzó la cabeza y torció el labio superior. Se encabritó y se puso a galopar hacia ellas, y de repente se detuvo a pocos pasos de distancia, piafando. Tenía el cuello en arco, la cola alzada, y su erección era magnífica.

Hinny relinchó suavemente en respuesta y Ayla se deslizó a tierra; dio un abrazo a la yegua y se hizo atrás. Hinny volvió la cabeza para mirar a la joven que la había cuidado desde que era una potrilla.

—Anda, Hinny, ve con él —dijo—. Has encontrado tu compañero, ve con él.

Hinny meneó la cabeza y relinchó dulcemente, antes de hacer frente al semental bayo. Él la rodeó, con la cabeza baja, mordisqueándole los jarretes, empujando a Hinny hacia su grey, como si fuera una prófuga díscola. Ayla la miraba alejarse, sin poder apartarse. Cuando el garañón montó, Ayla no pudo menos que recordar a Broud y el horrible dolor. Más adelante sólo fue desagradable, pero siempre odió cuando Broud la montaba, y se sintió agradecida cuando finalmente se cansó de hacerlo.

Pero a pesar de sus gritos y quejas, Hinny no estaba tratando de rechazar a su semental, y mientras Ayla observaba, experimento extraños movimientos dentro de sí misma, sensaciones inexplicables. No podía apartar la vista del semental bayo, con sus patas delanteras sobre el lomo de Hinny, bombeando, esforzándose y gritando. Sintió una humedad caliente entre sus piernas, una palpitación rítmica al compás de las pulsaciones del bayo, a la vez que un anhelo incomprensible. Estaba respirando fuerte, sentía que el corazón le latía en la cabeza, y sufría nostalgia por algo que era incapaz de describir.

Después, cuando la yegua amarilla siguió voluntariamente al bayo, sin echar una sola mirada hacia atrás, Ayla experimentó un vacío tan grande que no creyó poder soportarlo. Comprendió lo frágil que era el mundo que había edificado a su alrededor en el valle, lo efímera que había sido su felicidad, lo precario de su existencia. Se dio media vuelta y echó a correr hacia el valle. Corrió hasta que la respiración le desgarró la garganta, hasta que el costado le doliera como una puñalada. Corrió con la esperanza, en cierto modo, de que si corría lo suficientemente aprisa, podría dejar atrás toda la pena y toda su soledad.

Llegó a trompicones por la pendiente que conducía al prado, y rodó cuesta abajo, quedándose quieta donde había caído, tratando de recobrar el aliento. Inclusive después de respirar bien, no se movió; no quería moverse. No quería reponerse ni intentarlo ni vivir. ¿De qué serviría? Estaba maldita ¿no es cierto?

"¿Entonces por qué no puedo morirme?, ¿cómo se supone que me muera? ¿Por qué estoy condenada a perder todo lo que amo?" Sintió un aliento cálido y una lengua rasposa que le lamía la sal de su mejilla, y al abrir los ojos vio al enorme león cavernario.

—¡Oh, Bebé! —dijo llorando, abrazándose a él. Él se tendió a su lado y con las garras sumidas, puso su pata delantera encima de ella. Ayla rodó, abrazó el cuello peludo y hundió el rostro en la melena que crecía más cada día.

Cuando finalmente lloró tanto que no le quedaron lágrimas, y trató de ponerse de pie, se enteró del resultado de su caída: manos arañadas, rodillas y codos despellejados, una cadera y una espinilla golpeadas, y la mejilla derecha dolorida. Volvió a la caverna cojeando. Mientras se cuidaba los raspones y los golpes, tuvo un pensamiento que la hizo reaccionar.

"¿Y si me hubiera roto un hueso? Eso podría ser peor que morir, sin nadie para ayudarme.

"Pero no fue así. Si mi tótem quiere mantenerme con vida, tal vez tenga sus razones. Quizá el espíritu del León Cavernario me haya enviado a Bebé porque sabía que Hinny me dejaría.

"También Bebé; me dejará. No tardará mucho antes de desear una compañera. Encontrará una, a pesar de que no se ha criado en una familia de leones. Va a ser tan enorme que podrá defender un territorio vasto. Y es buen cazador. No pasará hambre mientras busque una familia, o por lo menos una leona".

Sonrió torcidamente.

"Cualquiera diría que soy una madre del Clan preocupándose por que su hijo se convierta en un cazador grande y valeroso. Al fin y al cabo, no es hijo mío. Sólo es un león ordinario . . . No, no es un león cavernario ordinario. Es casi tan grande como algunos leones adultos, y es un cazador precoz. Pero me dejará . . .

"A estas alturas, Durc ya estará grande. También Ura está creciendo. Oda se pondrá triste cuando Ura se vaya para convertirse en la compañera de Durc y vivir en el clan de Brun . . . no, ahora es el clan de Broud . . . ¿Cuánto falta para la próxima Reunión del Clan?"

Metió la mano detrás de la cama para sacar el haz de varas marcadas; seguía haciendo una muesca todas las noches. Era un hábito, un ritual. Desató el haz y tendió las varas sobre el piso, y entonces trató de contar los días desde que encontró su valle. Metió los dedos en las muescas, pero había demasiadas, habían transcurrido demasiados días. Tenía la impresión de que las muescas deberían reunirse y sumarse de cierta manera que le dijera cuánto tiempo llevaba allí, pero no sabía cómo. Era una frustración demasiado grande. Entonces comprendió que no necesitaba la vara; podía contar los años contando las primaveras. Durc había nacido en la primavera anterior a la última Reunión del Clan, pensó. La primavera siguiente completó el año de su nacimiento. Hizo una señal en la tierra. Después fue su año de caminar; hizo otra marca. La primavera siguiente habría sido el final de su crianza al pecho y el comienzo de su año de destete . . . pero ya estaba destetado. Hizo la tercera marca.

"Eso fue cuando me marché", tragó saliva y parpadeó rápidamente, "y aquel verano encontré el valle y a Hinny. A la primavera siguiente encontré a Bebé". Hizo la cuarta marca. "Y esta primavera . . ." No quiso pensar en que perdió a Hinny como medio para recordar el año, pero era un hecho, y marcó otra vez.

"Eso representa todos los dedos de una mano", levantó la mano izquierda "y es la edad que tiene ahora Durc".

Puso el pulgar y el índice de la mano derecha. "Y falta esto para la siguiente Reunión. Cuando regresen. Ura estará con ellos, para Durc. Por supuesto, no serán todavía lo suficientemente grandes para unirse. Al mirarla sabrán que es para Durc. Me pregunto si me recordará. ¿Tendrá recuerdos del Clan? ¿Cuánto de él proviene de mí y cuánto de Broud . . . del Clan?"

Ayla recogió sus varas marcadas y observó cierta regularidad en el número de marcas entre las muescas adicionales que hacía cuando combatía su espíritu, y sangraba. "¿Qué tótem de hombre puede estar batallando con el mío, aquí? Aun cuando mi tótem fuera un ratón, nunca quedaría embarazada. Hace falta un hombre, y su órgano, para iniciar un bebé. Eso es lo que yo creo. "¡Hinny! ¿Sería eso lo que estaba haciendo el semental? ¿Estaba iniciando un bebé dentro de ti? Tal vez vuelva a verte alguna vez con esa manada, y entonces sabré. ¡Oh, Hinny, sería maravilloso!"

Al pensar en Hinny y el garañón, se puso a temblar; su respiración se aceleró. Entonces pensó en Broud y las sensaciones agradables se disiparon. "Pero fue su órgano lo que inició a Durc. De haber sabido que me daría un bebé, nunca lo habría hecho. Y Durc tendrá a Ura. Tampoco ella es deforme. Creo que Ura fue iniciada cuando ese hombre de los Otros forzó a Oda. Ura es justo lo que Dur necesita. Es en parte Clan y en parte aquel hombre de los Otros. Un hombre de los Otros . . ."

Ayla estaba agitada. Bebé se había ido, y ella sentía la necesidad de moverse. Salió y caminó por la línea de arbustos que bordeaban el río. Se fue más allá que anteriormente, aunque había cabalgado mucho más lejos con Hinny. Iba a tener que acostumbrarse de nuevo a caminar, y a llevar un canasto a la espalda. En el extremo más distante del valle siguió el río rodeando el ángulo del alto declive en su dirección hacia el Sur. Justo después del recodo, la corriente se arremolinaba alrededor de rocas que podrían haber sido colocadas adrede, por lo cómodas que estaban a espacios regulares, para cruzar el río. La alta muralla sólo era un desnivel abrupto en aquel punto; se encaramó y se quedó mirando la estepa occidental.

No había una verdadera diferencia entre Este y Oeste, salvo que el terreno era algo más áspero, y ella no estaba familiarizada con el lado oeste. Siempre supo que cuando abandonara el valle lo haría por el Oeste. Dio media vuelta, cruzó el río y caminó por el largo valle para regresar a casa.

Casi había oscurecido cuando llegó, y Bebé todavía no estaba de regreso. El fuego estaba apagado, y la caverna, solitaria y fría. Parecía más vacía ahora que cuando llegó por vez primera y la convirtió en su hogar. Prendió un fuego, puso a hervir algo de agua para hacerse un té pero no tenía ganas de cocinar. Cogió un trozo de carne seca y unas cerezas pasas, y se sentó en la cama. Hacía mucho tiempo que no se había quedado sola en su caverna. Fue al lugar donde su viejo canasto estaba arrumbado y revolvió en su interior hasta encontrar el manto de Durc. Haciéndolo un ovillo, se lo pegó al estómago y se quedó mirando las llamas; y cuando se tendió, se envolvió en él.

Durmió con el sueño interrumpido por pesadillas. Soñó con Ura y Durc, adultos y casados. Soñó con Hinny, en un lugar distinto, con un potro bayo. Una vez despertó, sudando de miedo; sólo cuando estuvo bien despierta comprendió que había tenido su pesadilla recurrente de tierra que tiembla y terror. ¿Por qué soñaría aquello?

Se puso de pie y atizó el fuego, calentó el té y lo bebió a sorbitos; Bebé no había regresado. Ayla recogió el manto de Durc y recordó la historia que había contado Oda sobre el hombre de los Otros que la había forzado. "Oda dijo que se parecía a mí. Un hombre como yo ¿qué cara tendría?"

Ayla trató de imaginar un hombre como ella. Trató de recordar sus facciones tal y como las había visto reflejadas en la poza, pero lo único que pudo recordar fue su cabello enmarcándole el rostro. Entonces lo llevaba suelto, no hecho muchas trencitas para que no le estorbara. Era amarillo, como el pelaje de Hinny, pero de un color más rico, más dorado.

Pero cada vez que pensaba en un rostro de hombre veía a Broud, con una expresión sardónica. No podía imaginar el rostro de un hombre de los Otros. Se le cansaron los ojos y se volvió a acostar. Soñó con Hinny y el semental bayo. Y soñó con un hombre; sus facciones eran vagas, en sombras. Lo único claro era que tenía el pelo amarillo.

Capítulo 15

—Lo estás haciendo bien, Jondalar. Todavía vamos a hacer de ti un hombre del río —dijo Carlono—. En las barcas grandes no importa mucho que te falle un golpe de remo; lo peor que puedes hacer es destrozar el ritmo, puesto que no eres el único remero. En los botes como éste, el control es importante. Fallar el golpe puede ser peligroso o fatal. Recuerda siempre el río ... nunca olvides lo imprevisible que puede ser. Aquí es profundo, de manera que parece tranquilo. Pero sólo tienes que sumir el remo para sentir la fuerza de la corriente. Es una corriente difícil de contrariar ... tienes que trabajar con ella.

Carlono seguía haciendo comentarios mientras Jondalar y él maniobraban con la pequeña piragua para dos, cerca del muelle Ramudoi. Jondalar sólo escuchaba a medias, concentrándose en manejar convenientemente el remo para que el bote que manejaba fuera adonde él quería, pero en el nivel de sus músculos comprendía el significado de las palabras.

—Tal vez creas que resulta más fácil seguir la corriente, porque así no tienes que luchar contra ella, pero ahí está el problema. Cuando vas a contracorriente, tienes que estar pensando todo el tiempo en el río y la embarcación. Sabes que si te abandonas perderás todo lo que hayas ganado. Y puedes ver con tiempo lo que llegue, para evitarlo.

"Pero si sigues la corriente, es demasiado fácil dejarte llevar, permitir que tu mente vagabundee y que el río se adueñe de ti. Hay rocas en medio del río cuyas raíces son más profundas que él; y la corriente puede arrojarte sobre ellas sin que te des cuenta; o quizá haya un tronco empapado entre dos aguas y te golpee. "Nunca le des la espalda a la Madre": es una regla que no debe olvidarse. Está llena de sorpresas. Justo cuando crees que ya sabes a qué atenerte y crees que está segura, hará lo inesperado.

El hombre mayor se echó hacia atrás y sacó el remo del agua. Examinó detenidamente a Jondalar, comprobando su concentración. Tenía el cabello rubio echado hacia atrás y amarrado con una tirilla de cuero sobre la nuca, como precaución. Había adoptado la ropa de los Ramudoi, que era una adaptación de la de los Shamudoi, para vivir junto al río.

—¿Por qué no regresas al muelle y me dejas salir, Jondalar? Creo que ya es hora de que lo intentes solo. Hay una diferencia cuando estás a solas con el río.

—¿Crees que ya estoy preparado?

—Para no haber nacido en ello, aprendes rápido.

Jondalar había tenido muchos deseos de probarse a sí mismo solo y en el río. Los muchachos Ramudoi solían tener sus propias piraguas antes de convertirse en hombres. Hacía tiempo que se había probado a sí mismo frente a los Zelandonii. Cuando no era mucho mayor que Darvo y ni siquiera había aprendido su oficio ni alcanzado su estatura definitiva, había matado su primer venado. Ahora era capaz de arrojar una lanza más fuertemente y más lejos que la mayoría de los hombres, pero aun cuando podía cazar en el llano, no se sentía totalmente igual allí. Ningún hombre podía decirse realmente hombre antes de haber pescado con el arpón uno de los grandes esturiones, y ningún Shamudoi de tierra firme, antes de haber cazado su propio gamo en la montaña.

Había decidido que no se uniría a Serenio antes de haberse demostrado a sí mismo que podría ser a la vez un Shamudoi y un Ramudoi. Dolando había intentado convencerlo de que no era necesario hacer ninguna de las dos cosas antes de unirse; nadie abrigaba dudas. Si alguien hubiera dudado, la caza del rinoceronte habría bastado. Jondalar se había enterado de que ninguno de aquéllos había cazado anteriormente un rinoceronte; los llanos no solían ser su terreno habitual de caza.

Jondalar no trataba de explicarse por qué creía tener que ser mejor que todos los demás; aunque nunca se había sentido obligado de superar a ninguno en el arte de la caza. Su fuerte interés, la única habilidad en la que siempre quiso ser excelente, era la talla del pedernal. Y no era un sentimiento competitivo. Sacaba una satisfacción personal del perfeccionamiento de su técnica. El Shamud habló más adelante a Dolando en privado, y le dijo que el alto Zelandonii necesitaba trabajar para ganarse su aceptación.

Llevaban tanto tiempo viviendo juntos Serenio y él, que le parecía que debería convertir su vínculo en algo oficial. Era casi su compañera; y casi todos los consideraban como si lo fuera. La trataba con afecto y consideración, y para Darvo era el hombre del hogar. Pero después de la noche en que se quemaron Tholie y Shamio, siempre había una cosa u otra para interferir, y el humor nunca era exactamente el que convenía. "¿Importaría realmente?" se preguntaba Jondalar.

Serenio no apremiaba —seguía sin exigirle nada— y conservaba su distancia defensiva. Pero recientemente la había sorprendido mirándolo con una expresión perturbadora que le salía del fondo del alma. Él era el que siempre se sentía desconcertado y se apartaba primero. Decidió imponerse la tarea de demostrar que podía ser un hombre Sharamudoi total, y empezó a dejar que se conocieran sus intenciones. Algunos lo tomaron como anuncio de una Promesa, aunque no se celebró ninguna Fiesta de Compromiso.

—Por esta vez no vayas demasiado lejos —dijo Carlono, desembarcando—. Concédete la posibilidad de acostumbrarte a manejarlo solo.

—Pero me llevaré el arpón. No me hará ningún daño acostumbrarme a lanzarlo ya que estoy en esto —dijo Jondalar, tomando el arma que yacía en el muelle. Colocó el largo mango en el fondo de la canoa bajo los asientos, enrolló la cuerda al lado, colocó la punta de hueso con púas en el soporte fijado al costado y lo sujetó. La parte extrema del arpón, con su punta aguda y sus púas vueltas hacia atrás, no era un implemento que pudiera quedar suelto en el bote. En caso de accidente, resultaba tan difícil sacárselo a un humano como a un pescado ... sin hablar de lo difícil que era dar forma al hueso con instrumentos de piedra. Los botes que se volcaban no solían hundirse, pero las herramientas sueltas, sí.

Jondalar se instaló en el asiento de atrás mientras Carlono sujetaba el bote. Cuando quedó asegurado el arpón, agarró el remo doble y se apartó de la orilla. Sin el peso de otra persona en la proa, la pequeña embarcación flotaba más arriba en el agua; era más difícil de manejar. Pero después de algunos ajustes iniciales para el cambio de flotación, se apartó ligeramente siguiendo la corriente, empleando el remo como gobernalle por un lado junto a popa. Entonces decidió que remaría nuevamente río arriba. Sería fácil luchar contra la corriente mientras estaba descansado, y dejar que el río lo trajera de regreso más tarde.

Se había deslizado más río abajo de lo que creía. Cuando finalmente volvió a ver el muelle delante, casi lo aborda, pero lo pensó mejor y siguió remando. Estaba decidido a dominar todas las habilidades que se había impuesto aprender, y nadie podría acusarlo de haber pospuesto el compromiso que se había empeñado cumplir. Sonrió a Carlono que le hacía señas con la mano, pero no renunció.

El río arriba se ensanchaba, y la fuerza de la corriente era menos fuerte, lo cual facilitaba el manejo de los remos. Vio una orilla en el lado opuesto del río y se dirigió hacia allá. Se acercó mucho, evitando los escollos sin dificultad en el bote ligero, relajándose un poco y dejando que el bote volviera un poco hacia atrás mientras él timoneaba con el remo. Estaba mirando el agua sin fijarse hasta que su atención fue atraída súbitamente por una forma grande y silenciosa bajo la superficie.

Era temprano para el esturión. Generalmente nadaban río arriba a principios del verano, pero la primavera había sido calurosa y temprana con muchas crecidas. Se inclinó para ver más de cerca: había algunos de aquellos enormes peces deslizándose a lo largo del bote. ¡Estaban emigrando! Era su oportunidad: ¡Podría llevarse el primer esturión de la temporada!

Dejó el remo en el bote y tendió la mano hacia las partes del arpón para reunirlas. Sin timonel, el bote empezó a virar, siguiendo la corriente pero ligeramente por el través. Para cuando Jondalar tuvo atada la cuerda a la proa, el bote formaba ángulo con la corriente, pero seguía firme, y Jondalar, anhelante. Estuvo a la mira del siguiente pez: no quedó desilusionado. Una forma oscura y enorme ondulaba dirigiéndose hacia él ... ahora sabía de dónde procedía el pez "Haduma", pero había allí muchos más de ese tamaño.

Por haber pescado con los Ramudoi, sabía que el agua alteraba la verdadera posición del pez. No estaba donde parecía ... era el modo que tenía la Madre para ocultar a Sus criaturas hasta que se revelara Su secreto. Mientras se acercaba el pez, el hombre ajustó su puntería para compensar la refracción del agua. Se inclinó sobre la borda, esperó, y finalmente lanzó el arpón desde la proa.

Y con una fuerza semejante, el bote se lanzó en dirección opuesta siguiendo su curso sesgado, hacia el medio del río. Pero la puntería había sido buena: la punta del arpón estaba profundamente sumida en el gigantesco esturión ... con muy poco efecto. El pez no estaba impedido; se dirigió al centro del río, buscando aguas profundas y avanzando río arriba. La cuerda se desenrolló con gran rapidez y, con un tirón, se tensó.

El bote se puso a dar tirones y por poco lanza a Jondalar por la borda; mientras éste trataba de agarrarse, el remo brincó, vaciló y cayó al río; Jondalar se soltó para agarrarlo, inclinándose hacia fuera; el bote se ladeó y Jondalar se aferró a la borda. En ese momento el esturión encontró la corriente y se puso a nadar río arriba, enderezando milagrosamente el bote y haciendo que Jondalar recayera dentro. Se enderezó, frotándose la barbilla golpeada, mientras el botecito iba remolcado río arriba más aprisa que nunca anteriormente.

Jondalar se agarró de la borda y avanzó, con los ojos muy abiertos, asustados y maravillados, mientras veía pasar a toda velocidad las márgenes del río. Tendió la mano para agarrar la cuerda tensa en el agua, y después le dio un tirón, pensando que eso podría desalojar el arpón; en cambio, la proa se sumió tanto que el bote comenzó a hacer agua. El esturión se sacudía, lanzando el bote para adelante y para atrás. Jondalar se aferraba a la cuerda y brincaba de un lado para otro.

No se dio cuenta de que había pasado cerca del calvero donde se construían los barcos, y no vio que la gente estaba en la playa con la boca abierta contemplando el bote que subía rápidamente río arriba en la estela del enorme pez, con Jondalar colgando por el costado, aferrado a la cuerda con las dos manos y luchando por desprender el arpón.

—¿Has visto eso? —preguntó Thonolan—. ¡Ese hermano mío tiene un pez fugitivo! Ahora ya creo haberlo visto todo —su sonrisa se convirtió en risotadas—. ¿Lo has visto colgado de esa cuerda y tratando de que el pez lo soltara? —se golpeaba los muslos, muerto de risa—. ¡No atrapó un pez, el pez lo atrapó a él!

—Thonolan, eso no tiene gracia —dijo Markeno, tratando en vano de mostrar un rostro serio—. Tu hermano está en problemas.

—Ya sé, ya sé. Pero ¿lo viste?, ¿jalado río arriba por un pez? No me digas que no tiene gracia.

Thonolan siguió riendo, pero ayudó a Markeno y Barono a botar una embarcación. Dolando y Carolio también embarcaron. Empujando para alejarse de la orilla, comenzaron a remar río arriba lo más aprisa que podían. Jondalar estaba en problemas; podía correr un verdadero peligro.

El esturión comenzaba a debilitarse. El arpón le estaba quitando la vida, y remolcar al hombre y el bote aceleraba la pérdida de su vigor. La carrera desenfrenada comenzaba a perder impulso. Eso sólo le dio a Jondalar tiempo para pensar . . . seguía sin poder controlar la dirección que había tomado. Estaba muy lejos río arriba; no creía haber estado nunca tan lejos desde aquella carrera con nevada y vientos aulladores. De repente pensó que debía cortar la cuerda; de nada serviría dejarse jalar más arriba.

Soltó el costado y tendió la mano para desenfundar el cuchillo; pero mientras tiraba de la hoja de piedra con mango de cornamenta, el esturión, en un último esfuerzo de su lucha a muerte, trató de liberarse de la dolorosa punta: se puso a agitarse y jalar con tanta fuerza que la proa se sumía cada vez que el pez se zambullía. Volcado, el bote seguiría flotando, pero derecho y lleno de agua, podría hundirse hasta el fondo. Jondalar trató de cortar la cuerda mientras el bote brincaba y se hundía y se agitaba de un lado a otro. No vio el tronco empapado que se dirigía a él entre dos aguas con la velocidad de la corriente hasta que tropezó con el bote, arrebatándole el cuchillo de la mano.

Se repuso rápidamente y trató de jalar de la cuerda para que se aflojara un poco y no pusiera el bote en peligro. En un último esfuerzo desesperado por liberarse, el esturión se lanzó hacia la orilla y consiguió arrancar de su cuerpo el arpón, pero era ya demasiado tarde. La poca vida que le quedaba chorreó por la herida que le desgarraba el flanco. La enorme criatura marina se zambulló hasta el fondo y emergió poco después, panza arriba, flotando en el río con apenas una sacudida como testimonio de la lucha prodigiosa que había librado el pez primitivo.

El río, en su curso largo y sinuoso, formaba un ligero recodo en el lugar que el pez escogió para morir, creando un torbellino de conflictos en la corriente que corría por el recodo, y el último impulso del esturión lo llevó hasta un remolino de agua estancada junto a la orilla. El bote, con la cuerda colgando, oscilaba y giraba, tropezando con el pez y el tronco que compartían el lugar de reposo de éste en el canal indeciso entre agua estancada y marea.

En ese momento de calma, Jondalar tuvo tiempo para pensar la suerte que tuvo al no cortar la cuerda. Sin remo, no podía controlar el bote en el caso de que regresara río abajo. La orilla estaba cerca: una playa pedregosa y estrecha se afilaba al doblar un recodo y unirse a una margen empinada, con árboles que crecían tan cerca del borde que las raíces desnudas sobresalían como garras en busca de apoyo. Tal vez pudiera encontrar Jondalar algo que le sirviera de remo. Respiró a fondo preparándose para la zambullida en el agua fría, y se deslizó por la borda.

Era más profundo de lo que creyera, le cubría la cabeza. El bote, liberado por el movimiento, encontró su camino hacia el río; el pescado fue empujado hacia la orilla. Jondalar se puso a nadar para seguir al bote, tratando de agarrar la cuerda, pero la ligera embarcación, rozando apenas la superficie del agua, viró y se alejó danzando mucho más aprisa de lo que él pudiera nadar.

El agua helada lo entumecía. Se volvió hacia la orilla. El esturión estaba golpeándose contra la margen; Jondalar se fue hacia el pescado, lo agarró por la boca abierta y lo jaló tras él. No era cosa de perderlo ahora. Lo arrastró en parte por la playa, pero pesaba mucho. Ojalá no volviera a escapar. "Ahora no necesito remo, sin bote, pero tal vez encuentre un poco de leña para hacer fuego", pensó. Estaba empapado y muerto de frío.

Fue a sacar el cuchillo y se encontró con la funda vacía. Había olvidado que se le cayó, y no tenía más. Solía tener una hoja de repuesto en la bolsa que llevaba colgada de la cintura, pero eso era cuando llevaba el atuendo Zelandonii. Había renunciado a la bolsa al llevar prendas Ramudoi. Tal vez pudiera encontrar materiales para una plataforma y un taladro para encender fuego. "Pero sin cuchillo no puedes cortar leña, Jondalar", se dijo, "ni sacar yesca ni virutas". Se estremeció. "Por lo menos, puedo juntar algo de leña".

Miró a su alrededor y sintió que algo se escurría entre la maleza. El suelo estaba cubierto de leña húmeda y en putrefacción, hojas y musgo. No había un palito seco por ningún lado. "Se puede encontrar leña seca", pensó, buscando con la mirada las ramas bajas y secas de coníferas que había debajo de las ramas que crecían verdes. Pero no se encontraba en un bosque de coníferas parecido a los que había cerca de su lugar de origen. El clima de esta región era menos riguroso; no sufría tanto la influencia del hielo del norte. Era fresco —podía ser absolutamente fresco— pero húmedo. Era un bosque de clima templado, no boreal. Los árboles eran del tipo con que se hacían los barcos: de madera dura.

A su alrededor había un bosque de robles y hayas, algunos sauces y ojaranzos; árboles con troncos gruesos cubiertos de corteza morena y otros, más esbeltos, con piel suave y gris, pero no tenían ramitas secas. Era primavera, e inclusive las ramitas estaban llenas de savia y cubiertas de yemas. Había aprendido algo en cuanto a cortar uno de esos árboles de madera dura: no era fácil, ni siquiera con una buena hacha de piedra. Volvió a temblar; le castañeteaban los dientes. Se frotó las palmas de las manos, se golpeó con los brazos, trotó sin cambiar de lugar... tratando de entrar en calor. Oyó más movimiento en la maleza y pensó que estaba perturbando a algún animal.

Entonces se percató de la gravedad de su situación. Desde luego, lo echarían de menos y partirían en su busca. Thonolan se daría cuenta de su ausencia ¿o no? Sus caminos se cruzaban menos de día en día, a medida que él se involucraba más en la vida de los Ramudoi, y que su hermano se volvía más Shamudoi. Ni siquiera sabía dónde estaría su hermano en ese momento, tal vez cazando gamos.

Bueno, pues entonces, Carlono. ¿No lo iría a buscar? "Me vio venir río arriba en el bote". Entonces Jondalar tuvo un estremecimiento de otra clase. "¡El bote! Se fue. Si encuentran un bote vacío, pensarán que estás ahogado", se dijo. "¿Por qué iban a venir a buscarte si creyeran que te habías ahogado?" El hombre alto volvió a agitarse, brincando, azotando los brazos, corriendo en un mismo sitio, pero no podía dejar de temblar y estaba cansándose. El frío comenzaba a afectar su razonamiento, pero no podía seguir brincando.

Sin aliento, se dejó caer y se hizo un ovillo, tratando de conservar el calor de su cuerpo, pero le castañeteaban los dientes y temblaba convulsivamente. Oyó nuevamente aquel deslizarse, más cerca, pero no se tomó la molestia de investigar. Entonces algo se presentó ante su vista: dos pies ... dos pies humanos, desnudos y sucios.

Alzó la mirada, sobresaltado, y casi dejó de temblar. Frente a él, a su alcance, había un niño con dos ojos grandes y oscuros mirándolo por debajo de la sombra de dos cejas sobresalientes. "¡Un cabeza chata", pensó de inmediato Jondalar. "Un joven cabeza chata".

Estaba pasmado y medio esperaba que el joven animal se metiera de nuevo en la maleza, ahora que lo había visto. El joven no se movió. Allí se quedó y al cabo de unos momentos de estar mirándose ambos de hito en hito, hizo movimientos indicando que lo siguiera. O por lo menos Jondalar tuvo la impresión de que eran movimientos para llamarlo, por raros que fueran. El cabeza chata volvió a hacerlos, y dio un paso hacia atrás.

"¿Qué querrá? ¿Querrá que vaya con él?" Cuando el jovenzuelo hizo el movimiento de nuevo, Jondalar dio un paso hacia él, seguro de que la criatura echaría a correr. Pero el niño sólo retrocedió otro paso y volvió a hacer la señal. Jondalar se puso a seguirlo, despacio al principio, después más rápidamente, sin dejar de temblar pero intrigado.

Al cabo de unos momentos el joven hizo a un lado una especie de biombo de maleza que reveló un claro. Una fogata pequeña, casi sin humo, ardía en el centro. Una hembra alzó la mirada, sobresaltada, y retrocedió despavorida cuando Jondalar se dirigió al calor parpadeante. Se agachó frente al fuego, agradecido. Se daba cuenta, sin fijar su atención, de que el joven y la hembra cabeza chata estaban moviendo las manos y emitiendo sonidos guturales. Tenía la impresión de que se estaban comunicando, pero le preocupaba mucho más entrar en calor, y echaba de menos una capa o una piel.

No se fijó en que la mujer desaparecía detrás de él, y lo pilló de sorpresa al sentir que una piel caía sobre sus hombros. Vio apenas un destello de ojos oscuros antes de que inclinara la cabeza y desapareciera a todo correr, pero comprendió que le tenía miedo.

Aun mojada, la ropa de gamuza suave que llevaba puesta conservaba su cualidad de tibieza, y entre el fuego y la piel, Jondalar entró suficientemente en calor para dejar de temblar. Sólo entonces se percató del lugar en que se hallaba: "¡Gran Madre! Es un campamento de cabezas chatas." Había tenido las manos por encima del fuego, pero cuando las implicaciones del fuego se le impusieron, las apartó como si estuvieran quemadas.

"¡Fuego! ¿Emplean fuego?" Tendió una mano vacilante hacia la llama como si no pudiera creer lo que veían sus ojos y tuviera que recurrir a otros sentidos para confirmarlo. Entonces se fijó en la piel que tenía puesta; tocó una orilla, frotándola entre el índice y el pulgar. "Lobo", juzgó, "y bien curtido. Está suave; la parte de dentro es de una suavidad increíble. Dudo que los Sharamudoi puedan hacerlo mucho mejor". La piel no parecía estar cortada según alguna forma: era simplemente la piel de un lobo grande.

Finalmente, el calor penetró lo suficientemente dentro de él para que pudiera ponerse de pie y dar la espalda al fuego. Vio que el joven macho lo miraba; no estaba seguro de porqué consideraba que se trataba de un macho; con la piel que llevaba alrededor atada con una larga correa, no resultaba obvio. Aunque cautelosa, su mirada directa no era temerosa, como había sido la de la hembra. Jondalar recordó entonces que los Losadunai habían dicho que las hembras de cabeza chata no pelean: ceden, no era deporte. "¿Por qué iba nadie a querer una hembra de cabeza chata?", pensó.

Mientras seguía mirando al macho de cabeza chata, Jondalar decidió que no era tan joven, más bien adolescente que niño. Su baja estatura había resultado engañosa, pero el desarrollo muscular revelaba fuerza, y mirando más de cerca, vio un poco de pelusa como barba incipiente.

El joven macho gruñó y la hembra se escurrió rápidamente hasta un montón de leña y trajo unos trozos al fuego. Jondalar no había visto una hembra de cabeza chata tan cerca. Volvió la cabeza hacia ella. Era mayor, tal vez la madre del joven; se veía incómoda, no quería que la mirara. Retrocedió cabizbaja y, al llegar a la orilla del pequeño claro, siguió apartándose de la vista de él. No era obvio, pero sin darse cuenta, Jondalar tenía la cabeza completamente vuelta mirando atrás. Apartó la mirada un instante, y cuando volvió a mirar, ella se había ocultado tan eficazmente que no pudo verla al principio; de no haber sabido que allí estaba, no habría podido descubrirla.

"Está asustada. Me sorprende que no haya escapado en vez de traer la leña como él le dijo.

"¿Que él le dijo? ¿Cómo iba a decírselo? Los cabezas chatas no hablan . . . no pudo decirle que trajera madera. El frío ha debido aturdirme. Ya no pienso con claridad".

Por mucho que se lo negara, Jondalar no podía superar la sensación de que el macho joven había dicho a la hembra, realmente, que llevara leña. De alguna manera se lo había comunicado. Volvió nuevamente su atención hacia el macho y percibió una impresión clara de hostilidad. No sabía qué diferencia habría, pero sabía que al joven no le había gustado que observara a la hembra. Estaba convencido de que se metería en graves problemas si hacía el menor movimiento en dirección a ella. No era juicioso prestar demasiada atención a las hembras de cabezas chatas, decidió, no cuando había un macho cerca, de cualquier edad.

La tensión bajó de grado cuando Jondalar no hizo el menor movimiento y dejó de mirar a la hembra. Pero de pie, cara a cara frente al cabeza chata, se dio cuenta de que ambos estaban midiéndose, y lo que le resultaba más perturbador: que la cosa era de hombre a hombre. Y sin embargo, aquel hombre no se parecía a ninguno de los que Jondalar conocía. En todos sus viajes, la gente que encontró era claramente humana. Hablaban lenguajes distintos, tenían costumbres diferentes, no vivían en moradas parecidas . . . pero eran humanos.

Éste era distinto, pero ¿sería un animal? Era mucho más bajo y corpulento, pero aquellos pies desnudos no eran diferentes de los de Jondalar. Era algo patiestevado, pero caminaba tan erecto como un hombre. Algo más peludo que el promedio, especialmente alrededor de brazos y hombros, sí —pensó Jondalar— pero no podía decirse que fuera pelaje. Conocía algunos hombres igualmente peludos. El cabeza chata tenía el torso fuerte, musculoso ya, no daban ganas de pelear con él por joven que fuera. Pero inclusive los machos adultos que había visto, a pesar de su tremenda musculatura, estaban construidos como hombres. El rostro, la cabeza: ahí estaba la diferencia. "¿Pero en qué? Tiene la arcada ciliar muy grande, la frente no sube recta sino inclinada hacia atrás, pero su cabeza es grande. Cuello corto, nada de barbilla, sólo una quijada que sobresale un poco, y una nariz con caballete alto. Es un rostro humano, no se parece a los que yo conozco, pero parece humano. Y usan fuego.

"Pero no hablan, y los humanos hablan. Me pregunto... ¿estarían comunicándose? ¡Gran Doni! ¡Inclusive se comunicó conmigo! ¿Cómo sabía que necesitaba fuego? ¿Y por qué un cabeza chata había de ayudar a un hombre?" Jondalar estaba desconcertado, pero el joven cabeza chata le había salvado probablemente la vida.

El joven macho pareció tomar una decisión. De repente hizo el mismo movimiento que cuando atrajo a Jondalar hasta el fuego, y echó a andar de regreso por el camino que habían tomado para venir. Parecía contar con que el hombre lo seguiría, y así lo hizo Jondalar, contento por la piel de lobo que llevaba sobre los hombros, al alejarse del fuego en su ropa todavía mojada. Cuando se acercaron al río, el cabeza chata echó a correr, haciendo ruidos fuertes y agitando los brazos. Un animalillo se dio a la fuga, pero se había comido un poco de esturión. Resultaba evidente que, por grande que fuera el pescado si no lo cuidaban, no duraría mucho.

La ira del macho joven ante el rapaz hizo comprender súbitamente algo a Jondalar. ¿Sería el pescado la razón de que el cabeza chata le prestara ayuda? ¿Querría algo de pescado?

El cabeza chata metió la mano en un doblez de la piel que llevaba alrededor de su cuerpo, sacó un copo de pedernal de borde afilado, y por encima del esturión, hizo un amago como si fuera a cortarlo. Entonces hizo señas indicando que algo para él y algo para el hombre alto. Y esperó. Estaba claro. No quedaba la menor duda en la mente de Jondalar: el joven quería una parte del pescado. Y la cabeza se le llenó de preguntas.

¿De dónde habría sacado el cabeza chata aquella herramienta? Quería verla de más cerca, pero sabía que no tenía el refinamiento que él proporcionaba a las suyas: estaba formada de un copo grueso, no era una hoja fina; pero de todos modos era un cuchillo afilado y perfectamente utilizable. Alguien lo había hecho, le había dado un diseño intencional. Pero más que la herramienta, se hacía preguntas que lo perturbaban: el joven no había hablado, pero no cabía duda, se había comunicado. Jondalar se preguntaba si él mismo habría sido capaz de manifestar sus deseos tan directa y fácilmente.

El cabeza chata esperaba y Jondalar asintió con la cabeza, sin estar muy seguro de que su movimiento fuera comprendido. Pero sus intenciones se habían transmitido en algo más que el ademán;

sin vacilar, el joven cabeza chata se puso a trabajar sobre el pescado.

Mientras el Zelandonii observaba, sus convicciones se vieron fuertemente sacudidas por un torbellino. ¿Que era un animal? Un animal podía escurrirse para darle un mordisco a aquel pescado. Un animal más inteligente podría considerar que el hombre era peligroso, y esperar a que éste se alejara o muriera. Un animal no percibiría que un hombre que sufría por el frío necesitaba calor; no tendría un fuego prendido y no lo conduciría a él; no *pediría* una parte de su alimento. Eso era un comportamiento humano; más aún: era humanitario.

La estructura de las creencias que había mamado y que le habían sido inculcadas, penetrándolo hasta la médula, comenzaba a tambalearse. Los cabezas chatas eran animales; todo el mundo decía que eran animales. ¿No era obvio? No sabían hablar. ¿Era eso todo? ¿Ahí estaba la diferencia?

A Jondalar no le habría importado que se llevara el pescado entero, pero sentía curiosidad. ¿Cuánto se llevaría el cabeza chata? De todos modos habría que cortarlo, era demasiado pesado para transportarlo. A cuatro hombres les costaría trabajo levantarlo siquiera.

De repente el cabeza chata perdió toda importancia. Su corazón comenzó a latir atropelladamente: ¿no había oído algo?

—¡Jondalar! ¡Jondalar!

El cabeza chata se sobresaltó, pero Jondalar echó a correr entre los árboles de la ribera para ver claramente el río.

—¡Aquí! ¡Aquí estoy, Thonolan! —su hermano *había* venido a buscarlo. Vio una barca cargada de gente en medio del río y volvió a llamar. Lo vieron, le hicieron señas en respuesta y remaron hacia él.

Un gruñido de esfuerzo le hizo volver la mirada hacia el cabeza chata. Vio en la playa que el esturión había sido partido en dos a lo largo, desde la espina hasta la panza, y que el joven macho había llevado la mitad del enorme pescado a un cuero grande tendido al lado. Mientras el hombre alto miraba, el joven cabeza chata juntó los extremos del cuero y se echó la carga entera a la espalda. Entonces, con la mitad de la cabeza y de la cola saliendo del envoltorio, desapareció en el bosque.

—¡Espera! —gritó Jondalar, corriendo tras él. Lo alcanzó al llegar al claro. La hembra, con un gran canasto a la espalda, se deslizó entre las sombras al aparecer él. No existía evidencia alguna de que se hubiera utilizado el claro, ni siquiera huellas del fuego. De no haber sentido su calor, habría dudado que hubiera existido.

Se quitó de los hombros la piel de lobo y la tendió. A un gruñido del macho, la hembra la tomó; entonces los dos se dirigieron silenciosamente bosque adentro y desaparecieron.

Jondalar se sentía helado en su ropa mojada al regresar al río. Llegó justo cuando la barca estaba encallando, y sonrió al ver desembarcar a su hermano. Se dieron un fuerte abrazo de oso en un despliegue de afecto fraternal.

—¡Thonolan! ¡Cómo me alegro de verte! Tenía miedo de que al ver el bote vacío, me dieran por muerto.

—Hermano mayor: ¿cuántos ríos hemos cruzado juntos? ¿No crees que ya sé cómo sabes nadar? En cuanto descubrimos el bote comprendimos que estabas río arriba y probablemente no muy lejos.

—¿Quién se llevó la mitad de este pescado? —pregunto Dolando.

—Lo regalé.

—¡Lo regalaste! ¿A quién se lo regalaste? —preguntó Markeno.

—A un cabeza chata.

—¿Un cabeza chata? —exclamaron varias voces.

—¿Por qué tenías que darle la mitad de un pescado de ese tamaño a un cabeza chata? —preguntó Dolando.

—Porque me ayudó, y me lo pidió.

—¿Qué clase de majadería es ésta? ¿Cómo podría pedir nada un cabeza chata? —preguntó Dolando; estaba furioso, cosa que sorprendió a Jondalar. Pocas veces demostraba su ira el jefe de los Sharamudoi—. ¿Dónde está?

—Ya se ha ido ... por el bosque. Yo estaba empapado y temblaba tanto que no creí volver a tener calor nunca más. Entonces ese joven cabeza chata apareció y me llevó hasta su fuego ...

—¿Fuego? ¿De cuando acá usan fuego? —preguntó Thonolan.

—Yo he visto cabezas chatas con fuego —intervino Barono.

—Yo los he visto de este lado del río antes de ahora ... a distancia —observó Carolio.

—No sabía que hubieran regresado. ¿Cuántos eran? —preguntó Dolando.

—Justo el joven y una hembra más vieja; tal vez su madre.

—Si tienen hembras consigo, habrá más —el robusto jefe echó una mirada hacia el bosque—. Tal vez deberíamos organizar una batida de cabezas chatas y acabar con esa peste.

Había en el tono de Dolando una amenaza maligna que provocó una mirada prolongada de Jondalar. Había reconocido señales de ese sentimiento contra los cabezas chatas anteriormente, en comentarios del jefe, pero nunca tan venenosos.

La jefatura entre los Sharamudoi era cuestión de competencia y persuasión. Dolando era reconocido jefe tácitamente, no porque fuera el mejor en todo sino porque era competente y tenía la habilidad necesaria para atraer a la gente hacia sí y para manejar los problemas que surgían. No daba órdenes; persuadía, mimaba, convencía y aceptaba componendas, y por lo general, suministraba ese aceite que suaviza las fricciones inevitables que se producen cuando mucha gente vive en comunidad. Políticamente, era astuto, eficaz, y por lo general se aceptaban sus decisiones, pero no se obligaba a nadie a someterse a ellas. Las discusiones podrían resultar clamorosas.

Tenía suficiente confianza en sí para insistir en su propio juicio cuando lo consideraba correcto, y para recurrir a alguien que poseyera más conocimientos o experiencia en cierta materia dada, si se presentaba la necesidad. Tendía a apartarse de las riñas personales a menos que se salieran de madre y alguien pidiera su intervención. Aun cuando generalmente desapasionado, podían despertar su ira la crueldad, la estupidez o un descuido capaz de amenazar o causar daño a la Caverna en general, o a una persona incapaz de defenderse sola. Y los cabezas chatas. Los odiaba. Para él no sólo eran animales sino animales peligrosos y malignos que deberían ser eliminados.

—Yo estaba congelándome —objetó Jondalar— y ese joven cabeza chata me ayudó. Me llevó a su fuego, y me dieron una piel para cubrirme. En lo que me concierne, podría haberse llevado todo el pescado, pero sólo tomó la mitad. No estoy dispuesto a tomar parte en ninguna cacería contra los cabezas chatas.

—Por lo general no molestan mucho —reconoció Barono—. Pero si los hay por aquí, me alegro de estar enterado. Son listos. No convendría dejar que una manada de ellos lo tomara a uno por sorpresa . . .

—Son bestias sanguinarias . . . —dijo Dolando.

—Has tenido probablemente suerte —prosiguió Barono haciendo caso omiso de la interrupción— de que sólo hubiera un joven y una hembra. Las hembras no pelean.

A Thonolan no le agradó el rumbo que estaba tomando la conversación.

—¿Y cómo vamos a llevarnos esta magnífica media presa de mi hermano? —recordó la carrera que le había hecho dar el pez a Jondalar y una amplia sonrisa surcó su rostro—. Después de la pelea que te dio, me sorprende que hayas cedido la mitad.

La risa se propagó a todos los acompañantes con un alivio nervioso.

—¿Significa eso que ahora es medio Ramudoi? —preguntó Markeno.

—Tal vez podamos llevárnoslo de cacería para que consiga medio gamo —dijo Thonolan—. Así la otra mitad puede ser Shamudoi.

—¿Cuál será la mitad que prefiera Serenio? —dijo Barono con un guiño.

—La mitad de él es más que muchos enteros —replicó Carolio, y la expresión que tenía no dejaba el menor lugar a dudas en cuanto a que no estaba refiriéndose a la estatura. En la intimidad impuesta por las viviendas de la Caverna, la habilidad de Jondalar entre las pieles no había pasado inadvertida, y el joven se ruborizó, pero la risa procaz alivió definitivamente la tensión provocada tanto por la preocupación que su destino había causado en todos ellos así como por la reacción de Dolando hacia los cabezas chatas.

Sacaron una red hecha de fibras que se sostenía bien una vez mojada, la tendieron junto a la mitad abierta y sangrante del esturión y, con gruñidos y esfuerzos, colocaron el cadáver en la red y el agua, antes de amarrarlo a la proa de la barca.

Mientras los otros luchaban con el pescado, Carolio se volvió hacia Jondalar y dijo con voz baja:

—El hijo de Roshario fue muerto por cabezas chatas. Era sólo un jovencito, sin Compromiso aún, lleno de osadía y diversión, el orgullo de Dolando. Nadie sabe cómo sucedió, pero Dolando se llevó a toda la Caverna para darles caza. Mataron a algunos . . . y los demás desaparecieron. Nunca los había tolerado, pero desde entonces . . .

Jondalar asintió con la cabeza, comprendiendo.

—¿Y cómo se llevó ese cabeza chata su mitad de pescado? —preguntó Thonolan mientras se subían a la barca.

—Lo levantó y se lo llevó a cuestas —dijo Jondalar.

—¿Él? ¿Lo levantó y se lo llevó?

—Él solito. Y ni siquiera era adulto.

Thonolan se acercó a la estructura de madera que compartían su hermano, Serenio y Darvo. Estaba hecha de tablas apoyadas en una cumbrera que también se inclinaba hacia el suelo. La morada parecía una tienda hecha de madera, con la pared triangular de la fachada más alta y ancha que la de atrás, lo cual hacía que los lados fueran trapeciales. Las tablas estaban sujetas unas con otras como las tracas de los lados de las embarcaciones, con la orilla algo más ancha traslapando la delgada y bien sujetas.

Eran estructuras confortables, robustas, lo suficientemente cerradas de manera que sólo en las más viejas podía colarse la luz entre los intersticios de la madera seca y combada. Con el saliente de arenisca protegiéndolas de las temperaturas, las moradas no se recubrían de cal ni se conservaban a la manera de las embarcaciones. Por dentro estaban alumbradas por el hogar forrado de piedras o por la puerta abierta.

El joven miró para comprobar si estaría despierto su hermano.

—Pasa —dijo Jondalar, sorbiendo; estaba sentado en la plataforma para dormir, cubierta de pieles, y con otras pieles más alrededor; tenía en la mano una taza de algo que echaba vapor.

—¿Cómo va tu catarro? —preguntó Thonolan, sentándose en la orilla de la plataforma.

—El catarro está peor; yo, mejor.

—Nadie pensó en tu ropa empapada, y el viento soplaba en serio por el cañón del río mientras regresábamos.

—Me alegro de que me encontraras.

—Bueno, me alegro de que te sientas mejor —parecía que Thonolan batallaba con las palabras. Se agitó un poco, se levantó y se dirigió a la entrada, regresó sobre sus pasos—. ¿Puedo traerte algo?

Jondalar meneó la cabeza y esperó: algo estaba preocupando a su hermano, y estaba intentando decirlo. Necesitaba tiempo.

—Jondalar... —dijo Thonolan, y se detuvo—. Llevas mucho tiempo ya viviendo con Serenio y su hijo —Jondalar creyó que iba a referirse a la posición informal de las relaciones, pero se equivocaba—. ¿Qué se siente como hombre del hogar?

—Eres hombre casado, hombre de tu hogar.

—Ya lo sé pero ¿existe alguna diferencia porque haya un hijo de tu hogar? Jetamio se ha esforzado tanto por tener un bebé, y ahora... ha vuelto a perderlo, Jondalar.

—Lo siento...

—No me importa que nunca llegue a tener un bebé. Lo que no quiero es perderla a ella —gritó Thonolan, con la voz quebrada—. Ojalá dejara de intentarlo.

—No creo que sea cosa de ella. La Madre da...

—Entonces, ¿por qué no le deja la Madre que conserve uno? —gritó Thonolan y salió como una exhalación, pasando junto a Serenio al salir.

—¿Te ha dicho lo de Jetamio...? —preguntó Serenio; Jondalar asintió con un gesto—. Retuvo éste más tiempo, pero fue más duro para ella perderlo. Me alegro de que sea feliz con Thonolan; se lo merece.

—¿Quedará bien?

—No es la primera vez que una mujer pierde un bebé, Jondalar. No te preocupes por ella, estará bien. Veo que has encontrado el té. Tiene menta, borrajas y espliego, por si tratas de adivinar. Shamud ha dicho que te aliviará del catarro. ¿Qué tal te sientes? Sólo he venido a ver si estabas despierto.

—Estoy bien —dijo Jondalar; sonrió y trató de parecer sano.

—Entonces creo que volveré para hacerle compañía a Jetamio.

Cuando salió la mujer, Jondalar dejó la taza y volvió a acostarse. Tenía la nariz tapada y le dolía la cabeza. No podía decir con exactitud de qué se trataba, pero la respuesta de Serenio lo preocupaba. No quería seguir pensando en ello... le causaba dolor en la boca del estómago. "Debe de ser este catarro", pensó.

Capítulo 16

La primavera maduró y se convirtió en verano, y los frutos de la tierra hicieron lo mismo. Mientras maduraban, la joven los cosechaba. Era más costumbre que necesidad. Podría haberse ahorrado el esfuerzo. Ya tenía suficiente de todo; quedaba comida del año anterior. Pero Ayla no podía quedarse ociosa; no sabía qué hacer con su tiempo.

Inclusive con la actividad suplementaria de la cacería invernal, no había podido trabajar lo suficiente, a pesar de haber curtido la piel de todo lo que cazó, convirtiéndola a veces en peletería, otras veces quitándole los pelos para hacer cuero. Había seguido confeccionando canastos, esteras y tazones tallados y pulidos, y había acumulado suficientes herramientas, implementos y mobiliario de cueva para satisfacer a todo un clan. Esperó con impaciencia las actividades veraniegas de recolección de alimentos.

También había deseado el verano para cazar, descubriendo que el método desarrollado con Bebé —adaptándolo para poder prescindir de la yegua— seguía siendo eficaz. La habilidad creciente del león representaba toda la diferencia. De haber querido, podía haberse mantenido sin cazar; no sólo le quedaba carne seca sino que cuando Bebé cazaba solo y con suerte —que era casi siempre—, no vacilaba en apropiarse parte de lo cazado. Era una relación especial la que existía entre la mujer y el león: ella era madre, y por tanto, dominante; era socio de caza, y por tanto, su igual; y Bebé era lo único que tenía ella para amarlo.

Observando los leones salvajes, Ayla pudo hacer ciertas observaciones sagaces acerca de sus hábitos de caza, los cuales fueron confirmados por Bebé. Los leones cavernarios eran cazadores nocturnos durante la temporada de calor, diurnos en invierno. Aunque cambiaba de pelaje en primavera, Bebé tenía un manto muy tupido, y durante un día estival, hacía demasiado calor para cazar; la energía desplegada durante la caza le daba demasiado calor. Bebé sólo quería dormir, de preferencia en el interior fresco y oscuro de la cueva. En invierno, cuando los vientos aullaban desde el glaciar septentrional, las temperaturas invernales bajaban hasta un punto capaz de matar, a pesar de un nuevo pelaje largo y tupido. Entonces era cuando los leones cavernarios se enroscaban gozosamente en una cueva que los protegía del viento. Eran carnívoros y eran adaptables. El espesor y la coloración de su pelaje podía adaptarse al clima, los hábitos de caza, a las condiciones, con tal de que hubiera presas suficientes.

Ayla tomó una decisión a la mañana siguiente del día en que Hinny se fue, al despertar y encontrarse con Bebé dormido junto a ella con el resto de un corzo moteado . . . la cría de un ciervo gigante. Se marcharía, no había la menor duda al respecto, pero no aquel verano. El joven león todavía necesitaba de ella; era demasiado joven para quedarse solo. Ninguna familia de leones salvajes lo aceptaría; el macho de la familia lo mataría. Mientras no fuera lo suficientemente adulto para aparearse e iniciar su propia familia, necesitaría la seguridad de su cueva tanto como ella.

Iza le había dicho que buscara a los suyos, que encontrara a su propio compañero, y algún día Ayla habría de reanudar su búsqueda. Pero la complacía no tener que renunciar todavía a su libertad, para tener la compañía de personas con costumbres desconocidas. Aun cuando no quería admitirlo, había una razón más profunda: no quería marcharse hasta tener la seguridad de que Hinny no volvería. Echaba de menos desesperadamente a la yegua. Hinny había estado con ella desde el principio, y Ayla la quería.

—Ven conmigo, holgazán —dijo Ayla—. Vamos a dar un paseo y ver si encontramos algo que cazar. No saliste la noche pasada —aguijoneó al león y salió de la caverna haciéndole señas de que la siguiera. Él alzó la cabeza, abrió el hocico en un enorme bostezo que reveló toda su dentadura afilada, y entonces se puso en pie y caminó tras ella, de mala gana. Bebé no tenía más hambre que ella y habría preferido quedarse durmiendo.

Ayla había estado recogiendo plantas medicinales el día anterior, tarea que disfrutaba y que estaba llena de recuerdos agradables. Durante los años de su niñez, pasados con el Clan, recoger medicinas para Iza le había dado la oportunidad de alejarse de ojos siempre vigilantes que reprobaban tan rápidamente cualquier acción indebida. Eso le permitía un poco de respiro para obedecer a sus tendencias naturales. Más adelante recogía plantas por el gozo de aprender las habilidades de la curandera, y ahora esos conocimientos formaban parte de su naturaleza.

Para ella, las propiedades medicinales estaban tan estrechamente ligadas a cada planta, que las distinguía tanto por el uso como por el aspecto. Los racimos de agrimonia que colgaban de cabeza en la cueva oscura y cálida eran una infusión de las flores y hojas secas útiles para lesiones y heridas de órganos internos, al igual que altas y esbeltas plantas perennes que con sus hojas hendidas y sus diminutas flores amarillas, crecían muy altas.

Las hojas de uña de caballo, parecidas a su nombre, tendidas en secadores tejidos, eran alivio para el asma cuando se respiraba el humo de las hojas secas quemadas, y un remedio contra la tos junto con otros ingredientes, en forma de té, además de un agradable condimento para los alimentos. La curación de heridas y de huesos rotos le venía a las mientes cuando veía las grandes hojas peludas de la consuelda junto a las raíces, secándose al sol, y las vivas caléndulas eran curación para heridas abiertas, úlceras y llagas de la piel. La manzanilla era buena para la digestión y permitía lavar las heridas sin irritarlas; y los pétalos de rosa silvestre flotando en un tazón de agua, al sol, eran una loción olorosa y astringente para la piel.

Las había recogido para sustituir por hierbas frescas las que no había utilizado. Aunque no necesitaba gran cosa de la amplia farmacopea que mantenía bien surtida, le gustaba, y le permitía no perder la mano. Pero teniendo hojas, flores, raíces y cortezas en diversas fases de preparación, extendidas por todas partes, de nada serviría recoger más... no tenía dónde guardarlas. En ese momento no tenía nada que hacer y se aburría.

Echó a andar hacia la playa, rodeó la muralla saliente y siguió junto a los arbustos que bordeaban el río, con el enorme león cavernario a su lado. Mientras caminaba, Bebé hacía ese sonido que Ayla había llegado a reconocer como su voz para hablar: *bnga, bnga*. Otros leones hacían sonidos similares, pero cada uno de ellos era distintivo, y podía reconocer la voz de Bebé desde muy lejos, así como también podía identificar su rugido. Se iniciaba muy dentro de su pecho con una serie de gruñidos, después, se elevaba a un trueno sonoro en todo su alcance de bajo, que retumbaba en sus oídos si se encontraba demasiado cerca.

Cuando llegó a una roca que era un lugar habitual para descansar, se detuvo... realmente no tenía interés en cazar pero no sabía muy bien lo que quería. Bebé se pegó a ella, tratando de atraer su atención. Ella le rascó detrás de las orejas y dentro de la melena. Tenía el pelaje un sí-es-no-es más oscuro que en invierno, aunque todavía beige, pero la melena le había crecido en un matiz de óxido que no difería mucho del color del ocre rojo. Alzó la cabeza para que Ayla le rascara bajo la barba, produciendo un gruñido bajo y continuo de gusto. Ella fue a rascarle el otro lado, y lo miró como si lo viera de repente: el nivel del lomo del león le llegaba justo bajo el hombro a ella. Tenía casi el alto de Hinny, pero era mucho más macizo. No se había percatado de lo grande que se había vuelto.

El león cavernario que recorría la estepa de aquella tierra fría que orillaba los glaciares, vivía en un ámbito ideal para el estilo de caza que mejor le convenía. Era un continente de praderas en que abundaba una gran diversidad de presas. Muchos de los animales eran grandes: bisontes y ganado una vez y media mayores que sus parientes de épocas más tardías; ciervos gigantescos con once pies de alzada; mamuts y rinocerontes lanudos. Las condiciones eran favorables para que una especie de carnívoros, por lo menos, pudiera desarrollarse hasta un tamaño que le permitiera cazar animales tan enormes. El león cavernario ocupó ese vacío, y lo llenó admirablemente. Los leones de generaciones ulteriores eran pequeños por comparación: la mitad de su tamaño; el león cavernario fue el mayor felino que haya existido.

Bebé era un ejemplo superior de ese depredador supremo: grande, potente, con un pelaje suave por su salud y vigor juveniles, y absolutamente complaciente bajo las manos de la mujer, que lo rascaban deliciosamente. Si él hubiera querido atacarla, ella no habría tenido la menor defensa; no lo consideraba peligroso; para ella, no representaba mayor amenaza que un gatito muy crecido . . . y esa era su defensa.

Ella lo controlaba inconscientemente, y así lo aceptaba él. Alzando o volteando la cabeza para que Ayla viera dónde, Bebé se sometía al éxtasis sensual de ser rascado, y a ella le gustaba porque le gustaba a él. Se subió a la roca para alcanzarle el otro lado y se estaba apoyando en el lomo del animal cuando se le ocurrió otra idea. Ni siquiera se detuvo a ponderarla: simplemente pasó su pierna por encima y se montó en el lomo como lo había hecho tantas veces con Hinny.

Fue inesperado, pero los brazos sobre su cuello eran familiares, y el peso de la mujer era insignificante. Ambos se quedaron un rato inmóviles. Cuando cazaban juntos, Ayla había adoptado la señal que representaba alzar el brazo para arrojar una piedra con la honda, como señal de partida, y pronunciando la palabra "Ve". En cuanto lo pensó, sin vacilar, hizo la señal y gritó la palabra.

Sintiendo los músculos que se crispaban bajo su cuerpo, Ayla se agarró a la melena cuando el león se abalanzó. Con la gracia vigorosa de su especie, Bebé echó a correr a valle traviesa con la mujer a horcajadas sobre su lomo; ella entrecerraba los ojos al recibir el viento en la cara. Guedejas de cabellos escapados de las trenzas volaban tras ella. No controlaba; no dirigía a Bebé como lo había hecho con Hinny, él la llevaba y ella iba, conforme, experimentando una exaltación más allá de cualquier cosa que hubiera experimentado antes.

El súbito arranque de velocidad fue de corta duración, como era el estilo de Bebé inclusive al atacar. Se fue deteniendo, hizo un gran círculo y tomó a paso largo el camino de la caverna. Con la mujer siempre montada, trepó por el empinado sendero y se detuvo frente al lugar de ella en la cueva. Ella se deslizó para poner pie en tierra y lo abrazó, pues no conocía otra manera de expresar las emociones profundas y sin nombre que había sentido. Cuando lo soltó, Bebé agitó la cola y se dirigió al fondo de la cueva donde encontró su lugar predilecto, se estiró y se quedó inmediatamente dormido.

Ella lo observó, sonriendo. "Me has dado mi cabalgada y ahora has concluido tu jornada, ¿eh, Bebé? Bien, después de esto puedes dormir todo lo que quieras".

Hacia finales del verano las ausencias de Bebé, cuando iba de cacería, se volvieron más prolongadas. La primera vez que se ausentó por más de un día, Ayla estaba fuera de sí por la preocupación, y tan angustiada que no pudo dormir la segunda noche. Estaba tan cansada y derrengada como parecía estarlo él cuando finalmente apareció a la mañana siguiente. No traía presa consigo, y cuando Ayla le dio carne seca de sus provisiones almacenadas, se puso a comerla aunque generalmente solía juguetear con las tiras quebradizas. Cansada como estaba, salió con la honda y le trajo dos liebres. Despertó de su sueño de agotamiento, corrió a la entrada de la cueva para recibirla y se llevó una de las liebres al fondo. Ella le llevó la segunda y se fue a la cama.

Cuando estuvo ausente tres días no se preocupó tanto, pero a medida que pasaba el tiempo, se le iba apesadumbrando el corazón. Regresó con rasgones y arañazos, y Ayla comprendió que había tenido escaramuzas con otros leones. Sospechaba que ya era lo suficiente maduro como para tomar conciencia de las hembras. A diferencia de las yeguas, las leonas no tenían temporada especial; podían entrar en celo en cualquier momento del año.

Las ausencias del joven león cavernario, cada vez más prolongadas, se hicieron todavía más frecuentes a medida que avanzaba el otoño, y cuando regresaba solía ser para dormir. Ayla estaba segura de que dormía también en otra parte, pero que no se sentía tan seguro allí como en la cueva de ella. Nunca sabía cuándo esperarlo ni de dónde llegaría. Simplemente se presentaba allí, caminando por el estrecho sendero arriba desde la playa o más espectacularmente, brincando de repente desde la estepa que se extendía en la parte superior de la caverna hasta el saliente.

Ella se alegraba siempre de verlo, y los saludos que él le prodigaba siempre estaban llenos de afecto . . . a veces, demasiado. Después de que saltara para ponerle las patas delanteras en los hombros derribándola, Ayla señalaba inmediatamente "Ya" si parecía un poco demasiado entusiasmado por el placer de volver a verla.

Por lo general se quedaba unos cuantos días; a veces cazaban juntos, y él seguía trayendo alguna presa a la cueva de cuando en cuando. Y entonces se volvía nuevamente inquieto. Ayla estaba segura de que Bebé estaba cazando por su cuenta y defendiendo sus presas contra las hienas, los lobos o las aves rapaces que tratarían indudablemente de robárselas. Se acostumbró a que, después de que iba y venía un buen rato, se ausentara de nuevo. La caverna parecía tan vacía cuando no estaba el león, que Ayla comenzó a temer la llegada del invierno; temía que fuera demasiado solitario.

El otoño fue insólito: caluroso y seco. Las hojas se volvieron amarillas, después morenas, y no adoptaron los brillantes matices que una leve helada podría darles. Se pegaban a los árboles en racimos blanqueados y de color mortecino, que crujían al viento mucho antes de la época en que normalmente habrían cubierto la tierra. El clima peculiar era desconcertante: el otoño debería ser húmedo y fresco, lleno de ráfagas de viento y de chubascos repentinos. Ayla no podía evitar una sensación de temor, como si el verano estuviera reteniendo el cambio de estación hasta ser vencido por el furioso ataque del invierno.

Salía todas las mañanas a la espera de presenciar algún cambio drástico, y casi experimentaba frustración al ver que un sol cálido salía en un cielo notablemente claro. Se pasaba las tardes fuera, en el saliente, observando la caída del sol detrás de la orilla de la tierra con apenas una niebla de polvo brillando con tonos rojizos, en vez de una gloriosa exhibición de color sobre nubes cargadas de aguas. Cuando titilaban las estrellas, llenaban la oscuridad de tal manera que el cielo parecía agrietado y partido por su gran número.

Había pasado días enteros sin alejarse del valle, y cuando un día más amaneció caluroso y claro, pareció una tontería haber dejado que se perdiera tan buen tiempo cuando podía haber estado fuera, disfrutándolo. Ya llegaría muy pronto el invierno para mantenerla confinada en una caverna solitaria.

"Lástima que no esté Bebé", pensó. "Habría sido un buen día para salir de cacería. Quizá pueda ir a cazar sola". Alzó una lanza. "No; a falta de Hinny o Bebé, tendré que buscar otra forma de cazar. Me llevaré sólo la honda. Me pregunto si debería llevar una piel. Hace tanto calor que me haría sudar. Podría llevarla, quizá llevar también la canasta de recolectar. Pero no necesito nada: tengo más de lo necesario. Lo único que necesito es una buena caminata. No necesito llevar canasta para eso, y tampoco necesitaré piel. Un paseo a buen paso me dará calor suficiente".

Ayla echó a andar por el sendero abajo, sintiéndose extrañamente descargada. No tenía nada que llevar, ningún animal por el cual preocuparse; su caverna estaba bien abastecida. No tenía que pensar en nadie más que en sí misma, pero ojalá sí tuviera. La carencia misma de responsabilidad le producía sentimientos encontrados: una sensación inusitada de libertad y una frustración inexplicable.

Llegó a la pradera y subió la suave pendiente hasta la estepa oriental, y entonces se puso a andar rápidamente. No había pensado en una meta en particular, y caminaba por donde se le antojaba. La sequedad de la temporada se acentuaba en la estepa: la hierba estaba tan quemada y reseca que cuando tomó una en la mano y la arrugó, cayó convertida en polvo. El viento la barrió de su palma abierta.

El suelo bajo sus pies estaba tan compacto y duro como roca, agrietado y formando cuadros. Tenía que ver por dónde pisaba para evitar tropezar con terrones o torcerse un tobillo en hoyos o grietas. Nunca la había visto tan yerma. La atmósfera parecía aspirarle la humedad de la boca. Sólo llevaba consigo un pequeño pellejo lleno de agua, esperando poder llenarlo en algún arroyo o aguaje conocido, pero varios estaban secos. Tenía el pellejo de agua medio vacío antes de media mañana.

Cuando llegó a un río, del que estaba segura que tendría agua, para encontrar sólo lodo, decidió volver sobre sus pasos. Esperando llenar el pellejo, caminó a lo largo del lecho del río un rato y llegó a un charco lodoso, lo único que quedaba de una poza profunda. Al inclinarse para ver a qué sabía, observó huellas recientes de cascos. Era obvio que una manada de caballos había estado allí poco antes. Algo, en una de las huellas, la incitó a mirar más de cerca. Era experta rastreadora, y aun cuando no se le había ocurrido, había visto con mucha frecuencia la huella de las pisadas de Hinny como para no conocer las más nimias diferencias del contorno y la presión que hacían de su huella algo único. Cuando miró, estuvo segura de que Hinny había estado allí, y poco antes; tenía que estar allí cerca... y el corazón de Ayla palpitó más aprisa.

No fue difícil encontrar el rastro. La orilla rota de una grieta donde un casco había resbalado cuando los caballos salieron del lodo, tierra suelta recién asentada, hierba aplastada... todo ello señalaba el camino tomado por los caballos. Ayla lo seguía, aguantando la respiración por la ansiedad; parecía que hasta el aire tranquilo la aguantara, esperando. Hacía tanto tiempo... ¿la recordaría Hinny? Saber que estaba con vida sería suficiente.

La manada estaba más alejada de lo que pensó al principio. Algo debió perseguirla, haciéndola cruzar la planicie a galope. Oyó gruñidos y conmoción antes de dar con la manada de lobos dedicados a comer. Debería haber retrocedido, pero tuvo que acercarse para comprobar que el animal caído no era Hinny. Al ver un pelaje moreno oscuro sintió alivio, pero era el mismo color, poco corriente, del semental, y estuvo segura de que aquel caballo pertenecía a la misma manada.

Mientras seguía rastreando, pensó en los caballos en las tierras salvajes, y en lo vulnerables que eran al ataque. Hinny era joven y fuerte, pero todo podía suceder. Quería llevarse a la yegua de regreso.

Era casi mediodía cuando por fin vio los caballos. Seguían nerviosos por la persecución, y Ayla estaba contra el viento; tan pronto como les llegó su olor, se pusieron en movimiento. La joven tuvo que dar un amplio rodeo para acercarse con el viento a favor. Tan pronto como se encontró a distancia suficientemente corta como para distinguir a los caballos individualmente, identificó a Hinny, y el corazón se puso a darle fuertes golpes en el pecho. Tragó saliva varias veces tratando de contener las lágrimas que insistían en salir.

"Parece saludable", pensó Ayla. "Gorda; no, no está gorda. ¡Creo que está preñada! ¡Oh, Hinny, es maravilloso!" Ayla estaba tan complacida que no pudo dominarse, no aguantó más: tenía que ver si la yegua la recordaba, y silbó.

La cabeza de Hinny se alzó inmediatamente y miró en dirección de Ayla. La mujer silbó de nuevo, y la yegua echó a andar hacia ella. Ayla no pudo esperar: echó a correr para reunirse con la yegua color de heno. Súbitamente una yegua beige llegó a galope, se interpuso y, mordiéndole los jarretes, la apartó llevándola hacia la manada. Entonces, dando vuelta a las demás, la yegua guía las alejó a todas de la mujer desconocida y posiblemente peligrosa.

Ayla se sintió destrozada. No pudo remediarlo, se fue detrás de la manada. Estaba ya mucho más lejos de la caverna de lo que había intentado, y los caballos podían correr mucho más que ella. De todos modos para regresar antes de que oscureciera, tendría que apurarse. Silbó una vez más, fuerte y prolongadamente, pero comprendió que era demasiado tarde. Se dio vuelta, desalentada, y subiéndose el manto de cuero sobre los hombros, inclinó la cabeza bajo el fuerte viento.

Estaba tan desanimada que no prestaba atención más que a su frustración y su pena. Un gruñido de advertencia la detuvo en seco. Había tropezado con la manada de lobos, los hocicos sumidos en sangre, hartándose con el caballo moreno oscuro.

"Será mejor que me fije por dónde ando", pensó, retrocediendo. "Yo tengo la culpa; de no haber sido tan impaciente, quizá esa yegua no hubiera apartado de mí la manada". Volvió a mirar al animal caído, mientras daba un rodeo. "Es un color oscuro, para un caballo; parece tan moreno como el garañón de la manada de Hinny". Miró más detenidamente. Cierta calidad de la cabeza, el color, la forma: Ayla experimentó un estremecimiento. "¡Era el garañón bayo!" ¿Cómo podía haber sido presa de los lobos un garañón en la flor de su fuerza? \

La pata delantera izquierda doblada en un ángulo imposible le dio la respuesta: inclusive un magnífico semental joven podía romperse una pata al correr por terreno traicionero. Una profunda grieta en la tierra seca había dado a los lobos la posibilidad de saborear un garañón de primera. Ayla meneó la cabeza, pensando: "¡Qué lástima! Aún tenía muchos buenos años por delante." Al alejarse finalmente de los lobos, percibió el peligro que ella misma corría.

El cielo que había amanecido tan lleno de claridad, era ahora una masa cuajada de nubes amenazadoras. La alta presión que había estado conteniendo al invierno había cedido, y el frente frío que estuvo esperando se había desatado. El viento aplastaba la hierba seca y la lanzaba por el aire. La temperatura bajaba rápidamente. Ayla podía oler nieve en camino, y se encontraba muy lejos de la cueva. Echó una mirada a su alrededor, se orientó y echó a correr. Iba a ser una verdadera carrera para lograr llegar antes de que se desatara la tormenta.

No tenía la menor posibilidad. Estaba a más de medio día de distancia del valle, caminando aprisa, y el invierno había sido contenido por demasiado tiempo. Para cuando llegó al arroyo seco, enormes copos húmedos de nieve habían comenzado a caer; se convirtieron en agujas penetrantes de hielo cuando volvió a levantarse el viento, y después en una ventisca seca pero feroz. Se estaban formando remolinos sobre la base sólida de nieve mojada. Vientos arremolinados, combatiendo aún contra corrientes transversales de aire, la azotaban por un lado y después por el otro.

Sabía que su única esperanza estaba en seguir adelante, pero ya no estaba segura de seguir el camino correcto; la forma de los puntos guía estaba oscurecida. Se detuvo, tratando de hacerse una idea del lugar en que se encontraba y de dominar el pánico que estaba apoderándose de ella. Había sido una tonta al salir sin sus pieles. Podría haber metido su tienda en la canasta; por lo menos, así habría tenido abrigo. Se le estaban helando las orejas, tenía los pies entumecidos y le castañeteaban los dientes. Tenía frío. Oía el ulular del viento.

Volvió a escuchar: eso no era el viento ¿verdad? Otra vez. Se puso las manos sobre la boca y silbó con todas sus fuerzas; entonces, escuchó.

El hin de tono agudo de un caballo que grita parecía más cercano. Volvió a silbar, y cuando la forma de la yegua amarilla se aproximó como un fantasma que saliera de la tormenta, Ayla corrió hacia ella con las lágrimas corriéndole por el rostro.

—¡Hinny, Hinny, oh, Hinny! —gritó el nombre de la yegua una y otra vez, abrazando el robusto cuello y sumiendo su rostro en el áspero pelaje de invierno. Entonces montó la yegua y se inclinó sobre su cuello para recibir todo el calor posible.

La yegua obedeció a su instinto y se dirigió a la caverna; allí era adonde iba. La muerte inesperada del garañón había desbaratado la manada. La yegua guía estaba manteniéndolas juntas, pues sabía que ya aparecería algún otro garañón. Podría haber conservado también a la yegua amarilla ... de no haber sido por el silbido familiar y los recuerdos de la mujer y la seguridad. Para la yegua que no ha sido criada con una manada, la influencia del caballo guía es menor. Cuando estalló la tormenta, Hinny recordó una caverna que era abrigo contra vientos feroces y nieves cegadoras, y el afecto de una mujer.

Ayla temblaba tan fuerte para cuando finalmente llegaron a la caverna, que a duras penas pudo prender un fuego. Cuando lo hizo, no se acurrucó cerca sino que agarró sus pieles de dormir, las llevó al lado de la caverna reservado para Hinny y se hizo un ovillo junto a la yegua tibia.

Pero apenas pudo apreciar el retorno de su querida amiga durante los siguientes días. Despertó con fiebre y una tos seca y profunda. Vivió a fuerza de tés medicinales, cuando podía recordar que tenía que levantarse y prepararlos. Hinny le había salvado la vida, pero la yegua nada podía hacer para ayudarla a salvarse de la pulmonía.

Estuvo débil y deliró la mayor parte del tiempo, pero la hora del enfrentamiento, cuando Bebé regresó a la cueva, la sacó de su estado. Él había brincado desde la estepa superior, pero al entrar se detuvo ante el reto que representaba Hinny: el grito de temor y defensa atravesó el estupor en que estaba sumida Ayla. Vio a la yegua con las orejas echadas hacia atrás de ira y luego abalanzándose, asustada, corveteando nerviosamente, y el león cavernario inmóvil y a punto de brincar con los dientes descubiertos y un gruñido profundo en la garganta. Ayla saltó fuera de la cama y corrió entre la presa y el depredador.

—¡Quieto, Bebé! Asustas a Hinny. Deberías alegrarte de que haya regresado —entonces Ayla se volvió hacia la yegua—: ¡Hinny! Sólo es Bebé. No debes tenerle miedo. Ahora los dos, tranquilos —reprendió. Creía que ya no habría peligro; los dos animales se habían criado juntos en la caverna, y ambos eran de allí.

Los olores de la caverna les eran familiares a ambos animales, especialmente el de la mujer. Bebé corrió a saludar a Ayla, frotándose contra ella, y Hinny se acercó para olisquear y recibir parte de sus atenciones. Entonces la yegua hizo su hin, no de miedo ni de ira sino con un sonido que había hecho cuando el bebé león estaba a su cuidado; y el león cavernario reconoció a su niñera.

—Ya te decía yo que sólo era Bebé —dijo Ayla a la yegua, y entonces se puso a toser desesperadamente.

Atizando el fuego, Ayla tendió la mano hacia el pellejo de agua y descubrió que estaba vacío. Envolviéndose en su manto de pieles, salió y recogió un tazón de nieve. Trataba de controlar los profundos espasmos que le desgarraban el pecho y la garganta. mientras esperaba que hirviera el agua. Finalmente, con un cocimiento de raíces de helenio y de cortezas de cerezo silvestre por añadidura, la tos se calmó y Ayla volvió a acostarse. Bebé se había acomodado en su rincón del fondo, y Hinny estaba tranquila en su sitio junto a la pared.

Finalmente, la vitalidad natural de Ayla y su vigor se sobrepusieron a la enfermedad, pero tardó mucho en restablecerse. Estaba indeciblemente feliz al tener nuevamente consigo su pequeña familia, aun cuando ya no era igual del todo. Los dos animales habían cambiado. Hinny estaba preñada y había vivido con una manada salvaje que comprendía el peligro que representaban los depredadores; se mostraba más reservada cerca del león con el que había jugado en el pasado, y Bebé no era ya un gatito chistoso. Volvió a abandonar la caverna poco después de que la tormenta llegara a su fin y, a medida que transcurría el invierno, sus visitas se espaciaron.

Los esfuerzos exagerados provocaron ataques de tos hasta después de transcurrida la mitad del invierno, y Ayla se consintió; también mimó a la yegua, alimentándola con granos que había recogido y despajado para sí misma, y dando sólo paseos cortos a caballo. Pero cuando un día amaneció claro y frío, y se sintió llena de energías al despertar, decidió que un poco de ejercicio podría ser bueno para las dos.

Ató los canastos a la yegua y se llevó lanzas y postes para la rastra, alimentos de emergencia, más bolsas para el agua y ropa de más: todo lo que se le pudo ocurrir en caso de cualquier percance. No quería ser tomada nuevamente por sorpresa. La única vez que se mostró descuidada, casi resultó fatal. Antes de montar colocó una piel suave sobre el lomo de Hinny, una innovación desde el regreso de la yegua. Hacía tanto que no había cabalgado que los muslos se le agrietaban y dolían, y la cubierta mitigaba un poco la molestia.

Disfrutando la salida y una sensación de bienestar al no sufrir ya aquella tos terrible, Ayla dejó que la yegua caminara a su paso en cuanto llegaron a la estepa. Estaba cabalgando cómodamente, soñando despierta que pronto terminaría el invierno, cuando sintió que se le crispaban los músculos a Hinny. Algo avanzaba hacia ellas, algo que revelaba el acecho de un depredador. Hinny era más vulnerable ahora: se acercaba la hora del parto. Ayla agarró su lanza aun cuando nunca anteriormente había intentado matar un león cavernario.

Mientras el animal se acercaba, Ayla vislumbró una melena rojiza y una cicatriz que le resultaba conocida en el hocico del león. Se deslizó de inmediato del caballo y corrió hacia el enorme depredador.

—¿Dónde habías estado, Bebé? ¿No sabes que me preocupo cuando pasas tanto tiempo fuera?

Él parecía tan excitado como ella al verla y la saludó con un refrotón tan afectuoso que estuvo a punto de derribarla. Ella le rodeó el cuello con los brazos y le rascó detrás de las orejas y bajo la barba como a él le gustaba, mientras él ronroneaba de gusto.

Entonces Ayla oyó la voz característica de otro león cavernario muy cerca. Bebé interrumpió su ronroneo y se puso rígido, adoptando una postura que ella nunca anteriormente le había visto. Detrás de él una leona avanzaba cautelosamente; se detuvo al oír un sonido que hizo Bebé.

—¡Has encontrado una compañera! Ya lo sabía ... ya sabía yo que tendrías tu propia familia algún día —Ayla miró en busca de otras leonas—. Sólo una por ahora, probablemente también ella es nómada. Tendrás que luchar para tener tu territorio, pero es un principio. Algún día tendrás una familia maravillosamente grande, Bebé.

El león cavernario aflojó algo la tensión y volvió hacia ella dándole golpecitos con la cabezota. Ella le rascó la frente y le dio un último abrazo. Se dio cuenta de que Hinny estaba muy nerviosa: el olor de Bebé podía serle familiar, pero no el de la leona desconocida. Ayla montó y cuando Bebé se acercó nuevamente a ellas, le hizo la señal de "¡Ya!" El león se quedó quieto un momento y después, con un *bnga, bnga,* se dio media vuelta y se alejó, seguido por su compañera.

"Ahora se ha ido a vivir con los suyos", pensó durante el camino de regreso. "Podrá venir de visita, pero nunca volverá a mí como Hinny". La mujer se inclinó y acarició cariñosamente a la yegua.

—¡Qué contenta estoy de que hayas regresado!

Al ver a Bebé con su leona, Ayla recordó su propio futuro incierto.

"Ahora Bebé tiene compañía. También tú la tuviste, Hinny. Me pregunto si llegaré a tenerla algún día".

Capítulo 17

Jondalar salió de la protección del saliente de arenisca y miró hacia abajo la terraza cubierta de nieve que terminaba abruptamente con una caída vertical. Las altas murallas laterales enmarcaban los contornos redondos y blancos de las colinas erosionadas del otro lado del río. Darvo, que había estado esperándolo, le hizo señas; estaba de pie junto a un tocón pegado a la muralla, a cierta distancia a lo largo del campo donde Jondalar había decidido trabajar el pedernal. Era al aire libre, en un punto donde había buena luz, y fuera del paso, de manera que no sería probable que alguien pusiera el pie en algún copo afilado. Echó a andar hacia el muchacho.

—Jondalar, espera un momento.

—Thonolan —dijo, sonriendo y esperó a que su hermano le diera alcance; caminaron juntos por la nieve endurecida—. He prometido a Darvo enseñarle algunas técnicas especiales esta mañana. ¿Cómo está Shamio?

—Está bien; superando el catarro. Nos tenía preocupados: tosía tanto que Jetamio no podía dormir. Estamos hablando de ampliar la vivienda antes del próximo invierno.

Jondalar echó una mirada de aprecio a su hermano, preguntándose si las responsabilidades de una compañera y una familia más amplia no estarían influyendo pesadamente en su despreocupado hermanito. Pero Thonolan tenía un aspecto de hombre asentado y contento. De repente tuvo una sonrisa de satisfacción consigo mismo.

—Hermano mayor, tengo que contarte. ¿Has observado que Jetamio estaba engordando un poco? Creí que adquiría un aspecto de mujer saludable y asentada. Me equivocaba: ha sido bendecida nuevamente.

341

—¡Es maravilloso! Ya sé cuánto deseaba un bebé.

—Lo sabía desde hacía mucho pero no quería decírmelo; temía preocuparme. Parece que esta vez lo está conservando, Jondalar. Shamud dice que no se puede contar con nada, pero si todo sigue así de bien, dará a luz en primavera. Dice que está segura que es un hijo de mi espíritu.

—Puede tener razón. Piensa nada más: mi hermanito vagabundo . . . hombre de hogar, y su compañera esperando un hijo.

La sonrisa de Thonolan se ensanchó. Su felicidad era tan transparente que también Jondalar tuvo que sonreír. "Se ve tan contento de sí mismo que uno pensaría que él va a tener el bebé", pensó Jondalar.

—Ahí, a la izquierda —dijo Dolando en voz baja, señalando un relieve que sobresalía del flanco de la cresta abrupta que se elevaba ante ellos y cerraba todo el paisaje.

Jondalar miró, pero estaba demasiado abrumado para enfocar la mirada en algo que no fuera aquella extensión. Se encontraban en el límite de la vegetación arbórea. Tras ellos se extendía el bosque por el que habían subido; había comenzado con robles en las partes más bajas y después la haya dominó. Más arriba estaban los coníferos que le resultaban más familiares, pinos negros, abetos y piceas. Desde lejos había visto la costra dura de los levantamientos de la tierra, en picos mucho más imponentes, pero al dejar atrás los árboles, se quedó sin resuello contemplando la grandeza inesperada. Por muchas veces que hubiera admirado aquella vista, siempre le causaba la misma impresión.

La proximidad de la altitud que se erguía ante ellos lo dejaba pasmado; la sensación de inmediato, como si pudiera tender la mano y tocarla. En una silenciosa admiración reverente, hablaba de solevantamientos elementales, de una tierra grávida luchando por parir roca pelada. Desvestida, sin bosques, la osamenta primordial de la Gran Madre yacía expuesta en el paisaje ladeado. Más allá el cielo era de un azul extraterrestre —liso y profundo—, un telón de fondo sin detalles para el reflejo cegador de la luz del sol fragmentada por cristales de hielo glacial pegado a grietas y lomas por encima de las praderas alpinas barridas por el viento.

—¡Ya lo veo! —gritó Thonolan—. Un poco más a la derecha, Jondalar. ¿Ves? En ese crestón.

El hombre alto desvió la mirada y vio al gamo, pequeño y gracioso, dominando el precipicio. Su grueso pelaje de invierno todavía se le pegaba en parches a los flancos, pero el de verano, de un beige gris, se confundía con el color de la roca. Dos cuernitos surgían muy rectos de la frente del antílope, parecido a una cabra, y sólo las puntas se le encorvaban hacia atrás.

—Ahora lo veo —dijo Jondalar.

—Tal vez no sea "él". También las hembras tienen cuernos —observó Dolando.

—Se parecen a los íbices, ¿verdad Thonolan? Son ... tienen cuernos más pequeños. Pero a cierta distancia ...

—Jondalar, ¿cómo cazan al íbice los Zelandonii? —preguntó una joven, con ojos brillantes de curiosidad, excitación y amor.

Sólo tenía pocos años más que Darvo y se había estado enamorando, como la adolescente que era, del alto rubio. Nacida Shamudoi, se había criado en el río cuando su madre se unió en segundas nupcias a un Ramudoi, y había vuelto arriba cuando las relaciones terminaron tormentosamente. No se había acostumbrado a los riscos montañosos como la mayoría de la juventud Shamudoi, y no había mostrado el deseo de cazar gamos hasta hacía poco, al enterarse de que Jondalar aprobaba fuertemente a las mujeres cazadoras. Con gran sorpresa suya, descubrió que era palpitante.

—No sé mucho de eso, Rakario —respondió Jondalar, sonriendo amablemente. Ya anteriormente había reconocido esas señales en las muchachas jóvenes, y aun cuando no podía menos de responder a sus atenciones, no quería alentarlas—. Había íbices en las montañas al sur de donde vivíamos, y más en los montes del este, pero no cazábamos en los montes. Estaban demasiado lejos. En ocasiones, un grupo se formaba en la Reunión de Verano y organizaba una partida de caza. Pero yo sólo me unía para pasar el rato y seguía las indicaciones de los cazadores que sabían cómo. Sigo aprendiendo, Rakario. Dolando es el cazador experto de animales montañeses.

El gamo brincó desde lo alto del precipicio a una cima, y desde su nueva situación ventajosa, examinó el paisaje.

—¿Cómo se puede cazar un animal que brinca de esa manera? —preguntó Rakario, en un suspiro, maravillada ante la gracia suave de la criatura de pies firmes—. ¿Cómo pueden sostenerse en un espacio tan reducido?

—Cuando consigamos uno, Rakario, fíjate en las pezuñas —dijo Dolando—. Verás que sólo el extremo exterior es duro. La parte interior es tan flexible como la palma de tu mano. Por eso no resbalan ni pierden pie. La parte suave se pega, la orilla dura sostiene. Para cazarlos, es importantísimo recordar que siempre miran hacia abajo. Siempre miran dónde ponen las patas, y saben lo que hay debajo. Tienen los ojos muy atrás en la cabeza, muy a los lados, para poder ver a su alrededor, pero no pueden ver por detrás. Esa es tu ventaja: si los rodeas, puedes atraparlos por detrás. Puedes acercarte lo suficiente para tocarlos, si eres cuidadosa y no pierdes la paciencia.

—¿Y si se marcha antes de que tú llegues? —preguntó la muchacha.

—Mira ahí arriba. ¿Observas la parte verde del pastizal? La hierba de primavera es un verdadero deleite después de la paja del invierno. Ese que está arriba es un vigía. Los demás, machos, hembras y crías, están abajo, entre rocas y arbustos, ocultos a la vista. Si el pasto es bueno, no cambiarán mucho de lugar mientras se sientan a salvo.

—¿Qué hacemos aquí, hablando? Vamos —dijo Darvo.

Lo fastidiaba Rakario todo el tiempo cerca de Jondalar, y se sentía impaciente por comenzar la cacería. Ya había acompañado otras veces a los cazadores —Jondalar lo llevaba siempre consigo desde que comenzó a cazar con los Shamudoi— aunque sólo para rastrear, observar y aprender. Esta vez le habían dado permiso de tomar parte en la matanza. Si acertaba, sería su primera, y se le otorgarían atenciones especiales. Pero no se le habían impuesto presiones extraordinarias. No tenía que matar esta vez; podría intentarlo en otras oportunidades. Cazar una presa tan ágil y en un entorno al que estaba adaptada de manera tan exclusiva, era difícil por no decir imposible. Quien se acercara lo suficiente con esas intenciones tendría que hacer alarde de cuidado y habilidad silenciosa. Nadie podría seguir al gamo de relieve en saliente, a través de profundos abismos, cuando se asustaba y echaba a correr.

Dolando se puso en marcha rodeando una formación rocosa cuyas líneas paralelas de estratos formaban un ángulo. Capas más blandas de los depósitos sedimentarios habían sido erosionadas en la cara expuesta, dejando apoyos para los pies a modo de escalones. La escalada empinada para ir por detrás y rodear al rebaño de gamos iba a ser ardua pero sin peligro. No haría falta ser un alpinista consumado.

El resto de la partida siguió al jefe. Jondalar esperaba para cerrar la retaguardia. Casi todos habían echado a andar por la empinada pared rocosa cuando oyó que Serenio lo llamaba. Sorprendido, se dio media vuelta. A Serenio no le interesaba la cacería, y pocas veces se alejaba de las cercanías del poblado. No podía imaginar lo que estaría haciendo tan lejos de casa, pero al verle la expresión cuando estuvo junto a él le hizo estremecerse como si una mano de hielo le hubiera recorrido la espalda. La mujer había corrido y tuvo que recobrar el aliento antes de poder hablar.

—Contenta... alcanzarte. Necesita Thonolan... Jetamio... dando a luz... —consiguió expresar poco después.

Jondalar formó una bocina con las manos alrededor de la boca.

—¡Thonolan! ¡Thonolan!

Una de las siluetas que avanzaban se volvió, y Jondalar hizo señas de que regresara.

Mientras esperaban, el silencio se hizo pesado. Él quería preguntar si Jetamio estaba bien, pero algo se lo impidió.

—¿Cuándo comenzó el parto? —preguntó al fin.

—Anoche le dolía la espalda, pero no le dijo nada a Thonolan. Estaba tan ilusionado con la cacería de gamos que temía no fuera a tomar parte si se lo decía. Dijo que no estaba segura de que fuera ya el alumbramiento, y creo que tenía la intención de darle la sorpresa del bebé cuando regresara —explicó Serenio—. No quería preocuparlo ni que esperara, presa de los nervios, mientras ella diera a luz.

"Así era Jetamio", pensó Jondalar. "Habría querido evitarle penas. Thonolan estaba perdido por ella". Se le ocurrió un pensamiento atroz: "Si Jetamio deseaba sorprender a Thonolan, ¿por qué había corrido Serenio montañas arriba para buscarlo?"

—Hay algún problema, ¿no es cierto?

Serenio miró a la tierra, cerró los ojos y respiró hondo antes de responder.

—El bebé se presenta por detrás; ella es demasiado estrecha y no lo deja salir. Shamud cree que es por la parálisis que sufrió, y me ha dicho que venga por Thonolan... Tú también... por él.

—¡Oh, no! ¡Gran Doni, no!

—¡No, no puede ser, no no! ¿Por qué? ¿Por qué iba la Madre a bendecirla con un hijo para llevarse después a los dos?

Thonolan iba y venía, desesperadamente, dentro de los límites de la vivienda que había compartido con Jetamio, golpeándose la mano con el puño de la otra. Jondalar estaba allí parado, inútil, sin saber qué hacer, incapaz de ayudar más que con el consuelo de su presencia. Thonolan, loco de pena, había gritado a todos que se fueran.

—Jondalar ¿por qué ella? ¿Por qué se la tenía que llevar la Madre? Tenía tan poco, y ha sufrido tanto. ¿Era demasiado pedir? ¿Un hijo?, ¿alguien de su propia carne?

—Yo no sé, Thonolan. Ni siquiera un Zelandoni podría responder a eso.

—¿Por qué de esa manera? ¿Por qué con tanto dolor? —y Thonolan se detuvo frente a su hermano, apelando ante él—. Casi no se enteró de mi regreso, Jondalar, de tanto como sufría. Pude verlo en sus ojos. ¿Por qué tuvo que morir?

—Nadie sabe por qué da vida la Madre, ni por qué la quita.

—¡La Madre! ¡La Madre! No le importa. Jetamio la honraba, yo la honraba. ¿De qué sirvió? De todos modos se llevó a Jetamio. ¡Odio a la Madre! —y echó a andar por el estrecho recinto.

—Jondalar ... —llamó Roshario desde la entrada, sin atreverse a entrar.

—¿Qué pasa? —preguntó Jondalar, saliendo.

—Shamud cortó para sacar al bebé después de que ella ... —y Roshario parpadeó para apartar una lágrima—. Pensó que tal vez podría salvar al bebé ... a veces es posible. Era demasiado tarde pero era un niño. No sé si querrás decírselo o no.

—Gracias, Roshario.

Podía ver que ella había estado llorando. Jetamio había sido una hija. Roshario la había criado, la había cuidado durante la enfermedad, la parálisis, y el largo restablecimiento, y había estado con ella desde el principio hasta el desastroso final de su malaventurado parto. De repente Thonolan pasó empujándolos, agarrando su vieja mochila, tratando de ponérsela a la espalda y dirigiéndose al sendero que rodeaba la muralla.

—No creo que sea el momento —dijo Jondalar—. Se lo diré más tarde. ¿Adónde vas? —gritó, dándole alcance.

—Me marcho. No debería haberme quedado. No he llegado al final de mi viaje.

—No puedes marcharte ahora —dijo Jondalar, sujetándole el brazo con la mano. Thonolan se la sacudió violentamente.

—¿Por qué no? ¿Qué me retiene aquí? —preguntó, sollozando.

Jondalar volvió a detenerlo, le hizo dar media vuelta y miró a la cara a su hermano: vio un rostro tan descompuesto por la pena que casi no lo reconoció. El dolor era tan profundo que le quemó el alma a él. Hubo momentos en que había envidiado la alegría de Thonolan en el amor que Jetamio le inspiraba, preguntándose cuál sería la falla en su carácter que le impedía conocer un amor semejante. ¿Valía la pena? ¿Merecía el amor tanta angustia?, ¿tanta amarga desolación?

—¿Puedes permitir que Jetamio y su hijo sean sepultados en ausencia tuya?

—¿Su hijo? ¿Cómo sabes que fue un hijo?

—Shamud lo sacó. Pensó que por lo menos podría salvar al bebé. Pero ya era demasiado tarde.

—No quiero ver al hijo que la mató.

—Thonolan, Thonolan. Ella pidió ser bendecida. Ella deseó quedar embarazada, y qué feliz fue al serlo. ¿Le habrías quitado esa dicha? ¿Habrías preferido verla llevar una vida de tristeza?, ¿sin hijos, y con la desesperanza de no llegar a tenerlos? Tuvo amor y felicidad, primero al unirse a ti y después al recibir la bendición de la Madre. Fue sólo por corto tiempo, pero me dijo que era más feliz de lo que había sido en toda su vida. Dijo que nada le daba mayor felicidad que tú y el saber que llevaba un hijo dentro. Tu hijo, decía, Thonolan. El hijo de tu espíritu. Tal vez la Madre sabía que sería una cosa u otra, y quiso proporcionarle esa dicha.

—Jondalar, ni siquiera me reconoció... —y la voz se le quebró.

—Shamud le dio algo al final, Thonolan. No quedaban esperanzas de que diera a luz, pero no sufrió tanto. Sabía que estabas ahí.

—La Madre me lo quitó todo al llevarse a Jetamio. Yo estaba tan lleno de amor... y ahora estoy vacío, Jondalar. No me queda nada. ¿Cómo es posible que se haya ido? —Thonolan se tambaleó, Jondalar lo sostuvo mientras se desmoronaba y lo recostó contra su hombro mientras sollozaba desesperadamente.

—¿Y por qué no regresar a casa, Thonolan? Si nos vamos ahora podemos llegar al glaciar en invierno y estar en casa la próxima primavera. ¿Por qué quieres ir hacia el Este? —y la voz de Jondalar estaba matizada de nostalgia.

—Tú vete a casa, Jondalar. Deberías haberte ido hace tiempo. Siempre he dicho que eres un Zelandonii y que siempre lo serás. Yo me voy al Este.

—Dijiste que ibas a hacer un viaje hasta el fin del río Gran Madre. Una vez que llegues al mar de Beran, ¿qué harás?

—¿Quién sabe? Tal vez dé la vuelta al mar. Tal vez me vaya hacia el Norte, a cazar mamuts con la gente de Tholie. Dicen los Mamutoi que existe otra cadena montañosa muy lejos al Este. Nada tiene que darme lo que ha sido nuestro hogar, Jondalar. Prefiero andar en busca de algo nuevo. Es hora de que cada uno siga su camino, Hermano, Tú te vas al Oeste, yo, al Este.

—Si no quieres regresar, ¿por qué no quedarte aquí?

—Sí, ¿por qué no quedarte aquí, Thonolan? —preguntó Dolando, acercándose a ellos—. Y tú también, Jondalar. Con los Shamudoi o los Ramudoi: no importa. Tú eres de los nuestros. Aquí tienes familia y amigos. Lamentaríamos que uno de ustedes se marchara.

—Dolando, bien sabes tú que yo estaba dispuesto a pasar aquí el resto de mi vida. Ahora no puedo. Todo está demasiado lleno de ella. Sigo esperando verla a cada momento. Cada día que paso aquí debo recordar de nuevo que no volveré a verla. Lo siento. Echaré de menos a muchas personas, pero debo irme.

Dolando asintió con la cabeza. No quería presionar para que se quedaran, pero les había hecho saber que eran de la familia.

—¿Cuándo te irás?

—Pronto. Dentro de pocos días —respondió Thonolan—. Me gustaría hacer un trato, Dolando. Me lo dejaré todo aquí, excepto las mochilas y la ropa. Pero me gustaría llevarme un bote.

—Estoy seguro de que eso tiene arreglo. Entonces, irás río abajo. ¿Al Este?, ¿no de regreso con los Zelandonii?

—Me voy al Este —dijo Thonolan.

—¿Y tú, Jondalar?

—No lo sé. Ahí están Serenio y Darvo . . .

Dolando asintió; Jondalar no había formalizado el vínculo, pero sabía que eso no le facilitaría la decisión. El alto Zelandonii tenía razones para irse al Oeste, quedarse o marchar hacia el Este, y nadie podía dar por seguro el camino que habría de tomar.

—Rosharío se ha pasado el día cocinando. Creo que lo hace para estar ocupada, de modo que no le quede tiempo para pensar —dijo Dolando—. Le agradaría que vinieran a comer con nosotros. Jondalar, también le gustaría tener a Serenio y Darvo; y le gustaría más aún que comieras algún bocado, Thonolan. La tienes preocupada.

"También debe ser duro para Dolando", pensó Jondalar. Con la preocupación que le estaba causando Thonolan, no había pensado en la pena de la Caverna. Había sido el hogar de Jetamio. Dolando tuvo que quererla como a cualquier otro hijo de su hogar. Había intimado con muchos. Tholie y Markeno eran su familia, y bien sabía él que Serenio había estado llorando. Darvo estaba perturbado y no quería hablarle.

—Le preguntaré a Serenio —dijo Jondalar—. Estoy seguro de que a Darvo le agradaría ir; quizá debas contar sólo con él. Yo quisiera hablar con Serenio.

—Mándanoslo —dijo Dolando, diciéndose que se quedaría con el muchacho por la noche, de manera que su madre y Jondalar tuvieran tiempo para llegar a una decisión.

Los tres hombres caminaron de regreso hasta el saliente de arenisca, y se quedaron junto al fuego del hogar central unos breves momentos. No hablaron mucho, pero gozaron de su compañía mutua —un gozo entre dulce y amargo— sabedores de que se habían producido cambios que pronto les impedirían estar nuevamente juntos.

Las sombras de las murallas de la terraza habían producido ya un frescor vespertino, aun cuando desde el extremo del frente todavía podía verse la luz del sol chorreando por el cañón del río. Parados juntos frente al fuego, casi podían creer que no había cambiado nada, olvidarse de la desoladora tragedia. Permanecieron un rato largo en el crepúsculo, como para retener el momento, cada uno pensando en lo suyo aunque, de haber expresado sus pensamientos, habrían resultado notablemente parecidos. Cada uno de ellos estaba recordando los sucesos que habían conducido a los Zelandonii hasta la Caverna de los Sharamudoi, y cada uno se preguntaba si volvería a ver algún día a los otros dos.

—¿Vienen o no vienen? —preguntó finalmente Roshario, impaciente. Había comprendido la necesidad de los hombres para celebrar aquella última comunión silenciosa, y no había querido molestarlos. Entonces Shamud y Serenio salieron de una vivienda, Darvo se separó de un grupo de muchachos, otras personas se acercaron al fuego central y se perdió aquel estado de ánimo de manera definitiva. Roshario empujó a todos hacia su morada, incluyendo a Serenio y Jondalar, pero éstos se marcharon después.

Caminaron en silencio hasta la orilla, y después rodearon la muralla hasta llegar a un tronco caído; representaba un asiento cómodo para contemplar la puesta de sol río arriba. La naturaleza conspiraba para mantenerlos silenciosos ante la extraordinaria belleza del sol poniente. Al descender el globo en fusión, nubes de un gris plomizo se iluminaban con tonos plateados y se extendían después como oro brillante que se esparcía por el río. Un rojo encendido transformaba el oro en cobre reluciente que se iba opacando hacia el bronce y se fundía de nuevo con plata.

Al convertirse la plata en plomo, y empañarse con matices más oscuros, Jondalar tomó una decisión. Se volvió hacia Serenio; desde luego era bellísima, pensó. No era difícil vivir con ella; le daba una vida confortable. Abrió la boca para hablar.

—Volvamos, Jondalar —se adelantó ella.

—Serenio... yo... nosotros hemos vivido... —comenzó. Ella se llevó un dedo a los labios para hacerle guardar silencio

—No hables ahora. Regresemos.

Esta vez comprendió la urgencia de su tono de voz, vio el deseo en sus ojos. La tomó de la mano, llevó sus dedos a los labios y dándole vuelta a la mano, le besó la palma. Su boca cálida y ansiosa encontró la muñeca y la siguió hasta el brazo y la sangría, levantándole la manga para alcanzarla.

Ella suspiró, cerró los ojos y echó la cabeza hacia atrás, invitándolo. Él le sostuvo la nuca para retener la cabeza y besó la pulsación del cuello, halló la oreja y buscó la boca. Ella, hambrienta, esperaba. Entonces la besó lenta y amorosamente, saboreando la suavidad debajo de la lengua, tocando las ondulaciones de su paladar, y metió su lengua en la boca de ella. Cuando se separaron, la mujer respiraba muy fuerte; su mano encontró la respuesta de él, cálida y palpitante.

—Regresemos —dijo Serenio con voz ronca.

—¿Por qué regresar? ¿Por qué no aquí?

—Si nos quedamos aquí se acabará muy pronto. Quiero el calor del fuego y de las pieles para que no tengamos que apurarnos.

Últimamente hacían el amor de manera, no rancia sino algo rutinaria. Cada uno sabía lo que le producía satisfacción al otro, y tendían a adoptar un patrón, experimentando y explorando sólo en escasas ocasiones. Él sabía que esa noche ella deseaba algo más que rutina, y estaba deseando cumplir. Le tomó la cabeza entre ambas manos, besó los ojos y la punta de la nariz, la suavidad de la mejilla, y le respiró en la oreja. Mordisqueó el lóbulo de una oreja y volvió a buscar la garganta. Al hallar una vez más la boca, la tomó impetuosamente y pegó a la mujer contra su cuerpo.

—Creo que tenemos que regresar, Serenio —le respiró al oído.

—Es lo que estaba diciendo.

Al lado uno de la otra, con el brazo del hombre sobre el hombro de la mujer y el de ésta alrededor de la cintura de Jondalar, la pareja regresó por el saliente de la muralla. Por una vez Jondalar no se detuvo para dejar el paso libre sobre la orilla exterior; ni siquiera se fijó en el precipicio.

Había caído la oscuridad, la negrura profunda de la noche y la sombra, sobre el campo abierto. La luz de la luna no podía atravesar las altas murallas laterales, sólo unas cuantas estrellas dispersas podían verse entre nubes, allá arriba. Era más tarde de lo que creían cuando llegaron bajo el saliente; no había nadie junto al fuego del hogar central, aunque todavía quedaban troncos ardiendo con largas llamas. Vieron a Roshario, Dolando y otros más dentro de su vivienda, y al pasar delante de la entrada, divisaron a Darvo lanzando trozos de hueso labrado con Thonolan; Jondalar sonrió; era un juego al que habían jugado su hermano y él con mucha frecuencia durante las largas noches invernales, uno que se podía llevar la mitad de una noche para decidir, y que hacía que se concentrara la atención . . . ayudando a olvidar.

La vivienda que Jondalar compartía con Serenio estaba a oscuras cuando llegaron. Jondalar amontonó leña en el hogar rodeado de piedras y salió por un carbón ardiendo del fuego principal, para prenderlo. Cruzó dos tablas delante de la entrada y extendió la cortina de cuero, creando así un mundo cálido y privado.

Se quitó la prenda exterior, y mientras Serenio traía tazas para beber, Jondalar fue por el pellejo de jugo fermentado de arándano y sirvió. Había pasado la urgencia de su ardor y el camino de regreso le había dado tiempo para pensar. "Es la mujer más apasionada y adorable que he conocido", pensó, bebiendo a sorbitos el líquido generoso. "Hace mucho que debí haber formalizado nuestra unión. Quizá esté dispuesta a regresar conmigo, y también Darvo. Pero ya nos quedemos aquí o regresemos, la quiero por compañera".

La decisión le causó cierta sensación de alivio, y representaba un factor menos de indecisión que ponderar; además, le agradaba sentirse tan contento por haberla tomado. ¿Por qué se habría abstenido hasta entonces?

—Serenio, he tomado una decisión. No creo haberte dicho nunca todo lo que representas para mí . . .

—Ahora no —dijo ella, dejando la taza. Le rodeó el cuello con sus brazos, unió sus labios con los de él y se estrechó contra su cuerpo. Fue un beso prolongado, demorado, que despertó muy pronto la pasión de él. "Tiene razón", pensó. "Podremos hablar después".

Al reafirmarse la intensidad de su calor, Jondalar se la llevó hasta la plataforma cubierta de pieles. El fuego, olvidado, ardía muy bajo mientras él exploraba y redescubría el cuerpo de la mujer. Serenio nunca se había mostrado inerte, pero esta vez se abrió a él como nunca anteriormente. No se saciaba de él aun cuando quedó satisfecha una y otra vez. Un impulso tras otro se apoderaba de ellos, y cuando Jondalar creyó haber alcanzado sus límites, ella experimentó con su técnica y lo alentó lentamente de nuevo. Con un último esfuerzo exaltado, ambos alcanzaron un gozoso alivio y se quedaron tendidos juntos, finalmente saciados.

Durmieron un rato tal como estaban, desnudos, encima de las pieles. Al apagarse el fuego, el frío previo al amanecer los despertó. Serenio prendió un fuego nuevo con las últimas brasas mientras él se ponía una túnica y salía para llenar de agua un pellejo. El calor había vuelto al interior de la vivienda para cuando él regresó; se había zambullido en la poza fría al ir por agua; se sentía vigorizado, refrescado y tan plenamente satisfecho que estaba dispuesto para lo que fuera. Una vez que Serenio puso piedras a calentar, salió para aliviar sus necesidades y regresó tan mojada como él.

—Estás temblando —dijo Jondalar, envolviéndola en una piel.

—Parecías haber gozado tanto con tu remojón que pensé probar yo también. ¡Estaba frío! —y rió.

—El té está casi hecho; te traeré una taza. Siéntate aquí —y Jondalar la empujó hacia la plataforma, antes de amontonar sobre ella más pieles hasta que sólo quedó visible su rostro. "Pasarme la vida con una mujer como Serenio no sería tan malo", pensó. "Me pregunto si podría convencerla de que regrese a casa conmigo". Un pensamiento infeliz intervino: "Si tan sólo pudiera convencer a Thonolan de que regrese a casa conmigo. No puedo comprender su deseo de ir al Este". Llevó a Serenio una taza de té caliente de betónica y se sentó al borde de la plataforma.

—Serenio, ¿nunca has pensado en hacer un viaje?

—¿Quieres decir viajar hasta algún lugar que no haya visto anteriormente, encontrarme con personas desconocidas que hablen un lenguaje que no entienda? No, Jondalar, nunca he sentido el anhelo de hacer un viaje.

—Pero entiendes el Zelandonii; y muy bien. Cuando decidimos aprender nuestros mutuos idiomas con Tholie, me sorprendió lo rápidamente que aprendías. No sería como si tuvieras que aprender otro lenguaje.

—¿Qué estás tratando de decir, Jondalar?

—Estoy tratando de persuadirte de que regreses conmigo a mi hogar —dijo Jondalar, sonriendo—, después de que nos unan formalmente. Te agradarán los Zelandonii . . .

—¿Qué quieres decir con "después de que nos unan"? ¿Qué te hace pensar que vamos a unirnos formalmente?

Jondalar se quedó desconcertado. Por supuesto, debería habérselo pedido antes, no ponerse a decir cosas sobre viajes. A las mujeres les agrada que las pidan, no que las tengan por seguras. Le sonrió tímidamente.

—He decidido que ha llegado la hora de que nuestro compromiso sea oficial. Debería haberlo hecho tiempo ha. Eres una mujer bella y amorosa, Serenio. Y Darvo es un excelente muchacho. Tenerlo como el verdadero hijo de mi hogar me enorgullecería. Pero tenía la esperanza de que consideraras la posibilidad de viajar conmigo, hacia mi tierra . . . de regreso con los Zelandonii. Por supuesto, si tú no . . .

—Jondalar, tú no puedes decidir que nuestro compromiso sea oficial. No voy a unirme a ti; desde hace algún tiempo tomé esa decisión.

Jondalar se puso colorado, realmente confundido. No se le había ocurrido que ella no quisiera unirse oficialmente a él. Sólo había pensado en sí mismo, en cómo sentía, no que ella pudiera no considerarlo merecedor.

—Lo . . . lo siento, Serenio. Creí que yo te importaba. No debería haberlo dado por sentado. Deberías haberme dicho que me fuera . . . Podría haber encontrado otro lugar —se puso de pie y comenzó a recoger algunas de sus pertenencias.

—Jondalar ¿qué estás haciendo?

—Recogiendo mis cosas para poder mudarme.

—¿Y por qué quieres mudarte?

—Yo no quiero, pero si tú no me quieres tener aquí . . .

—Después de esta noche pasada ¿cómo puedes decir que no quiero tenerte? ¿Qué tiene eso que ver con formalizar nuestra unión?

Jondalar volvió sobre sus pasos, se sentó en la orilla de la plataforma y miró a los enigmáticos ojos de Serenio.

—¿Por qué no quieres casarte conmigo? ¿No soy . . . lo suficientemente hombre para ti?

—No lo suficientemente hombre . . . —la voz de Serenio se le quebró en la garganta. Cerró los ojos, parpadeó varias veces y respiró hondo—. ¡Oh, Madre, Jondalar!, ¡no lo suficientemente hombre! Si no lo eres tú, no hay hombre en la Tierra que lo sea. Ahí está precisamente el problema. Eres demasiado hombre, demasiado todo. No podría vivir con ello.

—No comprendo. Quiero casarme contigo y tú dices que soy demasiado bueno para ti.

—De veras no comprendes ¿es cierto? Jondalar, me has dado más . . . más que ningún hombre. Si tuviera que casarme contigo tendría tanto, tendría más que ninguna de las mujeres que conozco. Me envidiarían. Desearían que sus hombres fueran tan generosos, tan atentos, tan buenos como tú. Ya saben que el mero contacto contigo puede hacer que una mujer se sienta más viviente, más . . . Jondalar, tú eres lo que toda mujer desea.

—Si yo soy . . . todo eso que dices, ¿por qué no quieres casarte conmigo?

—Porque no me amas.

—Serenio . . . yo . . . sí . . .

—A tu manera sí me amas. Te importo. Nunca harías nada que pudiera lastimarme, y serías maravilloso ¡tan bueno conmigo! Pero yo lo sabría siempre. Aun cuando me convenciera de que no, siempre lo sabría. Y me preguntaría lo que tengo de malo, lo que me falta, para que no me puedas amar.

Jondalar bajó la mirada.

—Serenio, las personas se casan sin quererse de esa manera —la miró con expresión seria—. Si tienen otras cosas, si se interesan el uno en la otra, pueden llevar una buena vida juntos.

—Sí, hay personas así. Puedo volver a casarme algún día, y si tenemos esas otras cosas, puede no ser necesario que nos amemos. Pero tú no, Jondalar.

—¿Por qué yo no? —preguntó, y la pena que revelaban sus ojos fue casi suficiente para hacer que ella reconsiderara su decisión.

—Porque yo te amaría. No podría remediarlo. Te amaría y me moriría un poco cada día al saber que tú no me amarías de la misma manera. Ninguna mujer puede evitar amarte, Jondalar. Y cada vez que hiciéramos el amor, como lo hicimos esta noche, me agostaría un poco más por dentro. Deseándote tanto, amándote tanto y sabedora de que por mucho que tú lo desearas, no podrías pagarme con ese mismo amor. Al cabo de algún tiempo yo me secaría, sería como una cáscara vacía, y hallaría medios para hacer que tu vida fuera tan desdichada como la mía. Tú seguirías siendo tu maravilloso tú, cariñoso y generoso, porque sabrías porqué me habría vuelto así. Pero te odiarías por ello. Y todo el mundo se preguntaría que cómo puedes soportar una vieja amargada y mordaz. No quiero hacerte eso, Jondalar. Y no quiero hacérmelo a mí.

Jondalar se puso de pie y caminó hasta la entrada; entonces se dio media vuelta y regresó.

—Serenio ¿por qué no puedo amar? Otros hombres se enamoran . . . ¿qué tengo yo de malo? —la miró con una angustia tal que le dolió por él, lo amó más todavía y deseó que hubiera algún medio para hacer que la amara.

—No lo sé, Jondalar. Quizá no hayas encontrado la mujer apropiada. Quizá la Madre tenga algo especial para ti. No hace muchos como tú. Eres realmente más de lo que pudiera soportar la mayoría de las mujeres. Si todo tu amor se concentrara en una sola, podría abrumarla, de no ser una en quien la Madre derramó dádivas similares. Aun si me amaras, no estoy segura de que podría vivir con ello. Si amaras a una mujer tanto como amas a tu hermano, tendría que ser una mujer muy fuerte.

—No puedo enamorarme, pero si pudiera, ninguna mujer podría aguantarlo —dijo con una risa llena de amargura y fría ironía—. Ten cuidado con las dádivas que la Madre da —sus ojos, de un profundo color violeta con el resplandor rojo del fuego, se llenaron de aprensión—. ¿Qué quieres decir con eso de que "si amaras a una mujer tanto como amas a tu hermano"? Si no hay mujer capaz de "soportar" mi amor, ¿estás pensando que necesito ... un hombre?

Serenio sonrió y luego ahogó la risa.

—No quiero decir que amas a tu hermano como a una mujer. No eres como Shamud, con el cuerpo de uno y las tendencias de la otra. Tú lo sabrías ya a estas horas y buscarías lo tuyo y, como Shamud, habrías hallado un amor ahí. No —dijo Serenio, y sintió una oleada de calor al pensarlo—, amas demasiado el cuerpo de la mujer. Pero amas a tu hermano más de lo que hayas amado nunca a mujer alguna. Por eso te he deseado tanto esta noche. Tú te irás cuando él se vaya, y yo no volveré a verte más.

Tan pronto como se lo oyó decir comprendió que era cierto. No importaba lo que creyera haber decidido, cuando llegara la hora se habría ido con Thonolan.

—¿Cómo lo supiste, Serenio? Yo no lo sabía. He venido aquí creyendo que nos uniríamos formalmente y que me establecería con los Sharamudoi si no me fuera posible regresar a casa contigo.

—Creo que todo el mundo sabe que lo seguirás adonde vaya. Shamud dice que es tu destino.

La curiosidad de Jondalar respecto al Shamud nunca había quedado satisfecha. Obedeciendo a un impulso, preguntó:

—Dime, el Shamud ¿es hombre o mujer?

Serenio se quedó mirándolo largo rato.

—¿Deseas realmente saber la verdad?

Jondalar lo ponderó.

—No, supongo que no importa. Shamud no quiso decírmelo ... tal vez el misterio sea importante para ... Shamud.

En el silencio subsiguiente, Jondalar estuvo mirando a Serenio, deseando recordarla tal como estaba en ese momento. Tenía el cabello mojado aún, y enredado, pero había entrado en calor y se había quitado casi todas las pieles.

—¿Y tú, Serenio? ¿Qué vas a hacer?

—Yo te amo, Jondalar —fue una manifestación clara y simple—. No será fácil superar tu pérdida, pero me has dado algo. Yo tenía miedo de amar. He perdido tantos amores que rechacé todo sentimiento amoroso. Sabía que te perdería, Jondalar, pero te amé de todos modos. Ahora sé que puedo amar nuevamente, y si pierdo mi amor, eso no se lleva el amor que fue. Tú me has dado eso. Y tal vez algo más —y el misterio de la mujer apareció en su sonrisa—. Pronto, tal vez, llegue alguien a mi vida, a quien pueda amar. Es un poco pronto para tenerlo por seguro, pero creo que la Madre me ha bendecido. No creí que fuera posible después del último que perdí . . . llevo muchos años sin Su Bendición. Puede ser un hijo de tu espíritu. Lo sabré si el bebé tiene tus ojos.

Las arrugas habituales surcaron la frente del hombre.

—Serenio, entonces debo quedarme. No tienes hombre en tu hogar para proveer por ti y el bebé —dijo.

—Jondalar, no tienes que preocuparte. Ninguna madre ni sus hijos carecen nunca de atenciones. Mudo ha dicho que todas las que Ella bendice deben ser socorridas. Por eso hizo a los Hombres, para que lleven a las madres las dádivas de la Gran Madre Tierra. La Caverna proveerá, como Ella provee para todos Sus hijos. Tú debes seguir tu destino, yo seguiré el mío. No te olvidaré, y si tengo un hijo de tu espíritu, pensaré en ti así como recuerdo al hombre que amé cuando nació Darvo.

Serenio había cambiado, pero seguía sin exigir nada, sin cargarlo de obligaciones. Él la rodeó con sus brazos; ella miró a los dominantes ojos azules. Los ojos de ella no ocultaban nada, ni el amor que sentía ni su tristeza al perderlo ni su gozo a la idea del tesoro que esperaba llevar dentro de sí. Por una rendija podían ver la débil luz que anunciaba un nuevo día. El hombre se puso de pie.

—¿Adónde vas, Jondalar?

—Sólo afuera. He tomado demasiado té —sonrió hasta con los ojos—. Pero mantén caliente la cama. La noche no ha terminado aún —se agachó para besarla—. Serenio —y tenía la voz ronca de sentimientos—: significas para mí más que cualquier otra mujer que haya conocido.

No era suficiente del todo. Se iría, aunque sabía ella que de habérselo pedido, se habría quedado. Pero no lo pidió, y a cambio él le dio lo más que podía. Y eso era más de lo que la mayoría de las mujeres obtendría jamás.

Capítulo 18

—Madre dijo que querías verme.

Jondalar podía reconocer la tensión en los hombros rígidos y en la mirada recelosa de Darvo. Sabía que el muchacho lo había estado evitando, y sospechaba por qué razón. El hombre alto sonrió, tratando de parecer tranquilo y sin dar importancia a la situación, pero la vacilación que revelaba su habitual amistad cálida, ponía más nervioso aún a Darvo; no quería que se confirmaran sus temores. Jondalar no había previsto sin aprensión el momento de decírselo al muchacho. Sacó una prenda cuidadosamente plegada de un estante y la sacudió.

—Creo que estás casi lo suficientemente alto para ponerte esto, Darvo. Quiero dártelo.

Por un instante la mirada del muchacho se iluminó de placer al ver la camisa Zelandonii con su decorado intrincado y exótico; pero pronto volvió la cautela.

—Te vas ¿no es cierto? —preguntó en tono acusatorio.

—Thonolan es mi hermano, Darvo . . .

—Y yo no soy nada.

—Eso no es verdad. Debes saber cuánto me importas. Pero Thonolan está agobiado por el pesar, no razona. Temo por él. No puedo permitir que se marche solo, y si no cuido de él, ¿quién lo hará? Por favor, trata de comprender, yo no tengo ganas de ir al Este.

—¿Regresarás?

Jondalar hizo una pausa.

- -No lo sé. No puedo prometer nada. No sé adónde vamos ni cuánto tiempo pasaremos viajando —entregó la camisa—. Por eso quiero dártela, para que tengas algo que te recuerde al Zelandonii. Darvo, escúchame. Siempre serás el primer hijo de mi hogar.

El muchacho miró la túnica bordada con cuentas; entonces se le llenaron los ojos de lágrimas que amenazaban derramarse.

—Yo no soy el hijo de tu hogar —gritó, se dio media vuelta y salió corriendo de la vivienda.

Jondalar habría querido correr tras él; pero se limitó a dejar la camisa en la plataforma donde dormía Darvo y salió lentamente.

Carlono arrugó el entrecejo al ver las nubes bajas.

—Creo que el tiempo se sostendrá —dijo—, pero si empieza a levantarse el viento, acércate a la orilla aunque no encontrarás muchos puntos donde desembarcar antes de llegar al paso. La Madre se dividirá en canales cuando llegues a la planicie del otro lado del paso. Recuerda: debes mantenerte en la margen izquierda. El río se dirige al Norte antes de llegar al mar, y después al Este. Poco después de la curva se le une un ancho río por la izquierda; es su último afluente importante. A corta distancia, más allá, está el comienzo del delta —la salida al mar— pero todavía queda mucho trecho por recorrer. El delta es enorme y peligroso; marismas y pantanos y bancos de arena. La Madre vuelve a separarse, generalmente en cuatro canales principales, pero a veces son más: unos grandes y otros más pequeños. Sigue por el canal de la izquierda, el del norte. Hay un Campamento Mamutoi en la ribera norte, cerca de la desembocadura.

El experimentado hombre del río lo había dicho anteriormente; inclusive había trazado un mapa en la tierra para ayudarles a orientarse hasta el final del río Gran Madre. Pero consideraba que a fuerza de repetirlo se les fijaría mejor en la memoria, especialmente si llegaran a tener que tomar decisiones rápidas. No se sentía muy feliz a la idea de que los dos jóvenes recorrieran el río desconocido sin un guía experto, pero ellos habían insistido; mejor dicho, Thonolan insistió y Jondalar no quiso dejarlo solo. Por lo menos, el hombre alto había adquirido cierta pericia en el manejo de las embarcaciones.

Estaban de pie en el muelle de madera con su equipo embarcado en un botecito, pero su partida carecía de la excitación habitual en esas ocasiones. Thonolan se iba únicamente porque no podía seguir allí, y Jondalar habría preferido ponerse en marcha en dirección contraria.

La chispa que siempre hubo en Thonolan se había apagado. Su carácter amistoso de antes había sido sustituido por la melancolía. Su ánimo generalmente sombrío era salpicado por un mal genio que lo llevaba a una temeridad mayor y una desatención indiferente. La primera discusión verdadera entre los dos hermanos no había llegado a las manos únicamente porque Jondalar se había negado a pelear. Thonolan había acusado a su hermano de mimarlo como si fuera un bebé, exigiendo el derecho a vivir su vida sin que lo siguieran a todas partes. Cuando Thonolan se enteró de que tal vez Serenio estuviera embarazada, se enfureció a la idea de que Jondalar fuera capaz de abandonar a una mujer que probablemente llevaba un hijo de su espíritu, para seguir a su hermano hacia un destino desconocido. Insistió en que Jondalar se quedara y proveyera por ella como lo haría cualquier hombre decente.

A pesar de la negativa rotunda de Serenio en cuanto a casarse, a Jondalar no le quedaba más remedio que reconocer para sus adentros que Thonolan tenía razón. Se le había inculcado desde la niñez que la responsabilidad del hombre, su finalidad única, consistía en proporcionar sostén a madres e hijos, especialmente a la mujer que había sido bendecida con un hijo que, en cierta forma misteriosa, podría haber absorbido su espíritu. Pero Thonolan no quería quedarse, y Jondalar, asustado a la idea de que su hermano pudiera cometer alguna acción peligrosa e irracional, insistió en acompañarlo. La tensión entre ambos todavía era agobiante.

Jondalar no sabía muy bien cómo despedirse de Serenio; casi temía mirarla. Pero ella estaba sonriendo cuando se inclinó para besarla, y aun cuando tenía los ojos algo enrojecidos e hinchados, no permitió que en ellos apareciera la menor emoción. Buscó a Darvo con la mirada y se sintió frustrado al no ver al muchacho entre los que habían bajado al muelle. Casi todos los demás estaban allí. Thonolan estaba ya en el bote cuando Jondalar embarcó y ocupó el asiento de atrás. Agarró su remo y, mientras Carlono soltaba la amarra, miró por última vez hacia arriba, hacia la elevada terraza: había un muchacho de pie cerca del borde. La camisa que llevaba puesta tardaría unos cuantos años en llenarse, pero el diseño era claramente Zelandonii. Jondalar sonrió y saludó con el remo. Darvo saludó también mientras el alto y rubio Zelandonii hundía el remo de dos palas —el canalete doble— en las aguas del río.

Los dos hermanos llegaron al centro de la corriente y miraron hacia atrás el muelle lleno de gente ... de amigos. Mientras se dirigían río abajo, Jondalar se preguntaba si volverían alguna vez a ver a los Sharamudoi o a algún conocido siquiera. El viaje que había comenzado como una aventura había perdido el condimento de la excitación y, sin embargo, él era arrastrado, casi contra su voluntad, cada vez más lejos de su tierra. ¿Qué podía esperar Thonolan encontrar al Este? ¿Y qué podría haber para él en esa dirección?

El gran paso del río era impresionante bajo el cielo gris encapotado. Rocas desnudas profundamente enraizadas surgían de las aguas, y se elevaban en fortificaciones imponentes a ambos lados. En la margen izquierda, una serie de fortificaciones de rocas angulares, puntiagudas, trepaba formando un abrupto relieve hasta los lejanos picos cubiertos de hielo; a la derecha, erosionadas por las intemperies, las cimas redondeadas de los montes daban la ilusión de ser simples colinas, pero su altitud era abrumadora vista desde el bote. Enormes bloques de piedra y salientes partían la corriente en remolinos de agua blanca.

Eran parte del ámbito por el que viajaban, impulsados por él como los desechos que flotaban a la superficie y el limo que se había depositado en sus silenciosas profundidades. No controlaban la velocidad ni la dirección, sólo timoneaban para evitar los obstáculos. Ahí donde el río se ensanchaba hasta más de una milla y olas elevaban y bajaban la pequeña embarcación, más bien parecía un mar. Cuando las orillas se acercaron, se pudo sentir el cambio de energía frente a la resistencia que encontraba el flujo; la corriente se hizo más fuerte cuando un mismo volumen de agua cruzó el paso reducido.

Habían recorrido más de la cuarta parte del camino, tal vez veinticinco millas, cuando la lluvia que amenazaba se desató en una borrasca furiosa, azotando olas que les hicieron temer un naufragio del botecito de madera. Pero no había orilla, sólo la empinada roca mojada.

—Yo puedo timonear si tú achicas, Thonolan —dijo Jondalar. No habían cruzado muchas palabras, pero parte de la tensión que había entre ellos se había disipado mientras remaban armoniosamente para mantener el bote en el rumbo correcto.

Thonolan recogió el remo y con un implemento cuadrado, de madera, a modo de cazo, trató de vaciar la pequeña nave.

—Se llena con la misma rapidez que puedo achicar —gritó por encima de su hombro.

—No creo que esto vaya a durar. Si puedes mantener el ritmo, es posible que lo logremos —respondió Jondalar, luchando con el agua agitada.

El tiempo mejoró, y aun cuando seguía habiendo nubes amenazadoras, los dos hermanos pudieron seguir su camino por el paso entero sin más percances.

Al igual que el alivio que se produce al desatar un cinturón muy ajustado, el río hinchado y lodoso se extendió al llegar a la planicie. Los canales se enroscaban alrededor de islas de sauces y carrizos, terrenos donde anidaban grullas y garzas, gansos y patos migratorios así como incontables aves.

Acamparon la primera noche en la pradera herbosa y llana de la margen izquierda. Los contrafuertes de los picos alpinos se alejaban de la orilla del río, pero los montes redondeados de la margen derecha imponían a la Gran Madre su rumbo hacia el Este.

Jondalar y Thonolan cayeron en una rutina de viaje tan rápidamente, que se diría que se habían detenido unos años viviendo con los Sharamudoi. Y sin embargo, ya no era igual. Se había disipado la sensación despreocupada de la aventura, cuando buscaban lo que hubiera alrededor sólo por el placer de descubrirlo. En cambio, el impulso de Thonolan por seguir adelante revelaba desesperación.

Jondalar había intentado hablar con su hermano una vez más para persuadirlo de que regresara, pero sólo consiguió meterse en una amarga discusión. No volvió a mencionarlo. Hablaban más que nada para intercambiar informaciones necesarias. Jondalar sólo podía esperar que el tiempo mitigara el dolor de Thonolan, y que algún día decidiera regresar a casa y reanudar su vida. Hasta entonces, estaba decidido a seguir con él.

Los dos hermanos viajaron mucho más aprisa por el río en el botecito que si hubieran recorrido la orilla a pie. Montados en la corriente, avanzaban velozmente y sin dificultad. Como lo había previsto Carlono, el río se volvía hacia el Norte al alcanzar una barrera compuesta por las plataformas de antiguos montes, mucho más antiguos que las montañas que rodeaban el gran río. Aunque reducidas por su edad venerable, intervenían entre el río y el mar interior que aquél trataba de alcanzar.

Impasible, el río buscó otro camino. Su estrategia hacia el Norte le sirvió pero no antes de que, al hacer su último giro hacia el Este, un río importante brindara su contribución de agua y limo a la Gran Madre, al río tremendamente caudaloso. Con el camino abierto al fin, no pudo limitarse a un solo canal; aun cuando le quedaban muchas millas por recorrer, se dividió una vez más en muchos canales creando un delta en forma de abanico.

El delta era un cenagal de arenas movedizas, marismas e islitas inseguras. Algunas de las islitas de limo permanecían varios años, lo suficiente para que árboles pequeños lanzaran hacia abajo raíces delgadas, sólo para verse barridos por las vicisitudes de las crecidas de temporada o de filtraciones erosionantes. Cuatro canales principales —según la temporada y la casualidad— se abrían paso hasta el mar, pero su curso era inconstante. Sin razón aparente, el agua se alejaba de un lecho profundamente abierto y pasaba a un nuevo sendero, arrancando los arbustos y dejando una zanja de arena blanda y mojada.

El río llamado Gran Madre —1 800 millas y dos cadenas de montañas cubiertas de glaciares que le suministraban agua— había llegado casi al final de su curso. Pero el delta con sus cientos de millas cuadradas de lodo, limo, arena y agua, representaba la sección más peligrosa de todo el río.

Siguiendo el más profundo de los canales de la izquierda, el río no había resultado difícil de navegar. La corriente había llevado el botecito al tomar la dirección norte, e inclusive el gran afluente final sólo lo había impulsado hasta el centro de la corriente. Pero los hermanos no habían previsto que se partiría tan pronto en canales. Antes de saber qué estaba pasando, se encontraban impulsados por un canal del medio.

Jondalar se había vuelto extremadamente hábil en el manejo del bote, y Thonolan podía arreglárselas, pero distaban mucho de ser tan capaces como los barqueros expertos de los Ramudoi. Trataron de virar el bote, de volver contra la corriente y de penetrar en el canal conveniente. Habría sido mejor que invirtieran la dirección que seguían —la forma de la popa no difería mucho de la de la proa—, pero no se les ocurrió.

Estaban recibiendo la corriente por el través, Jondalar le gritaba instrucciones a Thonolan para lograr poner la proa al frente, y Thonolan se impacientaba. Un enorme tronco con un complicado sistema de raíces —pesado, empapado y nadando entre dos aguas— bajaba por el río, y las raíces extendidas lo rastrillaban todo al pasar. Los dos hombres lo vieron ... demasiado tarde.

Con un crujido de madera que se hace astillas, el extremo dentado del enorme tronco, más quebradizo y negro donde el rayo lo había partido, embistió por el través el botecito ligero. El agua penetró a borbotones por el orificio y hundió rápidamente la pequeña embarcación. Mientras el tocón se abalanzaba sobre ellos, una larga rama de la raíz que se hallaba justo bajo el nivel del agua, se sumió entre las costillas de Jondalar y lo dejó sin resuello. Otra no le dio a Thonolan en un ojo de milagro, pero le dejó un largo arañazo en la mejilla.

Súbitamente sumergidos en el agua fría, Jondalar y Thonolan se abrazaron al tronco y vieron con desaliento unas cuantas burbujas que salían mientras su botecito, con todas sus pertenencias firmemente sujetas, se hundía hasta el fondo.

Thonolan había oído el gruñido de dolor de su hermano.

—¿Estás bien, Jondalar?

—Una raíz se me ha metido en las costillas. Duele un poco pero no creo que sea grave.

Con Jondalar siguiéndolo lentamente, Thonolan comenzó a abrirse paso alrededor del tronco, pero la fuerza de la corriente que los empujaba seguía apretándolos contra el árbol a la deriva, junto con los demás desechos. De repente el tronco quedó atrapado por un banco de arena bajo el agua. El río, fluyendo alrededor y por la red abierta de las raíces, empujaba objetos que habían sido mantenidos debajo por la fuerza de la corriente, y un cadáver hinchado de reno se elevó a la superficie delante de Jondalar, que trató de apartarse con mucho dolor de costillas.

Libres del tronco, nadaron hasta una angosta isla que había en el centro del canal, dando vida a unos cuantos sauces jóvenes, pero no era estable y no tardaría en verse barrida por las aguas. Los árboles que se encontraban cerca de la orilla ya estaban medio sumergidos, ahogados, sin yemas que prometieran hojas verdes en primavera, y con las raíces que estaban desprendiéndose de la arena, algunos se inclinaban sobre el flujo acelerado. El suelo era un pantano esponjoso.

—Creo que deberíamos seguir adelante hasta encontrar un lugar más seco —dijo Jondalar.

—Estás sufriendo mucho, no me digas que no.

Jondalar admitió que no se sentía muy bien.

—Pero no podemos seguir aquí —agregó.

Se deslizaron en el agua fría a través del bajío de la estrecha isla. La corriente era más rápida de lo que habían creído, y fueron impulsados mucho más allá, río abajo, antes de llegar a tierra seca. Estaban cansados, helados y frustrados cuando descubrieron que se encontraban en otra islita. Era más ancha, más larga y algo más elevada que el nivel del río, pero saturada de humedad y sin madera seca con que hacer fuego.

—No podemos encender fuego aquí —dijo Thonolan—. Tendremos que seguir adelante. ¿Dónde dijo Carlono que estaba el Campamento Mamutoi?

—En el extremo norte del delta, cerca del mar —respondió Jondalar, y miró con nostalgia en aquella dirección mientras hablaba. El dolor de su costado se había vuelto más intenso, y no estaba seguro de poder atravesar a nado un canal más. Lo único que veía era agua agitada, remolinos de desechos y unos cuantos árboles señalando alguna que otra islita—. Imposible saber a qué distancia está.

Chapotearon por el fango hacia el lado norte de la estrecha franja de tierra y se metieron en el agua fría. Jondalar observó un grupo de árboles río abajo y se fue hacia allá. Se tambalearon por una playa de arena gris en el lado más alejado del canal, respirando con dificultad. Chorritos de agua les corrían por los cabellos y empapaban su ropa de cuero.

El sol del atardecer brilló en un resquicio del cielo encapotado con un destello brillante pero poco calor. Una ráfaga súbita del norte produjo un frío que pronto atravesó la ropa mojada. Habían tenido bastante calor mientras estuvieron activos, pero el esfuerzo había consumido sus reservas. Se pusieron a temblar bajo el viento, y entonces se dirigieron pesadamente hacia el refugio insignificante de unos pocos alisos.

—Acampemos aquí —dijo Jondalar.

—Todavía hay bastante luz. Yo preferiría seguir adelante —repuso Thonolan.

—Estará oscuro para cuando hagamos un refugio y tratemos de prender un fuego.

—Si seguimos adelante, probablemente encontremos el Campamento Mamutoi antes de que sea de noche.

—Thonolan, no creo que yo pueda.

—¿Tan mal estás? —preguntó Thonolan. Jondalar alzó su túnica. Una herida en su costilla se estaba poniendo negra alrededor de una cuchillada que sin duda habría sangrado pero que se había cerrado por la hinchazón causada por el agua en los tejidos. Vio el orificio abierto en el cuero y entonces se preguntó si tendría rota la costilla.

—A mí no me parecería mal descansar junto al fuego.

Miraron a su alrededor la salvaje extensión de agua lodosa y que formaba remolinos, los bancos de arena que se movían, y una profusión desordenada de vegetación. Ramas de árbol enmarañadas, sujetas a troncos secos, eran empujadas por la corriente, de mala gana, hacia el mar, agarrándose a lo que podían en el fondo movedizo. A lo lejos, unos cuantos grupos de árboles y arbustos verdeantes se anclaban a las islas más estables.

Carrizos y hierbas de la ciénaga se aferraban donde podían echar raíces. Cerca, matas de junca de tres pies de alto, cuyos racimos de amplias hojas herbosas parecían más robustos de lo que eran, rivalizaban en altura con las hojas rectas en forma de espada del ácoro, creciendo entre esteras de juncos de espiga que apenas tenían una pulgada de alto. En el marjal cerca de la orilla del agua, colas de caballo de diez pies de alto, espadañas y eneas hacían que los hombres parecieran bajos. Dominándolo todo, cañas de hojas rígidas con penachos púrpura, alcanzaban los trece pies o más.

Los hombres sólo tenían la ropa que llevaban puesta. Lo habían perdido todo cuando se hundió su bote, inclusive las mochilas con las que iniciaron el viaje. Thonolan había adoptado la vestimenta de los Shamudoi, y Jondalar llevaba la ropa Ramudoi, pero después de su remojón en el río, cuando se encontró con los cabezas chatas, había conservado una bolsa con herramientas colgada del cinturón. Ahora se alegraba de haberlo hecho.

—Voy a ver si hay algunos tallos viejos de esas espadañas, que estén lo suficientemente secos para un taladro de prender fuego —dijo Jondalar, tratando de ignorar el dolor intenso de su costado—. Mira a ver si encuentras por ahí un poco de leña seca.

Las espadañas proporcionaron algo más que un viejo tallo seco para ayudar a prender fuego. Las largas hojas tejidas alrededor de un marco de alisos formaron un refugio que ayudó a conservar el calor del fuego. Las puntas verdes y las raíces nuevas, asadas en el carbón junto con los rizomas dulces del ácoro y la base submarina de las eneas, brindaron el principio de la cena. Un joven aliso, delgado, afilado en punta y lanzado a su vez con la buena puntería que da el hambre, también ayudó a llevar hasta el fuego un par de patos. Los hombres hicieron esteras flexibles con las eneas amplias y de tallo suave, las emplearon para ampliar su refugio y para envolverse en ellas mientras su ropa se secaba. Más tarde, durmieron sobre las esteras.

Jondalar no pudo dormir bien. Su costado estaba herido y dolorido, y sabía que tenía algo malo dentro, pero no podía pensar en detenerse ahora. Deberían encontrar su camino hasta tierra firme, antes que nada.

Por la mañana pescaron en el río con canastas hechas con hojas de espadaña y ramas de aliso, y cuerdas formadas con corteza fibrosa. Enrollaron los materiales para hacer fuego y las canastas flexibles en las esteras donde habían dormido, lo ataron todo con la cuerda y se las echaron a la espalda. Tomando en mano sus lanzas, se pusieron en camino. Las lanzas no eran más que palos afilados, pero les habían proporcionado una comida . . . y las canastas flexibles para pescar, otra. La supervivencia no dependía tanto del equipo como de los conocimientos.

Los dos hermanos tuvieron una pequeña diferencia de opinión acerca de la dirección que deberían tomar. Thonolan pensaba que estaban ya del otro lado del delta y que deberían ir hacia el Este y el mar. Jondalar deseaba ir hacia el Norte, seguro de que todavía quedaba un canal más por atravesar. Llegaron a una componenda y tomaron la dirección noreste. Resultó que Jondalar tenía razón,

aun cuando él habría preferido estar equivocado. Era casi mediodía cuando llegaron al canal más septentrional del gran río.

—Llegó la hora de echarse otra vez a nadar —dijo Thonolan—.
¿Podrás?

—¿Me queda otro remedio?

Entonces fueron al agua; de repente Thonolan se detuvo.

—¿Por qué no atamos la ropa a un tronco, como solíamos hacer? Entonces no tendríamos que volver a secarla.

—Yo no sé —dijo Jondalar. La ropa, aunque estuviera mojada, les permitiría tener más calor, pero Thonolan había tratado de
mostrarse razonable aunque su voz revelaba frustración y exas-
peración—. Pero si quieres ... —Jondalar encogió los hombros en
señal de asentimiento.

Hacía frío, allí parados en el aire frío y húmedo. Jondalar sintió
la tentación de atar nuevamente su bolsa de herramientas alrededor de su talle desnudo, pero ya lo había envuelto Thonolan con
su túnica y lo estaba atando todo a un tronco que había encontrado. Sobre la piel desnuda el agua parecía más fría aún de lo
que recordaba, y tuvo que apretar las mandíbulas para no gritar al
zambullirse y tratar de nadar, pero el agua adormeció algo el dolor
de su herida. Al nadar trató de no recargar mucho el esfuerzo sobre su costado y siguió a la zaga de su hermano, aunque Thonolan
era el que empujaba el tronco.

Cuando salieron del agua y se encontraron en un banco de
arena, su meta original —el final del río Gran Madre— estaba a la
vista. Podían ver el agua del mar interior. Pero la excitación de
la hazaña se había perdido. El viaje había perdido su finalidad, y el
final del río había dejado de ser su meta. ¡Como tampoco se encontraban en tierra firme! No habían terminado de atravesar el
delta. Allí estaban los bancos de arena, en el mismo lugar que
antes, en medio del canal, pero el canal se había desviado. Quedaba todavía por cruzar un lecho de río sin agua.

Una alta ribera arbolada, con raíces expuestas colgando desde
una orilla donde una corriente rápida había pasado anteriormente,
les hacía señas desde el otro lado del canal vacío. No llevaba mucho tiempo abandonado. Seguía habiendo charcos en medio, y la
vegetación apenas había echado raíces. Pero los insectos habían
descubierto ya el agua estancada y un enjambre de mosquitos había descubierto a los dos hombres.

Thonolan desató la ropa del tronco.

—Todavía tenemos que atravesar esos charcos allá abajo, y la
ribera parece lodosa. Esperemos a haber cruzado antes de ponernos la ropa.

Jondalar asintió con la cabeza; le dolía demasiado para discutir. Creía haberse dislocado algo mientras nadaba, y le costaba mantenerse derecho.

Thonolan mató un insecto de un manotazo mientras echaba a andar por la cuesta suave que fue en otros tiempos la pendiente que conducía al canal del río.

Se lo habían dicho muchas veces: Nunca des la espalda al río; nunca subestimes a la Gran Madre. Aunque lo había abandonado desde algún tiempo atrás, el canal seguía siendo suyo, e inclusive cuando ella no estaba, había dejado un par de sorpresas por allí. Millones de toneladas de cieno eran arrastradas hacia el mar y se repartían por las mil millas cuadradas o más de su delta, año tras año. El canal evacuado, sometido a la marea, era una marisma empapada con poco desagüe. La hierba y los juncos verdes habían plantado sus raíces en una arcilla legamosa y mojada.

Los dos hombres resbalaron y bajaron deslizándose por la cuesta de lodo fino y pegajoso y cuando llegaron a nivel del fondo, se les pegó a los pies, Thonolan tomó la delantera, a toda prisa, olvidando que Jondalar no podía caminar a grandes trancos como solía; podía caminar, pero la bajada resbaladiza le había hecho daño. Estaba avanzando con cuidado, mirando dónde ponía los pies, y se sentía como un tonto vagabundeando por la marisma en cueros, brindando su piel suave a los insectos voraces.

Thonolan se había adelantado tanto que Jondalar estuvo a punto de llamarlo. Pero alzó la mirada justo al oír el grito de su hermano pidiendo ayuda, para verlo caer. Olvidando su dolor, Jondalar corrió hacia él; el miedo lo atenazó al ver que Thonolan se sumía en arenas movedizas.

—¡Thonolan! ¡Gran Madre! —gritó Jondalar corriendo hacia él.

—¡Quédate ahí! ¡También te van a atrapar! —Thonolan, luchando por liberarse del cenagal, se hundía más y más.

Jondalar miró a su alrededor, desesperadamente, en busca de algo para ayudar a sacar a Thonolan. "¡La camisa! Podría arrojarle un extremo", pensó, y entonces recordó que era imposible. El atado de prendas había desaparecido. Meneó la cabeza, vio un tocón de árbol medio enterrado en el lodo y corrió para ver si podría arrancar una de las raíces, pero todas las raíces que hubieran podido separarse habían sido arrancadas desde tiempo atrás durante el recorrido río abajo.

—¿Dónde está el rollo de la ropa? Necesito algo para sacarte.

La desesperación en la voz de Jondalar tuvo un efecto indeseado. Se filtró a través del pánico de Thonolan para recordarle su pena. Una aceptación tranquila se apoderó de él.

—Jondalar, si la Madre quiere llevarme, deja que me lleve.

—¡No! ¡Thonolan, no! No puedes renunciar así. No puedes morir, sin más ni más. ¡Oh Madre, Gran Madre, no dejes que muera así! —Jondalar cayó de rodillas y estirándose cuán largo era tendió la mano—. Toma mi mano Thonolan, por favor, toma mi mano —suplicó.

Thonolan se sorprendió ante el dolor que había en el rostro de su hermano, y algo más que había visto anteriormente pero sólo en miradas fugaces y poco frecuentes. En ese momento comprendió. Su hermano lo amaba, lo amaba tanto como él había amado a Jetamio. No era lo mismo, pero sí igual de fuerte. Comprendió a nivel del instinto, por intuición, y al tender su mano hacia la que se le tendía, supo que aun cuando no pudiera salir del cenagal, tendría que estrechar la mano de su hermano.

Thonolan no lo sabía, pero en cuanto dejó de luchar no se hundió con la misma rapidez. Al estirarse para alcanzar la mano de su hermano, se estiró en una posición más horizontal, desplazando su peso sobre la arena llena de agua, suelta y cenagosa, casi como si flotara sobre el agua. Llegaron a tocarse los dedos, y Jondalar avanzó ligeramente hasta tener firmemente agarrada la mano de Thonolan.

—¡Así se hace! ¡No lo sueltes! ¡Ya llegamos! —dijo una voz que hablaba en Mamutoi.

La respiración de Jondalar fue un estallido, con la presión súbitamente aliviada. Descubrió que estaba temblando pero sosteniendo firmemente la mano de su hermano. En pocos momentos una cuerda llegó hasta Jondalar, que la ató rodeando las manos de Thonolan.

—Y ahora, con calma —indicaron a Thonolan—, estírate como si estuvieras nadando, ¿Sabes nadar?

—Sí.

—Muy bien. Muy bien. Ahora cálmate, nosotros jalamos.

Unas manos se llevaron a Jondalar lejos del borde de la arena movediza, y pronto recuperaron también a Thonolan. Entonces todos fueron siguiendo a una mujer que golpeaba el suelo con un largo palo para evitar otros agujeros. Sólo después de que llegaron a tierra firme alguien pareció darse cuenta de que los dos hombres estaban totalmente desnudos.

La mujer que había dirigido el rescate se detuvo y los examinó. Era una mujerona, no tanto alta ni gruesa sino corpulenta, y su porte inspiraba respeto.

—¿Por qué no llevan nada? —preguntó finalmente—. ¿Por qué viajan dos hombres totalmente desnudos?

Jondalar y Thonolan bajaron la mirada hacia sus cuerpos desnudos y cubiertos de lodo.

—Nos equivocamos de canal, entonces un tronco golpeó nuestro bote —comenzó a explicar Jondalar. Se estaba sintiendo incómodo, no podía mantenerse erguido.

—Después tuvimos que secar la ropa. Pensé que sería mejor llevarla mientras cruzábamos el canal, y después para pasar entre el lodo. Yo la llevaba delante porque Jondalar estaba herido y . . .

—¿Herido? ¿Uno de ustedes está herido? —preguntó la mujer.

—Mi hermano —dijo Thonolan. Al oírlo, Jondalar cobró una conciencia mucho más clara del dolor palpitante.

La mujer lo vio palidecer.

—Mamut lo cuidará —dijo a uno de los otros—. No son Mamutoi. ¿Dónde aprendieron a hablar?

—Con una mujer Mamutoi que vive con los Sharamudoi, mis parientes —explicó Thonolan.

—¿Tholie?

—Sí. ¿La conoces?

—Es pariente mía también. Hija de un primo. Si eres pariente suyo eres pariente mío —dijo la mujer—. Soy Brecie, de los Mamutoi, jefe del Campamento Sauce. Ambos son bienvenidos.

—Yo soy Thonolan, de los Sharamudoi. Él es mi hermano, Jondalar, de los Zelandonii.

—¿Zel-an-don-yi? —y Brecie repitió la palabra desconocida—. No he oído hablar de ellos. Si son hermanos, ¿por qué eres tú Sharamudoi y él . . . Zelandonii? No tiene buen aspecto —dijo, descartando cualquier otro tema para un momento más oportuno. Entonces dijo a uno de los hombres—: Ayúdalo. No creo que pueda caminar.

—Creo que puedo caminar —dijo Jondalar, súbitamente mareado por el dolor —si no es demasiado lejos.

Jondalar se sintió agradecido cuando uno de los Mamutoi lo tomó de un brazo mientras Thonolan lo sostenía por el otro.

—Jondalar, me habría marchado hace tiempo si no me hubieras hecho prometer que esperara hasta que estuvieras lo suficientemente bien para viajar. Me marcho. Creo que deberías volver a casa, pero no voy a discutir contigo.

—¿Por qué quieres seguir hacia el Este, Thonolan? Ya has llegado al final del río, el mar de Beran está ahí. ¿Por qué no volver a casa ya?

—No voy hacia el Este. Voy hacia el Norte, más o menos. Brecie ha dicho que pronto irán todos hacia el Norte para cazar mamut. Yo me adelanto hasta otro campamento Mamutoi. No vuelvo a casa, Jondalar. Seguiré viajando hasta que la Madre me lleve.

—¡No hables así! Parece que quisieras morir —gritó Jondalar, lamentando en el mismo momento en que lo decía, por miedo a que la mera sugerencia lo convirtiera en realidad.

—¿Y si así fuera? —le gritó Thonolan en respuesta—. ¿Qué razón tengo para vivir ... sin Jetamio? —y se le quebró la voz al pronunciar el nombre que dijo en un sollozo suave.

—¿Y qué razón tenías para vivir antes de encontrarla? Eres joven, Thonolan. Tienes una larga vida por delante. Nuevos lugares adonde ir, nuevas cosas que ver. Date a ti mismo la oportunidad de conocer a otra mujer como Jetamio —suplicó Jondalar.

—No comprendes. Nunca has estado enamorado. No existe otra mujer como Jetamio.

—De manera que vas a seguirla al mundo de los espíritus y arrastrarme allí contigo —no le agradó decirlo, pero si la única manera de mantener con vida a su hermano era recurriendo a su culpabilidad, lo haría.

—¡Nadie te ha pedido que me sigas! ¿Por qué no vuelves a casa y me dejas en paz?

—Thonolan, todo el mundo sufre al perder a un ser querido, pero no se va al otro mundo para seguirlo.

—Algún día te pasará a ti. Jondalar. Algún día amarás tanto a una mujer, que preferirás seguirla al mundo de los espíritus que vivir sin ella.

—Y si eso me hubiera sucedido ahora a mí, ¿me abandonarías?, ¿me dejarías en paz? Si hubiera perdido yo a una persona a quien amara tanto que preferiría morir ¿me dejarías seguir mi camino? Dime que lo harías, hermano. Dime que regresarías a casa si yo estuviera enfermo de muerte por tanta pena.

Thonolan bajó la mirada y la alzó nuevamente para fijarla en los ojos azules y turbados de su hermano.

—No, supongo que no te dejaría solo si supiera que estás enfermo de muerte con tanta pena. Pero ya sabes, hermano mayor —y su sonrisa sólo era una mueca en el rostro descompuesto por la pena—, si decido seguir viajando el resto de mis días, no tienes que seguirme hasta el final. Estás harto de viajar. Algún día tendrás que volver a casa. Dime, si yo quisiera volver a casa y tú no, preferirías que me marchara, ¿verdad?

—Sí, preferiría que te fueras. Ahora quisiera que lo hicieras. No porque tú quieras ni siquiera porque yo lo desee. Necesitas tu propia Caverna, tu familia, gente que has conocido toda tu vida y que te quiere.

—No comprendes. Es una de las diferencias entre nosotros. La Novena Caverna de los Zelandonii es tu hogar y siempre lo será. Mi hogar está ahí donde yo quiera hacerlo. Soy tan Sharamudoi como fui Zelandonii. Dejé hace poco mi Caverna y gente a la que quiero tanto como a mi familia Zelandonii. Eso no significa que no me pregunte si Joharran tiene ya algún hijo en su hogar, ni si Folara se habrá hecho tan bella como sé que habrá de ser. Quisiera contarle a Willomar de nuestro viaje y enterarme de adónde proyecta dirigirse después. Todavía recuerdo cuánto me excitaba al verlo regresar de una excursión; escuchaba sus historias y soñaba con viajes. ¿Recuerdas que siempre traía algo para cada quien? Para mí y Folara y también para ti. Y siempre algo bello para Madre. Cuando regreses, Jondalar, llévale algo bello.

Al oír los nombres familiares, Jondalar se sintió presa de recuerdos conmovedores.

—¿Por qué no le llevas tú algo bello, Thonolan? ¿No crees que Madre desea volverte a ver?

—Madre sabía que yo no regresaría. Dijo "buen viaje" cuando nos marchamos, no dijo "hasta tu regreso". Tú eres quien sin duda la perturbó, tal vez todavía más que a Marona.

—¿Por qué habría de sentirse más por mí que por ti?

—Soy hijo del hogar de Willomar. Creo que ella ya sabía que yo sería viajero. Tal vez no le agradara, pero comprendía. Comprende a todos sus hijos . . . por eso hizo de Joharran jefe después de ella. Sabe que Jondalar es un Zelandonii. Si hubieras hecho el viaje solo, ella habría sabido que regresarías . . . pero te fuiste conmigo, y yo no habría de volver. No lo sabía yo al marchar, pero creo que ella sí lo sabía. Ella quería que regresaras; eres el hijo del hogar de Dalanar.

—¿Y eso?, ¿dónde está la diferencia? Hace mucho que cortaron el nudo. Son amigos cuando se encuentran en las Reuniones de Verano.

—Tal vez ahora sólo sean amigos, pero la gente habla todavía de Marthona y Dalanar. Su amor tuvo que ser algo muy especial para que lo recuerden aún tanto tiempo después; y tú eres lo único que tiene para recordárselo, el hijo nacido en el hogar de él. También su espíritu. Todos lo saben; ¡eres tan parecido a él! Tienes que regresar; allí están los tuyos. Ella lo sabía, y tú también lo sabes. Promete que regresarás algún día, Hermano.

Jondalar se sentía incómodo a la idea de prometer. Ya siguiera viajando con su hermano o decidiera regresar sin él, estaría dando más de lo que deseaba perder. Mientras no se comprometiera en uno u otro sentido, seguía creyendo que podría tener ambas cosas.

La promesa de regresar implicaba que su hermano no lo acompañaría.

—Prométemelo, Jondalar.

—Lo prometo —accedió, ya que no disponía de ninguna objeción razonable—. Regresaré a casa . . . algún día.

—Al fin y al cabo, hermano mayor —dijo Thonolan sonriendo— alguien tiene que contarles que llegamos hasta el final del río Gran Madre. Yo no estaré, de manera que tendrás que hacerlo tú.

—¿Por qué no estarás? Podrías ir conmigo.

—Creo que la Madre me habría llevado en el río . . . de no haberle rogado tú. Sé que no puedo lograr que comprendas, pero sé que Ella vendrá pronto por mí, y quiero ir.

—¿Vas a tratar de que te maten ¿verdad?

—No, hermano mayor —y Thonolan volvió a sonreír—. No tengo que intentarlo. Sólo sé que la Madre vendrá. Quiero que sepas que estoy preparado.

Jondalar sintió que se le hacía un nudo dentro. Desde el accidente en las arenas movedizas, Thonolan abrigaba la certidumbre fatalista de que iba a morir pronto. Sonreía, pero no era su antigua sonrisa llena de picardía. Jondalar prefería verlo furioso que con esa aceptación tranquila. No le quedaban ganas de luchar, ningún deseo de vivir.

—¿No crees que les debemos algo a Brecie y al Campamento Sauce? Nos han dado alimentos, ropa, armas: todo. ¿Quieres llevártelo todo y no darles nada a cambio? —Jondalar quería que su hermano se enojara, saber que le quedaba algo dentro. Le parecía haber sido forzado a hacer una promesa que liberaba a su hermano de su obligación final—. ¿Tan seguro estás de que la Madre tiene algún designio para ti que has dejado de pensar en nadie más que en ti mismo? ¿Sólo Thonolan, es eso? Ya nadie importa para ti.

Thonolan sonrió: comprendía el enojo de Jondalar y no se lo podía reprochar. ¿Cómo se habría sentido si Jetamio hubiera sabido que iba a morir, y se lo hubiera dicho a él?

—Jondalar, quiero decirte una cosa. Hemos sido muy íntimos . . .

—¿No lo somos ya?

—Por supuesto, porque tú puedes estar tranquilo junto a mí. No tienes que ser perfecto todo el tiempo. Siempre tan considerado . . .

—Sí, soy tan bueno que Serenio no quiso casarse conmigo siquiera —dijo Jondalar con amargura sarcástica.

—Ella sabía que ibas a marcharte y no quería sufrir más aún. Si se lo hubieras pedido antes, se habría casado contigo. Si hubieras insistido un poco más cuando la pediste, lo habría hecho ... aun a sabiendas de que no estabas enamorado de ella. Tú no la querías, Jondalar.

—Entonces ¿cómo puedes decir que soy tan perfecto? ¡Gran Doni! Thonolan: yo quería amarla.

—Ya lo sé. Me enteré de algo por Jetamio, y quiero que lo sepas. Si quieres enamorarte no puedes tenerlo todo guardado dentro de ti. Tienes que abrirte, aceptar ese riesgo. A veces serás lastimado, pero de no ser así, nunca serás feliz. La que encuentres puede no ser la clase de mujer de quien esperabas enamorarte, pero no importa, la amarás por lo que ella sea exactamente.

—Me preguntaba que por dónde andaban —dijo Brecie, acercándose a los dos hermanos—. He preparado un pequeño banquete de despedida ya que han decidido marcharse.

—Me siento obligado, Brecie —dijo Jondalar—. Me has cuidado, nos lo has dado todo. No creo que sea correcto marchar sin tratar de compensar en alguna forma.

—Tu hermano ha hecho más que suficiente. Ha cazado todos los días mientras tú te restablecías. Se arriesga un poco demasiado, pero es un cazador afortunado. Se van sin dejar ninguna deuda.

Jondalar miró a su hermano que le sonreía.

Capítulo 19

En el valle, la primavera fue un estallido vistoso de colores dominados por el verde vernal, pero un estallido más temprano había sido espantoso, reduciendo el entusiasmo que Ayla sentía habitualmente por la nueva estación. Después de su tardío comienzo, el invierno fue duro con unas nevadas bastante más fuertes que lo habitual. Las crecidas prematuras arrastraron la fusión con una violencia furiosa.

Apareciendo a través del estrecho cañón río arriba, el torrente se estrelló contra la muralla saliente con tal fuerza que la caverna se estremeció. El nivel del agua casi alcanzó el de la terraza saliente de la caverna. Ayla se preocupaba por Hinny. Ella podía trepar a la estepa si fuera necesario, pero era un ascenso demasiado empinado para la yegua, especialmente con un embarazo tan avanzado. La joven pasó varios días llena de ansiedad observando cómo el río desbordado subía más de día en día al dar contra la muralla, y retrocedía para formar torbellinos contra la otra orilla. Río abajo, la mitad del valle estaba bajo las aguas, y la maleza a lo largo de la margen habitual del río estaba totalmente inundada.

Durante los peores momentos de la inundación turbulenta, Ayla despertó sobresaltada, en medio de la noche, por un crujido apagado, como un trueno, debajo de ella. Se quedó petrificada; no supo cuál había sido la causa hasta que el nivel de las aguas bajó. El choque de un bloque enorme de roca contra la muralla había producido oleadas a través de la piedra de la caverna. Un trozo de la barrera rocosa se había quebrado bajo el impacto, y una voluminosa sección de la muralla yacía a través del río.

Obligado a buscar un nuevo camino para rodear la obstrucción, el río cambió su curso. La rotura de la pared constituyó un desvío conveniente, pero la playa quedó más angosta. Una parte importante de la acumulación de huesos, madera flotante y guijarros de la playa, había sido barrida. El propio bloque, que parecía de la misma clase de roca que el cañón, se había alojado a proximidad de la muralla.

Y sin embargo, a pesar de la reorganización de rocas y el desarraigo de árboles y arbustos, sólo los más débiles habían sucumbido. La mayor parte de la maleza perenne verdeó, apoyada en sus raíces bien asentadas, y nuevas plantas llenaron cada una de las grietas vacantes. La vegetación cubrió rápidamente las cicatrices de roca y suelo recién expuestas, dándoles la ilusión de permanencia. Pronto pareció el paisaje cambiado como si hubiera estado siempre así.

Ayla se adaptó a los cambios. Para cada bloque de piedra o trozo de madera empleados para fines determinados, encontró sustituto. Pero el caso dejó su marca en ella; su caverna y el valle dejaron de parecerle seguros. Cada primavera pasaba por un periodo de indecisión: porque si iba a dejar el valle y dedicarse a la búsqueda de los Otros, tendría que ser en primavera. Necesitaba darse el tiempo necesario para el viaje, y para encontrar otro lugar donde pudiera establecerse para el invierno si no encontraba a nadie.

Esta primavera la decisión resultaba más difícil que nunca. Después de su enfermedad, tenía miedo de verse atrapada a mediados del otoño o a principios del invierno, pero su caverna no le parecía ya tan segura como antes. Su enfermedad no sólo había afinado sus percepciones en cuanto al peligro de vivir sola, sino que le había dado conciencia de su carencia de compañía humana. Inclusive después de que sus amigos animales habían vuelto, no habían llenado el vacío en la misma forma. Eran cálidos y sensibles, pero no podía comunicarse con ellos en términos simples. No podía compartir ideas ni relatar una experiencia; no podía contar un cuento ni expresar su asombro ante un nuevo descubrimiento ni recibir en respuesta una mirada de reconocimiento. No tenía a quién contarle sus temores ni quién la consolara de sus penas, pero ¿cuánto, de su independencia y libertad, estaría dispuesta a perder a cambio de seguridad y compañía?

No se había percatado del todo de lo encerrada que había vivido, hasta que probó la libertad. Le gustaba tomar sus propias decisiones, y no sabía nada de la gente de quien había nacido, nada antes de que el Clan la hubiera adoptado. No sabía cuánto iban a querer los Otros; sólo sabía que a ciertas cosas no estaba dispuesta a renunciar. Hinny era una de ellas. No iba a renunciar de nuevo a la yegua; no sabía si estaría dispuesta a renunciar a la caza, pero ¿y si no la dejaban reír?

Había una pregunta más importante, y aun cuando trataba de no reconocerlo, hacía que todas las demás fueran insignificantes. ¿Y si encontraba a algunos de los Otros, y no la quisieran? Un clan de Otros tal vez no quisiera admitir a una mujer que insistía en tener una yegua por compañera, o que quisiera cazar o reír, pero ¿y si la rechazaran aun cuando estuviera dispuesta a ceder en todo? Mientras no los encontrara podía conservar las esperanzas. Pero ¿y si tuviera que pasarse la vida entera sin nadie más?

Esos pensamientos acosaban su mente desde el momento en que las nieves comenzaron a fundirse, y se sintió aliviada al ver que las circunstancias aplazaban una decisión. No se llevaría a Hinny del valle familiar antes del parto. Sabía que las yeguas solían parir en algún momento de la primavera. La curandera que había en ella, la que había ayudado en suficientes alumbramientos humanos para saber que podría ser en cualquier momento, vigilaba atentamente a la yegua. No intentó salir de caza pero a menudo cabalgaba a modo de ejercicio.

—Thonolan, creo que hemos perdido el camino del Campamento Mamutoi. Me parece que estamos demasiado al Este —dijo Jondalar. Iban siguiendo la pista de una manada de ciervos gigantes para reponer provisiones que se estaban acabando.

—Yo no . . . ¡Mira! —de repente se habían encontrado con un macho de astas palmeadas, que medía once pies. Thonolan señaló el animal inquieto; preguntándose si sentiría el peligro, Jondalar esperaba oír un sonido de alarma cuando, antes de que el macho pudiera avisar, una cierva se apartó y echó a correr directamente hacia ellos. Thonolan arrojó la lanza con punta de pedernal a la manera que habían aprendido de los Mamutoi, de modo que la hoja ancha y plana se deslizara entre las costillas; su puntería fue buena, la cierva cayó casi a sus pies.

Pero antes de que pudiera ir en busca de su presa, descubrieron el porqué de la inquietud del macho, y por qué la cierva se había casi precipitado hacia la lanza: tensos, observaron una leona cavernaria que llegaba hacia ellos brincando. La depredadora pareció confusa al ver caída la cierva, pero sólo un instante; no estaba acostumbrada a que sus presas cayeran muertas antes del ataque; pero no vaciló: olfateando para asegurarse de que la cierva estaba bien muerta, la leona aferró sólidamente el pescuezo entre los dientes y arrastrando la cierva entre sus patas delanteras, bajo su cuerpo, se la llevó.

Thonolan estaba indignado.

—Esa leona nos ha robado nuestra presa.

—Esa leona estaba acechando a los ciervos, y si cree que es su presa, no voy a discutir con ella.

—Pues yo sí.

—No seas ridículo —rezongó Jondalar—. No vas a arrebatarle una cierva a una leona cavernaria.

—No se la voy a dejar sin haberlo intentado.

—Déjasela, Thonolan. Podemos encontrar más ciervos —dijo Jondalar siguiendo a su hermano que había echado a correr detrás de la leona.

—Sólo quiero ver adónde se la lleva. No creo que sea una leona de familia... las demás estarían ya con la cierva a estas horas. Creo que es nómada y que se la lleva para esconderla de los demás leones. Podemos ver adónde se la lleva. La soltará en cualquier momento, y entonces podremos conseguir algo de carne fresca.

—No quiero carne fresca de la presa de un león cavernario.

—No es su presa, es la mía. Esa cierva tiene todavía mi lanza en su cuerpo.

De nada servía discutir. Siguieron a la leona hasta un cañón ciego, cubierto de piedras caídas de las murallas. Esperaron, observando, y como lo había previsto Thonolan, la leona se fue poco después. Él echó a andar hacia el cañón.

—¡Thonolan, no te metas ahí! No sabes cuándo regresará esa leona.

—Sólo quiero recuperar mi lanza, y tal vez un poco de carne —Thonolan echó a andar por la orilla y bajó entre piedras sueltas hasta el cañón. Jondalar lo siguió de mala gana.

Ayla se había familiarizado tanto con el territorio al este del valle, que llegó a aburrirse, especialmente desde que no cazaba. Los días habían sido grises y lluviosos, de modo que cuando un cálido sol expulsó las nubes matutinas para cuando estuvo preparada para cabalgar, no pudo soportar la idea de volver a recorrer el mismo terreno.

Después de sujetar las canastas de viaje y los palos para la rastra, condujo a la yegua por el empinado sendero y rodeando la muralla más corta. Decidió seguir valle abajo en vez de pasar a la estepa. Al final, allí donde el río tomaba la dirección del Sur, vio la pendiente empinada y pedregosa que había escalado anteriormente para mirar hacia el Oeste, pero pensó que no había seguridad para la patas de la yegua. Eso la incitó, sin embargo, a cabalgar más allá para ver si podría hallar una salida más asequible hacia el Oeste. Mientras seguía el camino hacia el Sur, buscaba con curiosidad anhelante: se encontraba en un nuevo territorio y se preguntaba por qué no habría llegado por allí antes de ahora. La alta muralla descendía en una pendiente más suave. Al ver un cruce más fácil, hizo girar a Hinny y se metió por allá.

El paisaje era del mismo estilo de pradera abierta. Sólo el detalle resultaba diferente, pero eso lo hacía más interesante. Cabalgó hasta encontrarse en una zona algo más quebrada, con cañones abruptos y mesas recortadas. Estaba más allá de lo que había pensado cabalgar y al acercarse a un cañón, estaba pensando en dar media vuelta. Entonces oyó algo que le heló la sangre en las venas y le hizo palpitar fuertemente el corazón: el rugido atronador de un león cavernario . . . y un alarido humano.

Ayla se detuvo, oyendo cómo le golpeaba la sangre los oídos. Hacía tanto tiempo que no escuchaba un sonido humano, pero sabía que era humano y algo más. Sabía que era su clase de humano. Se quedó tan pasmada que no podía pensar. El alarido la atraía . . . era una llamada, una petición de ayuda. Pero no podía enfrentarse a un león cavernario . . . ni exponer a Hinny.

La yegua sintió su angustia y se volvió hacia el cañón aunque la señal que había hecho Ayla con su cuerpo sólo había sido tentativa, si mucho. Ayla se acercó lentamente al cañón, desmontó y miró. Era ciego, sólo había una muralla pedregosa en el fondo. Oyó el gruñido del león cavernario y vio su melena rojiza. Entonces comprendió que Hinny no se había mostrado nerviosa y supo por qué.

—¡Es Bebé! ¡Hinny, es Bebé!

Corrió cañón adentro, olvidándose de que pudiera haber otros leones cavernarios y sin considerar siquiera que Bebé había dejado de ser su joven compañero para convertirse en un león adulto. Era Bebé . . . y sólo eso importaba. No temía a su león cavernario. Trepó por unas rocas en forma de sierra para acercarse a él. Bebé se volvió enseñándole los dientes y gruñendo.

—¡Ya, Bebé! —le ordenó con señal y sonido. Él se detuvo sólo un instante pero para entonces ya estaba ella a su lado empujándolo para poder ver su presa. La mujer era demasiado familiar, y su actitud, demasiado segura para que él se resistiera. Se apartó como lo había hecho siempre cuando se acercaba a él y su presa y quería quedarse con la piel o con un trozo de carne para comer. Y Bebé no tenía hambre. Se había alimentado con el ciervo gigante que le proporcionó su leona. Sólo había atacado en defensa de su territorio . . . y entonces vaciló: los humanos no eran presa suya;

el olor que tenían se parecía demasiado al de la mujer que lo había criado, un olor que era a la vez de madre y de compañera de caza.

Ayla vio que eran dos. Se arrodilló para examinarlos. Su preocupación principal era de curandera, pero se asombró y se mostró curiosa a un mismo tiempo. Sabía que eran hombres, aunque eran los primeros hombres que veía de los Otros. No había podido imaginar un hombre, pero tan pronto como vio a aquellos dos, reconoció por qué Oda había dicho que los hombres de los Otros se parecían a ella.

Supo inmediatamente que el hombre de cabello negro no tenía esperanzas: estaba tendido en posición antinatural, con el cuello roto; las señales de dientes en su garganta lo explicaban. Aun cuando nunca anteriormente lo había visto, su muerte la perturbó. Los ojos se le llenaron de lágrimas de pesar; no que lo amara, pero sentía haber perdido algo valioso antes de haber tenido la oportunidad de apreciarlo. Estaba desolada porque la primera vez que vio a uno de los suyos, estaba muerto.

Habría querido reconocer su humanidad, honrarlo con una sepultura, pero al ver de cerca al otro hombre comprendió que sería imposible. El hombre de cabello amarillo seguía respirando, pero la vida se le escapaba a borbotones por un corte que tenía en la pierna. Su única esperanza estaba en llevárselo a la caverna cuanto antes para poder curarlo. No había tiempo para un entierro.

Bebé olisqueó al hombre de cabello oscuro mientras ella se esforzaba por restañar la hemorragia de la pierna del otro hombre, con un torniquete improvisado con su honda y una piedra para hacer presión. Apartó al león del cadáver. "Sé que está muerto, Bebé, pero no es para ti", pensó. El león cavernario saltó desde el saliente y fue a asegurarse de que su ciervo seguía en la hendidura de la roca donde lo había dejado. Gruñidos familiares indicaron a Ayla que se disponía a comer.

Cuando la hemorragia se convirtió en un goteo, Ayla silbó para que se acercara Hinny y se puso a preparar la rastra. Ahora Hinny estaba más nerviosa, y Ayla recordó que Bebé tenía compañera. Acarició y abrazó a la yegua para tranquilizarla. Examinó la estera sólida entre los dos palos y decidió que sostendría al hombre de cabello amarillo, pero no sabía qué hacer con el otro. No quería dejárselo a los leones.

Cuando volvió a trepar, vio que la piedra suelta del cañón ciego parecía inestable; muchas piedras habían caído amontonándose tras un bloque que tampoco parecía muy estable. De repente recordó el entierro de Iza. La vieja curandera había sido tendida en una depresión poco profunda del suelo de la caverna, entonces se habían amontonado encima de ella montones de piedras y bloques; eso le dio una idea. Arrastró el cadáver hasta la parte de atrás del cañón ciego cerca de donde estaban los deslizamientos de piedras sueltas.

Bebé regresó para ver lo que estaba haciendo, con el hocico ensangrentado por la carne del ciervo. La siguió hasta el otro hombre y lo olisqueó mientras Ayla lo arrastraba; allá abajo esperaba la yegua, inquieta con la rastra.

—Ahora quítate del camino, Bebé.

Al tratar de llevarse al hombre hasta la rastra, los ojos de éste parpadearon, y se quejó; después cerró nuevamente los ojos. Ayla prefería que estuviera inconsciente porque era pesado, y los esfuerzos por llevárselo tendrían que resultarle dolorosos. Cuando finalmente lo tuvo envuelto y sostenido en la rastra, volvió al saliente de piedra con una larga y fuerte lanza, y pasó por detrás. Miró al muerto y lamentó su muerte. Entonces apoyó la lanza contra la roca y con los movimientos silenciosos y formales del Clan, se dirigió al mundo de los espíritus.

Había observado a Creb, el viejo Mog-ur, convocando a los espíritus de Iza para el otro mundo, con sus elocuentes movimientos fluidos. Había repetido esos mismos movimientos al encontrar el cadáver de Creb en la caverna después del terremoto, aun cuando nunca había sabido con exactitud todo el significado de los ademanes sagrados. Eso no importaba . . . sabía cuál era la intención. Los recuerdos acudieron en tropel y los ojos se le llenaron de lágrimas durante el bello y silencioso ritual por el extraño desconocido, y lo encaminó hacia el mundo de los espíritus.

Entonces, utilizando la lanza como una palanca más o menos como habría hecho con un palo para darle vuelta a un tronco o arrancar una raíz, aflojó la enorme roca y brincó hacia atrás mientras una cascada de piedras sueltas cubría el cadáver.

Antes de que se hubiera asentado el polvo, había sacado a Hinny del cañón. Ayla montó nuevamente y comenzó el largo viaje de regreso a la caverna. Se detuvo unas cuantas veces para atender al hombre, una vez para arrancar raíces frescas de consuelda, aunque estaba indecisa entre el deseo de correr para poder atenderlo y no abusar de las fuerzas de Hinny. Respiró mejor al tener al hombre del otro lado del río y más allá del recodo y cuando vio la muralla saliente desde lejos. Pero sólo cuando se detuvo para cambiar la posición de los palos de la rastra, justo antes de subir el angosto sendero, se permitió creer que había llegado a la cueva con el hombre vivo aún.

Llevó a Hinny hasta la caverna con las rastra, después preparó un fuego para calentar agua antes de desatar al hombre inconsciente y llevarlo a rastras hasta su lecho. Quitó los arreos de la yegua, la abrazó con gratitud, y se puso a examinar sus hierbas medicinales para sacar las que necesitaba. Antes de iniciar los preparativos, respiró hondo y tocó su amuleto.

No podía aclarar aún sus pensamientos lo suficiente como para dirigir a su tótem una petición particular —estaba demasiado llena de ansiedad inexplicable y de esperanzas confusas— pero necesitaba ayuda. Quería conseguir que la fuerza de su poderoso tótem apoyara sus esfuerzos para curar a aquel hombre. Tenía que salvarlo. No estaba muy segura de porqué, pero nada había sido nunca tan importante. No importaba lo que ella tuviera que hacer: aquel hombre no debía morir.

Agregó más leña y comprobó la temperatura del agua en la olla de cuero que estaba colgada justo encima del fuego. Cuando vio que salía vapor, agregó pétalos de caléndula a la olla. Entonces, finalmente, se volvió hacia el hombre inconsciente. Por los arañazos del cuero que llevaba puesto, comprendió que tendría otros rasguños además de la herida de su muslo derecho. Habría de quitarle la ropa, pero él no llevaba como ella un manto atado con correas.

Al mirar de cerca para saber cómo podría desvestirlo, vio que cuero y piel se habían cortado, dándoles forma, por piezas unidas después por cuerdas para encerrar sus brazos, piernas y cuerpo. Examinó atentamente las uniones. Le había cortado los pantalones para cuidarle la pierna, y decidió que así sería lo más conveniente. Se sorprendió aún más cuando, después de cortar su prenda exterior, encontró otra diferente de todo lo que ella hubiera visto. Trozos de concha, hueso, dientes de animal y plumas de ave de colores habían sido fijadas con cierto orden. ¿Sería una especie de amuleto? se preguntó. No le agradaba tener que cortarla, pero no había otra manera de quitársela. Lo hizo con mucho esmero, tratando de seguir el diseño para no estropearlo demasiado.

Bajo la prenda adornada había otra que cubría la parte inferior del cuerpo. Envolvía por separado cada una de las piernas y estaba unida por una cuerda, después se unía y se ataba alrededor de la cintura como una bolsa, recubriéndose por delante. Cortó también ésta, y vio al pasar que, definitivamente, era un varón. Quitó el torniquete y retiró suavemente el cuero tieso y empapado en sangre de la pierna herida. En el camino de regreso había aflojado varias veces el torniquete, aplicando presión con la mano para controlar la hemorragia y permitir la circulación en la pierna. El uso de un torniquete podía significar la pérdida del miembro si no se comprendían y aplicaban las medidas pertinentes.

Se detuvo de nuevo al llegar al calzado, que también tenía la forma del pie y estaba unido en forma conveniente; entonces cortó las correas que lo sujetaban y lo descalzó. La herida de la pierna había vuelto a gotear, pero no con violencia, y Ayla examinó al hombre con detenimiento para comprobar la gravedad de sus heridas. Las demás laceraciones eran superficiales, pero existía el peligro de infección. Los cortes propinados por garras de león tenían la maligna tendencia a enconarse; inclusive los pequeños arañazos que le había inferido Bebé solían hacerlo. Pero la infección no la preocupaba por el momento: la pierna, sí. Y casi pasó por alto otra herida, un bulto enorme a un lado de la cabeza, probablemente causado por la caída cuando fue atacado. No estaba segura de si sería grave, pero no podía perder tiempo investigando. La sangre estaba chorreando de nuevo por la herida.

Aplicó presión a la ingle mientras lavaba la herida con la piel curtida de un conejo, estirada y rascada hasta dejarla suave y absorbente, mojada en una infusión de pétalos de caléndula. El líquido era astringente a la vez que antiséptico, y lo utilizaría después para limpiar también la sangre que salía de heridas secundarias. Limpió con mucho cuidado, por dentro y por fuera, empapando la herida con el líquido. Bajo la profunda rajadura exterior, una parte del músculo del muslo estaba desgarrada. Ayla lo espolvoreó generosamente con raíz molida de geranio, y comprobó inmediatamente el efecto coagulante.

Sosteniendo con una mano el punto de presión, Ayla metió raíz de consuelda en el agua para enjuagarlo. Entonces la masticó hasta reducirla a la consistencia de pulpa y la escupió en la solución caliente de pétalos de caléndula para utilizarla como cataplasma húmeda directamente sobre la herida abierta. Sostuvo la herida cerrada y colocó en su sitio el músculo desgarrado, pero en cuanto quitó las manos, la herida se abrió nuevamente y el músculo se separó.

Volvió a sujetarlo, pero se separaba tan pronto como quitaba la mano. No pensó que vendarlo fuerte lo mantendría convenientemente, y no quería que la pierna del hombre sanara incorrectamente y causara una debilidad permanente. "Si pudiera quedarse allí sujetándola mientras sanara", pensó, sintiéndose inútil y deseando tener a Iza consigo. Estaba segura de que la vieja curandera habría sabido qué hacer, aunque Ayla no podía recordar ninguna instrucción respecto a cómo tratar un caso como aquél.

Entonces recordó algo más, algo que Iza le había dicho de sí misma al preguntarle Ayla cómo podría convertirse en una curandera del linaje de Iza. "Yo no soy tu verdadera hija", le había dicho. "Yo no tengo tu memoria. No sé realmente qué es tu memoria".

Iza le había explicado entonces que su linaje tenía la posición más elevada porque ellos eran los mejores; cada madre había transmitido a su hija lo que sabía y había aprendido, y ella había sido adiestrada por Iza. Iza le había transmitido todos los conocimientos que pudo, tal vez no todo lo que sabía pero lo suficiente, porque Ayla tenía algo más. Un don, dijo Iza. "Niña, tú no tienes la memoria, pero tienes un modo de pensar, un modo de comprender . . . y un modo de saber cómo ayudar".

"Si sólo se me ocurriera un modo de ayudar ahora a este hombre", pensó Ayla. Entonces se fijó en el montón de ropa que había cortado del cuerpo del hombre, y algo se le ocurrió. Soltó la pierna y recogió la prenda de la parte inferior del cuerpo. Se habían cortado piezas que se unieron después con cuerda fina, una cuerda hecha de fibra. Examinó en qué forma estaban unidas, separándolas: la cuerda pasaba por un orificio que había en uno de los lados, y por otro orificio en el otro lado, y se juntaban.

Ella había hecho algo parecido para dar forma a platos de corteza de abedul, abriendo hoyos y atando los extremos con un nudo. ¿No podría hacer algo parecido para cerrar la pierna del hombre? ¿Para sujetar la cortadura hasta que cicatrizara?

Se levantó rápidamente y regresó con lo que parecía un palito moreno. Era una sección larga de tendón de ciervo, seco y duro. Con una piedra redonda y pulida, Ayla golpeó rápidamente el tendón seco, partiéndolo en largas hebras de fibras blancas de colágeno. Lo deshebró y escogió una fina hebra del fuerte tejido conjuntivo y la sumió en el líquido de caléndula. Como el cuero, el tendón era flexible una vez húmedo, y si no era tratado, se endurecía al secarse. Cuando tuvo preparadas varias hebras, miró sus cuchillos y taladros tratando de encontrar lo que sirviera mejor para abrir orificios pequeños en la carne del hombre. Entonces recordó el manojo de astillas que había sacado del árbol partido por el rayo. Iza había utilizado de esas astillas para abrir ampollas y tumefacciones que tenían que vaciarse. Servirían para sus fines.

Lavó la sangre que seguía saliendo, pero no sabía muy bien por dónde empezar. Cuando hizo un agujero con una de las astillas, el hombre se movió, quejándose. Iba a tener que hacerlo muy aprisa. Atravesó con el tendón duro el orificio abierto con la astilla, luego el orificio opuesto y unió ambas partes cuidadosamente antes de hacer un nudo.

Decidió no hacer demasiados nudos, puesto que no estaba muy segura de cómo podría soltarlos más adelante. Terminó cuatro nudos a lo largo de la herida, y dos más para sujetar unida la parte del músculo desgarrado. Cuando terminó, sonrió ante los nudos de fibra que sostenían unida la carne del hombre; pero había funcionado. Ya la herida no estaba abierta y el músculo estaba donde debía. Si la herida sanara limpiamente, sin infección, podría hacer buen uso de su pierna. Por lo menos, habían aumentado las probabilidades.

Hizo una compresa con la raíz de consuelda y envolvió la pierna en piel suave. Entonces lavó cuidadosamente los demás arañazos, sobre todo por el hombro y el pecho del lado derecho. El bulto de la cabeza la tenía preocupada, pero la piel no estaba rota, sólo hinchada. Con agua dulce hizo una infusión de flores de árnica y puso una compresa sobre la hinchazón, atándola con una correa delgada.

Sólo entonces se sentó sobre los talones. Cuando despertara, le podría administrar medicamentos, pero por el momento había atendido a todo lo que podía atender. Estiró una arruga minúscula de los vendajes de la pierna y entonces, por vez primera, Ayla lo miró realmente.

No era tan robusto como los hombres del Clan, pero sí musculoso, y tenía las piernas increíblemente largas. El vello dorado que cubría de rizos su pecho, se convertía en un halo aterciopelado en sus brazos. Tenía el cutis pálido. El vello de su cuerpo era más claro y fino que el de los hombres que ella conoció; era más alto y más esbelto, pero no muy diferente. Su virilidad fláccida reposaba sobre rizos suaves y dorados. Tendió la mano para comprobar la textura pero la retiró. Vio que tenía una cicatriz reciente y no totalmente desaparecida en las costillas. Sin duda se había restablecido recientemente de una herida anterior.

¿Quién lo habría atendido? ¿Y de dónde venía?

Se acercó más para verle el rostro. Era plano en comparación con los rostros de los hombres del Clan. Su boca, en calma, sus labios gruesos, pero sus mandíbulas no sobresalían tanto. Tenía una barbilla fuerte, con una hendidura. Ella tocó la suya y recordó que también su hijo la tenía, pero ningún otro miembro del Clan. La forma de la nariz de aquel hombre no era muy diferente de las narices del Clan: de caballete alto, angosto; pero era más pequeña. Sus ojos cerrados estaban muy separados y parecían saltones; entonces se dio cuenta de que no tenía las cejas tan salientes. Su frente, surcada por ligeras arrugas de preocupación, era recta y alta. Para ella, acostumbrada a ver sólo gente del Clan, la frente era protuberante. Puso la mano en la frente de él y después tentó la suya: eran iguales. Qué rara tuvo que parecerles a los del Clan.

Tenía el cabello largo y lacio; una parte estaba sujeto en la nuca por una correa, pero casi todo constituía una masa enmarañada . . . y amarilla. Como el de ella, pero más claro. En cierto modo, familiar. Entonces, sobresaltada al reconocerlo, recordó: ¡su sueño! Su sueño sobre el hombre de los Otros. No podía verle el rostro, ¡pero tenía el cabello amarillo!

Cubrió al hombre y entonces se dirigió rápidamente hacia fuera, a la terraza, sorprendida al ver que aún era de día; según el sol, el principio de la tarde. Habían ocurrido tantas cosas, y había gastado tanta energía mental, física y emocional, y con tanta intensidad, que parecía que tuviera que ser mucho más tarde. Trató de poner en orden sus pensamientos, pero se revolvían en una confusión total.

¿Por qué habría decidido cabalgar ese día hacia el Oeste? ¿Por qué tuvo que encontrarse allí justo cuando él gritó? Y entre todos los leones cavernarios de la estepa ¿cómo fue que el que encontró en el cañón era Bebé? Sin duda su tótem la condujo allá. ¿Y su sueño con el hombre de cabello amarillo? ¿Sería éste el hombre? ¿Por qué fue llevado hasta allá? No estaba segura de la importancia que llegaría a tener en la vida de ella, pero sabía que ya nunca más sería lo mismo. Había visto el rostro de los Otros.

Se dio cuenta de que Hinny le tocaba la mano con el hocico y se volvió. La yegua puso la cabeza sobre el hombro de la mujer, y Ayla tendió los brazos, rodeó con ellos el cuello de Hinny y después apoyó su cabeza. Allí se quedó, pegada al animal, atenida a su modo de vida familiar y confortable, algo temerosa respecto al futuro. Entonces acarició a la yegua, dándole golpecitos y acariciándola, y sintió el movimiento de la cría que llevaba dentro.

—Ya no falta mucho, Hinny. Me alegro de que me hayas ayudado a traerlo; sola, no me habría sido posible.

"Será mejor que vuelva a ver si está bien", pensó, nerviosa a la idea de que pudiera ocurrirle algo si lo dejaba solo un instante. No había cambiado de postura, pero se quedó a su lado, observando cómo respiraba, incapaz de apartar de él la mirada. Entonces, se fijó en una anomalía: no tenía barba. "Todos los hombres del Clan tenían barba, barba morena y tupida. Los hombres de los Otros ¿no tendrían barba?"

Le tocó la mandíbula y sintió el rastrojo: tenía algo de barba ¡pero tan corta! Meneó la cabeza, perpleja; parecía tan joven. Aunque era alto y musculoso, de repente pareció más muchacho que hombre.

El hombre volvió la cabeza, gimió y murmuró algo. Sus palabras eran incomprensibles, pero había en ellas cierta cualidad que le hizo sentir como que debería comprender. Le puso la mano en la frente y en la mejilla y sintió que subía el calor de la fiebre. "Será mejor que trate de darle algo de corteza de sauce", pensó, volviendo a levantarse.

Miró entre su provisión de hierbas medicinales mientras buscaba la corteza de sauce. Nunca se había parado a pensar porqué mantenía toda una farmacopea cuando no tenía que cuidar a nadie más que a sí misma; sólo lo había hecho por costumbre. Ahora se alegraba. Había muchas plantas, que no encontró en el valle ni en la estepa, que abundaban alrededor de la caverna, pero con lo que tenía bastaba, y además estaba agregando algunas que eran desconocidas más al Sur. Iza le había enseñado a probar la vegetación desconocida consigo misma, para alimento y medicina, pero todavía no estaba del todo satisfecha con las novedades, en todo caso no lo suficiente para probarlas con el hombre.

Además de la corteza de sauce, tomó una planta cuyos usos conocía. El tallo peludo, en vez de tener hojas, parecía salir del medio de anchas hojas de dos puntas. Cuando la tomó, había racimos de flores blancas que ahora tenían un color moreno marchito. Era tan parecida a la agrimonia, que creyó que sería una variedad de esa planta, una que las otras curanderas de la Reunión del Clan habían llamado eupatorio y que utilizaban para los huesos. Ayla la utilizaba para reducir la calentura, pero había que cocerla hasta que formara un jarabe espeso, y eso llevaba tiempo. Producía mucha inspiración, pero era fuerte y ella no quería dársela al hombre —debilitado por la hemorragia— a menos que no le quedara más remedio. Sin embargo, más valía estar prevenida.

Se acordó de las hojas de alfalfa: las hojas frescas maceradas en agua caliente ayudaban a la coagulación. Había visto algunas en el campo; y un buen caldo de carne para darle fuerzas. La curandera que había en ella estaba pensando de nuevo, apartando la confusión que se había apoderado de ella hacía un rato. Desde el principio se había aferrado a un solo pensamiento que estaba fortaleciéndose: *este hombre debe vivir.*

Consiguió hacerle tomar algo de té de corteza de sauce, sosteniéndole la cabeza en su regazo. Los ojos parpadearon y murmuró algo, pero sin recobrar el conocimiento. Sus arañazos y heridas se habían puesto calientes y encarnados, y la pierna se hinchaba a ojos vistas. Ayla cambió la cataplasma y preparó otra compresa para la lastimadura de la cabeza. Por lo menos, estaba deshinchándose. A medida que avanzaba la tarde aumentaba su preocupación, y habría deseado que Creb estuviera allí para conjurar a los espíritus y ayudarla, como solía hacer para Iza.

Para cuando oscureció, el hombre se estaba revolviendo y se agitaba, llamando. Había una palabra que repetía una y otra vez, mezclada con sonidos que llevaban en sí la urgencia de un aviso. Pensó que podría ser un nombre, tal vez el nombre de su compañero. Con un hueso de costilla que había tallado en hueco para hacer una depresión, le dio la concentración de agrimonia en pequeñas dosis a eso de la medianoche. Mientras luchaba contra el sabor amargo, abrió mucho los ojos pero sin que sus oscuras profundidades revelaran que reconocía algo. Fue más fácil administrarle después un té de datura ... como si quisiera limpiarse la boca del otro sabor amargo. Ayla se alegró de haber encontrado el datura que aliviaba el dolor y fomentaba el sueño, cerca del valle.

Pasó toda la noche en vela, esperando que cayera la fiebre, pero casi amanecía cuando llegó al máximo. Después de lavar el cuerpo empapado en sudor con agua fresca y cambiarle vendas y ropa de cama, vio que el hombre dormía más tranquilamente. Entonces dormitó, tendida en unas pieles junto a él.

De repente se encontró mirando la brillante luz del sol que penetraba por la abertura de la cueva, preguntándose por qué estaría totalmente despierta. Rodó sobre sí misma, vio al hombre y todo el día anterior le volvió a la mente. El hombre parecía calmado y dormía normalmente. Ayla se quedó quieta, escuchando, y entonces oyó la fuerte respiración de Hinny. Se levantó rápidamente y fue al otro lado de la caverna.

—Hinny —le dijo, muy excitada— ¿ha llegado el momento?

La yegua no tuvo que contestar. Ayla había ayudado anteriormente a traer niños al mundo, había dado a luz, pero resultaba una experiencia nueva ayudar a la yegua. Hinny sabía lo que había que hacer, pero pareció agradecer la presencia consoladora de Ayla. Sólo hacia el final, con el potro a medio nacer, Ayla ayudó a sacarlo del todo. Sonrió complacida al ver que Hinny empezaba a lamer el pelaje sedoso y moreno de su recién nacido.

—Es la primera vez que veo una yegua dando a luz con ayuda de partera— dijo Jondalar.

Ayla se dio rápidamente vuelta al oírlo y miró al hombre que, apoyado en el codo, la observaba.

Capítulo 20

Ayla se quedó mirando al hombre. No podía remediarlo, aunque sabía que era incorrecto. Una cosa era observarlo mientras estaba inconsciente, pero verlo totalmente despierto constituía una gran diferencia. ¡Tenía los ojos azules!

Sabía ella que tenía los ojos azules; era una de las diferencias que le habían recordado con mucha frecuencia, y los había visto en el reflejo de la poza. Pero los ojos de la gente del Clan eran oscuros. Nunca había visto a nadie con ojos azules, sobre todo de un azul tan vivo que casi no podía creer que fuera real.

Estaba presa de esos ojos azules; no parecía posible que se moviera, hasta que se dio cuenta de que estaba temblando. Entonces comprendió que había estado mirando al hombre a los ojos, y sintió que la sangre se le subía a la cara al apartar la mirada, llena de vergüenza. No sólo era descortés ver directamente sino que se suponía que una mujer nunca debía mirar directamente a un hombre, peor aún, a un extraño.

Ayla bajó la mirada al suelo, luchando por recobrar la compostura. "¿Qué estará pensando de mí?" Pero hacía tanto tiempo que no había tenido cerca a persona alguna, y además era la primera vez que recordaba haber visto a uno de los Otros. Quería mirarlo. Quería llenarse los ojos, beberse la visión de otro ser humano, y uno tan insólito. Pero también era importante que tuviera buena opinión de ella. No quería empezar mal debido a sus acciones inconvenientes provocadas por la curiosidad.

—Lo siento. No quería avergonzarte —dijo, preguntándose si la habría ofendido o si sólo era tímida. Cuando vio que ella no contestaba nada, sonrió torcidamente y comprendió que había estado hablando en Zelandonii. Pasó al Mamutoi y, al ver que no lo entendía, al Sharamudoi.

Ella lo había estado observando con miradas furtivas, como hacían las mujeres que esperaban la señal del hombre para acercarse. Pero él no hacía gestos, por lo menos ninguno que ella pudiera entender. Sólo decía palabras. Pero ninguna de las palabras se parecían a los sonidos que hacían los del Clan. Se trataba de sílabas guturales y claras; fluían juntas. Ni siquiera podía darse cuenta de dónde terminaba una y comenzaba la otra. La voz tenía un tono agradable, profundo y sordo. En cierto nivel fundamental, Ayla comprendía que debería entenderlo, pero no lo entendía.

Siguió esperando una señal de él, hasta que la espera se volvió embarazosa. Entonces recordó, de sus primeros tiempos con el Clan, que Creb había tenido que enseñarle a hablar convenientemente. Le había dicho que ella sólo sabía producir sonidos, y se había preguntado si los Otros sólo se comunicarían de ese modo. Pero ¿será que este hombre no sabe hacer señas? Finalmente, cuando comprendió que no las haría, vio que debería hallar otra manera de comunicarse con él, aun cuando sólo fuera para asegurarse de que tomara la medicina que le tenía preparada.

Jondalar no sabía qué hacer. Nada de lo que decía despertaba en ella la menor respuesta. Se preguntó si estaría sorda, pero recordó lo rápidamente que se había vuelto a mirarlo la primera vez que habló. "¡Qué mujer tan extraña!" pensó, sintiéndose incómodo. "Me pregunto dónde estará su gente". Echó una mirada por la cuevita, vio la yegua color del heno y su potro bayo y le llamó la atención otro pensamiento. "¿Qué estaría haciendo una yegua en la caverna? ¿Y cómo permitía que una mujer le ayudara a dar a luz?" Nunca había visto parir a una yegua, ni siquiera en la planicie. ¿Tendría esa mujer alguna clase de poderes especiales?

Todo aquello comenzaba a tener la calidad irreal de un sueño, pero no le parecía que estaba durmiendo. "Tal vez sea peor. Quizá sea una donii que ha venido por ti, Jondalar", pensó, estremeciéndose, nada seguro de que se tratara de un espíritu benévolo ... si era un espíritu. Se sintió más tranquilo al ver que se movía, aunque vacilando un poco, dirigiéndose al fuego.

Sus modales eran inseguros. Se movía como si no quisiera que él la viera; le recordaba ... algo. También llevaba una ropa rara. No parecía más que una pieza de cuero envolviéndole el cuerpo y sujeta con una correa. ¿Dónde había visto algo así? No podía recordarlo.

Había hecho algo interesante con sus cabellos. Los llevaba separados en secciones regulares por toda la cabeza, y trenzados. Había visto trenzas de cabello anteriormente, aunque nunca en un estilo como el de ella. No carecía de atractivos, pero era insólito. La primera vez que la miró, le pareció guapa. Parecía joven —había inocencia en sus ojos— pero por lo que podía vislumbrar con un manto tan informe, tenía cuerpo de mujer madura. Parecía evitar su mirada interrogante. "¿Por qué?" se preguntaba. Comenzaba a estar intrigado... aquella mujer resultaba un extraño enigma.

No se dio cuenta del hambre que tenía hasta que olió el rico caldo que le llevaba. Intentó sentarse y el dolor agudo de su pierna derecha le hizo comprender que tenía más heridas; le dolía todo el cuerpo. Entonces se preguntó, por vez primera, dónde estaría y cómo habría llegado allí. De repente recordó a Thonolan penetrando en el cañón... el rugido... y el león cavernario más gigantesco que había visto en su vida.

—¡Thonolan! —gritó, mirando a su alrededor, presa de pánico—. ¿Dónde está Thonolan? —en la cueva no había nadie más que la mujer; el estómago se le contrajo. Lo sabía pero no quería creerlo. Tal vez Thonolan estuviera en otra cueva allí cerca. Quizá alguien lo estaría cuidando—. ¿Dónde está Thonolan? ¿Dónde está mi hermano?

Aquella palabra le resultaba familiar a Ayla. Era la que había repetido tantas veces cuando gritaba alarmado desde la profundidad de sus sueños. Adivinó que estaba preguntando por su compañero, y agachó la cabeza para mostrar respeto por el joven que había muerto.

—¿Dónde está mi hermano, mujer? —gritó Jondalar, agarrándola de los brazos y sacudiéndola—. ¿Dónde está Thonolan?

El estallido escandalizó a Ayla. La fuerza de su voz, la ira, la frustración, las emociones fuera de control que se discernían en su tono y se revelaban en sus acciones, todo ello la perturbaba. Los hombres del Clan jamás habían expuesto sus emociones tan abiertamente. Podían sentir igual de fuerte, pero la virilidad se medía por el control de sí mismo.

Pero en los ojos del hombre había dolor, y Ayla podía leer por la tensión de los hombros y la crispación de su mandíbula, que estaba luchando contra la verdad que sabía pero no quería aceptar. El pueblo en que se había criado se comunicaba con algo más que simples gestos y señales de las manos. La postura, la actitud, la expresión: todo ello impartía matices de significado que formaban parte del vocabulario. La flexión de un músculo podía revelar un matiz. Ayla estaba acostumbrada a leer el lenguaje corporal y la pérdida de un ser querido era una aflicción universal.

También los ojos de ella transmitían sus sentimientos, decían su pesar, su conmiseración; meneó la cabeza y volvió a inclinarla.

Él no pudo seguir negándose que lo sabía. La soltó, y sus hombros cayeron, aceptándolo.

—Thonolan... Thonolan... ¿por qué tuviste que seguir adelante? ¡Oh, Doni!, ¿por qué? ¿Por qué te llevaste a mi hermano? —gritó, con voz tensa y abatida. Trató de resistir el embate de la desolación, cediendo a su pena, pero nunca había conocido una desesperación tan profunda—. ¿Por qué tenías que llevártelo dejándome sin nadie más? Sabías que era la única persona que... amé. Gran Madre... ¿Por qué? Era mi hermano... Thonolan... Thonolan...

Ayla sabía lo que era la pena. No se le habían escatimado sus estragos, y le dolía por él con empatía, habría querido consolarlo. Sin saber cómo, se encontró abrazando al hombre, meciéndolo mientras gritaba el nombre, presa de angustia. Él no conocía a la mujer, pero era humana y compasiva. Ella vio que la necesitaba y respondió a esa necesidad.

Aferrado a ella, Jondalar experimentó una fuerza abrumadora que surgía muy dentro de él, como las fuerzas encerradas en un volcán, que una vez desatadas, no pueden ser contenidas. Con un tremendo sollozo, su cuerpo se puso a temblar convulsivamente. Arrancaron de su garganta gritos fuertes y profundos, y cada vez que respiraba lo hacía con un esfuerzo desgarrador.

Nunca, desde niño, se había abandonado tan completamente. No era natural en él revelar sus sentimientos más recónditos. Eran éstos demasiado irresistibles, y desde muy joven había aprendido a dominarlos... pero al desbordamiento provocado por la muerte de Thonolan había puesto al descubierto las aristas desnudas de recuerdos profundamente sepultados.

Había tenido razón Serenio al decir que su amor era demasiado para que la mayoría de la gente pudiera sobrellevarlo. Su ira, una vez provocada, tampoco podía retenerse antes de haber recorrido todo su curso. Siendo adolescente, había causado verdaderos estragos por su ira justiciera, y alguien había sufrido un daño grave. Todas sus emociones eran demasiado potentes. Inclusive su madre se había visto obligada a poner cierta distancia entre ellos, y había observado con simpatía silenciosa cuando los amigos retrocedían porque se aferraba demasiado fuerte a ellos, amaba demasiado, exigía demasiado de ellos. Su madre había visto características similares en el hombre con el que estuvo casada en otros tiempos, y en cuyo hogar había nacido Jondalar. Sólo su hermano menor parecía capaz de vérselas con su amor, de aceptar con facilidad y desviar con risas las tensiones que causaba.

Cuando resultó demasiado para poder manejarlo ella, y que la Caverna entera estuvo alborotada, su madre lo había mandado a vivir con Dalanar. Fue una hábil maniobra. Para cuando regresó Jondalar, no sólo había aprendido su oficio sino que también había aprendido a controlar sus emociones y se había convertido en un hombre alto, musculoso y notablemente guapo, con ojos extraordinarios y un carisma inconsciente que reflejaba su profundidad. Las mujeres sentían particularmente que había en él algo más de lo que quería mostrar. Se convirtió en un reto irresistible, pero ninguna fue capaz de conquistarlo. Por muy profundamente que llegaran, nunca pudieron alcanzar sus sentimientos más profundos. Por mucho que estuvieran dispuestas a tomar, él tenía todavía más que dar. Aprendió rápidamente hasta dónde podría llegar con cada una de ellas, pero para él las relaciones eran superficiales e insatisfactorias. La única mujer en su vida que habría sido capaz de tratar con él en sus mismos términos, se había comprometido con otro llamado. De todos modos, también habría sido una unión despareja.

Su pena era tan intensa como el resto de su naturaleza, pero la joven que lo tenía en sus brazos había conocido penas igualmente grandes. Lo había perdido todo ... y más de una vez; había sentido el frío aliento del mundo de los espíritus ... más de una vez; y sin embargo, siguió adelante. Sentía que el desbordamiento apasionado que presenciaba era algo más que un dolor común y corriente, y por la pena que ella misma experimentaba, le dejaba desahogarse.

Cuando aquellos terribles sollozos fueron calmándose, Ayla descubrió que estaba cantando a media voz mientras lo sostenía. Había calmado a Uba, la hija de Iza, hasta dejarla dormida, a fuerza de cantarle suavemente; había visto cómo su hijito cerraba los ojos con el mismo canturreo adormecedor sin melodía. Era apropiado. Finalmente, vacío y exhausto, Jondalar la soltó. Se quedó tendido con la cabeza de lado, mirando sin verlas las paredes de la caverna. Cuando Ayla le volvió el rostro para limpiarle las lágrimas con agua fría, el joven cerró los ojos. No quería —o no podía— mirarla. Pronto su cuerpo se aflojó, y Ayla comprendió que se había quedado dormido.

Se fue a ver qué tal le iba a Hinny con su cría, y después salió. También ella se sentía vacía pero aliviada. En el extremo más alejado del saliente, miró hacia el valle y recordó su angustiosa cabalgada con el hombre en la rastra, su ferviente esperanza de que no muriera. La idea la puso nerviosa; más que nunca sentía que el hombre debería vivir. Volvió rápidamente a la cueva y se tranquilizó al ver que seguía respirando. Acercó nuevamente la sopa fría al fuego —él había necesitado otro tipo de alimento—, se aseguró de que los medicamentos estaban dispuestos para cuando despertara, y se sentó tranquilamente sobre las pieles, a su lado.

No se cansaba de mirarlo, y estudió su rostro como si estuviera tratando de satisfacer de golpe todos sus años de anhelo por ver a otro ser humano. Ahora que parte de la extrañeza estaba disipándose, vio mejor su rostro como un todo, no las facciones una por una. Habría querido tocarlo, pasarle el dedo por la quijada y la barbilla, sentir la suavidad de sus cejas claras. Entonces se dio cuenta.

¡Sus ojos habían chorreado agua! Ella había quitado la humedad de su rostro; ella tenía aún el hombro mojado. "No soy la única", pensó. "Creb no pudo explicarse nunca por qué mis ojos echaban agua cuando estaba triste ... y los de nadie más. Pensaba que mis ojos eran débiles. Pero los ojos del hombre echaron agua cuando se lamentaba. Sin duda los ojos de todos los Otros echan agua".

Finalmente, la noche que había pasado Ayla en vela y sus intensas reacciones emocionales pudieron más que ella. Quedó dormida sobre las pieles al lado de él aunque todavía no atardecía. Jondalar despertó cuando comenzaba el crepúsculo. Tenía sed y buscó algo de beber, pero sin querer despertar a la mujer. Oyó los ruidos que hacían la yegua y su potrillo pero sólo pudo distinguir el pelaje amarillo de la madre, que estaba tendida cerca de la pared del otro lado de la entrada de la cueva.

Entonces miró a la mujer. Estaba de espaldas, vuelta hacia el otro lado. Sólo podía ver la línea de su cuello y su mandíbula, y la forma de su nariz. Recordó su estallido emocional y se sintió algo apenado, y recordó entonces cuál había sido la causa. Su pena apartó todas las demás sensaciones; sintió que se le llenaban los ojos de lágrimas, y los cerró apretadamente. Trató de no pensar en Thonolan; trató de no pensar en nada. No tardó en conseguirlo y no volvió a despertar hasta en mitad de la noche, y entonces sus gemidos despertaron también a Ayla.

Todo estaba oscuro; el fuego se había apagado. Ayla fue a tientas hasta el hogar, consiguió yesca y astillas en el lugar donde guardaba su provisión, y pedernal y pirita.

La fiebre de Jondalar estaba subiendo de nuevo, pero estaba despierto. Pero creía haber dormitado. No podía creer que la mujer hubiera prendido fuego tan prontamente. Ni siquiera había visto el resplandor de los carbones al despertar.

Ayla llevó al herido té de corteza de sauce que había preparado con anterioridad. Se enderezó sobre un codo para tomar la taza y aunque era amargo bebió, porque tenía sed. Reconoció el sabor —todo el mundo parecía conocer el uso de la corteza de sauce— pero habría querido un trago de agua pura. Estaba experimentando asimismo la necesidad de orinar, pero no sabía cómo expresar ninguna de las dos necesidades. Tomó la taza vacía, la volcó para mostrar que no tenía nada y se la llevó a los labios.

Ella comprendió inmediatamente y acercó un pellejo lleno de agua, dejándolo junto a él. El agua le calmó la sed pero incrementó el otro problema, y el hombre empezó a agitarse incómodamente. Sus movimientos hicieron comprender la necesidad a la mujer. Sacó del fuego un palo encendido para que sirviera como antorcha y pasó a la sección de la caverna que le servía de bodega. Buscaba algún recipiente pero una vez allí encontró otros artículos útiles.

Había hecho lámparas de piedra, abriendo una depresión en la piedra, para depositar grasa derretida y una mecha de musgo, aun cuando no las había utilizado con frecuencia; habitualmente el fuego le proporcionaba suficiente iluminación. Agarró una lámpara, encontró las mechas de musgo y buscó las vejigas de grasa congelada. Al ver la vejiga vacía, también se la llevó.

Puso la que estaba llena cerca del fuego para ablandarla y le llevó a Jondalar la vacía . . . pero no supo explicarle para qué era: desplegó la abertura, le mostró el orificio pero él no comprendía. No quedaba más remedio: Ayla levantó las cobijas, metió la mano para ponerle la vejiga entre los muslos, pero para entonces ya había entendido y le quitó la vejiga de la mano.

Se sentía ridículo tendido de espaldas en vez de estar parado y dejar que la orina saliera. Ayla pudo comprobar su incomodidad y se fue hacia el fuego para llenar la lámpara, sonriendo para sí. "Nunca había sido herido, al menos no tan gravemente como ahora", pensó "que no puede caminar". Él sonrió algo apocado cuando la mujer le quitó la vejiga y salió para vaciarla. Se la devolvió para que la utilizara cuando fuera necesario, y terminó de echar aceite en la lámpara antes de encender la mechita. La llevó entonces hasta la cama y descubrió el muslo herido.

Jondalar quiso sentarse para mirar, aunque le dolía. Ella lo apuntaló. Cuando el herido vio cómo tenía el pecho y los brazos, comprendió por qué le dolía más el lado derecho, pero el profundo dolor de su pierna era lo que más preocupado lo tenía. Se preguntaba si la mujer sería lo suficientemente experta; administrar té de sauce no la convertía a una en curandera.

Cuando retiró Ayla la cataplasma roja de sangre, se preocupó más aún el hombre; la lámpara no iluminaba como la luz del sol, pero no permitía la menor duda en cuanto a la gravedad de la herida. Tenía la pierna hinchada, magullada y en carne viva. Miró más de cerca y le pareció que había nudos sujetando su carne. No era versado en las artes curativas; hasta hacía poco no se había interesado más en ellas que la mayoría de los hombres jóvenes y saludables, pero ¿habría intentado un Zelandoni alguna vez unir y anudar a alguien?

Observó atentamente mientras Ayla preparaba otra cataplasma, esta vez de hojas. Quiso preguntar qué hojas eran, tratar de evaluar sus habilidades. Pero ella no sabía ninguno de los lenguajes que él hablaba. Ahora que lo pensaba: no la había oído decir nada aún. ¿Cómo podría ser curandera si no hablaba? Pero parecía saber lo que estaba haciendo, y sea lo que fuere que puso en su pierna, alivió el dolor.

Se recostó de nuevo —¿qué más podía hacer?— y la observó mientras le lavaba el pecho y brazos con algún calmante. Sólo cuando desató la correa de cuero suave que sostenía la compresa, se enteró de que también su cabeza estaba lastimada. Se tocó y sintió la hinchazón y una parte dolorosa, antes de que le pusiera Ayla la nueva compresa.

La mujer volvió junto al fuego para calentar el caldo. Él la observaba, intentando todo el tiempo descubrir quién era.

—Eso huele bien —dijo, cuando el aroma sustancioso llegó hasta él.

El sonido de su voz parecía fuera de lugar. No estaba seguro del porqué, pero era algo más que el saber que no lo comprendería. Cuando se había encontrado por vez primera con los Sharamudoi, ninguno de ellos sabía una palabra del idioma del otro, y sin embargo hablaron —de manera inmediata y con volubilidad— mientras se esforzaban por intercambiar palabras que iniciaran el proceso de la comunicación. Aquella mujer no hacía el menor intento de iniciar un intercambio de palabras, y respondía a sus esfuerzos exclusivamente con una expresión interrogante. No sólo parecía carecer del entendimiento de los idiomas que él sabía, sino también del deseo de comunicarse.

"No", pensó. "No es del todo cierto". En efecto, se habían comunicado. Ella le había dado agua cuando él la necesitaba, y también un recipiente para aliviar su vejiga, aunque no estaba seguro de la manera en que lo había intuido. No elaboró un pensamiento específico en cuanto a la comunicación que compartieron cuando él dio rienda suelta a su dolor —la pena era demasiado reciente— pero la había experimentado y la incluyó en las preguntas que se hacía respecto a ella.

—Ya sé que no puedes entenderme —le dijo, tentativamente. No sabía exactamente qué decirle, pero sentía la necesidad de decir algo. Una vez que comenzó, las palabras salieron con mayor facilidad—. ¿Quién eres? ¿Dónde están los tuyos? —no podía ver mucho más allá del círculo de luz que producían el fuego y la lámpara, pero no había visto a nadie más ni evidencias de que hubiera más gente—. ¿Por qué no quieres hablar? —ella lo miró pero no dijo nada.

Una idea extraña comenzó entonces a insinuarse en la mente de Jondalar. Recordó estar sentado junto a una fogata, en la oscuridad, cerca de un curandero, y recordó que Shamud estuvo hablando de ciertas pruebas a las que debían someterse Los Que Servían a la Madre. ¿No dijo algo respecto a pasar algún tiempo en soledad?, ¿periodos de silencio durante los cuales no podían hablar con nadie?, ¿periodos de abstinencia y continencia?

—Vives aquí sola ¿verdad?

Ayla volvió a mirarlo, sorprendida al ver una mirada de asombro en su rostro, como si la estuviera viendo por vez primera. Por alguna razón, el hombre le hizo cobrar nuevamente conciencia de su descortesía, y bajó rápidamente la mirada hacia el caldo; pero no parecía darse cuenta de su indiscreción; miraba alrededor de la cueva y hacía sonidos con la boca. Ayla llenó una taza y se sentó frente a él con la taza en la mano, tratando de darle la ocasión de tocarle el hombro y reconocer su presencia. No sintió golpecito y al levantar la vista, él la estaba mirando interrogativamente y haciendo aquellos sonidos.

"¡No sabe! ¡No ve lo que estoy preguntando! No creo que conozca ninguna de las señas". Con un discernimiento súbito, se le ocurrió un pensamiento. "¿Cómo vamos a comunicarnos si no ve mis señas y si yo no conozco sus palabras?"

La sacudió el recuerdo de cuando Creb estuvo tratando de enseñarle a hablar, pero que ella no sabía que hablaba con sus manos. No sabía que la gente podía hablar con las manos; sólo había hablado mediante sonidos. Llevaba tanto tiempo hablando el lenguaje del Clan que no podía recordar el significado de las palabras.

"Pero ya no soy mujer del Clan. Estoy muerta; fui maldita. Nunca podré regresar. Debo vivir ahora con los Otros, y debo hablar como ellos. Debo aprender de nuevo a comprender las palabras y debo aprender a decirlas porque si no, nunca me comprenderán. Aun cuando hubiera encontrado un clan de Otros, no habría podido hablarles y ellos no habrían sabido lo que les estuviera diciendo. ¿Será por eso que mi tótem me hizo permanecer aquí? ¿Hasta que me trajeran a este hombre? ¿Para que volviera a enseñarme a hablar?'' Se estremeció, presa de un frío súbito, pero no había habido viento alguno.

Jondalar había estado desvariando, haciendo preguntas a las que no esperaba obtener respuestas, sólo por oírse hablar. No había recibido respuesta de la mujer y creyó comprender porqué. Estaba seguro de que se encontraba preparándose para entrar, o que ya estaba, al servicio de la Madre. Eso respondía a muchas preguntas: su habilidad para curar, su dominio del caballo, por qué vivía sola y no quería hablarle, tal vez, inclusive, por qué lo había encontrado y llevado a esa caverna. Se preguntaba dónde estaba, pero por el momento eso no tenía importancia. Tenía suerte de seguir con vida. Pero lo perturbaba algo más que había dicho el Shamud.

Ahora se percataba de que, si hubiera prestado atención al curandero de cabello blanco, habría sabido que Thonolan iba a morir . . . pero también se le había dicho que seguía a su hermano porque Thonolan lo conduciría adonde no iría él solo. ¿Por qué había sido conducido hasta allá?

Ayla había estado cavilando sobre la manera de comenzar a aprender sus palabras, y de repente recordó cómo había comenzado Creb: con los sonidos del nombre. Dándose ánimos, miró directamente a los ojos del hombre, se golpeó el pecho y dijo: ''Ayla.''

Los ojos de Jondalar se abrieron mucho.

—De modo que, finalmente, te has decidido a hablar. ¿Cómo te llamas? —y la señaló—. Dilo otra vez.

—Ayla.

Tenía un acento curioso. Las dos partes de la palabra estaban unidas, la parte interior pronunciada desde la garganta como si se la tragara. Él había oído muchas lenguas, pero ninguna con la calidad tonal que ella impartía a su voz. No podía decirlo exactamente igual, mas sin embargo trató de hacerlo lo más parecido posible: ''Aaay-lah.''

La mujer casi no pudo reconocer los sonidos de él al pronunciar su nombre. Algunas personas del Clan tropezaban con dificultades, pero ninguna lo había dicho así: juntaba los sonidos, alteraba el acento de tal manera que la primera sílaba subía, y la segunda, bajaba. Ni siquiera podía recordar haberlo oído nunca así . . . y sin embargo, se oía tan bien. Lo señaló a él y se inclinó hacia delante, a la expectativa.

—Jondalar —dijo el hombre—. Mi nombre es Jondalar de los Zelandonii.

Fue demasiado: no pudo captarlo todo; meneó la cabeza y volvió a señalarlo; Jondalar pudo reconocer que estaba confundida.

—Jondalar —dijo, y luego, más despacio—: Jondalar.

Ayla se esforzó por lograr que su boca funcionara como la de él:

—Duh-da —fue lo más que pudo expresar.

Jondalar podía darse cuenta de que tropezaba con dificultades para emitir los sonidos correctos, pero se estaba esforzando mucho. Se preguntó si padecería alguna deformidad en la boca que le impidiera hablar. ¿Por eso no hablaría?, ¿por que no podía? Repitió su nombre despacio, pronunciando cada sonido con toda la claridad que pudo, como si hablara a un niño o a alguien que careciera de inteligencia: "Jon-da-lar . . . Jonn-dah-larrr".

—Don-da-lah —fue el siguiente intento.

—¡Mucho mejor! —dijo, asintiendo su aprobación y sonriendo. Había realizado un verdadero esfuerzo esta vez. No estaba seguro de que al considerarla como una que estudiaba para Servir a la Madre estuviera en lo cierto. No parecía lo suficientemente brillante. Siguió sonriendo y moviendo la cabeza de arriba abajo.

¡Estaba poniendo cara de felicidad! Ninguno del Clan había sonreído así más que Durc. Y a ella siempre le había salido naturalmente . . . y ahora él lo estaba haciendo.

Su expresión de sorpresa fue tan chistosa que Jondalar tuvo que reprimir una risita, pero su sonrisa se amplió y sus ojos relucieron de diversión. El sentimiento era contagioso. La boca de Ayla se volvió en las comisuras y cuando la sonrisa de él, en respuesta, le dio alientos, respondió con una sonrisa plena, amplia, encantada.

—Oh, mujer —dijo Jondalar—, no hablas mucho pero cuando sonríes estás preciosa —su virilidad comenzó a verla como mujer, y como mujer muy atractiva, y la miró de esa manera.

Algo había cambiado. La sonrisa seguía ahí pero los ojos . . . Ayla se percató de que los ojos, a la luz del fuego, eran de un violeta profundo, y que encerraban algo más que diversión. No sabía lo que encerraba esa mirada, pero su cuerpo sí: reconoció la invitación y respondió con las mismas sensaciones de atracción y titilación, muy adentro, que Ayla había experimentado al observar a Hinny con el garañón bayo. Eran unos ojos tan imperiosos que tuvo que arrancarse a la mirada volviendo bruscamente la cabeza. Se afanó estirándole las pieles que lo cubrían, recogió la taza y se puso de pie, rehuyendo su mirada.

—Creo que eres tímida —dijo Jondalar, suavizando la intensidad de su mirada. Le recordaba una muchacha joven antes de sus Primeros Ritos. Sentía el deseo amable pero urgente que siempre experimentaba por una mujer joven durante la ceremonia, y la incitación de sus ijares. Y luego el dolor del muslo derecho—. Es mejor así —dijo con sonrisa torcida—. De todos modos, no estoy en forma.

Se tendió de nuevo cómodamente en la cama, retirando las pieles en que ella le había recostado la espalda, sintiéndose agotado. Le dolía el cuerpo, y al recordar la razón, le dolió más. No quería recordar ni pensar. Quería cerrar los ojos y olvidar, sumirse en el olvido que pusiera fin a todas sus penas. Sintió que le tocaban el brazo y abrió los ojos: Ayla sostenía una taza de líquido. Se lo tragó, y poco después sintió que se aliviaba el dolor y que se apoderaba de él una somnolencia. Le había dado algo para lograr ese efecto y él lo agradeció, pero se preguntó cómo sabría ella lo que necesitaba sin que él hubiera dicho una sola palabra.

Ayla había visto su mueca de dolor y sabía la gravedad de sus heridas. Era una curandera experta y experimentada. Había preparado el té de datura antes de que despertara. Al ver que las arrugas de su frente se borraban y que su cuerpo se relajaba, apagó la lámpara y cubrió el fuego. Puso bien la cobija de pieles que estaba usando, junto al hombre, pero no tenía nada de sueño.

Guiándose por el resplandor del carbón cubierto, se fue hacia la entrada de la cueva y, oyendo que Hinny hacía su suave hin, se acercó a ella. Le dio gusto ver tendida a la yegua. El olor desconocido del hombre que había en la cueva la había inquietado después de parir. Si se sentía lo suficientemente tranquila para estar acostada, era que aceptaba la presencia del hombre. Ayla se sentó junto al cuello de Hinny y frente a su pecho, para poder acariciarle la jeta y rascarle detrás de las orejas. El potrillo, que había estado tendido junto a la ubre de su madre, se volvió, curioso: metió el hocico entre ambas. Ayla lo acarició y lo rascó, también a él, y le tendió los dedos. Sintió la succión, pero el potrillo los dejó al ver que no había nada para él; su necesidad de chupar se satisfacía con su madre.

"Es un bebé maravilloso, Hinny, y crecerá fuerte y saludable, como tú. Ahora tienes a alguien, como tú, y también yo. Es difícil de creer. Al cabo de tanto tiempo, ya no estoy sola". Lágrimas inesperadas aparecieron en sus ojos. "¡Cuántas, cuántas lunas han pasado desde que me maldijeron, desde que no he vuelto a ver a nadie. Y ahora hay alguien aquí: un hombre, Hinny, un hombre de los Otros. Y creo que va a vivir". Se secó las lágrimas con el dorso de la mano. "Sus ojos también echan agua así, y me ha sonreído. Y yo le he sonreído.

"Soy una de los Otros, como lo dijo Creb. Iza me dijo que buscara a los míos, que encontrara mi compañero. ¡Hinny!, ¿será él mi compañero? ¿Ha sido conducido hasta aquí para mí? ¿Lo trajo mi tótem?

"¡Bebé! ¡Bebé me lo dio! Fue escogido así como había sido escogida yo. Probado y marcado por Bebé, por el cachorro de león cavernario que mi tótem me dio. Y ahora su tótem es el León Cavernario también. Eso significa que puede ser mi compañero. Un hombre con un León Cavernario por tótem sería suficientemente poderoso para una mujer con un León Cavernario por tótem. Inclusive podría tener más bebés".

Ayla frunció el entrecejo. "Pero los bebés no están hechos realmente por tótems. Yo sé que Broud inició a Durc al meterme su órgano. Son los hombres, no los tótems los que inician los bebés. Don-da-lah es un hombre . . . "

De repente Ayla recordó su órgano, rígido por su necesidad de orinar, y recordó los desconcertantes ojos azules. Sintió una extraña palpitación dentro de sí, que la agitaba. ¿Por qué tenía esas extrañas sensaciones? Habían comenzado al observar a Hinny con el caballo moreno oscuro . . .

"¡Un caballo moreno oscuro! Y ahora tiene un potrillo moreno oscuro. Ese garañón inició un bebé dentro de ella. Don-da-lah podría iniciar un bebé dentro de mí. Podría ser mi compañero . . .

"¿Y si no me quiere? Iza dijo que los hombres hacen eso a una mujer cuando les gusta. La mayoría de los hombres. A Broud yo no le gustaba. No me sería odioso que Don-da-lah . . ." De repente se ruborizó. "Soy tan alta y fea. ¿Por qué iba a querer hacerme eso? ¿Por qué habría de quererme por compañera? Tal vez tenga ya compañera. ¿Y si quiere marcharse?

"No puede marcharse. Tiene que enseñarme de nuevo a hacer palabras. ¿Se quedaría si yo comprendiera sus palabras?

"Las aprenderé. Aprenderé todas sus palabras. Entonces tal vez se quede a pesar de que soy grande y fea. No puede marcharse ahora. He pasado demasiado tiempo sola".

Ayla dio un brinco, casi aterrada, y salió de la cueva. La negrura estaba matizándose de un terciopelo azul profundo; la noche había llegado casi a su fin. Vio formas de árboles y señales conocidas que comenzaban a diseñarse. Habría querido volver a mirar al hombre, pero contuvo su ansia. Entonces pensó en conseguirle algo fresco para desayunar y se fue a buscar la honda.

"¿Y si no le agrada que cace? He decidido ya que no permitiré que nadie me detenga", recordó, pero no fue por la honda. Bajó a la playa, se quitó el manto y se dio un baño, nadando en el río. Lo sintió especialmente agradable y pareció que barría todo su torbellino interior. Su lugar de pesca predilecto había desaparecido después de las inundaciones primaverales, pero había encontrado otro sitio río abajo, cerca, y tomó esa dirección.

Jondalar despertó al olor de alimentos que se guisaban, y así supo que estaba muerto de hambre. Aprovechó la vejiga para desahogar su necesidad de orinar y consiguió recostar la espalda para poder ver a su alrededor. La mujer no estaba, como tampoco la yegua y su potro, pero el lugar que había ocupado era el único lugar de la cueva que se pareciera remotamente a un lugar para dormir, y sólo había un fuego. La mujer vivía allí sola, excepto los caballos, y éstos no podían considerarse como sus semejantes.

Pero entonces ¿dónde estaba su gente? ¿Habría otras cuevas allí cerca? ¿Estaría haciendo un viaje prolongado para cazar? En la zona de almacenamiento había muebles de caverna, peleterías y cueros, plantas colgadas de tendederos, carnes y alimentos conservados en cantidad suficiente para una Caverna numerosa. ¿Sería sólo para ella? Si vivía sola ¿para qué necesitaba tanto? ¿Y quién lo había llevado hasta allí? Tal vez su gente se lo llevó y lo dejó con ella.

"¡Eso tuvo que ser! Es su zelandoni, y me trajeron con ella para que me cuidara. Es joven para eso, al menos, parece joven pero competente: no cabe la menor duda. Probablemente haya venido aquí para someterse a prueba, para desarrollar alguna habilidad especial, tal vez con animales, y su gente me encontró, y no había nadie más, de manera que me dejaron con ella. Debe de ser una zelandoni muy poderosa para tener semejante dominio de los animales".

Ayla entró en la cueva llevando un plato de pelvis secada y blanqueada, con una enorme trucha fresca recién asada. Le sonrió, sorprendida de encontrarlo despierto. Depositó el pescado, arregló las pieles y los cojines de cuero rellenos de paja para que pudiera mantenerse sentado. Le dio una taza de té de sauce para empezar, de modo que siguiera bajando la fiebre y mitigara los dolores, le puso el plato sobre el regazo y salió para volver con un tazón de grano cocido, tallos recién pelados de cardo fresco y perejil, y las primeras fresas silvestres de la temporada.

Jondalar tenía hambre suficiente para comer cualquier cosa; pero después de los primeros bocados, comenzó a ir más desacio para saborear mejor. Ayla había aprendido las virtudes de as hierbas con Iza, no sólo como medicamentos sino también omo condimentos. Tanto la trucha como el grano estaban sazoados por su mano experta. Los tallos frescos estaban crujientes n el punto exacto de madurez, y aunque no había muchas fresas ilvestres, su grado de dulzor no debía nada a nadie más que al ol. Jondalar quedó impresionado. Su madre era conocida como uena cocinera, y aunque los sabores eran distintos, comprendía as sutilezas de los alimentos bien preparados.

Agradó a Ayla ver que comía despacio para saborear la comida. Cuando hubo terminado, le llevó una taza de té de yerbabuena y e dispuso a cambiarle las curaciones. Le quitó la compresa de la abeza; había disminuido mucho la hinchazón y sólo quedaba un oco de sensibilidad. Los rasguños de brazos y pecho estaban anando. Podría conservar algunas cicatrices pero nada serio. Era a pierna. ¿Sanaría convenientemente? ¿Recuperaría el uso de la xtremidad?, ¿podría siquiera caminar o quedaría tullido?

Retiró la cataplasma, tranquilizada al ver que las hojas de col ilvestre habían reducido la supuración, como esperaba. Desde uego, había una mejora evidente, pero aún no podía saberse ómo le iría. Parecía que el haber atado los labios de la herida on hebras de tendón daría resultado. Considerando la extensión le los daños, la pierna se parecía a su forma original, aunque uedaría una gran cicatriz y tal vez alguna deformación. Ayla esaba satisfecha.

Era la primera vez que Jondalar podía ver claramente su pierna, y no quedó complacido. Parecía mucho más afectada de lo que l había creído. Palideció al verlo y tragó saliva varias veces seuidas. Podía ver el intento de la curandera con los nudos; tal vez hí estuviera la diferencia, pero se preguntó si volvería a caminar.

Le habló, preguntándole dónde había aprendido a curar, sin eserar respuesta. Ella reconocía su nombre pero nada más. Quería edirle que le enseñara el significado de sus palabras, pero no abía cómo. Salió a buscar leña para el fuego de la cueva, sintiénose frustrada. Ansiaba aprender a hablar pero ¿cómo podrían mpezar?

Jondalar pensaba en lo que acababa de comer. Sea quien uere el proveedor, la mujer estaba bien provista, pero se ve que abía cómo cuidarse. Las bayas, los tallos y la trucha eran fresos. Pero los granos tuvieron que cosecharse el otoño anterior, o cual significaba excedentes de las provisiones invernales. Eso evelaba previsión; nada de hambre a fines del invierno ni princiios de la primavera. También indicaba que la zona estaba bien

conocida, y por tanto, que el asentamiento llevaba cierto tiempo
Había algunas indicaciones más de que la caverna llevaba habi
tada algún tiempo: el hollín alrededor de la chimenea y el piso
bien apisonado, en particular.

Aun cuando Ayla estaba bien surtida de muebles e imple
mentos de caverna, al examinar más de cerca se revelaba que
carecía por completo de tallas o decoración, y que todo era bas
tante primitivo. Miró la taza de madera con la que había bebido e
té. "Pero no era tosca", pensó; "en realidad, muy bien hecha"
La taza se había tallado en algún nudo, juzgando por la textura de
la madera. Mientras Jondalar la examinaba de cerca, le parecio
que se había confeccionado la taza aprovechando una forma suge
rida por la textura. No sería difícil imaginar la cara de un anima
lito entre los nudos y curvas. ¿Lo habría hecho a propósito? Le
gustaba más que muchos utensilios que había visto adornados
con tallas más vistosas.

La taza misma era profunda, y el borde sobresalía; era simé
trica y su acabado tenía una suavidad muy delicada. Inclusive
dentro, no aparecían irregularidades. Un trozo de madera nudosa
era difícil de trabajar; esa taza representaba sin duda muchos
días de trabajo. Cuanto más miraba más se percataba de que la
taza era, indiscutiblemente, una buena muestra de artesanía, enga
ñosa en su sencillez. "A Marthona le agradaría", pensó, recor
dando la capacidad de su madre para ordenar los instrumento
más útiles y los recipientes de provisiones de la manera más agra
dable; tenía la gracia para hallar belleza en los objetos simples

Alzó la mirada cuando entraba Ayla con una brazada de leña
y meneó la cabeza al ver su primitivo manto de cuero. Entonce
vio también el cojín sobre el que se recostaba: como el manto de
ella, era sólo el cuero, no estaba cortado sino que envolvía u
puñado de heno fresco y encajaba en una zanja de escasa profun
didad. Tiró de un extremo y lo miró de cerca: la orilla exterio
estaba algo tiesa y aún tenía unos pelos de reno, pero er
muy flexible y de una suavidad aterciopelada. Tanto la textura
interior como la textura exterior fuerte y los pelos habían sid
rascados y eliminados, lo cual contribuía a explicar la suavidad d
la textura. Pero sus pieles lo impresionaron más. Una cosa er
estirar y tensar una piel sin pelo, para hacerla flexible. Much
más difícil resultaba hacerlo con las pieles, puesto que sólo e
interior se había restirado. Por lo general, las pieles tendían
estar más tiesas, pero las que había sobre la cama eran tan fle
xibles como gamuza.

Al tocarlas sintió algo familiar pero no pudo explicarse qué er

Ni tallas ni adornos en los implementos, estaba pensando, pero la más fina artesanía. Pieles y cueros curtidos con gran habilidad y esmero ... pero ninguna prenda estaba cortada ni conformada para ajustarse al cuerpo, ni cosida o unida, y ningún artículo tenía aplicaciones de cuentas ni plumas, ni estaba teñido ni adornado en forma alguna. Y sin embargo, había unido y cosido su pierna. Había incongruencias peculiares, y aquella mujer representaba un misterio.

Jondalar había estado mirando a Ayla que se preparaba para prender un fuego, pero en realidad no había estado fijándose. Había visto prender fuego muchas veces. Había pensado fugazmente que debería haberse llevado un carbón del fuego que utilizaba para hacer la comida, y supuso que estaría apagado. Vio sin prestar atención que la mujer juntaba yesca, que recogía un par de piedras, las golpeaba una contra otra, y soplaba para atizar una llama. Se hizo tan rápidamente que el fuego estaba ardiendo antes de que se diera cuenta de lo que había hecho.

—¡Madre Grande! ¿Cómo has podido prender ese fuego? —preguntó inclinándose hacia delante—. ¡Oh, Doni! No comprende una palabra de lo que le digo —alzó las manos en señal de desesperación—. ¿Sabes lo que has hecho? Ven acá, Ayla —le dijo, haciéndole señas de que se acercara.

Fue hacia él inmediatamente; era la primera vez que le veía hacer con la mano una señal que tuviera sentido. Estaba preocupado por algo, y ella arrugó el entrecejo, concentrándose en sus palabras, deseando poder entender.

—¿Cómo has prendido ese fuego? —volvió a preguntar, diciendo las palabras con lentitud y cuidado, como si en cierta forma eso la ayudara a comprender ... y señaló el fuego con el brazo.

—¿Fue? ... —Ayla hizo el intento vacilante de repetir su última palabra. Pasaba algo importante. Temblaba de concentración, tratando de obligarse a comprenderlo.

—¡Fuego! ¡Fuego!, ¡sí, fuego! —gritó Jondalar, gesticulando en dirección a las llamas—. ¿Tienes idea de lo que representa encender tan aprisa el fuego?

—Fueg ...

—Sí, como ese de ahí —dijo, perforando el aire con el dedo índice y apuntando al fuego—. ¿Cómo lo hiciste?

Ayla se levantó, se dirigió al fuego y lo señaló:

—¿Fueg? —dijo.

Jondalar soltó un profundo suspiro y volvió a recostarse contra las pieles, comprendiendo de repente que había estado tratando de obligarla a comprender palabras que ignoraba.

—Lo siento, Ayla. Ha sido una estupidez de mi parte. ¿Cóm
puedes decirme lo que has hecho cuando no sabes lo que t
pregunto?

Se había apaciguado la tensión; Jondalar cerró los ojos, sir
tiéndose vacío y frustrado, pero Ayla estaba excitada. Tenía un
palabra; sólo una, pero era un comienzo. Ahora ¿cómo podría se
guir con eso? ¿Cómo podría pedirle que le enseñara más, decirl
que tenía que aprender más?

—¿Don-da-lah . . . ? —el hombre abrió los ojos. Ella volvió a se
ñalar el hogar—. ¿Fueg?

—Fuego, sí, eso es fuego —contestó, asintiendo con la cabeza
Entonces volvió a cerrar los ojos, sintiéndose cansado, un poc
bobo por haberse excitado tanto y dolorido, física y emociona
mente.

No estaba interesado. ¿Qué podría hacer ella para que la con
prendiera? Se sentía tan contrariada, tan enojada que no se l
ocurría ninguna forma de comunicarle su necesidad. Lo intent
una vez más.

—Don-da-lah —esperó hasta que el hombre volvió a abrir lo
ojos—. ¿Fuego . . . ? —pronunció con una mirada esperanzada e
sus ojos suplicantes.

"Y ahora, qué quiere?", pensó Jondalar, sintiendo curiosidac

—¿Qué pasa con ese fuego, Ayla?

Ella comprendió que le estaba haciendo una pregunta, lo con
prendió por la postura de sus hombros y la expresión de su rostro
Le estaba prestando atención, miró a su alrededor, tratando d
pensar en alguna forma de decírselo, y vio la leña junto al fueg
Tomó un palito, se lo mostró y lo miró a los ojos con expresió
esperanzada.

La frente de Jondalar se arrugó de perplejidad, y se fue alisar
do al pensar que comenzaba a comprender.

—¿Quieres la palabra para eso? —preguntó, sorprendiéndos
ante el interés súbito por aprender su lenguaje, cuando no habí
parecido tener el menor interés anteriormente. ¡Hablar! No estab
intercambiando palabras con él: ¡estaba tratando de hablar! ¿Pc
eso se mostraría tan silenciosa?, ¿porque no sabía hablar?

Tocó el palito que Ayla tenía en la mano:

—Madera —dijo.

La mujer soltó súbitamente el aire que tenía retenido; no ac
virtió que se había quedado sin respirar tanto rato.

—Mad . . . —propuso.

—Madera —dijo Jondalar muy despacio, exagerando el gest
de la boca para enunciar con mayor claridad.

—Madé . . . —dijo ella, tratando de imitar los movimientos de la boca de él.

—Ya está mejor —aprobó Jondalar, asintiendo.

El corazón de Ayla palpitaba desacompasadamente. ¿Habría comprendido? Volvió a buscar desesperadamente algo para que la cosa continuara. Su mirada cayó sobre la taza; la tomó en la mano y la tendió.

—¿Estás tratando de que te enseñe a hablar?

Ella no comprendió, meneó la cabeza y volvió a tender la taza.

—¿Quién eres, Ayla? ¿De dónde vienes? ¿Cómo es posible que hagas . . . todo lo que haces, y que no sepas hablar? Eres un enigma, pero si quiero llegar a saber algo de ti creo que no me quedará más remedio que enseñarte a hablar.

Ella estaba sentada en las pieles junto a él, esperando, ansiosa, sosteniendo la taza. Tenía miedo de que con todas las palabras que estaba pronunciando se olvidara de la que ella le pedía. Volvió a tenderle la taza.

—¿Qué quieres "beber" o "taza"? Supongo que no importa —tocó el recipiente que ella sostenía y dijo—: Taza.

—Taz —respondió ella, y sonrió, aliviada.

Jondalar prosiguió con la idea. Tendió la mano, tomó la vejiga de agua pura que ella le había dejado cerca, y vertió algo en la taza.

—Agua— dijo.

—Aua.

—Prueba otra vez: agua —repitió Jondalar, alentándola.

—Ahua.

Jondalar asintió, se llevó la taza a los labios y tomó un sorbo.

—Beber —dijo—. Beber agua.

—Beberrr —respondió claramente, pero pronunciando exageradamente la r y tragándose algo la palabra—. Beberr ahua.

Capítulo 21

—Ayla, no aguanto más esta caverna. Mira el sol que hace. Creo que ya estoy suficientemente sano para moverme un poco, al menos fuera de la caverna.

Ayla no entendía todo lo que decía Jondalar, pero sabía lo suficiente para comprender su lamento . . . y simpatizar con él.

—Nudos —dijo, tocando una de las puntadas—. Cortar nudos. Mañana ver pierna.

Jondalar sonrió como si hubiera logrado una victoria.

—Vas a quitarme los nudos y entonces, mañana por la mañana, puedo salir de la caverna.

Con problemas del habla o no, Ayla no iba a dejarse comprometer más de lo debido.

—Ver —dijo enfáticamente—. Ayla mira —se encogió de hombros para expresarse dentro de su capacidad limitada—. Pierna no . . . cura, Don-da-lah no fuera.

Jondalar sonrió nuevamente. Sabía que había exagerado el significado de lo que ella expresaba, con la esperanza de que le siguiera la corriente, pero se sintió algo complacido al ver que no se dejaría manejar por él y que insistía en hacerse entender claramente. Tal vez no saliera mañana de la caverna, pero significaba que por lo menos ella estaba aprendiendo más aprisa.

Enseñarle a hablar se había convertido en un reto, y su progreso le agradaba aunque resultaba desigual. Estaba intrigado por su manera de aprender. La abundancia de su vocabulario resultaba ya pasmosa; parecía capaz de memorizar las palabras con la rapidez que él se las enseñaba. Había pasado la mayor parte de una tarde diciéndole los nombres de todo lo que ella y él podían pensar, y una vez que terminaron, Ayla le había repetido cada palabra con su asociación correcta. Pero le resultaba difícil pronunciar;

había ciertos sonidos que no podía emitir correctamente por mucho que se esforzara, y se esforzaba mucho.

Pero a él le gustaba su manera de hablar. Su voz era algo baja y agradable, y su extraño acento le daba un matiz exótico. Decidió que no se preocuparía aún de corregir la manera en que unía las palabras. Ya aprendería más adelante a expresarse correctamente. La lucha real de Ayla se evidenció en cuanto progresaron más allá de las palabras que indicaban cosas y acciones específicas. Los conceptos abstractos más simples resultaban un problema: quería una palabra distinta para cada matiz de color, y le costaba entender que el verde profundo del pino y el verde pálido del sauce se describían, ambos, con el término general de *verde*. Cuando captaba una abstracción, parecía presentársele como una revelación o un recuerdo olvidado desde hacía mucho tiempo.

Cierta ocasión Jondalar hizo un comentario favorable en relación a su memoria fenomenal, pero ella no podía comprenderle o creerle.

—No, Don-da-lah, Ayla no recordar bien. Ayla trata, niña pequeña Ayla quiere buena . . . memoria. No buena. Trata, siempre trata.

Jondalar meneó la cabeza, deseando tener una memoria tan buena como la de ella o un deseo de aprender tan fuerte y perseverante. Veía día a día cómo progresaba; aunque Ayla nunca se mostraba satisfecha. Pero a medida que aumentaba su capacidad de comunicación, el misterio que la envolvía se hacía más profundo. Cuanto más sabía de ella, más preguntas bullían en espera de respuestas. Era increíblemente hábil y entendida en ciertos aspectos, y totalmente ingenua e ignorante en otros . . . y él nunca estaba seguro de cuál ni cuándo. Algunas de sus habilidades —como prender fuego— estaban mucho más avanzadas que cualesquiera que hubiera presenciado en parte alguna, y otras eran más primitivas de lo que parecía posible.

Pero había algo sobre lo cual no albergaba la menor duda: "que hubiera de los suyos cerca o no, ella era perfectamente capaz de bastarse a sí misma. Y a él también", pensó, mientras Ayla apartaba las cobijas para mirarle la pierna herida.

Ayla tenía preparada una solución antiséptica, pero estaba nerviosa mientras se preparaba para quitar los nudos que mantenían junta la carne del hombre. No pensaba que la herida se abriría —parecía estar sanando— pero nunca anteriormente había empleado esa técnica y no podía estar segura. Llevaba varios días considerando el momento de quitar los nudos, pero hizo falta la queja de Jondalar para que tomara la decisión.

La joven se inclinó sobre la pierna, mirando los nudos de cerca. Cuidadosamente, tiró de uno de los tendones de ciervo anudados: la piel se le había pegado y se venía con él al jalar. Se preguntó si no habría tardado demasiado, pero ya era demasiado tarde para lamentarse. Sostuvo el nudo entre los dedos y con su cuchillo más afilado, uno que no se había usado aún, cortó un lado lo más cerca del nudo que pudo. Unos tironcitos tentativos mostraron que no saldría fácilmente. Finalmente, agarró el nudo entre los dientes y, de un fuerte tirón, lo sacó.

Jondalar dio un respingo. A Ayla le dio pena que le doliera, pero no se había abierto la herida; un chorrito fino de sangre corría desde donde se había rasgado la piel, pero los músculos y la carne se habían curado, juntos. El breve dolor no era mucho pagar. Fue sacando los nudos lo más rápidamente que pudo para acabar pronto, mientras Jondalar apretaba los dientes y cerraba los puños para no gritar cada vez que sentía el tirón. Ambos se inclinaron para ver el resultado.

Ayla decidió que, de no haber deterioro, le dejaría apoyarse en la pierna y le permitiría salir de la cueva. Recogió el cuchillo y la taza con la solución y se preparó para ponerse de pie cuando Jondalar la detuvo.

—Déjame ver el cuchillo —le pidió, señalando. Ella se lo entregó y se quedó mirando mientras lo examinaba.

—¡Está hecho con un copo! Ni siquiera es una hoja. Se ha trabajado con cierta habilidad, pero es una técnica muy primitiva. Ni siquiera tiene mango ... está retocado en el lomo para no lastimar. ¿Dónde has conseguido esto, Ayla? ¿Quién lo hizo?

—Ayla hace.

Sabía que él estaba comentando la calidad y la artesanía, y le habría querido explicar que no era tan diestra como Droog, pero que había aprendido con el mejor hacedor de utensilios que tenía el Clan. Jondalar estudió el cuchillo a fondo y, al parecer, algo sorprendido. Ella habría querido discutir los méritos de la herramienta, la calidad del pedernal, pero no podía. No disponía del vocabulario, de los términos exactos o de la manera en que podría expresar los conceptos. Se sentía frustrada.

Anhelaba hablarle de todo. Hacía tanto tiempo que no había tenido con quien comunicarse, pero no supo cuánto lo había echado de menos hasta la llegada de Jondalar. Le parecía como si hubieran puesto ante sus ojos un banquete y que ella, muerta de hambre, sólo pudiera probar.

Jondalar le devolvió el cuchillo, meneando la cabeza lleno de interrogantes. Era afilado, desde luego adecuado, pero incremen-

taba su curiosidad. Estaba tan bien adiestrada como cualquier zelandoni y aplicaba técnicas avanzadas —como las puntadas— pero
¡un cuchillo tan primitivo! "Si pudiera preguntarle y hacerle comprender; si ella me pudiera decir. ¿Y por qué no podía hablar?
Ahora ya estaba aprendiendo rápidamente. ¿Por qué no había
aprendido antes?" Que Ayla aprendiera a hablar se había convertido en una ambición que los impulsaba a ambos.

Jondalar despertó temprano. La caverna estaba todavía sumida en
sombras, pero la entrada y el orificio que había encima y que servía de chimenea mostraba el profundo azul que antecede al alba.
Fue aclarándose mientras miraba, destacando la forma de cada
relieve y depresión de las paredes de piedra. Podía verlos igualmente con los ojos cerrados; los tenía labrados en la sesera. Necesitaba salir y ver otra cosa. Sentía una excitación creciente,
seguro de que ese era el día. Apenas podía esperar y se disponía
a sacudir a la mujer que yacía cerca de él. Se detuvo antes de
tocarla y de repente cambió de idea.

Ayla dormía tendida de lado, acurrucada entre las pieles que
la rodeaban. Él ocupaba su cama habitual, bien lo sabía. Las pieles de Ayla estaban sobre una estera tendida junto a él, no en una
zanja poco profunda cubierta con un cojín relleno de paja; dormía
con el manto puesto, preparada para saltar a la menor indicación.
Rodó sobre su espalda y Jondalar la estudió detenidamente, tratando de descubrir algún rasgo característico que fuera indicio
de su origen.

Su estructura ósea, la forma de su rostro y de sus pómulos
resultaban diferentes de las mujeres Zelandonii, pero no había
nada fuera de lo común en ella, salvo que era extraordinariamente
guapa. Era algo más que simplemente guapa, decidió, ahora que
la estaba mirando con calma: en sus facciones había una cualidad
que se reconocería en cualquier parte como belleza.

El estilo de su cabello, atado siguiendo una hilera regular de
trenzas, colgando a los lados y por detrás, recogidas en la frente,
no era habitual, pero él había visto cabellos peinados de maneras
muchísimo más insólitas. Algunas largas guedejas se habían escapado y estaban estiradas detrás de las orejas o colgaban desor-
denadamente, y tenía un tizne de carbón en la mejilla. Se dio
cuenta entonces de que no se había apartado de su lado más de
un instante desde que recobró el conocimiento, y probablemente
ni siquiera eso, antes. Nadie podría echarle en cara su descuido . . .

El rumbo de sus pensamientos fue interrumpido cuando Ayla
abrió los ojos y chilló de sorpresa.

No estaba acostumbrada a abrir los ojos frente a un rostro, menos uno con aquellos ojos de un azul brillante y una barba enmarañada y rubia. Se sentó tan rápidamente que se le fue un poco la cabeza, pero pronto recobró la compostura y se puso de pie para atizar el fuego. Se había apagado; había vuelto a olvidar que debería cubrirlo. Recogió los materiales para prender otro.

—¿Quieres enseñarme a encender el fuego, Ayla? —pidió Jondalar al ver que recogía sus piedras. Esta vez, ella entendió.

—No difícil —dijo, y trajo las piedras de fuego y los materiales combustibles más cerca de la cama—. Ayla muestra —demostró cómo golpeaba una piedra contra otra, amontonó fibra de corteza deshebrada y vellón de chamico y le entregó el pedernal y la pirita de hierro.

Reconoció inmediatamente el pedernal . . . y pensó haber visto piedras como la otra, pero nunca habría intentado utilizarlas juntas para nada, y menos aún para encender fuego. Las golpeó como le había visto hacer a ella. Fue un golpe rozado pero creyó ver una diminuta chispa. Volvió a golpear, sin creer aún que podría sacar fuego de piedras, a pesar de habérselo visto hacer a Ayla. Un destello saltó entre las piedras frías; Jondalar se sorprendió pero después se sintió presa de excitación. Al cabo de varios intentos más y con un poco de ayuda de Ayla, tuvo un pequeño fuego ardiendo junto a la cama. Se quedó mirando atentamente las dos piedras.

—¿Quién te enseñó a prender fuego de esta manera?

Ayla sabía lo que estaba preguntándole, lo que no sabía era cómo explicárselo.

—Ayla hace —dijo.

—Sí, ya sé que tú lo haces pero ¿quién te enseñó?

—Ayla . . . enseñó —¿cómo iba a explicarle el día que se le apagó el fuego, se le rompió el hacha de mano y descubrió la pirita? Se tomó la cabeza entre las manos un momento, tratando de hallar la manera; entonces alzó la cabeza, lo miró y sacudiéndola negativamente, dijo—: Ayla no hablar bueno.

Jondalar comprendió que se sentía derrotada.

—Ya lo harás, Ayla. Entonces podrás decirme. No tardarás mucho . . . eres una mujer sorprendente —y sonrió—. Hoy voy afuera ¿cierto?

—Ayla ver . . . —retiró las cobijas y miró la pierna. Los lugares en que habían estado los nudos tenían pequeñas costras, y la piel estaba avanzando hacia su cura total. Ya era hora de que se levantara, se apoyara en la pierna y tratara de evaluar el deterioro—. Sí, Don-da-lah va fuera.

La sonrisa más amplia que le hubiera visto le partió la cara. Se sentía como un mozuelo que sale a la Reunión de Verano después de un prolongado invierno.

—Entonces, vamos, mujer —y empujó las pieles, ansioso por ponerse de pie y salir.

Su entusiasmo infantil era contagioso. Ayla le sonrió pero conminándole prudencia:

—Don-da-lah come alimento.

No tardó mucho en preparar un desayuno con alimentos preparados la noche anterior, y un té matutino. Llevó grano a Hinny y pasó unos momentos almohazándola con un cardo y rascando con él también al potrillo. Jondalar la observaba; la había observado anteriormente, pero era la primera vez que se daba cuenta de que producía un sonido casi igual al suave hin de un caballo, y emitía algunas sílabas abreviadas, guturales. Sus movimientos y señales con la mano no significaban nada para él —no las veía, no sabía que formaban parte integral del lenguaje que utilizaba para hablarle al caballo— pero sabía que de cierta manera incomprensible, estaba hablándole a la yegua. Y tenía la impresión, igualmente fuerte, de que el animal la comprendía.

Mientras ella acariciaba a la yegua y el potrillo, Jondalar se preguntaba qué magia habría empleado para cautivar a los animales. Él mismo se sentía algo cautivado, pero se sorprendió, encantado, al ver que se acercaba con la yegua y el potro. Nunca anteriormente había tocado un caballo viviente ni se había acercado tanto a un potro recién nacido y cubierto de vellón, y se sentía ligeramente sobrecogido ante la falta de miedo que demostraba. El potrillo pareció sentirse especialmente atraído por el hombre después de unas cuantas caricias prudentes que se convirtieron en caricias a todo lo largo y cosquillas que sin vacilación llegaron a los lugares indicados.

Recordó que no le había enseñado el nombre del animal y, señalando a Hinny, dijo: "Caballo".

Pero Hinny tenía nombre, un nombre hecho de sonidos al igual que los nombres de ellos. Ayla meneó negativamente la cabeza.

—No —dijo—. Hinny.

Para él, el nombre que dijo no era un nombre: era la perfecta imitación de un relincho suave, de un hin. Se sorprendió. No sabía expresarse en lenguas humanas, pero era capaz de hablar como un caballo. ¿Hablarle a un caballo? Estaba pasmado; era una magia poderosa.

Ella interpretó su expresión de asombro como falta de comprensión. Se tocó el pecho y dijo su nombre, tocó el pecho de él y dijo "Jondalar" y finalmente señaló la yegua y volvió a relinchar suavemente.

—¿Es el nombre de la yegua? Ayla, yo no puedo producir ese sonido. No sé cómo hablarles a los caballos.

Después de una segunda explicación más paciente, lo intentó de nuevo pero más parecía una palabra. Ayla pareció conformarse con eso y llevó de regreso a los caballos a su lugar de la caverna. "Hinny, él me está enseñando palabras. Voy a aprender todas sus palabras, pero tenía que decirle tu nombre. Tendremos que pensar en un nombre para tu pequeño... Me pregunto si te gustaría que él le ponga nombre a tu bebé".

Jondalar había oído hablar de ciertos zelandoni de quienes se decía que eran capaces de atraer los animales hacia los cazadores. Algunos cazadores podían inclusive hacer una buena imitación del grito de ciertos animales, lo cual les permitía acercarse más a ellos. Pero nunca había oído hablar de alguien que hablara con un animal o que hubiera convencido a un animal para la convivencia. Debido a ella, una yegua salvaje había parido delante de él e inclusive le había permitido tocar a su bebé. De repente se le representó con admiración y algo de miedo, lo que había hecho la mujer. ¿Quién era ella? ¿Y qué clase de magia era la suya? Pero cuando avanzó hacia él con una sonrisa gozosa en el rostro, no parecía más que una mujer común y corriente. Justo una mujer común y corriente, capaz de hablar con los animales pero no con los seres humanos.

—¿Don-da-lah fuera?

Casi se le había olvidado. El rostro se le iluminó de deseos y antes de que ella se acercara, trató de ponerse de pie. Su entusiasmo se vino abajo; estaba débil y le dolía al moverse. Estuvo a punto de sentir náuseas, de perder el conocimiento, pero se repuso. Ayla veía cómo cambió su expresión de una sonrisa anhelante a una mueca de dolor, y de repente lo vio palidecer.

—Tal vez necesito algo de ayuda —dijo, con una sonrisa débil pero empeñosa.

—Ayla ayuda —dijo ella, ofreciéndole el hombro para que se apoyara, y la mano para que se la tomara. Al principio no quiso apoyarse mucho en ella, pero al ver que lo aguantaba, que tenía fuerza y que sabía cómo llevarlo, aceptó la ayuda.

Cuando finalmente se puso de pie sobre su pierna buena, sostenido por uno de los postes del tendedero, y que Ayla alzó la mirada hacia él, la joven se quedó boquiabierta y con los ojos casi fuera de las órbitas: la parte superior de su cabeza apenas alcanzaba a la barbilla del hombre. Ya sabía que tenía el cuerpo más largo que el de los hombres del Clan, pero no había sido capaz de imaginar lo largo que era en estatura, no se había figurado cómo sería de pie. Nunca había visto nadie tan alto.

No recordaba, desde su infancia, haber tenido que levantar la cabeza para mirar a alguien. Aun antes de convertirse en mujer era ya más alta que todos los del Clan, incluyendo los hombres. Siempre había sido alta y fea; demasiado alta, demasiado pálida, con una cara demasiado plana. Ningún hombre la quiso ni siquiera después de que su poderoso tótem fue derrotado y todos hubieran querido creer que el tótem de ellos había superado a su León Cavernario dejándola embarazada; ni siquiera cuando supieron que si no estaba casada antes de dar a luz, su hijo tendría mala suerte. Y Durc tuvo mala suerte. No lo dejarían vivir. Dijeron que era deforme, pero de todos modos Brun lo aceptó. Su hijo había superado la mala suerte; superaría la mala suerte de haber perdido a su madre también. Y habría de ser alto —ella lo sabía ya antes de marcharse—, pero no tanto como Jondalar.

Aquel hombre la hacía sentirse positivamente bajita. La primera impresión que le causó fue de juventud, y joven significaba bajo. También había parecido más joven. Alzó la cabeza para mirarlo desde su nueva perspectiva y notó que le había crecido la barba. No comprendía por qué no tenía barba cuando lo vio por vez primera, pero al ver el rudo pelo rubio que le salía de la barbilla, comprendió que no era un muchacho. Era un hombre . . . un hombre alto, potente y plenamente maduro.

La mirada de asombro de Ayla lo hizo sonreír aunque no sabía a qué se debía. Ella era también más alta de lo que él creía. La manera de moverse y su porte daban la sensación de que su estatura era mucho menor. En realidad era alta, y a él le gustaban las mujeres altas; siempre eran las que le llamaban primero la atención, aun cuando ésta llamaría la atención de cualquiera, pensó.

—Ya que estamos aquí, vámonos afuera —dijo.

Ayla estaba cobrando conciencia de su cercanía y de su desnudez.

—Don-da-lah necesita . . . manto —dijo, empleando la palabra que usaba para su vestimenta, aun cuando quería decir: para hombre—. Necesita cubrir . . . —y señaló las partes genitales; él tampoco le había enseñado la palabra. Entonces, por alguna razón inexplicable, Ayla se ruborizó.

No era por modestia. Había visto a muchos hombres desvestidos, y también mujeres . . . no importaba nada. Pensó que él necesitaría protección, no de los elementos sino contra espíritus malignos. Aun cuando las mujeres no estaban incluidas en sus rituales, ella sabía que a los hombres del Clan no les gustaba dejar expuestos sus órganos cuando salían. No supo por qué se ruborizaba ni por qué tenía la cara caliente ni por qué eso parecía provocar aquellas sensaciones tirantes, palpitantes.

Jondalar bajó la mirada. También él tenía ciertas supersticiones relacionadas con sus órganos, pero nada tenían que ver con la protección contra espíritus malignos. Si enemigos perversos hubieran inducido a un zelandoni a causarle daño o si una mujer tuviera razones para lanzarle una maldición, haría falta mucho más que un artículo de vestir para protegerlo.

Pero había aprendido que aun cuando un forastero cometía un disparate y se le perdonaba, era prudente al viajar prestar atención a indicaciones sutiles para ofender con la menor frecuencia posible. Había visto la señal de ella . . . y su rubor. Consideró que sin duda quería decir que no debía salir con las partes genitales al desnudo. Y de todos modos, sentarse en los puros cueros en una piedra desnuda resultaría incómodo, sin contar que no iba a poder moverse mucho.

Entonces pensó en sí mismo, parado allí sobre una pierna, colgándose de un poste, tan deseoso de salir que ni siquiera se había dado cuenta de que estaba totalmente desnudo. Lo humorístico de la situación se le representó súbitamente y soltó una ruidosa carcajada.

Jondalar no podía comprender el efecto que su risa iba a tener sobre Ayla. Para él, reír era tan natural como respirar. Ayla se había criado entre gente que no reía y que consideraba su risa con tanta suspicacia que tuvo que aprender a dominarla para no resultar tan extraña. Esa era parte del precio que pagaba por la supervivencia. Sólo después de que nació su hijo descubrió nuevamente el gozo de la risa. Sabía que alentarlo sería mal visto, pero cuando estaban solos, no podía resistir a hacerle cosquillas cuando él respondía con risas de felicidad.

Para ella, la risa estaba cargada de un mayor significado que una simple respuesta espontánea. Representaba el único vínculo que la ataba a su hijo, la parte de sí misma que podía ver en él, y era una expresión de su propia identidad. La risa inspirada por el cachorro de león cavernario al que amaba, había fortalecido esa expresión, y no renunciaría a ella. No sólo habría significado renunciar a sensaciones que le recordaban a su hijo sino a su propio sentido del desarrollo de sí misma.

Pero no había creído que alguien más pudiera reír. Excepto ella y Durc, no recordaba haber oído reír a nadie anteriormente. La calidad especial de la risa de Jondalar —la libertad jubilosa y sincera que expresaba— invitaba la respuesta. Había un deleite sin límites en su voz mientras se reía de sí mismo, y desde el momento en que Ayla lo oyó, le gustó. A diferencia de la reprobación del varón adulto del Clan, la risa de Jondalar demostraba aprobación sólo con el sonido. No sólo era bueno reírse sino que había que participar; era imposible resistir.

Y Ayla no resistió. Su primera sorpresa escandalizada se convirtió en sonrisa y después en su propia risa. No sabía dónde estaba el chiste pero se reía porque reía Jondalar.

—Don-da-lah ¿cuál es la palabra —preguntó Ayla cuando se apagaron las carcajadas— para ja-ja-ja?

—¿Risa? ¿Reír?

—¿Cuál es . . . palabra correcta?

—Las dos son correctas. Cuando lo hacemos, dices: nos reímos. Cuando hablas de ello dices: la risa —explicó.

Ayla reflexionó un momento. Había más en lo que él decía que la manera de emplear la palabra; en hablar había algo más que palabras. Ya conocía muchas palabras, pero se decepcionaba una y otra vez al tratar de expresar sus pensamientos. Había una manera de reunirlas, y un significado que no podía captar del todo. Aunque comprendía la mayor parte de lo que decía Jondalar, las palabras sólo servían de indicio. Ella comprendía otro tanto por su aptitud perceptiva para leer su lenguaje corporal inconsciente. Pero sentía la falta de precisión y profundidad de su conversación. Peor aún era la sensación de que ella *sabía*, pero que no podía recordar, y la tensión insoportable, como un nudo doloroso y duro que trataba de desatarse, que sentía cuando estaba a punto de recordar.

—¿Don-da-lah reír?

—Sí, es cierto.

—Ayla reír. Ayla gusta reír.

—En este momento Jondalar gusta ir afuera —replicó—. ¿Dónde está mi ropa?

Ayla trajo el montón de prendas que le había cortado del cuerpo. Estaban hechas jirones por las zarpas del león, y manchadas con sangre seca. Las cuentas y demás elementos del diseño estaban desprendiéndose de la camisa adornada.

Cuando vio su ropa, Jondalar se puso serio.

—Tuve que estar muy herido —dijo, mirando los pantalones tiesos con su sangre seca—. No me los puedo poner.

Ayla estaba pensando lo mismo; fue a la parte de reserva y trajo una piel sin estrenar y largas tiras de cuero, y se puso a sujetárselo todo alrededor de la cintura, a la manera de los hombres del Clan.

—Ya lo haré yo, Ayla —dijo Jondalar, pasándose la piel suave entre las piernas y tirando de ella por delante y por detrás, como taparrabo.

—Pero no me vendrá mal un poco de ayuda —agregó, esforzándose por atar la correa alrededor de la cintura para sujetarlo.

Ella lo ayudó a atarlo y entonces, prestándole el hombro para que se apoyara, indicó que debería apoyarse un poco en la pierna. Puso el pie en el suelo con firmeza y se inclinó hacia delante con precaución. Dolía más de lo que esperaba y comenzó a dudar de si podría andar. Pero afirmándose en su decisión, se apoyó pesadamente en Ayla y dio un paso hacia delante, medio brincando, y después otro. Cuando llegaron a la entrada de la cueva, Jondalar le sonrió ampliamente y miró hacia fuera, el saliente en terraza y los altos pinos que crecían cerca de la muralla opuesta.

Allí lo dejó ella, sosteniéndose contra la roca firme de la caverna, mientras iba en busca de una estera de hierba trenzada y unas pieles, que colocó cerca del extremo más alejado desde donde podía tener la mejor vista sobre el valle. Entonces regresó para ayudarlo a llegar allí. Jondalar estaba cansado, sufría dolores y en general estaba contento de sí mismo cuando finalmente se sentó en las pieles y echó su primera mirada en derredor.

Hinny y su potro estaban en el campo; se habían ido poco después de que Ayla se los había presentado a Jondalar. El valle mismo era un paraíso verde y lujuriante sumido en las áridas estepas. Jamás habría imaginado que existiera semejante lugar. Se volvió hacia el estrecho paso río arriba y la parte de playa pedregosa que no estaba tapada por la terraza, pero volvió la atención hacia el valle verde que se extendía río abajo hasta el lejano recodo.

La primera conclusión a la que llegó fue que Ayla vivía allí sola. No había la menor indicación de otra habitación humana. Se quedó un ratito con él y después regresó a la cueva de donde salió con un puñado de semillas. Frunció los labios, hizo un trino melódico, un gorjeo, y lanzó las semillas sobre el saliente, cerca de ellos. Jondalar se quedó intrigado hasta que un pajarillo aterrizó y comenzó a picotear las semillas. Pronto una legión de aves de distintos tamaños y colores estaba aleteando alrededor de ella y con movimientos rápidos y graciosos picoteaban las semillas.

Sus cantos —trinos, gorjeos y graznidos— llenaban el aire mientras disputaban su posición con gran ostentación de plumas infladas. Jondalar tuvo que mirar dos veces al descubrir que muchos de los trinos que oía provenían de la garganta de la mujer. Podía imitar toda la gama de sonidos, y cuando decidía una voz en particular, cierto pajarito se plantaba en su dedo y se quedaba ahí mientras lo alzaba, y entre los dos gorjeaban un dúo. Unas cuantas veces acercó uno lo suficiente para que Jondalar pudiera tocarlo antes de que se alejara revoloteando.

Cuando se acabaron las semillas, la mayor parte de las aves se fueron, pero un mirlo se quedó allí para intercambiar una canción con Ayla. Ella imitaba perfectamente la variada cantata del tordo.

Jondalar respiró hondo cuando se fue volando. Había estado aguantando la respiración para no perturbar el espectáculo pajarero que le estaba presentando Ayla.

—¿Dónde aprendiste eso, Ayla?, ha sido verdaderamente palpitante. Nunca antes de ahora había tenido tantos pajarillos tan cerca de mí.

Ella le sonrió, sin saber con seguridad lo que le estaba diciendo, pero consciente de que lo había impresionado. Gorjeó otro canto de pájaro con la esperanza de que le dijera el nombre del pajarillo, pero el hombre sonrió apreciando su pericia. Probó otro y otro antes de renunciar. Él no comprendía lo que ella deseaba, pero otro pensamiento le hizo arrugar el entrecejo: ¡era capaz de imitar el canto de las aves con la boca, mejor que el Shamud con el caramillo! ¿Estaría tal vez comunicándose con espíritus de la Madre que tenían forma de aves. Un pajarillo descendió planeando y aterrizó a sus pies; Jondalar lo miró con cautela.

La aprensión fugaz desapareció pronto por el gozo de hallarse fuera bañándose en la luz del sol, sintiendo la brisa y contemplando el valle. También Ayla estaba llena de gozo con su compañía. Era tan difícil convencerse de que estaba sentado en su terraza, que no quería ni parpadear. Si cerrara los ojos, tal vez hubiera desaparecido cuando los abriera. Cuando finalmente se convenció de la realidad de su presencia, cerró los ojos para comprobar cuánto tiempo podría privarse . . . sólo por el placer de encontrárselo allí todavía, al abrirlos. El sonido profundo y retumbante de su voz, cuando hablaba mientras ella tenía los ojos cerrados, era un deleite sin igual.

Mientras el sol ascendía y dejaba sentir su cálida presencia, el río brillante atrajo la atención de Ayla. No había tomado su baño de la mañana, para no dejar solo a Jondalar, por miedo a que surgiera una necesidad inesperada. Pero ahora estaba mucho mejor, y podría llamarla si la necesitaba.

—Ayla ir agua —dijo, haciendo gestos como si nadara.

—Nadar —dijo él, haciendo gestos similares—. La palabra es "nadar" y ojalá pudiera acompañarte.

—Nazar —repitió Ayla lentamente.

—Nadar —repitió Jondalar.

—Na-dar —dijo otra vez, y al ver que asentía, bajo a la playa. "Pasará algún tiempo antes de que pueda recorrer este sendero. Le subiré algo de agua. Pero la pierna se está curando bien. Creo que podrá servirse de ella. Quizá cojee un poco, pero espero que no sea suficiente como para hacerle andar despacio".

Cuando llegó a la playa y desató la correa de su manto, decidió lavarse también el cabello. Fue río abajo en busca de saponaria. Alzó la mirada, vio a Jondalar y le hizo señas, regresó a la playa, fuera de su vista. Se sentó en la orilla de un enorme bloque de roca que hasta la primavera pasada había formado parte de la muralla, y comenzó a soltarse las trenzas. Una nueva poza, que no estaba ahí antes de que se cambiaran de sitio las rocas, desde entonces se había convertido en su tina de baño predilecta. Era más profunda, y en la roca próxima había una depresión en cubeta que le servía para sacar a golpes la rica saponina de las raíces de saponaria.

Volvió a verla Jondalar después de que se quitó el jabón y fue nadando río arriba, y admiró sus fuertes y bien dadas brazadas. Ayla se dejó llevar de regreso manoteando perezosamente hasta llegar a la roca y sentándose, permitió que el sol la secara mientras con una ramita desenredaba su cabello y lo cepillaba después con un cardo. Para cuando tuvo seca su densa cabellera, ya tenía calor, y aun cuando Jondalar no la había llamado, comenzó a preocuparse por él. "Debe de estar cansado ya", pensó. Al mirar su manto pensó que debería ponerse otro limpio; lo recogió y subió con él en la mano por el sendero.

Jondalar estaba sintiendo el sol, mucho más que Ayla. Había sido primavera cuando reanudaron el viaje Thonolan y él, y el pigmento protector que había adquirido después de que abandonaran el Campamento Mamutoi lo perdió mientras estuvo en el interior de la cueva de Ayla; conservaba su palidez invernal, al menos así fue hasta que salió a sentarse en la terraza saliente. Ayla se había ido cuando comenzó a sentirse incómodo por su insolación. Trató de ignorarla, pues no quería molestar a la mujer que estaba disfrutando unos momentos de recreo después de haber estado cuidándolo sin cesar. Empezó a preguntarse por qué tardaría tanto, a desear que se apresurara, mirando la llegada del sendero, después río arriba y río abajo, pensando que tal vez había decidido nadar otro poco.

Estaba mirando hacia el otro lado cuando Ayla llegó a lo alto de la muralla, y una sola mirada a la espalda quemada al rojo vivo fue lo suficiente para llenarla de vergüenza. "¡Mira esa insolación! ¿Qué clase de curandera soy, dejándolo tanto rato ahí fuera?" y corrió hacia él.

La oyó y se dio media vuelta, agradecido de que por fin llegara y algo molesto porque no hubiera vuelto antes. Pero al verla ya no sintió sus quemaduras: se quedó con la boca abierta, maravillado al ver a la mujer desnuda que se acercaba a él bajo la brillante luz del sol.

Tenía la piel de un color tostado-dorado, fluyendo y ondenando con músculos fuertes por el uso constante. Sus piernas estaban perfectamente moldeadas, sólo estropeadas por cuatro cicatrices paralelas en el muslo izquierdo. Desde aquel ángulo podía ver nalgas firmes y redondas, y por encima del vellón rubio del pubis, la curva de un vientre marcado por las señales leves del embarazo. ¿Embarazo? Tenía los senos grandes pero formados como los de una muchacha e igual de erguidos, con aréolas de un color de rosa oscuro y pezones tiesos. Sus brazos eran largos y graciosos y declaraban inconscientemente su fuerza.

Ayla se había criado entre gente —hombres y mujeres— que eran intrínsecamente fuertes. Para realizar las tareas exigidas a las mujeres del Clan —levantar, transportar, curtir pieles, cortar leña— su cuerpo tuvo que desarrollar la fuerza muscular necesaria. La cacería le había proporcionado su resistencia nervuda, y el hecho de vivir sola le había impuesto esfuerzos de vigor para sobrevivir.

Jondalar pensó "que era probablemente la mujer más fuerte que conocí"; no era sorprendente que pudiera ayudarle a levantarse y sostenerlo después. Sabía, sin el menor lugar a dudas, que nunca había visto una mujer con un cuerpo tan bellamente esculpido, pero había algo más que el cuerpo. Desde el principio le había parecido bastante guapa, pero nunca la había visto a plena luz del día.

Tenía el cuello largo con una pequeña cicatriz en la garganta, una línea graciosa de la quijada a la barbilla, una boca llena, una nariz fina y recta, los pómulos altos, y ojos de un gris azulado muy separados. Sus facciones finamente cinceladas se combinaban en una elegante armonía, y sus largas pestañas y cejas bien arqueadas eran de un moreno claro, un matiz más oscuro que las ondas que caían suavemente sobre sus hombros de la dorada cabellera que brillaba al sol.

—¡Madre Grande y Generosa! —exhaló.

Se esforzaba por encontrar palabras para describirla; el efecto total era deslumbrante. Era bella, asombrosa, magnífica. Nunca había visto una mujer tan bella que quitaba el resuello. ¿Por qué escondería aquel cuerpo espectacular bajo un manto informe? Y aquel cabello glorioso ¿sujeto en trenzas? Y él la había creído simplemente guapa. ¿Por qué no la habría visto?

Sólo cuando acortó la distancia de la terraza y se acercó, empezó a sentirse excitado, pero la excitación lo acometió con una exigencia insistente y palpitante. La deseaba con una urgencia que nunca anteriormente había experimentado. Las manos le ardían en ganas de acariciar aquel cuerpo perfecto, de descubrir sus lugares secretos; anhelaba explorarlo, saborearlo, proporcionarle Placeres. Cuando Ayla se inclinó y olió su piel caliente, estuvo a punto de apoderársela sin siquiera pedirlo, de haber podido ... pero intuía que no era una a la que se pudiera tomar fácilmente.

—Don-da-lah ... espalda ... fuego —dijo Ayla, buscando la palabra para describir la quemadura del sol. Entonces vaciló, detenida por el magnetismo animal de su mirada. Lo miró a los ojos de un azul intenso y se sintió atraída más profundamente. Le latía el corazón, sentía que se le doblaban las piernas y le subió el calor por el rostro. Le temblaba el cuerpo, produciendo una humedad repentina entre sus piernas.

No sabía qué le estaba sucediendo y, volviendo la cabeza, se arrancó de la mirada del hombre; sus ojos se fijaron entonces en su virilidad que el taparrabo delineaba y que estaba palpitando, y experimentó el ansia avasalladora de tocar, de tender la mano. Cerró los ojos, respirando fuerte y trató de no seguir temblando. Al abrir los ojos, rehuyó la mirada de Jondalar.

—Ayla ayuda Don-da-lah ir cueva —dijo.

La insolación era dolorosa y el rato que había pasado fuera lo dejó agotado, pero al apoyarse en ella durante la breve y difícil caminata, el cuerpo desnudo de la mujer estaba tan próximo que el terrible deseo siguió despierto. Ayla lo instaló sobre la cama, fue a mirar a toda prisa sus reservas medicinales y súbitamente echó a correr.

Jondalar se preguntaba adónde iría, y comprendió al verla regresar con las manos llenas de grandes hojas velludas, de un verde grisáceo: hojas de bardana que arrancó de la veta central dura, hizo tiras en un tazón, agregó agua fría y golpeó con una piedra hasta hacerlas puré.

Jondalar había estado sufriendo más por el calor de la insolación, y cuando sintió el fresco puré sobre la espalda, agradeció de nuevo que Ayla fuera una curandera.

—¡Aaahhh! ya está mucho mejor —dijo.

Entonces, al sentir que las manos de ella alisaban suavemente las hojas frescas, se dio cuenta de que la mujer no se había parado para cubrirse. Arrodillada junto a él, Jondalar podía sentir su proximidad como una emanación palpable. El olor a piel caliente y otros olores femeninos misteriosos lo incitaban a extender la mano: la acarició desde la rodilla hasta la nalga.

Ayla se quedó tiesa bajo el contacto, y dejó de acariciar las hojas frescas, cobrando una conciencia aguda de la mano que la tocaba. Se mantuvo rígida, sin saber lo que estaba haciendo o lo que se suponía que hiciera ella. Lo único seguro era que no deseaba que cesara la caricia; pero cuando Jondalar subió la mano y tocó un pezón, Ayla se quedó sin aliento por el impacto inesperado que la recorrió.

Jondalar se sorprendió ante aquella mirada escandalizada. ¿No era perfectamente natural que un hombre quisiera acariciar a una mujer bella? ¿Especialmente cuando se encontraba tan cerca que de todos modos casi se tocaban? Apartó la mano sin saber qué pensar. "Actúa como si nunca anteriormente la hubieran tocado". Pero era una mujer, no una niña, y por las veteaduras de su vientre, ya había dado a luz aun cuando él no viera la menor evidencia de hijos. Pues bien, no habría sido la primera mujer que perdiera un hijo, pero tuvo que tener Primeros Ritos para prepararla y que pudiera recibir la Bendición de la Madre.

Ayla podía sentir todavía la secuela palpitante de su caricia. No sabía por qué se había detenido y, confusa, se puso de pie y se alejó.

"Tal vez yo no le guste", se dijo Jondalar. "Pero entonces ¿por qué se ha acercado tanto, especialmente cuando mi deseo era tan visible? No pudo evitar mi deseo, había estado cuidándome la insolación". Y en su actitud no hubo incitación alguna. De hecho, parecía no advertir el efecto que causaba en él. ¿Estaría tan acostumbrada a que su belleza produjera tanta conmoción? No se portaba con el menosprecio impertinente de una mujer experimentada, y sin embargo, ¿cómo sería posible que una mujer tan extraordinaria no supiera el efecto que causaba en los hombres?

Jondalar tomó un trozo aplastado de hoja mojada que se le había caído de la espalda. El curandero Sharamudoi había empleado también hojas de bardana contra las insolaciones. "Es hábil. ¡Claro está! Jondalar, ¡puedes ser tan estúpido!", se dijo. "El Shamud te habló de las pruebas a las que se someten Los Que Sirven a la Madre. Ella debe de estar renunciando también a los Placeres. No es extraño que se envuelva en ese manto informe para ocultar su belleza. No se habría acercado a ti de no ser por la insolación, y luego tú te precipitas como un adolescente".

La pierna le latía y aun cuando la medicina había servido, la insolación seguía siendo incómoda. Se tendió de lado para aliviarse un poco y cerró los ojos. Tenía sed pero no quería volverse del otro lado para agarrar la vejiga de agua justo ahora, que había encontrado una postura casi soportable. Se sentía desdichado, no sólo por sus dolores sino porque temía haber cometido una grave imprudencia, y se sentía apenado.

Hacía mucho tiempo que no había experimentado la humillación de haber metido la pata, desde que era chico. Había practicado el control de sí mismo hasta un grado que lo convertía en arte; había vuelto a ir demasiado lejos y lo habían rechazado. Esa bella mujer, esa mujer a la que había deseado más que a ninguna, lo había rechazado. Ahora sabía lo que iba a pasar: ella actuaría como si nada pero lo evitaría siempre que pudiera. Cuando no pudiera alejarse, mantendría cierta distancia entre ellos. Se mostraría fría y distante. Su boca tal vez sonriera, pero sus ojos dirían la verdad; no habría calor en ellos o, peor aún, sólo lástima.

Ayla se había puesto un manto limpio y estaba trenzando su cabellera, sintiéndose avergonzada por haber dejado que Jondalar se quemara con el sol. Era culpa de ella; él no podía quitarse del sol por sus propios medios. Y ella había estado disfrutando, nadando y lavándose el cabello cuando debería haber estado atendiéndolo. "Y se supone que soy una curandera, una curandera del linaje de Iza. Su ascendencia es la más honorable del Clan . . . ¿qué pensaría Iza de semejante descuido, de esa falta de atención por su paciente?" Ayla estaba mortificada. Había sido herido tan gravemente, todavía sufría dolores, y ella le había proporcionado un dolor más.

Pero en su desconcierto había algo más: él la había tocado. Aún podía sentir el calor de su mano sobre su muslo. Sabía con exactitud dónde había tocado y dónde no, como si la hubiera quemado con una suave caricia. ¿Por qué le habría tocado el pezón? Todavía le titilaba. Había tenido su virilidad en pleno y ella sabía lo que eso significaba. Cuántas veces había visto que un hombre hacía señas a una mujer cuando sentía la necesidad de aliviarse. Broud se lo había hecho a ella —y se estremeció— y entonces ella había odiado verle la virilidad en pleno.

Ahora no se sentía así; inclusive le agradaría que Jondalar le hiciera la señal . . .

"No seas ridícula. No podría, con esa pierna. Apenas está lo suficientemente bien para apoyarse en ella".

Pero había tenido la virilidad plena cuando ella regresó del baño, y sus ojos . . . Se estremeció pensando en sus ojos. "Son tan azules, están tan llenos de su necesidad y tan . . ."

No podía explicárselo pero dejó de peinarse, cerró los ojos y se dejó atrer. Él la había tocado.

Pero entonces se detuvo. Ayla se sentó muy erguida. ¿Le habría hecho una señal? ¿Se habría detenido porque ella no dio su aquiescencia? Se suponía que la mujer estaba siempre disponible para un hombre con necesidad. Cada una de las mujeres del Clan era aleccionada en eso, desde la primera vez que su espíritu batallara y que sangrara. Así como le enseñaban los sutiles ademanes y posturas que podrían incitar a un hombre a desear satisfacer su necesidad con ella. Nunca había comprendido por qué una mujer habría de utilizarlos, hasta ahora. De repente se dio cuenta de que ahora lo comprendía.

Deseaba que ese hombre aliviara sus necesidades con ella, pero ¡no conocía su señal! "Si yo no conozco su señal, tampoco él conocerá las mías. Y si me negué sin saberlo, tal vez nunca más vuelva a intentarlo. Pero ¿me desea realmente? Soy tan alta y tan fea . . ."

Ayla terminó de hacer su última trenza enrollándola, fue a atizar el fuego para preparar un medicamento contra los dolores, para Jondalar. Cuando se lo llevó, estaba descansando de costado. Al llevarle algo contra los dolores para que pudiera descansar, no quiso molestarlo si ya había hallado algo de alivio. Se sentó con las piernas cruzadas junto al lugar donde dormía y se quedó esperando a que abriera los ojos. Él no se movía, pero Ayla sabía que no estaba durmiendo: su respiración carecía de la regularidad, y su frente mostraba incomodidad, lo que no habría sido así en el caso de que durmiera.

Jondalar la había oído acercarse y cerró los ojos para fingirse dormido. Esperó, con los músculos tensos, combatiendo las ganas de abrir los ojos para comprobar si estaba allí. ¿Por qué tan silenciosa? ¿Por qué no se marchaba? El brazo en el que estaba recostado empezó a hormiguearle por falta de circulación; si no se movía pronto, se le iba a dormir. La pierna le latía; habría querido cambiar de postura para aflojar la tensión causada por pasar tanto rato en una misma postura. La cara le picaba por el rastrojo de la barba sin afeitar; la espalda le ardía. Tal vez ya no estaba allí; tal vez se había ido y él no la había oído. ¿Estaría allí sentada mirándolo?

Ella había estado observándolo atentamente. Había mirado directamente a ese hombre más que a hombre alguno. No era correcto que las mujeres del Clan miraran a los hombres, pero ella había cometido muchas indiscreciones. ¿Había olvidado los modales que Iza le impartió, así como el cuidado debido a un paciente? Se miró las manos que sostenían la taza de datura sobre su regazo. Así era la manera correcta para que una mujer se aproximara a un hombre, sentada en el suelo con la cabeza gacha, esperando que él reconociera su presencia con un golpecito en el hombro. Tal vez fuera hora de recordar su crianza.

Jondalar abrió ligeramente los ojos para ver si estaba allí, pero sin dejarle saber que estaba despierto. Vio un pie y volvió a cerrar rápidamente los ojos. Allí estaba. ¿Por qué estaría allí sentada? ¿Qué estaría esperando? ¿Por qué no se alejaba y lo dejaba en paz con su aflicción, con su humillación? Volvió a acechar entre sus párpados: el pie no se había movido; estaba sentada con las piernas cruzadas; tenía una taza con líquido. ¡Oh, Doni!, ¡qué sed tenía! ¿Sería para él? ¿Había estado allí esperando que despertara para darle algún medicamento? Podía haberlo sacudido; no tenía que esperar.

Abrió los ojos. Ayla estaba sentada con la cabeza baja, mirando al suelo. Llevaba puesto uno de esos mantos informes y tenía el cabello atado en múltiples trenzas; su aspecto era de limpieza. Ya no tenía tizne en la mejilla, su manto estaba limpio, era una piel nueva. Tenía una cualidad tan inocente, sentada con la cabeza inclinada. No había artificio ni amaneramientos apocados ni ojeadas sugestivas con el rabillo del ojo.

Sus trenzas apretadas contribuían a dar esa impresión, así como el manto que con sus pliegues y bultos la disimulaba tan bien. Ahí estaba el truco, el disimulo artificial de su cuerpo de mujer y de su bella cabellera brillante. No podía ocultar el rostro, pero el hábito de bajar la mirada o de mirar de lado, tendía a distraer la atención. ¿Por qué se escondía? Sería la prueba a la que se estaba sometiendo. La mayoría de las mujeres que conocía habría exhibido aquel cuerpo magnífico, aquella gloria dorada para ponerlos en valor, habría dado lo que fuera por tener un rostro tan bello.

La observó sin moverse, olvidando su incomodidad. ¿Por qué estaba tan quieta? Tal vez no quisiera mirarlo, pensó, sintiéndose otra vez apenado y sufriendo de nuevo sus dolores. No podía aguantar más, tenía que cambiar de postura.

Ayla alzó la mirada cuando él movió el brazo. No podía tocarle el hombro para reconocer su presencia por buenos modales que ella quisiera mostrar. No sabía la señal. Jondalar se pasmó al ver la vergüenza en su rostro y la llamada abierta y honrada en sus ojos. No había condena ni rechazo ni lástima. Más bien, parecía estar apenada ella. ¿Por qué iba a estar apenada?

Le dio la taza. Él bebió un sorbo, hizo una mueca por lo amargo de la medicina y se la bebió toda, tendiendo la mano hacia la vejiga de agua para quitar el mal sabor. Entonces volvió a tenderse sin conseguir sentirse cómodo. Ella le hizo señas de que se sentara, entonces enderezó y alisó y volvió a ordenar las pieles y los cueros. Jondalar no se volvió a acostar inmediatamente.

—Ayla, hay tantas cosas que ignoro de ti y que desearía saber . . . No sé dónde aprendiste a curar . . . ni siquiera sé cómo llegué hasta aquí. Sólo sé que te estoy agradecido. Me has salvado la vida y, lo que es más importante aún, me has salvado la pierna. Nunca podría regresar a casa sin mi pierna aunque hubiera conservado la vida.

"Lamento haberme puesto en ridículo, pero eres tan bella, Ayla. Yo no lo sabía . . . Lo ocultas tan bien. No sé por qué quieres hacerlo, pero tendrás tus razones. Estás aprendiendo rápidamente. Quizá cuando sepas hablar mejor puedas decírmelo, si te está permitido. Si no, lo aceptaré. Ya sé que no comprendes todo lo que digo, pero quiero decirlo. No volveré a molestarte, Ayla, lo prometo".

Capítulo 22

—Dímelo bien . . . Don-da-lah.

—Dices bien mi nombre.

—No. Ayla dice mal —y sacudió la cabeza con vehemencia—. Dime bien.

—Jondalar. Jon-da-lar.

—Zzzon . . .

—J . . . —y le enseñó, articulando con cuidado—, Jondalar.

—Zz . . . dzh . . . —luchaba con el sonido desconocido—. Dzz-hon-da-larr —dijo finalmente, con una r muy marcada.

—¡Está bien! Está muy bien —aprobó el hombre.

Ayla sonrió ante su éxito; entonces su sonrisa se volvió astuta.

—Dzhon-da-lar d'los Zel-ann-do-nyi.

Jondalar había dicho el nombre de su gente con mayor frecuencia que el suyo propio, y Ayla había estado ensayándolo a escondidas.

—¡Muy bien! —y Jondalar estaba realmente sorprendido. No lo había pronunciado exactamente bien, pero sólo un Zelandonii habría reconocido la diferencia. Su aprobación complacida hizo que los esfuerzos tuvieran su recompensa, y la sonrisa de Ayla era muy bella.

—¿Qué significa Zelandonii?

—Significa mi pueblo. Hijos de la Madre que viven en el Suroeste. Doni significa la Gran Madre Tierra. Los Hijos de la Tierra: creo que es lo más fácil de decir. Pero todos los pueblos se llaman a sí mismos Hijos de la Tierra, cada uno en su idioma. Significa simplemente: gente.

Estaban uno frente a la otra, recostado cada uno contra un tronco de abedul dividido desde la base voluminosa. Aunque empleaba un bastón y todavía cojeaba mucho al caminar, Jondalar agradecía estar en el prado verde del valle. Desde sus primeros pasos vacilantes, día a día había caminado un poco más. Su primera excursión por el sendero empinado había sido terrible . . . pero un verdadero triunfo. La subida resultó más fácil que la bajada.

Aún no sabía cómo habría podido Ayla llevarlo a la cueva al principio, sin ayuda. Pero si la habían ayudado, ¿dónde estaban? Era una pregunta que había querido hacerle desde hacía mucho, pero al principio no habría comprendido, y después parecía impropio interrogarla sólo para satisfacer su curiosidad. Había estado esperando el momento oportuno, y parecía que había llegado ya.

—¿Quién es tu pueblo, Ayla? ¿Dónde está?

La sonrisa se borró del rostro de la mujer y Jondalar casi se reprochó haber hecho la pregunta. Al cabo de un prolongado silencio, comenzó a creer que no había comprendido.

—No pueblo, Ayla de ningún pueblo —respondió finalmente, apartándose del árbol y saliendo de su sombra. Jondalar agarró su bastón y se puso a cojear tras ella.

—Pero has tenido que tener un pueblo. Has nacido de una madre. ¿Quién te cuidó? ¿Quién te enseñó el arte de curar? ¿Dónde está ahora esa gente, Ayla? ¿Por qué estás sola?

Ayla siguió adelante mirando hacia abajo. No estaba tratando de evadir la respuesta . . . tenía que contestarle. Ninguna mujer del Clan podía negarse a contestar a una pregunta directa de un hombre. De hecho, todos los miembros del Clan, hombres y mujeres, respondían a las preguntas directas. Era, sencillamente, que las mujeres no hacían preguntas personales a los hombres, y los hombres tampoco se las hacían unos a otros. Generalmente se interrogaba a las mujeres. Las preguntas de Jondalar despertaban muchos recuerdos, pero no sabía responder a algunas y no sabía cuál era la respuesta para otras.

—Si no me quieres decir . . .

—No —dijo, mirándolo y meneando la cabeza—. Ayla dice —su mirada revelaba su turbación—. No sabe palabras.

Jondalar volvió a preguntarse si debería haber planteado la cuestión, pero sentía curiosidad y parecía que ella estaba dispuesta a satisfacerla. Se detuvieron de nuevo en el voluminoso bloque de piedra que había derribado parte de la muralla antes de quedarse en el valle. Jondalar se sentó en una orilla donde la piedra había sido partida y formaba un asiento a altura conveniente con un respaldo inclinado.

—Cómo se llaman los de tu pueblo? —preguntó.

Ayla lo pensó un momento.

—El pueblo. Hombre ... mujer ... bebé —volvió a menear la cabeza, sin saber cómo explicar—. El Clan —hizo el gesto para representar el concepto mientras pronunciaba.

—¿Cómo familia? Una familia es un hombre, una mujer y sus hijos, y viven en un mismo hogar ... Generalmente.

Ella asintió.

—Familia ... más.

—¿Un pequeño grupo? Varias familias que viven juntas forman una Caverna —dijo— aun cuando no vivan en una caverna.

—Sí —dijo Ayla—, Clan pequeño. Y más. Clan significa toda la gente.

No le había oído pronunciar la palabra la primera vez, y no percibió el gesto que la acompañaba. La palabra era pesada, gutural, y había en ella esa tendencia que sólo podía explicar como si se tragara la parte interior de las palabras. No habría creído que fuera una palabra. Ella no había dicho más palabras que las aprendidas de él, y se sintió interesado.

—¿Glon? —dijo, tratando de imitarla.

No era exactamente así, pero algo parecido.

—Ayla no dice palabras Jondalar bien, Jondalar no dice palabra Ayla bien. Jondalar dice bien.

—Yo ignoraba que tú sabías palabras, Ayla. Nunca te he oído hablar en tu lengua.

—No sabe muchas palabras. Clan no habla palabras.

Jondalar no comprendía.

—Si no hablan palabras, ¿qué hablan?

—Hablan ... manos —dijo, sabedora de que no era exacto.

Se dio cuenta de que había estado haciendo los gestos instintivamente, en un esfuerzo por hacerse entender. Cuando vio la mirada intrigada de Jondalar, le tomó las manos y las movió con los ademanes correctos mientras repetía lo que acababa de decir.

—Clan no habla muchas palabras. Clan habla ... manos.

Poco a poco, el entrecejo que se le había fruncido al no comprender se le fue alisando a medida que captaba.

—¿Me estás diciendo que tu pueblo habla con las manos? Muéstrame. Di algo en tu idioma.

Ayla reflexionó un instante y comenzó:

—Quiero decirte tantas cosas, pero debo aprender a decírtelas en tu idioma. Tu manera es la única que me queda ahora. ¿Cómo puedo decirte quién es mi gente? Ya no soy mujer del Clan. ¿Cómo explicar que estoy muerta? No tengo pueblo. Para el Clan, camino por el otro mundo, como el hombre con quien viajabas. Tu hermano, creo yo.

"Quisiera decirte que hice las señales sobre su tumba para ayudarle a encontrar su camino, para que la pena de tu corazón sea más llevadera. Quisiera decirte que sufrí por él también, aun cuando no lo conocí.

"No conozco el pueblo en el que nací. He debido tener una madre y una familia, parecidos a mí... y a ti. Pero sólo los conozco por el nombre de «Otros». Iza es la única madre que recuerdo. Me enseñó la magia curativa, hizo de mí una curandera, pero ahora está muerta, y también Creb.

"Jondalar, me muero por hablarte de Iza, de Creb y de Durc..." Tuvo que interrumpirse y respirar hondo. "Mi hijo también ha sido alejado de mí, pero vive. Es lo único que tengo. Y ahora el León Cavernario te ha traído a mí. Tenía miedo de que los hombres de los Otros fueran como Broud, pero tú eres más parecido a Creb, gentil y paciente. Quiero creer que serás mi compañero. Cuando llegaste pensé que para eso habías sido traído hasta aquí. Creo que deseaba creerlo porque estaba tan ansiosa por tener compañía, y tú eres el primer hombre de los Otros que veo... que puedo recordar. Entonces no habría importado quién eras. Te quería por compañero sólo por tener compañero.

"Ahora ya no es lo mismo. Cada día que pasas aquí, mi sentimiento hacia ti se hace más fuerte. Yo sé que los Otros no están muy lejos, y que habrá otros hombres entre quienes pudiera haber un compañero. Pero no quiero a ningún otro, y tengo miedo de que no te quieras quedar aquí conmigo cuando estés sano. Tengo miedo de perderte, a ti también. Ojalá pudiera decirte, estoy tan... tan agradecida de que estés aquí, que a veces no puedo soportarlo".

Se detuvo. No podía continuar, pero en cierto modo sentía que no había terminado.

Sus pensamientos no habían sido del todo incomprensibles para el hombre que la observaba. Sus movimientos —no sólo de las manos sino de sus facciones, de todo su cuerpo— eran tan expresivos que se sintió profundamente conmovido. Ella le recordaba una bailarina silenciosa, excepto por los sonidos roncos que, extrañamente, concordaban con los movimientos graciosos. Él sólo percibía con sus emociones, y no podía creer del todo que lo que él sentía era lo que ella le había comunicado. También sabía que su lenguaje de gestos y movimientos no era, como lo había supuesto, una simple extensión de los ademanes que él empleaba en ocasiones para dar mayor énfasis a sus palabras. Más bien parecía que los sonidos que ella emitía servían para dar énfasis a sus movimientos.

Cuando Ayla calló, se quedó un instante quieta, reflexionando, y después se dejó caer graciosamente en el suelo a sus pies, y agachó la cabeza. Él esperó, y al ver que no se movía, comenzó a sentirse incómodo. Parecía que lo estaba esperando, y él sentía como si le estuviera rindiendo pleitesía. Semejante deferencia ante la Gran Madre Tierra estaba bien, pero se sabía que Ella era celosa y que no solía ver con buenos ojos que uno de Sus hijos recibiera la veneración que se le debía a Ella.

Finalmente se inclinó y le tocó el brazo.

—Levántate, Ayla. ¿Qué estás haciendo?

Un toque en el brazo no era exactamente un golpecito en el hombro, pero era lo más parecido a lo que ella consideraba que haría para hacerle la señal del Clan, para que tomara la palabra.

—La mujer del Clan, sentada, quiere hablar. Ayla quiere hablar Jondalar.

—No tienes que sentarte en el suelo para hablarme —tendió la mano y trató de hacer que se levantara—. Si quieres hablar, habla.

Ella insistió en quedarse donde estaba.

—Es manera de Clan —sus ojos le suplicaban que comprendiera—. Ayla quiere decir ... —empezaron a salírsele lágrimas de frustración. Volvió a intentarlo—. Ayla no habla bien. Ayla quiere decir, Jondalar da Ayla *hablar,* quiere decir ...

—¿Estás tratando de darme las gracias?

—¿Qué significa las gracias?

Se detuvo Jondalar un instante, y luego dijo:

—Ayla, tú salvaste mi vida. Me has cuidado, has atendido a mis heridas, me has dado alimento. Por eso yo diría gracias. Diría más que gracias.

Ayla frunció el entrecejo.

—No igual. Hombre herido, Ayla cuida. Ayla cuida todo hombre. Jondalar da hablar a Ayla. Ayla habla. Es más. Es más gracias.

Y lo miró gravemente, tratando de que la comprendiera.

—Tal vez "no hables bueno" pero te comunicas muy bien, Ayla. Levántate o tendré que sentarme a tu lado. Comprendo que eres una curandera, y que es tu vocación cuidar a todo el que necesita ayuda. Tal vez creas que salvarme la vida no era nada especial, pero eso no quita para que yo me sienta agradecido. Para mí, es poca cosa enseñarte mi idioma, enseñarte a hablar, pero empiezo a comprender que para ti es muy importante, y estás agradecida. Siempre es difícil expresar gratitud en el idioma que sea. Mi manera consiste en decir gracias. Creo que tu modo es más bello. Por favor, ahora levántate.

Ayla sintió que comprendía. Su sonrisa encerraba más gratitud de lo que ella creía. Había sido un concepto difícil, pero importante, para poder comunicarlo, y se puso de pie gozosa por haberlo logrado. Trató de expresar su exuberancia en acción, y al ver a Hinny y el potrillo silbó, alto y agudo. La yegua enderezó las orejas y se dirigió a ella a galope, y cuando estuvo cerca, Ayla corrió un poco, dio un brinco y aterrizó ligeramente sobre el lomo del animal.

Hicieron un amplio circuito por el prado, con el potro siguiéndolas de cerca. Ayla había estado tan pegada a Jondalar que no había vuelto a cabalgar mucho después de encontrarlo, y cabalgar le daba ahora una sensación embriagante de libertad. Cuando regresaron a la roca, Jondalar estaba de pie, esperándolas. Ya no tenía la boca abierta, aunque se le abrió cuando Ayla se alejaba. Por un instante sintió un escalofrío a lo largo del espinazo, y se preguntó si la mujer sería supranatural, quizá una donii. Recordó vagamente un sueño, un espíritu madre en forma de mujer joven que alejaba a un león.

Entonces recordó la frustración, sobradamente humana de Ayla ante su incapacidad para comunicarse. Desde luego, ninguna forma espiritual de la Gran Madre Tierra habría tropezado con semejante problema. Aun así, tenía un don poco común para entenderse con los animales. Los pajarillos acudían a su voz, y una yegua que amamantaba le permitía cabalgar sobre su lomo. ¿Y aquella gente que hablaba no con palabras sino por señas? Ayla le había dado mucho en qué pensar para ese día, se dijo, rascando al potrillo. Cuanto más pensaba en ella, más profundo le resultaba su misterio.

Podía comprender por qué no hablaba, si su gente no hablaba. Pero, ¿qué gente era aquella? ¿Dónde estaba ahora? Dijo que no tenía pueblo y que vivía sola en el valle, pero, ¿quién le había enseñado a curar o la magia que empleaba con los animales? ¿De dónde había sacado la pirita? Era demasiado joven para ser una zelandoni tan bien dotada. Por lo general hacían fâlta años para adquirir tanta capacidad, frecuentemente en retiros especiales . . .

¿Serían esos su pueblo? Había oído hablar de grupos especiales de Los que Sirven a la Madre, que se dedicaban a conseguir profundas percepciones en misterios profundos. Esos grupos eran altamente estimados; Zelandoni había pasado varios años con uno de ellos. El Shamud había hablado de pruebas que se autoimponían para conseguir percepciones y habilidades. ¿Habría vivido Ayla con uno de esos grupos que no hablaba más que por señas? ¿Y estaría viviendo sola, ahora, para perfeccionar sus habilidades?

"¡Y tú estabas pensando en tener placeres con ella, Jondalar! No es extraño que reaccionara como lo hizo. Pero, ¡qué vergüenza! Renunciar a los placeres, siendo tan bella. Pero tú respetarás sus deseos, Jondalar, bella o no''.

El potro moreno estaba golpeando al hombre con la cabeza, exigiendo más caricias de las manos sensibles que siempre se las arreglaban para hallar los lugares correctos donde sentía comezón en el proceso de cambiar de pelaje. Jondalar estaba encantado cuando el potro lo iba a buscar. Anteriormente los caballos sólo habían representado sustento para él, y nunca se le habría ocurrido que pudieran responder con afecto y gustar de sus caricias.

Ayla sonrió, complacida al ver el afecto que se estaba desarrollando entre el hombre y el potro de Hinny. Recordó una idea que había tenido y la expresó espontáneamente.

—¿Jondalar da nombre a potro?

—¿Nombre al potro? ¿Quieres que le ponga nombre al potro? —se sentía inseguro y complacido—. Yo no sé, Ayla, nunca se me ha ocurrido ponerle nombre a nada, y menos a un caballo. ¿Cómo se le pone nombre a un caballo?

Ayla comprendió su desconcierto. No había sido una idea que ella aceptara de buenas a primeras. Los nombres estaban cargados de significado, proporcionaban reconocimiento. Reconocer a Hinny como individuo único aparte del concepto de *caballo* implicaba ciertas consecuencias. Dejaba de ser un animal de las manadas que recorrían la estepa. Se asociaba con seres humanos, obtenía de ellos su seguridad y les daba su confianza. Era única entre su especie; tenía un nombre.

Pero eso le imponía obligaciones a la mujer. La comodidad y el bienestar del animal exigían un esfuerzo y un interés considerables. El caballo nunca podía estar muy lejos de su mente; sus vidas se habían encontrado ligadas de un modo que resultaba inexplicable.

Ayla había comenzado a reconocer la relación, especialmente después del regreso de Hinny. Aun cuando no se había planeado ni calculado, había un elemento de ese reconocimiento en su deseo de que Jondalar nombrara al potro. Quería que se quedara con ella. Si se encariñaba con el caballito, sería una razón más para quedarse donde tuviera que quedarse el potro —al menos algún tiempo—, en el valle con Hinny y con ella.

Pero no era necesario apremiar al hombre. Por algún tiempo no podría ir a ninguna parte; no, antes de que se le curara la pierna.

Ayla se despertó, sobresaltada. La cueva estaba oscura. Se tendió de espaldas mirando la negrura densa e inasible, y trató de volver a dormirse. Finalmente salió de la cama silenciosamente —había cavado una zanja poco profunda en el piso de tierra al lado de la cama que ocupaba ahora Jondalar— y se fue a tientas hasta la entrada de la cueva. Oyó que Hinny resoplaba reconociendo su presencia al pasar junto a ella.

"He vuelto a dejar que el fuego se apague", pensó, caminando hacia la orilla a lo largo de la muralla. "Jondalar no está tan familiarizado con la cueva como yo. Si necesita levantarse en mitad de la noche, debería tener un poco de luz".

Cuando terminó se quedó un rato fuera. Un cuarto de luna, poniéndose al Oeste, se acercaba al borde de la muralla, del otro lado del río, opuesto al saliente, y pronto desaparecería detrás. Estaba más cerca la mañana que la mitad de la noche. Allá abajo todo estaba oscuro, excepto el reflejo del brillo de las estrellas en el río susurrante.

El cielo nocturno estaba pasando imperceptiblemente de la negrura a un azul profundo que se sentía en un nivel inconsciente. Sin saber por qué, Ayla decidió no volver a acostarse. Vio cómo se oscurecía el color de la luna antes de que se la tragara la orilla negra de la muralla de enfrente. Sintió un estremecimiento ominoso cuando desapareció el último asomo de luz.

Poco a poco fue aclarándose el cielo, y las estrellas se fundieron en el luminoso azul. En el extremo más lejano del valle el cielo era de color púrpura. Ayla observó el arco claramente definido de un sol rojo sangre que se abombaba desde la orilla de la tierra y lanzaba un haz de luz tenue sobre el valle.

—Debe de haber un incendio en la pradera al Este —dijo Jondalar.

Ayla se volvió rápidamente; el hombre estaba bañado en el resplandor lívido del globo flameante que impartía a sus ojos un matiz color lavanda que nunca aparecía a la luz del fuego.

—Sí, gran fuego, mucho humo. Yo no sé tú te levantas.

—Llevaba un rato despierto esperando que regresaras. Al ver que no volvías pensé que podía levantarme. Se apagó el fuego.

—Ya sé. Yo descuidada. No dejé bien para arder la noche.

—Cubrirlo, no cubriste para que no se apagara.

—Cubrir —repitió—. Voy a prender.

La siguió adentro, agachando la cabeza al entrar; era más aprensión que necesidad. La entrada de la cueva era suficientemente alta para él, pero no por mucho. Ayla sacó la pirita ferrosa y el pedernal y reunió yesca y astillitas.

—¿No dijiste que habías encontrado esa pirita en la playa? ¿Hay más?

—Sí. No mucho. Agua viene, lleva.

—¿Una inundación? El río creció y se llevó piritas. Tal vez podamos ir a buscar todas las que encontremos.

Ayla asintió, distraída. Tenía otros planes para ese día, pero necesitaba la ayuda de Jondalar y no sabía cómo explicarlo. Se estaba terminando la reserva de carne, y no sabía si tendría que decir algo en contra de que ella fuera de cacería. En ocasiones había salido con la honda, y él no había preguntado de dónde venían las marmotas, las liebres y los jerbos. Pero también los hombres del Clan le habían permitido cazar animales pequeños con la honda. Ella necesitaba cazar animales más grandes, y eso significaba que tendría que salir con Hinny y cavar una zanja para armar la trampa.

No le alegraba la idea. Habría preferido cazar con Bebé, pero ya no estaba. La ausencia de su socio de cacerías era sin embargo la menor de sus preocupaciones; Jondalar la preocupaba más. Sabía que si él levantara objeciones, no podría detenerla. No era como si ella formara parte de su clan: ésta era su caverna, y él no estaba restablecido del todo. Pero parecía gozar en el valle, con Hinny y el potrillo; hasta parecía que ella le agradaba. No quería que eso cambiara. Su experiencia le había mostrado que los hombres no gustaban de mujeres que cazaran, pero no le quedaba más remedio.

Y deseaba algo más que su aceptación: necesitaba su apoyo, su ayuda. No quería llevarse al potro de cacería. Tenía miedo de que quedara atrapado en la estampida y lo lastimaran. Se quedaría en la cueva cuando ella se marchara con Hinny si Jondalar le hiciera compañía, no le cabía la menor duda. No estaría mucho tiempo ausente. Podría acechar una manada, abrir una zanja y regresar; y volver a cazar al día siguiente. Pero, ¿cómo pedirle al hombre que cuidara de un potro mientras ella iba de caza? Aunque todavía él no podía cazar.

Cuando hizo un caldo para el desayuno, una buena mirada sobre su provisión menguante de carne seca la convenció de que debería hacer algo, y muy pronto. Decidió que la manera de comenzar sería mostrando su afición a la caza, primero en pequeño, mostrándole su habilidad con la honda, su arma predilecta. La reacción que tuviera Jondalar al verla cazar con honda le daría cierta idea de si podría solicitar su ayuda o no.

Habían adquirido la costumbre de caminar juntos por la mañana siguiendo la maleza que bordeaba el río. Era buen ejercicio para él, y ella lo disfrutaba. Aquella mañana deslizó la honda en la correa del cinturón al salir. Lo único que necesitaría era la cooperación de alguna criatura dispuesta a ponerse a tiro.

Sus esperanzas fueron más que satisfechas cuando un paseo por el campo, más lejos del río, levantó un par de urogallos. Ayla tomó la honda y piedras al verlos; al derribar al primero, el segundo se echó a volar, pero la segunda piedra lo derribó también. Antes de ir a buscarlos, miró a Jondalar: vio asombro pero, más importante aún, vio una sonrisa.

—Eso ha sido formidable, mujer. ¿Así es como has atrapado los animales? Yo creí que pondrías trampas. ¿Qué arma es esa?

Le dio la tira de cuero con una depresión en medio y se fue por las aves.

—Creo que esto se llama honda —dijo, al verla de regreso—. Willomar me había hablado de un arma así. No podía comprender muy bien de lo que hablaba, pero tenía que ser esto. Y la usas bastante bien, Ayla. Tiene que hacer falta muchísima práctica, inclusive con alguna habilidad natural.

—¿Te gusta yo cazar?

—Si no cazaras tú, ¿quién lo haría?

—Hombre del Clan no gusta mujer cazar.

Jondalar la estudió: se veía ansiosa, preocupada. Tal vez a los hombres no les agradaba que las mujeres cazaran, pero eso no le había impedido a ella aprender. ¿Por qué habría escogido ese día para demostrar su habilidad? ¿Por qué tenía la impresión de que estaba deseando que él la aprobara?

—La mayoría de las mujeres Zelandonii cazan, por lo menos cuando son jóvenes. Mi madre era famosa por su habilidad de rastreadora. No veo por qué razón no deberían cazar las mujeres si así lo desean. A mí me gusta que las mujeres cacen, Ayla.

Pudo comprobar que la tensión desaparecía; obviamente, había dicho lo que ella quería oír, y era verdad. Pero se preguntaba por qué sería tan importante para ella.

—Necesito ir cazar —dijo—. Necesito ayuda.

—Me gustaría, pero no creo que pueda todavía.

—No ayuda caza. Yo llevo a Hinny, ¿tú guardar potro?

—¿De modo que eso era? —dijo—. ¿Quieres que yo cuide al potro mientras te vas de cacería con la yegua? —le dio risa—. Eso representa un cambio: por lo general, después de tener uno o dos hijos, la mujer se queda en el hogar para cuidarlos; al hombre le corresponde la responsabilidad de cazar para ellos. Sí, me quedaré con el potro. Alguien tiene que cazar, y no quiero que el pequeño sea lastimado.

La sonrisa de Ayla reveló el alivio que experimentaba: no le importaba, era cierto, no parecía importarle nada.

—Podrías investigar ese incendio en el Este antes de pensar en tu cacería. Uno tan grande podría cazar para ti.

—¿Fuego caza? —preguntó.

—Manadas enteras han muerto a veces por el humo solamente. A veces ¡encuentras la carne cocida! Los que cuentan historias tienen una muy chistosa del hombre que encontró carne cocida después de un incendio en la pradera, y los problemas que tuvo al tratar de convencer al resto de su Caverna de que probara carne que él quemó a propósito. Es una vieja historia.

Una sonrisa de comprensión pasó por el rostro de Ayla: un incendio rápidamente propagado podía atrapar una manada entera. Tal vez no le fuera necesario cavar una zanja.

Cuando Ayla sacó la rastra con su complemento de postes y canastos, Jondalar se quedó perplejo, sin poder comprender el propósito de un equipo tan complicado.

—Hinny trae carne a cueva —explicó, mostrándole la rastra mientras ajustaba las correas a la yegua—. Hinny te trae a ti a cueva —agregó.

—Entonces, ¡así fue como llegué aquí! Me he estado preguntando todo el tiempo . . . No creía que me hubieras traído hasta aquí tú sola. Pensé que otra gente me habría encontrado y me hubiera dejado aquí contigo.

—No . . . otra gente. Yo encuentro. . . tu . . . otro hombre.

La expresión de Jondalar se volvió tensa y sombría. La referencia a Thonolan lo tomó por sorpresa, y el dolor de la pérdida se apoderó de él.

—¿Tenías que dejarlo allí? ¿No podías haberlo traído también? —le lanzó a la cara.

—Hombre muerto, Jondalar. Tú, herido. Mucho herido —dijo, sintiéndose profundamente frustrada. Habría querido decirle que sepultó al hombre, que se dolió por él, pero no podía comunicárselo. Podía intercambiar información pero no era capaz de explorar ideas. Le habría querido hablar de pensamientos que ni siquiera sabía si podrían expresarse en palabras, pero se sintió reprimida. Él había pasado su pena con ella aquel primer día, y ahora ni siquiera podía compartir su dolor con él.

Ansiaba tener la misma facilidad que él con las palabras, su capacidad para decirlas espontáneamente en el orden correcto, su libertad de expresión. Pero había una barrera indefinida que no podía cruzar, una carencia que a menudo le parecía que iba a superar, que la eludía. La intuición le decía que debería saber . . .

que el conocimiento estaba encerrado en ella, pero que debería hallar la llave.

—Lo siento, Ayla. No debería haberte gritado así, pero Thonolan era mi hermano . . . —la palabra fue casi un llanto.

—Hermano. Tú y otro hombre . . . , ¿tener misma madre?

—Sí. Teníamos la misma madre.

Ayla asintió con la cabeza y se volvió hacia la yegua, deseando poder decirle que comprendía lo cerca que estaban dos hermanos y el nexo especial que podía existir entre dos hombres nacidos de una misma madre. Creb y Brun habían sido hermanos.

Terminó de cargar sus canastos, tomó sus lanzas para llevarlas afuera y cargarlas una vez que salieron de la cueva. Mientras Jondalar la veía hacer sus últimos preparativos, comenzó a ver que la yegua era algo más que una extraña compañera de la mujer. El animal le proporcionaba una clara ventaja. No se había percatado de lo útil que podía ser un caballo. Pero se sentía intrigado por otra serie de contradicciones que la mujer le planteaba: utilizar un caballo para ayudarla en su cacería y traer la carne a casa —progreso que nunca había oído mencionar anteriormente—, y sin embargo, utilizaba la lanza más primitiva que hubiera visto en su vida.

Había cazado con muchas personas, y cada grupo tenía su variante particular de la lanza de caza, pero ninguna había sido tan radicalmente diferente como la de ella. Y sin embargo, había un aspecto familiar. Su punta era aguda y estaba endurecida a fuego, y el asta era recta y suave, pero incómoda. No cabía la menor duda de que no se trataba de una lanza para arrojarla; era más grande que la que empleaba él para cazar rinocerontes. ¿Cómo cazaría con eso? ¿Cómo podía acercarse lo suficiente para manejarla? Cuando Ayla regresara le preguntaría; ahora llevaría demasiado tiempo. Ayla estaba aprendiendo el idioma, pero todavía resultaba difícil.

Jondalar se llevó al potro a la cueva antes de que se marcharan Ayla y Hinny. Rascó, acarició y habló al caballito hasta que estuvo seguro de que Ayla y la yegua estarían lo suficientemente lejos. Le resultaba raro quedarse solo en la cueva, sabiendo que la mujer estaría ausente la mayor parte del día. Se apoyó en el bastón para ponerse de pie y luego, cediendo a la curiosidad, buscó una lámpara y la prendió. Dejando atrás el bastón —no lo necesitaba en el interior— sostuvo la lámpara de piedra ahuecada para ver la cueva, sus dimensiones y adónde conducía. No se sorprendió por las dimensiones, era más o menos del tamaño que él había calculado y, exceptuando un nicho, no había corredores. Pero el nicho le tenía una sorpresa: todas las indicaciones de una ocupación reciente por algún león cavernario, incluyendo una huella de pata ¡enorme!

Después de examinar el resto de la cueva, se convenció de que Ayla llevaba años allí. Tenía que estar equivocado en cuanto a la huella de león cavernario, pero cuando regresó para examinar más detenidamente el nicho, se convenció de que un león cavernario había habitado ese rincón algún tiempo durante el año anterior.

¡Otro misterio! ¿Lograría obtener respuesta a todas aquellas preguntas tan indescifrables?

Levantó uno de los canastos de Ayla —sin estrenar, por lo visto —y decidió buscar piritas ferrosas en la playa. Podía hacer algo útil, ya que estaba allí. El potrillo se le adelantó dando brincos, y Jondalar bajó por el empinado sendero ayudándose con el bastón, y después lo dejó junto al montón de huesos. ¡Cuánto se alegraría el día que no lo necesitara más!

Se detuvo para rascar y acariciar al potro que buscaba su mano con el hocico, y soltó la carcajada al ver que el caballito se revolcaba con un deleite lleno de exuberancia en la depresión húmeda que usaban su madre y él. Dando chillidos de placer intenso, el potro, con las patas al aire, se revolvía en la tierra suelta. Se puso en pie y lanzó tierra por todos lados, después vio un lugar predilecto a la sombra de un sauce y se tendió a descansar.

Jondalar caminaba lentamente por la playa pedregosa, inclinándose para examinar las piedras.

—¡He encontrado una! —gritó, presa de excitación, sobresaltando al potro. Se sintió un poco tonto—. ¡Aquí hay otra! —volvió a decir, y sonrió con un poco de vergüenza. Pero al agacharse para recoger la piedra gris de brillo metálico, se detuvo al ver otra piedra, mucho más grande—. ¡Hay pedernal en esta playa!

"Consigue el pedernal para sus herramientas justo aquí. Si pudiera hacer una cabeza de martillo, y un punzón y ... ¡Puedes hacer algunas herramientas, Jondalar! Buenas hojas afiladas, y buriles ..." Se incorporó y miró como evaluando el montón de huesos y desechos que el río había arrojado contra la muralla. "Parece que también hay huesos buenos por aquí, y cornamentas. Inclusive podrías hacer una lanza decente.

"Tal vez ella no quiera una lanza «decente», Jondalar. Puede tener alguna razón para usar la que tiene. Pero eso no significa que no puedas hacer una para ti. Sería mejor que estar sentado el día entero. Inclusive podrías hacer algunas tallas. No tallabas tan mal, antes de dejarlo".

Revolvió entre el montón de huesos y madera del río, apilados contra la muralla, y luego pasó al otro lado del basurero revolviendo entre la maleza que había crecido allí para encontrar huesos desarticulados, calaveras y cornamentas entre los desechos. Encontró varios puñados de piritas ferrosas, mientras seguía hurgando en busca de una buena piedra para hacer un martillo. Cuando rompió la corteza del primer nódulo de pedernal, sonreía. No se había dado cuenta antes de la falta que le hacía practicar su oficio.

Pensó en todo lo que podría hacer, ahora que disponía de pedernal. Quería un buen cuchillo, y un hacha, con mangos. Quería hacer lanzas, y ahora podría arreglar su ropa con buenas leznas. Y quizá le gustaran a Ayla la clase de herramientas que hacía; por lo menos, le podría enseñar.

El día no se le había hecho tan largo como temía, y se iniciaba el crepúsculo antes de que recogiera cuidadosamente sus nuevas herramientas para partir pedernal, y las nuevas herramientas que había hecho con ellos, en la piel que había tomado prestada entre las de Ayla. Cuando regresó a la cueva, el potro estaba dándole golpecitos con el hocico y solicitando su atención, y supuso que el animalito tendría hambre. Ayla había dejado grano cocido en unas gachas ligeras que el potro había rechazado al principio, pero que comió después, pero eso fue hacia el mediodía. ¿Dónde andaría ella?

Para cuando se hizo de noche, Jondalar estaba muy preocupado. El potro necesitaba a Hinny, y Ayla debería estar de regreso. Se quedó de pie en el extremo del saliente, vigilando, decidió entonces prender una fogata pensando que podría verla de lejos si se hubiera extraviado. "No se extraviaría", se dijo, pero de todos modos prendió la hoguera.

Era tarde cuando, por fin, llegó. Jondalar oyó a Hinny y bajó el sendero para ir a su encuentro, pero el potro llegó antes que él. Ayla puso pie a tierra en la playa, quitó un cadáver de animal de la rastra, ajustó los palos para que pudieran pasar por el estrecho sendero y condujo la yegua cuesta arriba mientras Jondalar llegaba abajo y se hacía a un lado. Ayla regresó con un leño ardiendo para alumbrarse. Jondalar se lo quitó de la mano mientras Ayla cargaba otro cadáver en la rastra; el hombre llegó cojeando para ayudar, pero la mujer ya la había cargado. Verla manejar el peso muerto del ciervo le dio una idea de la fuerza que tenía y el discernimiento para comprender cómo la había adquirido. La yegua y la rastra resultaban útiles, tal vez indispensables pero de todas maneras ella era una sola.

El potro buscaba afanosamente la ubre de su madre, pero Ayla lo hizo a un lado hasta que llegaron a la cueva.

—Tú razón, Jondalar —dijo, al llegar al saliente—. Grande, grande incendio. No veo antes fuego tan grande. Lejos. Muchos, muchos animales.

Había algo en su voz que le hizo mirarla más de cerca. Estaba agotada, y la carnicería que había presenciado había dejado su huella en las ojeras cansadas de sus ojos hundidos. Tenía las manos negras, su rostro y su manto estaban manchados de sangre y hollín. Desató el arnés y la rastra, rodeó el cuello de Hinny con el brazo y apoyó la cabeza en la yegua; ésta en pie, tenía las patas delanteras apartadas mientras su potro vaciaba la plenitud de sus ubres, y agachaba la cabeza; se veía igualmente cansada.

—Ese incendio tuvo que estar muy lejos. Es tarde. ¿Has cabalgado el día entero? —preguntó Jondalar.

Ayla levantó la cabeza y lo miró; se había olvidado por un instante de su presencia.

—Sí, el día entero —dijo, y respiró profundamente. Todavía no podía abandonarse a su fatiga, tenía demasiado que hacer—. Muchos animales morir. Muchos vienen tomar carne. Lobo. Hiena. León. Otro que no veo antes. Dientes grandes —y demostró con la boca abierta y sus dos dedos índices como caninos tan largos como colmillos.

—¡Has visto un tigre dientes de sable! ¡No sabía que fueran reales! Un viejo solía contar historias a los muchachos durante las Reuniones de Verano, y decía haber visto uno de joven, pero no todos le creían. ¿Viste realmente uno? —deseaba haber ido con ella.

Ayla asintió y se estremeció, crispando los hombros y cerrando los ojos.

—Hace Hinny asustada. Acecha. Honda hace ir. Hinny, yo, correr.

Los ojos de Jondalar se abrieron mucho ante el relato vacilante del incidente.

—¿Rechazaste un tigre dientes de sable con la honda? ¡Buena Madre! . . . ¡Ayla!

—Mucha carne. Tigre . . . no necesita Hinny. Honda hace ir —habría querido decir más, describir el incidente, expresar su temor, compartirlo con él, pero no tenía medio para hacerlo. Estaba demasiado cansada para recordar los movimientos y pensar cómo encajar las palabras.

"No es de extrañarse que esté agotada", pensó Jondalar. "Tal vez no debería haberle sugerido que fuera al incendio, pero ha conseguido dos ciervos. Pero vaya si tiene valor: hacerle frente a un tigre dientes de sable. Es toda una mujer".

Ayla se miró las manos y echó a andar camino abajo hasta la playa. Tomó la antorcha que había dejado Jondalar sumida en la tierra, se la llevó hasta el río y la sostuvo en alto para mirar a su alrededor. Arrancando un tallo de quenopodio blanco, aplastó hojas y raíces entre sus manos, las humedeció y agregó algo de arena. Con eso frotó sus manos, limpió de su rostro la suciedad acumulada durante el viaje y subió de nuevo.

Jondalar había comenzado a calentar piedras de cocer, y Ayla se lo agradeció: una taza de té caliente era precisamente lo que más falta le hacía. Había dejado alimentos en casa para él, y esperaba que no contara con verla preparar la cena. Ahora no podía pensar en comidas. Tenía que desollar dos ciervos y cortarlos en trocitos para ponerlos a secar.

Había buscado animales que no estuvieran chamuscados, puesto que necesitaba las pieles. Pero cuando comenzó a trabajar recordó que había estado pensando hacer unos cuchillos afilados. Los cuchillos se ponían romos por el uso ... chispitas que se desprendían del filo. Por lo general resultaba más fácil hacer nuevos y dejar los viejos para otros fines, por ejemplo para rascar.

El cuchillo romo acabó con su paciencia: se puso a machacar la piel mientras lágrimas de cansancio y derrota le llenaban los ojos y le corrían por la cara.

—¿Ayla, pasa algo malo? —preguntó Jondalar.

Sólo golpeó con mayor violencia el ciervo; no podía explicar. Jondalar le quitó el cuchillo romo de las manos y la puso de pie.

—Estás cansada. ¿Por que no te acuestas y descansas un rato?

Meneó negativamente la cabeza aunque deseaba hacerlo con desesperación.

—Desollar ciervo, secar carne. No esperar, hiena viene.

No se tomó la molestia de sugerir que metieran el ciervo; la joven no estaba pensando con claridad.

—Yo vigilaré —dijo—. Necesitas algo de descanso. Entra y acuéstate, Ayla.

Se sintió llena de gratitud. ¡Él vigilaría! No se le había ocurrido pedírselo; no acostumbraba tener alguien que ayudara. Entró con pie inseguro en la cueva, temblando de alivio, y se dejó caer entre sus pieles. Quería decirle a Jondalar lo agradecida que estaba, y sintió que se le llenaban nuevamente los ojos de lágrimas, pues bien sabía que su intento estaba condenado al fracaso. ¡No podía hablar!

Jondalar entró en la cueva y volvió a salir varias veces durante la noche, quedándose a veces quieto para mirar a la mujer dormida, y la preocupación le hacía arrugar la frente. Ayla estaba agitada, lanzaba sus brazos de un lado a otro y murmuraba cosas incomprensibles entre sueños.

Ayla caminaba entre la niebla pidiendo ayuda a gritos. Una mujer alta, envuelta en bruma, con el rostro indistinguible, le tendió los brazos. "Dije que tendría cuidado, Madre pero, ¿dónde has estado?", murmuraba Ayla. "¿Por qué no viniste cuando te llamaba? ¡Llamé y llamé y no viniste! ¿Madre? ¡Madre! ¡No te vayas de nuevo! ¡Quédate aquí! ¡Madre, espérame! ¡No me dejes!"

La visión de la mujer alta se esfumó, y se aclaró la niebla. En su lugar había otra mujer, robusta y baja. Sus piernas fuertes y musculosas estaban ligeramente arqueadas hacia fuera, pero caminaba derecha y erguida. Tenía la nariz ancha, aguileña, un caballete alto y salido, y su quijada, muy protuberante, no tenía barbilla. Su frente era baja e inclinada hacia atrás, pero tenía la cabeza grande, un cuello corto y grueso. Cejas gruesas y un arco ciliar pesado protegían ojos oscuros grandes e inteligentes, llenos de amor y de pena.

Le hizo señas: "Iza", le gritó Ayla. "Iza, ayúdame. ¡Por favor, ayúdame!" Pero Iza sólo la miraba con curiosidad. "Iza, ¿no me oyes? ¿Por qué no puedes comprender?"

"Nadie te puede comprender si no hablar debidamente", dijo otra voz. Vio un hombre que caminaba con un bastón. Era viejo y estaba tullido. Le habían amputado un brazo desde el codo. La parte izquierda de su rostro estaba horriblemente cicatrizada y le faltaba el ojo izquierdo, pero su ojo bueno encerraba fuerza, sabiduría y compasión. "Debes aprender a hablar, Ayla", decía Creb con sus gestos de una sola mano, pero ella podía oírlo: tenía la voz de Jondalar.

"¿Cómo puedo hablar? ¡No puedo recordar! ¡Ayúdame, Creb!"

"Ayla, tu tótem es el León Cavernario", dijo entonces el viejo Mog-ur.

Con un destello rojizo, el felino brincó hacia el bisonte y derribó la vaca salvaje y pelirroja, mugiendo de terror. Ayla abrió la boca y el tigre dientes de sable la amenazó, con colmillos y dientes chorreando sangre; se dirigió hacia ella y sus largos colmillos agudos crecían y se afilaban. Ella se encontraba en una diminuta cueva tratando de sumirse en la roca sólida que tenía contra la espalda. Un león cavernario rugió.

"¡No! ¡No!", gritó.

Una zarpa gigantesca con las garras extendidas entró y le arañó el muslo izquierdo dejándole cuatro heridas paralelas.

"¡No! ¡No!", gritó Ayla. "¡No puedo! ¡No puedo!" La niebla la envolvía. "¡No puedo recordar!"

La mujer alta le abrió los brazos: "Yo te ayudaré . . ."

Por un instante la niebla se disipó y Ayla vio un rostro no muy diferente del suyo. Una náusea dolorosa la sacudió y un hedor repulsivo a humedad y podredumbre surgió de una grieta que se abría en la tierra.

"Madre! ¡Madre!"

—¡Ayla! ¡Ayla!, ¿qué pasa? —y Jondalar la sacudió. Estaba fuera, en el saliente cuando la oyó gritar y hablar un idioma desconocido. Llegó cojeando más aprisa de lo que creía posible.

Ayla se sentó y él la tomó en sus brazos.

—¡Oh, Jondalar!, ¡fue mi sueño, mi pesadilla! —sollozó.

—Está bien, Ayla. Ya está bien todo.

—Fue un terremoto. Eso fue lo que sucedió. Murió en un terremoto.

—¿Quién murió en un terremoto?

—Mi madre. Y también Creb, mucho después. ¡Oh, Jondalar, *odio* los terremotos —y se estremeció entre sus brazos.

Jondalar la tomó de los hombros y la hizo un poco hacia atrás . . . para poder mirarla a la cara.

—Cuéntame de tu sueño, Ayla —le dijo.

—Tengo esos sueños desde que recuerdo algo . . . siempre vuelven. En uno me encuentro en una caverna pequeña, y una garra me araña. Creo que fue así como me marcó mi tótem. El otro nunca puedo recordarlo, pero despierto temblando y enferma. Pero no esta vez. Ahora la he visto, Jondalar. ¡He visto a mi madre!

—Ayla, ¿oyes lo que dices?

—¿Qué quieres decir?

—Estás hablando, Ayla. ¡Estás hablando!

Ayla había sabido hablar en otros tiempos, y aun cuando el idioma era diferente, había aprendido el tono, el ritmo y el sentido del lenguaje hablado. Se le había olvidado hablar verbalmente porque su supervivencia dependía de otro modo de comunicación, y porque quería olvidar la tragedia que la había dejado sola. Aunque no era un esfuerzo consciente, había estado oyendo y memorizando más que el vocabulario del lenguaje que hablaba Jondalar. La sintaxis, la gramática, el acento: todo ello formaba parte de los sonidos que ella oía cuando hablaba él.

Como el niño que empieza a aprender a hablar, había nacido con la aptitud y el deseo, y sólo necesitaba oírlo constantemente. Pero su motivación era más fuerte que la del niño, y su memoria estaba más desarrollada. Aun cuando no podía reproducir algunos de los tonos e inflexiones de él con exactitud, se había convertido en una hablante natural del lenguaje.

—¡Me oigo, Jondalar! ¡Puedo!, ¡puedo pensar en palabras!

Ambos se dieron cuenta de que la tenía agarrada, y ambos se sintieron tímidos al notarlo. Jondalar apartó sus brazos.

—¿Es ya por la mañana? —dijo Ayla, observando la luz que penetraba a raudales por la entrada de la cueva y por el agujero de la chimenea. Apartó las cobijas—. No creí que dormiría tanto. ¡Madre Grande! Tengo que poner la carne a secar —también había captado las exclamaciones del hombre, que sonrió. Era algo pasmoso oírla hablar súbitamente, pero oír sus propias frases salir de la boca de ella, expresadas con su acento peculiar, resultaba divertido.

Ayla corrió a la entrada y se detuvo en seco al mirar: se frotó los ojos y miró de nuevo. Hileras de carne cortada en trozos regulares como lenguas, estaban colgadas desde un extremo a otro de la terraza, con varias hogueras pequeñas alternas en medio. ¿No estaría soñando aún? ¿Habrían aparecido de repente todas las mujeres del Clan para ayudarla?

—Hay poco de carne de un anca que he puesto en el asador, si tienes hambre —dijo Jondalar con una indiferencia fingida y una enorme sonrisa que revelaba lo contento que estaba consigo mismo.

—¿Tú? ¿Tú has hecho eso?

—Sí. Yo lo hice —su sonrisa se amplió todavía más. La reacción de la mujer ante la sorpresa que le había preparado era mejor aún de lo que esperaba. Tal vez no estaba todavía en condiciones de cazar, pero por lo menos podía desollar los animales que ella trajera y empezar a secar la carne, especialmente ahora que tenía cuchillos nuevos.

—Pero . . . ¡eres un hombre! —exclamó, asombrada.

La sorpresa que le daba Jondalar era mucho más asombrosa de lo que él podía suponer. Sólo echando mano de sus recuerdos adquirían los miembros del Clan los conocimientos y habilidades necesarios para sobrevivir. Para ellos, el instinto había evolucionado de tal manera que podía recordar las habilidades de sus antepasados y transmitírselas a su progenie, almacenadas en su cerebro inconsciente. Las tareas que realizaban hombres y mujeres habían estado diferenciadas desde tantas generaciones atrás, que los miembros del Clan tenían su memoria diferenciada por sexo. Un sexo era incapaz de realizar las funciones del otro: carecía de la memoria necesaria.

Un hombre del Clan habría cazado o encontrado ciervo, y lo habría traído a la caverna. Inclusive podría haberlo desollado aunque no tan eficientemente como una mujer. Si le apremiaran, inclusive podría haber sacado algunos trozos de carne a hachazos. Pero nunca habría considerado la posibilidad de cortar la carne para ponerla a secar, y aun cuando se le hubiera ocurrido, no habría sabido por dónde empezar. Desde luego, jamás habría sido capaz de producir trozos bien cortados y perfectamente formados que se secarían de manera uniforme, como los que tenía Ayla ante sus ojos.

—¿No se le permite a un hombre cortar un poquito de carne? —preguntó Jondalar. Sabía que diferentes pueblos tenían distintas costumbres en relación con el trabajo de la mujer y el trabajo del hombre, pero él sólo había querido ayudar. No creía que iba a ofenderla.

—En el Clan la mujer no puede cazar y el hombre no puede . . . hacer comida —intentó explicar.

—Pero tú cazas.

Esa declaración produjo en Ayla un sobresalto inesperado. Se le había olvidado que compartía con él las diferencias entre el Clan y los Otros.

—Yo . . . yo no soy mujer del Clan —dijo, desconcertada—. Yo . . . —no sabía cómo explicarlo—. Yo soy como tú, Jondalar. Una de los Otros.

Capítulo 23

Ayla se detuvo, se bajó de Hinny y entregó la vejiga chorreando agua a Jondalar, que la tomó y bebió largos tragos para aplacar su sed. Estaban muy valle adentro, casi en la estepa, y bastante alejados del río.

La hierba dorada ondulaba bajo el viento alrededor de ellos. Habían estado recogiendo granos de mijo-sorgo y centeno silvestre en un grupo mixto que también encerraba las semillas temblorosas de cebada verde y de carraón y trigo escandia. La tarea tediosa consistente en pasar la mano a lo largo del tallo para arrancar las duras semillas era trabajo duro; el mijo, pequeño y redondo, que se metía en un lado de un canasto dividido que colgaba de una cuerda pasada alrededor del cuello, para liberar las manos, se soltaba fácilmente, pero tendría que pasar nuevamente por el proceso del bieldo. El centeno, que se ponía en la otra división, se trillaba solo.

Ayla se pasó la cuerda del canasto por el cuello y se puso a trabajar. Jondalar no tardó en alcanzarla. Fueron recogiendo granos uno al lado de la otra un buen rato, y entonces Jondalar se volvió hacia ella.

—¿Qué se siente al montar a caballo, Ayla, me lo podrías explicar? —preguntó.

—Es difícil de explicar —dijo, deteniéndose a pensar—. Cuando vas rápidamente es excitante. Pero también cabalgando despacio. Me da una sensación agradable, montar a Hinny —volvió a su tarea pero se detuvo de repente—. ¿Te gustaría probar?

—¿Probar qué?

—Montar a Hinny.

La miró, tratando de determinar cómo se sentía realmente al respecto. Había deseado montar a caballo desde hacía algún tiem-

449

po, pero parecía tener una relación tan personal con el animal, que no había sabido cómo pedírselo con delicadeza.

—Sí, me encantaría. ¿Pero me dejaría Hinny?

—No lo sé —Ayla echó una mirada hacia el sol para comprobar si era tarde, y se echó la canasta a la espalda—. Vamos a ver.

—¿Ahora? —preguntó Jondalar, y Ayla asintió con la cabeza, mientras tomaba el camino de regreso—. Creí que ibas a buscar agua para que pudiéramos recoger más grano.

—Así era. Se me olvidaba que la recolección va más aprisa con dos series de manos. Sólo miraba mi canasto . . . no estoy acostumbrada a que me ayuden.

La serie de habilidades que poseía aquel hombre era una fuente constante de asombro para Ayla. No sólo estaba deseoso de hacer lo que pudiera, sino que sabía lo mismo que ella o podía aprender. Era curioso y se interesaba en todo, y le gustaba particularmente probar todo lo que fuera nuevo. Ella podía verse en él. Eso le permitió apreciar mejor lo insólita que debió parecerles a los del Clan. Y sin embargo, la habían adoptado y habían tratado de insertarla en su norma de vida.

Jondalar echó a la espalda su canasta y se puso a caminar junto a ella.

—Estoy más que dispuesto a renunciar a esto por hoy. Ya tienes tanto grano, Ayla, y el trigo y la cebada ni siquiera están maduros. No comprendo para qué quieres más.

—Es para Hinny y su bebé. También necesitarán hierba. Hinny come fuera en invierno, pero cuando la nieve es profunda, muchos caballos mueren.

La explicación bastaba para eliminar cualquier objeción que pudiera presentar. Caminaron de regreso entre las hierbas altas, gozando del sol sobre la piel desnuda . . . ahora que ya no estaban trabajando. Jondalar sólo llevaba el taparrabo, y tenía la piel tan tostada como la de ella. Ayla se había puesto su manto corto de verano que la cubría desde la cintura hasta el muslo, pero, lo que era más importante, tenía bolsas y pliegues para llevar herramientas, honda y demás objetos. La única prenda que llevaba además era la bolsita de cuero colgada del cuello. Jondalar había admirado su cuerpo firme y flexible más de una vez, pero sin hacer ademanes visibles, y ella no provocaba ninguno.

Estaba pensando en cabalgar, preguntándose lo que haría Hinny. Podría apartarse rápidamente, en caso de necesidad. Aparte una leve cojera, su pierna estaba muy bien, y estaba convencido de que la cojera desaparecería con el tiempo. Ayla había hecho un trabajo milagroso al curarle la herida; tenía tanto que agradecerle. Había comenzado a pensar en marcharse —ya no había razón para que permaneciera allí— pero ella no parecía tener prisa de que se fuera, y él lo aplazaba constantemente. Deseaba ayudarla a prepararse para el próximo invierno; era lo menos que podía hacer.

Y ella tenía que preocuparse, además, por los caballos. A él no se le había ocurrido.

—Hace falta trabajar mucho para reunir las provisiones para alimentar a los caballos, ¿verdad?

—No tanto —contestó.

—Estaba pensando; has dicho que también necesitan hierba. ¿No podrías cortar los tallos y llevártelos a la cueva? Entonces, en vez de recolectar el grano en éstos —y señaló los canastos— podrías sacar las semillas sacudiéndolas en una canasta. Y así tendrías hierba para ellos.

Ayla se detuvo, con la frente arrugada, ponderando la idea.

—Tal vez... si se dejan secar los tallos después de cortarlos, las semillas se soltarán sacudiéndolas. Algunas mejor que otras. Todavía hay trigo y cebada... vale la pena probar —una amplia sonrisa apareció en su rostro—. Jondalar, creo que puede resultar.

Estaba tan sinceramente entusiasmada que también él tuvo que sonreír. Que la aprobaba, se sentía atraído por ella, estaba encantado con ella, resultaba evidente en sus ojos maravillosamente seductores. La respuesta de ella fue abierta y espontánea:

—Jondalar, me gusta tanto cuando sonríes... a mí, con tu boca, y con tus ojos.

Jondalar rió... esa carcajada espontánea, inesperada, exuberantemente jovial. "Es tan honrada", pensó, "no creo que haya sido nunca menos que absolutamente sincera. ¡Qué mujer tan única!"

Ayla fue contagiada por la carcajada: su sonrisa cedió al contagio de su contento, se convirtió en risa ahogada y creció hasta una expresión de deleite sin inhibición.

Ambos se habían quedado sin aliento cuando terminaron de reír, recayendo en nuevos espasmos, respirando a fondo y enjugándose los ojos. Ninguno de los dos podía decir qué había sido tan tremendamente chistoso; su risa se había alimentado sola. Pero era tanto un relajamiento de las tensiones que se habían estado acumulando como lo divertido de la situación.

Cuando echaron a andar nuevamente, Jondalar le pasó un brazo por la cintura; era un reflejo afectuoso de la risa compartida; sintió que se ponía rígida y apartó inmediatamente el brazo. Se había prometido, a sí mismo y a ella también, aun cuando no lo comprendiera entonces, que no la haría aceptarlo contra su voluntad. Si ella había pronunciado votos para apartarse de los placeres, él no se iba a colocar en una situación en que se viera obligada a rechazarlo. Había tenido buen cuidado de respetar a su persona.

Pero había olido la esencia femenina de su piel caliente, sentido la plenitud turgente de su seno en su costado. Recordó súbitamente cuánto tiempo hacía que no había estado con una mujer, y el taparrabo no hizo nada para disimular la evidencia de sus pensamientos. Se dio vuelta para tratar de ocultar su hinchazón muy visible, pero fue lo único que podía hacer para evitar arrebatarle el manto. Alargó el paso hasta que casi corría por delante de ella.

—¡Doni! ¡Cuánto deseo a esta mujer! —murmuró mientras corría.

Las lágrimas se le saltaron a Ayla al verlo alejarse corriendo. "¿En qué me he equivocado? ¿Por qué se aparta de mí? ¿Por qué no me hace su señal? Puedo ver su necesidad, ¿por qué no quiere aliviarla conmigo? ¿Tan fea soy?" Se estremeció al recordar la sensación de su brazo alrededor de ella; tenía los poros de la nariz llenos de su olor masculino. Arrastró los pies, reacia a la idea de enfrentársele de nuevo, y se sentía como cuando era pequeña y había hecho algo que sabía estaba mal hecho... sólo que esta vez, no sabía lo que era.

Jondalar había llegado a la franja arbórea cerca del río. Su urgencia era tan grande que no pudo dominarse. Tan pronto como se encontró detrás de un grupo de arbustos que lo ocultaban, espasmos de blanco viscoso chorrearon sobre la tierra y entonces, sosteniéndose aún, recostó la cabeza en el tronco, temblando. Era alivio y nada más, pero por lo menos podía enfrentarse a la mujer sin tratar de derribarla y poseerla.

Encontró una vara para aflojar la tierra y cubrir la esencia de sus placeres con la tierra de la Madre. Zelandoni le había dicho que derramarlo era un derroche de la Dádiva de la Madre, pero si no quedaba más remedio, había que devolvérselo a Ella, regarlo por el suelo y cubrirlo. "Zelandoni tenía razón", pensó. Era un derroche y no le había producido placer.

Caminó a lo largo del río, molesto a la idea de salir a descubierto. La vio que esperaba junto al bloque de roca con el brazo rodeando al potro y la frente apoyada en el cuello de Hinny. ¡Parecía tan vulnerable, aferrándose a los animales en busca de apoyo y consuelo! Pensó que debería recostarse en él en busca de apoyo, él debería estar reconfortándola. Estaba seguro de haberle causado angustia, y se avergonzó como si hubiera cometido un acto reprensible. Renuentemente salió del bosquecillo.

—A veces, un hombre no puede esperar para hacer aguas —mintió, con débil sonrisa.

Eso sorprendió a Ayla. ¿Por qué hacer palabras que no eran verdad? Ella sabía lo que había hecho él: se había aliviado solo.

Un hombre del Clan habría sido capaz de pedir a la compañera del jefe antes que aliviarse solo. Si no podía controlar su necesidad, inclusive ella, con lo fea que era, podía haber recibido la señal, ya que no había otra mujer. Ningún varón adulto se aliviaría solo; sólo los adolescentes, que habían alcanzado la madurez física pero no habían matado el primer animal, lo considerarían. Pero Jondalar había preferido aliviarse solo en vez de hacerle la señal; Ayla estaba más allá de la ofensa; se sentía humillada.

Ignoró sus palabras y evitó la mirada directa.

—Si quieres montar a Hinny, la sujetaré, mientras te subes a la roca y le pones la pierna encima. Le diré a Hinny que quieres cabalgar. Tal vez te lo permita.

Recordó que tal era la razón por la que habían dejado de recoger grano. ¿Qué había pasado con su entusiasmo? ¿Cómo podía cambiar tanto de un extremo del campo a otro? Tratando de crear la impresión de que todo era normal, se trepó en la depresión que parecía un asiento en la roca, mientras Ayla le acercaba la yegua, pero también él rehuyó la mirada.

—¿Cómo consigues que vaya adonde quieres? —preguntó.

Ayla tuvo que ponderar la pregunta.

—Yo no consigo: ella quiere ir donde quiero ir yo.

—Pero, ¿cómo sabe ella adónde quieres ir?

—No lo sé . . . —no lo sabía; no había reflexionado en ello.

Jondalar decidió que no importaba. Estaba dispuesto a ir adonde lo llevara la yegua, si estaba dispuesta a llevarlo. Le puso una mano encima para afirmarse, y montó prudentemente a horcajadas.

Hinny echó las orejas hacia atrás: sabía que no era Ayla, y la carga era más pesada y carecía de la sensación inmediata de dirección, la tensión de los músculos de piernas y muslos de Ayla. Pero Ayla estaba cerca, sujetándole la cabeza, y el hombre era familiar. La yegua corveteó, indecisa, pero se calmó poco después.

—Y ahora, ¿qué hago? —preguntó Jondalar sentado en la yegua con sus largas piernas colgando a ambos lados . . . sin saber exactamente qué debería hacer con las manos.

Ayla acarició a la yegua tranquilizándola, y se dirigió entonces a ella en parte con gestos, en parte con apretadas palabras del Clan y en parte en Zelandonii.

—Jondalar quiere que le des un paseo, Hinny.

Su voz tenía el tono que incitaba a avanzar, y su mano ejercía una suave presión; indicación suficiente para el animal, tan habituado a las directrices de la mujer. Hinny se puso en marcha.

—Si tienes que agarrarte, rodéale el cuello con los brazos —aconsejó Ayla.

Hinny estaba acostumbrada a llevar a cuestas a una persona. No brincó ni se encabritó, pero sin dirección, avanzaba vacilando. Jondalar se inclinó para acariciarle el cuello, tanto para tranquilizarse a sí mismo como al caballo, pero el movimiento era parecido a la indicación de Ayla para avanzar más aprisa. El brinco inesperado de la yegua obligó a Jondalar a seguir el consejo de Ayla: abrazó el cuello de la yegua, inclinándose hacia delante. Para Hinny, era la señal de aumentar la velocidad.

La yegua se lanzó a galope tendido, derechito a campo traviesa, con Jondalar sujeto a su cuello con todas sus fuerzas y su larga cabellera flotando tras él. Podía sentir que el viento le azotaba el rostro, y cuando por fin se atrevió a abrir los ojos un poquito, vio que la tierra corría a una velocidad alarmante en sentido contrario. Era espantoso . . . ¡y palpitante! Comprendía que Ayla no hubiera podido describir la sensación. Era como deslizarse por una colina helada, en invierno, o cuando lo arrastró por el río el gran esturión, pero más excitante. Un movimiento borroso a la izquierda le llamó la atención: el potro bayo corría junto a su madre, al mismo paso.

Oyó un silbido lejano, agudo y penetrante, y de repente la yegua dio media vuelta cerrada y regresó a galope.

—¡Siéntate! —le gritó Ayla a Jondalar mientras se acercaban. Cuando la yegua fue reduciendo el paso al acercarse a la mujer, obedeció, irguiéndose: Hinny se detuvo junto a la roca.

Jondalar temblaba un poco al bajar del caballo, pero los ojos le relucían de excitación. Ayla acarició los flancos sudorosos de la yegua y la siguió más despacio cuando Hinny se fue al trote hacia la playa al pie de la cueva.

—¿Sabes que el potro ha seguido el paso de ella todo el tiempo? ¡Qué caballo de carreras!

Por la manera de decirlo, Ayla intuyó que la palabra encerraba algo más de lo que significaba.

—¿Cómo?, ¿"caballo de carreras"?

—En las Reuniones de Verano hay concursos de todo tipo, pero los más excitantes son las carreras, las competencias corriendo —explicó—. Los que corren se llaman corredores, y la palabra: de carreras, viene a significar cualquiera que se esfuerza por ganar o que intenta alcanzar alguna meta. Es una palabra de aprobación y ánimos . . . halago.

—El potro es un corredor; le gusta correr.

Siguieron avanzando en silencio, un silencio más pesado a cada paso.

—¿Por qué me dijiste que me sentara? —preguntó finalmente Jondalar, tratando de romperlo—. Creí que decías que no sabías cómo le indicabas a Hinny lo que querías. Se detuvo en cuanto me enderecé.

—Nunca lo había pensado anteriormente, pero al verte llegar, pensé de repente: "Siéntate." No supe decírtelo al principio, pero cuando tenías que detenerte, me di cuenta.

—Entonces le das señales al caballo. Cierto tipo de señales. Me pregunto si el potro podría aprender señales —dijo en tono meditativo.

Llegaron a la muralla que se extendía hacia el agua y la rodearon para encontrarse con el espectáculo de Hinny revolcándose en el lodo del río para refrescarse, gruñendo de placer. Y junto a ella estaba el potro con las patas al aire. Jondalar, sonriendo, se detuvo para mirarlos, pero Ayla siguió adelante, cabizbaja. La alcanzó cuando empezaba a subir el sendero.

—Ayla . . . —la joven se volvió, y entonces no supo qué decirle—. Yo . . . yo, aahh . . . quiero darte las gracias.

Seguía siendo una palabra que le costaba entender. No había nada similar en el Clan. Los miembros de cada pequeño clan dependían tanto unos de otros para la supervivencia, que la asistencia mutua era un modo de vida. No se daban las gracias como tampoco un bebé habría agradecido los cuidados de su madre ni una madre lo habría esperado. Los favores o dádivas especiales imponían la obligación de devolverlos de la misma manera, y no siempre se recibían con agrado.

Lo más cerca que uno del Clan llegara a las gracias era una forma de agradecimiento de alguien de posición inferior hacia alguien de rango más elevado, generalmente de la mujer hacia el hombre, por una concesión. Le pareció que Jondalar estaba tratando de decirle que le agradecía haberle permitido cabalgar a Hinny.

—Jondalar, Hinny te permitió montar sobre su lomo. ¿Por qué me das las gracias a mí?

—Me ayudaste a montarla, Ayla. Y además, tengo tantísimo más que agradecerte. ¡Has hecho tanto por mí, me has cuidado.

—¿Dará el potro las gracias a Hinny porque lo cuida? Tú estabas necesitado, yo te cuidé. ¿Por qué . . . "gracias"?

—Pero me salvaste la vida.

—Soy una mujer que cura, Jondalar —trató de pensar en qué manera podría explicar que cuando alguien le salvaba la vida a otra persona, una parte del espíritu de la vida le correspondía y, por lo tanto, la obligación de proteger a esa persona a cambio; el efecto era que ambos se volvían más parientes que si fueran hermanos. Pero ella era curandera, y parte del espíritu de cada uno del Clan le había sido entregado con el trozo de bióxido de manganeso negro que llevaba metido en su amuleto. Nadie estaba obligado a darle más que eso—. No es necesario decir gracias —afirmó.

—Ya sé que no es necesario. Sé que eres una Mujer que Cura, pero para mí es importante que sepas cómo me siento. La gente se da las gracias por haber recibido ayuda. Es cortesía, una costumbre.

Subían el sendero uno tras otro. Ella no le contestó, pero ese comentario le hizo recordar cuando Creb le explicaba que es descortés mirar más allá de las piedras que limitan los hogares, al hogar de otro hombre. Le costó más aprender las costumbres del Clan que su lenguaje. Jondalar estaba diciendo que era costumbre expresar gratitud los unos a los otros entre su gente, una cortesía, pero eso la confundió más aún.

¿Por qué iba a querer expresar agradecimiento cuando acababa de avergonzarla? Si un hombre del Clan le hubiera demostrado tanto desprecio, ella dejaría de existir para él. También sus costumbres iban a ser difíciles de aprender, pero eso no reducía la humillación que experimentaba.

Él trató de superar la barrera que se había levantado entre ambos, y la detuvo antes de que entrara en la cueva.

—Ayla, lamento haberte ofendido en alguna forma.

—¿Ofendido? No entiendo esa palabra.

—Creo que te he hecho enojar, que te sientes mal.

—No enojar, pero sí me has hecho sentirme mal.

Que lo admitiera lo sobresaltó.

—Lo siento —dijo.

—Lo siento. Eso es cortesía, ¿verdad?, ¿costumbre? Jondalar, ¿de qué sirven las palabras como *lo siento*? Eso no cambia nada, no me hace sentir mejor.

Él se pasó la mano por el cabello. Tenía razón. Lo que hubiera hecho —y creía saber qué era— no se arreglaba con sentirlo. Tampoco servía de nada que hubiera estado rehuyendo el tema, sin enfrentarlo directamente por miedo a que eso le causara mayor embarazo.

Ayla entró en la cueva, se quitó el canasto y atizó el fuego para preparar la cena. Él la siguió, puso su canasto junto al de ella y llevó una estera junto al fuego para sentarse y observarla.

Ella estaba empleando algunas de las herramientas que él le había dado después de cortar el ciervo, y le agradaban, pero para ciertas tareas todavía prefería utilizar el cuchillo de mano al que estaba acostumbrada. Él consideraba que ella manejaba el tosco cuchillo, hecho con un copo de pedernal y mucho más pesado que los que él hacía, con tanta habilidad como la que mostraban todas las personas que él conocía con los cuchillos más pequeños, finos y con mango. Su mente de hacedor de herramientas de pedernal estaba juzgando, evaluando, comparando los méritos de cada tipo. "No es tanto que uno sea más fácil de usar que el otro", pensó. "Cualquier cuchillo afilado cortará, pero cuánta tiene que ser la cantidad de pedernal que se gasta para hacer herramientas para todos. Ya sería un problema transportar la piedra".

Ayla se ponía nerviosa por tenerlo allí sentado, observándola tan de cerca. Finalmente se levantó en busca de algo de manzanilla para hacer té, con la esperanza de distraer su atención y calmarse. Eso sólo le dio conciencia a él de que había estado aplazando el ver cara a cara el problema, una vez más. Hizo acopio de fortaleza y decidió afrontar la cuestión directamente.

—Tienes razón, Ayla. Decir que lo siento no significa gran cosa, pero no sé qué más decir. No sé qué he podido hacer para ofenderte. Por favor, dímelo: ¿por qué te sientes mal?

"Debe de estar diciendo otra vez palabras que no son verdad", pensó Ayla. "¿Cómo no va a saberlo?" Pero parecía perturbado. Bajó la mirada, deseando que no hubiera preguntado. Ya era bastante malo tener que sufrir semejante humillación, sin, además, comentarla. Pero había preguntado.

—Me siento mal porque . . . porque no soy aceptable —y lo dijo con las manos en el regazo, sosteniendo su taza de té.

—¿Qué quieres decir con eso de que no eres aceptable? No comprendo.

¿Por qué estaba haciendo esas preguntas? ¿Estaría tratando de que se sintiera peor? Ayla levantó la mirada hacia él: estaba inclinado hacia delante, y en su postura y sus ojos se leía sinceridad y ansiedad.

—Ningún hombre del Clan aliviaría su necesidad si hubiera una mujer aceptable cerca —y se ruborizó al recitar su falla y se miró las manos—. Estabas lleno de necesidad, pero te apartaste de mí corriendo. ¿No debo sentirme mal si no soy aceptable para ti?

—¿Estás diciendo que te sientes ofendida porque yo no ...?
—se echó hacia atrás y alzó la mirada—. ¡Oh, Doni! ¿Cómo puedes ser tan estúpido, Jondalar? —preguntó a la cueva en general.
Ella alzó nuevamente la mirada, sobresaltada.

—Yo creí que no deseabas que te molestara, Ayla. Estaba tratando de respetar tus deseos. Te deseaba tanto que no podía
aguantarlo, pero en cuanto te tocaba te ponías muy rígida. ¿Cómo
puedes pensar siquiera que un hombre podría no considerarte
aceptable?

Una oleada de comprensión se hinchó dentro de ella, destruyendo el dolor tenso de su corazón. ¡La deseaba! ¡Él creía que
ella no lo deseaba! Otra vez las costumbres, costumbres diferentes.

—Jondalar, sólo tenías que hacer la señal. ¿Qué importaba si
yo quería o no?

—Claro que importa lo que tú quieres. ¿No ...? —y de repente
se ruborizó—. ¿No me deseas? —había indecisión en sus ojos, y
el temor a verse rechazado. Ella conocía ese sentimiento. La sorprendió verlo en un hombre, pero eso disolvió cualquier resto de
duda que pudiera haber albergado, y produjo calor y ternura.

—Yo te deseo, Jondalar, te deseé la primera vez que te vi.
Cuando estabas tan herido que no sabía si sobrevivirías, te miraba y sentía ... Dentro de mí venía ese sentimiento. Pero nunca
me hiciste la señal ... —volvió a bajar la mirada. Había dicho
más de lo que hubiera querido. Las mujeres del Clan eran más
sutiles en sus gestos incitantes.

—Y todo el tiempo yo estaba pensando ... ¿Qué es esa señal
de la que hablas?

—En el Clan, cuando un hombre desea una mujer, hace la señal.

—Muéstrame.

Ayla hizo el gesto y se ruborizó; las mujeres no solían hacer
ese gesto.

—¿Eso es todo? ¿Hago solamente eso? Y entonces, ¿tú qué
haces? —estaba algo asombrado viendo cómo ella se levantaba,
se arrodillaba y se presentaba.

—¿Quieres decir que un hombre hace eso y la mujer lo otro,
y ya está? ¿Están dispuestos?

—Un hombre no hace la señal si no está dispuesto. ¿No estabas tú dispuesto, esta tarde?

Ahora le tocó ruborizarse a él. Se le había olvidado lo dispuesto que estaba, lo que hizo para no arrojarse sobre ella y poseerla.
Habría dado cualquier cosa entonces por saber hacer la señal.

—¿Y si una mujer no lo desea? ¿O si no está dispuesta?

—Si un hombre hace la señal, la mujer debe ponerse en posición —pensó en Broud y su rostro se nubló al recordar el dolor y la degradación.

—¿En cualquier momento, Ayla? —vio el sufrimiento y se preguntó por qué—. ¿Inclusive la primera vez? —Ayla asintió con la cabeza—. ¿Así te ocurrió a ti? ¿Algún hombre te hizo la señal sin más ni más? —Ayla cerró los ojos, tragó saliva y asintió.

Jondalar estaba horrorizado, indignado.

—¿Quieres decir que no hubo Primeros Ritos? ¿Nadie mirando para asegurarse de que no te hicieran demasiado daño? ¿Qué clase de gente es esa? ¿No les importa la primera vez de una joven? ¿Simplemente dejan que un hombre en celo la tome, un hombre cualquiera? ¿Que la obligue ya esté dispuesta o no? ¿Ya le duela o no? —se había puesto de pie y caminaba de un lado para otro, furioso—. ¡Es cruel! ¡Es inhumano! ¿Cómo era posible que permitieran semejante cosa? ¿No tienen compasión? ¿Es que no les importa?

Su estallido fue tan inesperado que Ayla se quedó mirándolo con los ojos muy abiertos, mientras él se abandonaba a un desahogo de ira justiciera. Pero a medida que sus palabras se iban volviendo más oprobiosas, comenzó a menear la cabeza, negando sus afirmaciones.

—No —dijo finalmente, expresando su inconformidad—. No es cierto, Jondalar. ¡Les importa! Iza me encontró... me cuidó. Me adoptaron y me hicieron parte del Clan, aunque había nacido de los Otros. No tenían por qué recogerme.

"Creb no comprendía que Broud me lastimaba, porque nunca tuvo compañera. No conocía ese aspecto de las mujeres, y era el derecho de Broud. Y cuando quedé embarazada, Iza me cuidó; cayó enferma buscando medicinas para mí de manera que no perdiera mi bebé. Sin ella, me habría muerto al nacer Durc. Y Brun lo aceptó, aun cuando todos creían que era deforme. Pero no lo era. Es fuerte y saludable..." Ayla se interrumpió al ver que Jondalar la miraba fijamente.

—¿Tienes un hijo?, ¿dónde está?

Ayla no había hablado de su hijo. Inclusive al cabo de tanto tiempo, era doloroso hablar de él. Sabía que al mencionarlo provocaría preguntas, aun cuando de todos modos habría tenido que decirlo algún día.

—Sí, tengo un hijo. Sigue con el Clan. Se lo di a Uba cuando Broud me obligó a marcharme.

—¿Te obligó a marcharte? —volvió a sentarse. De modo que tenía un hijo. No se había equivocado al sospechar que había estado embarazada—. ¿Cómo es posible obligar a una mujer a abandonar a su hijo? ¿Quién es ese . . . Broud?

¿Cómo explicárselo? Cerró los ojos un instante.

—Es el jefe. El jefe era Brun cuando me encontraron. Él permitió que Creb me hiciera del Clan, pero estaba envejeciendo, de modo que hizo jefe a Broud. Broud me ha odiado siempre, hasta cuando era una niña pequeña.

—Es el que te lastimó, ¿verdad?

—Iza me habló de la señal cuando me hice mujer, pero decía que los hombres aliviaban su necesidad con mujeres que les gustaban. Broud lo hizo porque le gustaba saber que podía hacerme algo que yo odiara. Pero creo que fue mi tótem quien le incitó a hacerlo. El espíritu del León Cavernario sabía cuánto deseaba yo un bebé.

—¿Qué tiene que ver ese Broud con tu bebé? La Gran Madre Tierra bendice cuando escoge. ¿Era tu hijo de su espíritu?

—Creb decía que los espíritus hacen bebés. Decía que una mujer tragaba el espíritu del tótem de un hombre. Si era lo suficientemente fuerte, dominaría al espíritu del tótem de ella, le quitaría su fuerza vital, iniciando una nueva vida que crecería dentro de ella.

—Curiosa manera de ver las cosas. Es la Madre quien escoge el espíritu del hombre para mezclarlo con el de la mujer cuando bendice a esa mujer.

—Yo no creo que los espíritus hagan bebés. No espíritus de tótems ni espíritus mezclados por tu Gran Madre. Creo que la vida comienza cuando el órgano de un hombre está lleno y lo mete dentro de una mujer. Creo que por eso tienen los hombres necesidades tan fuertes, y por qué las mujeres desean tanto a los hombres.

—Eso no puede ser, Ayla. ¿No sabes cuántas veces puede meter el hombre su virilidad en una mujer? Una mujer no podría tener tantos hijos. Un hombre hace a la mujer con la Dádiva del Placer que otorga la Madre; la abre para que los espíritus puedan entrar. Pero la Dádiva más sagrada de la Madre, la Dádiva de Vida, sólo se otorga a las mujeres. Ellas reciben los espíritus y crean vida y se convierten en madres como Ella. Si un hombre La honra, aprecia Sus Dádivas y se compromete a cuidar de una mujer y sus hijos, Doni puede escoger su espíritu para los hijos de su hogar.

—¿Qué es la Dádiva del Placer?

—¡Es cierto! No has sabido nunca lo que son los placeres, ¿verdad? —preguntó, pasmado cuanto más consideraba la idea—.

No me extraña que no supieras cuando yo ... Eres una mujer que ha tenido la bendición de un hijo sin haber tenido siquiera los Primeros Ritos. Tu Clan debe de ser muy insólito. Toda la gente que conocí durante mi viaje sabía de la Madre y Sus Dádivas. La Dádiva del Placer es cuando un hombre y una mujer sienten que se desean y se entregan el uno a la otra.

—Es cuando un hombre está lleno y tiene que aliviar sus necesidades con una mujer, ¿verdad? —dijo Ayla—. Es cuando pone su órgano en el lugar por donde salen los bebés. ¿Eso es la Dádiva del Placer?

—Es eso, pero es muchísimo más.

—Tal vez, pero a mí me dijeron todos que nunca tendría un bebé porque mi tótem era demasiado fuerte. Todos se sorprendieron. Y no era deforme. Sólo se parecía un poco a mí y un poco a ellos. Pero sólo quedé embarazada después de que Broud me hiciera la señal una y otra vez. Nadie más me quiso ... soy demasiado alta y fea. Inclusive en la Reunión del Clan, no hubo un solo hombre que quisiera tomarme, aunque yo adquirí la categoría de Iza cuando me aceptaron como hija de ella.

Algo en la historia comenzó a molestar a Jondalar, algo que no conseguía captar plenamente pero que sentía.

—Has dicho que la curandera te encontró. ¿Cómo se llamaba? ¿Iza? ¿Dónde te encontró? ¿De dónde venías?

—No lo sé. Iza dijo que yo había nacido de los Otros, otras personas como yo. Como tú, Jondalar. No recuerdo nada antes de vivir con el Clan ... ni siquiera recordaba el rostro de mi madre. Tú eres el único hombre que he visto, parecido a mí.

Jondalar comenzaba a sentir algo raro en la boca del estómago mientras escuchaba.

—Supe de un hombre de los Otros; me lo contó una mujer en la Reunión del Clan. Me hizo temerlos hasta que te encontré a ti. Ella tenía un bebé, una nenita que se parecía tanto a Durc que podría haber sido hija mía. Oda quería arreglar un casorio entre su hija y mi hijo. Decían que también su bebé era deforme, pero creo que aquel hombre de los Otros inició su bebé al forzarla a aliviar sus necesidades.

—¿El hombre la forzó?

—Y también mató a su primogénita. Oda estaba con otras dos mujeres, y llegaron muchos de los Otros, pero no dieron la señal. Cuando uno de ellos la agarró, la hijita de Oda cayó de cabeza sobre una roca.

De repente Jondalar recordó la pandilla de jóvenes de una Caverna muy al Oeste. Quiso rechazar las conclusiones que comenzaba a sacar. Y sin embargo, si lo hacía una pandilla de jóvenes, ¿por qué no habría de hacerlo otra pandilla de otros jóvenes también?

—Ayla, sigues diciendo que no eres como los del Clan. ¿En qué son ellos diferentes?

—Son más bajos ... por eso me sorprendí tanto al verte parado. Yo he sido siempre más alta que todos, inclusive que los hombres. Por eso no me querían, soy demasiado alta y demasiado fea.

—¿Y qué más? —no quería preguntar pero no podía detenerse; tenía que saberlo.

—El color de sus ojos es oscuro. Iza creía a veces que mis ojos tenían algo malo porque eran del color del cielo. Durc tiene los ojos como ellos y el ... no sé cómo decirlo: fuertes cejas, pero su frente es como la mía. Ellos tienen la cabeza más plana ...

—¡Cabezas chatas! —retorció los labios de asco—. ¡Buena Madre! ¡Ayla! ¡Has estado viviendo con esos animales! Has dejado que uno de sus machos ... —se estremeció—. Has dado a luz ... una abominación de espíritus mezclados, medio humana y medio animal —y como si hubiera tocado algo sucio, Jondalar retrocedió y se incorporó de un salto. Era una reacción causada por prejuicios irracionales, suposiciones rudas e irreflexivas, que nunca habían sido puestas en tela de juicio por nadie que él conociera.

Ayla no comprendió al principio y se quedó mirándolo con expresión intrigada. Pero la expresión de él estaba llena de repugnancia, como la de ella cuando pensaba en las hienas. Entonces las palabras de él adquirieron significado.

¡Animales! ¡Estaba llamando animales a las personas que ella amaba! ¿El dulce y amoroso Creb, que a pesar de todo era el hombre santo más temido y poderoso del Clan ... Creb era un animal? Iza, que la había atendido y criado como madre, que le enseñó medicina ... ¿Iza era una apestosa hiena? ¡Y Durc!, ¡su hijo!

—¿Qué quieres decir: animales? —gritó Ayla, de pie y haciéndole frente. Nunca había alzado la voz con ira hasta entonces, y su volumen la sorprendió ... y también el veneno que encerraba—. ¿Iza y Creb, animales?, ¿mi hijo, medio humano? La gente del Clan no son alguna especie de horribles y apestosas hienas.

"¿Recogerían animales a una niña herida? ¿La aceptarían entre ellos? ¿La cuidarían? ¿La criarían? ¿Dónde crees tú que he aprendido a buscar alimentos?, ¿o a guisarlos? ¿Dónde crees que he aprendido el arte de curar? De no ser por esos animales no estaría yo con vida en este momento, ¡y tampoco tú, Jondalar!

"¿Dices que los del Clan son animales, y los Otros son humanos? Pues bien, recuerda esto: el Clan salvó a una hija de los Otros, y los Otros mataron a una de los suyos. Si tuviera que escoger entre humano y animal, ¡yo escogería las apestosas hienas!"

Y salió de la caverna, bajó el sendero como una exhalación, y llamó a Hinny con un silbido.

Capítulo 24

Jondalar se había quedado atónito, Salió detrás de ella y la miró desde el saliente. Ayla montó a caballo de un brinco bien dominado y se fue al galope valle abajo. Se había mostrado siempre tan complaciente, sin mostrar nunca enojo. El contraste destacaba más violentamente aún aquel arranque.

Siempre había considerado que él, Jondalar, era justo y de ideas amplias respecto a los cabezas chatas. Consideraba que había que dejarlos en paz, no molestarlos ni provocarlos, y no habría matado ninguno intencionalmente. Pero su sensibilidad se había sentido groseramente ofendida a la idea de que un hombre usara a una hembra de cabeza chata para los placeres. Que uno de sus machos hiciera uso de una humana en la misma forma, había atacado un nervio vivo; la mujer estaría profanada.

Y la había deseado tanto. Pensó en las historias vulgares que relataban muchachos y jóvenes de mente sucia, y sintió que los ijares se le retorcían como si estuviera ya contaminado y que su miembro se encogiera y pudriera. Por la merced de la Gran Madre Tierra, se había salvado.

Pero peor aún: había traído al mundo una abominación, un cachorro de espíritus malignos de los que ni siquiera se podía hablar entre personas decentes. La existencia misma de semejante progenie era acaloradamente negada por algunos, y sin embargo, se había seguido hablando de ella.

Desde luego, Ayla no lo había negado. Lo admitía abiertamente, ahi parada, defendiendo a la criatura ... con la misma vehemencia que cualquier otra madre cuyo hijo hubiera sido calumniado. Se sintió ofendida, indignada de que hubiera hablado de ellos en términos despectivos. ¿Habría sido realmente criada por una manada de cabezas chatas?

Había visto algunos cabezas chatas en su viaje. Inclusive se había preguntado si serían verdaderamente animales. Recordaba el incidente con el macho joven y la hembra mayor. Pensándolo bien, ¿no había utilizado el joven un cuchillo hecho con un copo grueso para cortar el pescado en dos, *exactamente como el que utilizaba Ayla?* Y su madre llevaba un manto alrededor, como el de Ayla. Y ésta había tenido los mismos amaneramientos, especialmente al principio; esa tendencia a mirar hacia abajo, a pasar inadvertida.

Revisó las pieles de su cama, tenían la misma textura suave que la piel de lobo que le habían prestado. ¡Y la lanza! Esa lanza primitiva, pesada..., ¿no era como lanzas que llevaba aquella manada de cabezas chatas que Thonolan y él habían encontrado al bajar del glaciar?

Lo había tenido allí delante todo el tiempo, pero no se había fijado. ¿Por qué habría imaginado aquella historia de que era Una que Sirve a la Madre sometiéndose a una prueba para perfeccionar sus habilidades? Era tan hábil como cualquier curandera, tal vez más. ¿Habría aprendido realmente Ayla el arte de curar de una cabeza chata?

La observaba, cabalgando a lo lejos. Se había mostrado magnífica en su ira; conocía mujeres que alzaban la voz a la menor provocación. Marona podía ser una bruja gritona, discutidora y de mal genio, recordó, pensando en la mujer a la que había sido prometido. Pero había cierta fuerza, en alguien tan exigente, que lo había atraído; le agradaban las mujeres fuertes. Representaban un desafío, y no cedían terreno ni eran tan fácilmente dominadas por la pasión de él, las pocas veces que ésta se expresaba. Había sospechado que había un núcleo duro en Ayla, a pesar de su compostura. "Mírala montada a caballo", pensó. "Es una mujer bella, notable".

De repente, como un duchazo de agua helada, se dio cuenta de lo que acababa de hacer; palideció. Ella le había salvado la vida ¡y él se había apartado de ella como si fuera basura! Lo había colmado de cuidados y atenciones, y él la había recompensado con una vil repugnancia. Había dicho que su hijo era una abominación, un hijo al que obviamente amaba. Se sintió mortificado por su propia insensibilidad.

Regresó corriendo a la caverna y se arrojó sobre la cama; la cama de ella. Había estado durmiendo en la cama de la mujer de quien acababa de alejarse despreciativamente.

—¡Oh, Doni! —gritó—. ¿Cómo me has permitido hacerlo? ¿Por qué no me ayudaste? ¿Por qué no me detuviste?

Sumió la cabeza entre las pieles. No se había sentido tan miserable desde que era pequeño. Pensaba estar ya más allá de todo eso. Y también entonces había actuado sin pensar. ¿Nunca aprendería? ¿Por qué no se había mostrado más discreto? Pronto se marcharía; tenía curada la pierna. ¿Por qué no pudo controlarse hasta su partida?

Y de hecho, ¿por qué estaba todavía allí? ¿Por qué no había dado las gracias y tomado el camino de regreso? Nada lo retenía. ¿Por qué se había quedado, haciéndole responder a preguntas que no eran de su incumbencia? Entonces podría haberla recordado como una mujer bella y misteriosa que vivía sola en un valle y encantaba a los animales y le había salvado la vida.

"Porque no pudiste dejar atrás una mujer bella y misteriosa, Jondalar, ¡y tú lo sabes!

"¿Por qué te preocupa tanto? ¿Qué diferencia representa . . . que haya vivido con animales?

"Porque la deseabas. Y entonces has pensado que no era lo suficientemente buena para ti porque había . . . había dejado . . .

"¡Idiota! No escuchaste. Ella no lo *dejó,* ¡él la forzó! Sin Primeros Ritos. ¡Y tú le echas la culpa! Te lo estaba diciendo, sincerándose y aliviando su dolor, ¿y qué hiciste?

"Eres todavía peor que él, Jondalar. Por lo menos, ella sabía lo que él sentía. La odiaba, deseaba lastimarla. ¡Pero tú! Confiaba en ti. Te dijo sus sentimientos hacia ti. Tú la deseabas tanto, Jondalar, y podías haberla poseído en cualquier momento. Pero tenías miedo de lastimar tu orgullo.

"Si le hubieras prestado atención en vez de preocuparte tanto por ti mismo, podrías haber comprobado que no se estaba portando como una mujer de experiencia. Estaba actuando como una muchachita asustada. ¿No has tenido las suficientes como para reconocer la diferencia?

"Pero no parece una muchachita asustada. No, sólo es la mujer más bella que has visto en tu vida. Tan bella, y tan inteligente y tan segura de sí misma, que te asustó. Te asustó la idea de que pudiera rechazarte. ¡Tú, el gran Jondalar! El hombre que todas las mujeres desean. ¡Puedes estar seguro de que ya no te desea más!

"Tú sólo creías que estaba segura de sí misma . . . y ni siquiera sabe lo bella que es. En realidad cree que es alta y fea. ¿Cómo podría nadie creer que es fea?

"Recuerda que creció entre cabezas chatas. ¿Quién iba a creer que ellos entendieran la diferencia? Pero también ¿quién imaginaría que fueran capaces de recoger a una niñita? ¿Recogeríamos nosotros a una de las suyas? Me pregunto qué edad tendría. No puede haber tenido muchos años: esas cicatrices de garras son viejas. Habría sido horroroso, perdida y sola, arañada por un león cavernario.

"¡Y curada por una cabeza chata! ¿Cómo es posible que una cabeza chata supiera curar? Pero aprendió de ellos, y lo hace bien. Lo suficientemente bien para hacerte creer que era Una de las que Sirven a la Madre. ¡Deberías abandonar la confección de herramientas y convertirte en narrador de cuentos! No querías ver la verdad. Y ahora que la conoces, ¿dónde está la diferencia? ¿Estás menos vivo porque haya aprendido a curar con los cabezas chatas? ¿Es menos bella porque... porque haya dado a luz una abominación? ¿Y por qué es su hijo una abominación?

"Sigues deseándola, Jondalar.

"Es demasiado tarde. Nunca volverá a creer en ti, a confiar en ti". Una nueva oleada de vergüenza lo acometió. Cerró los puños y golpeó las pieles. "¡Tú, idiota! ¡Tú, estúpido, estúpido idiota! ¡Lo has echado todo a perder! ¿Por qué no te marchas?

"No puedes. Tienes que dar la cara, Jondalar. No tienes ropa, no tienes armas, no tienes alimentos; no puedes viajar sin nada.

"¿Dónde vas a encontrar provisiones? ¿En qué otra parte? Éste es el lugar de Ayla... tienes que obtenerlas de ella. Tienes que pedírselas, por lo menos algo de pedernal. Con herramientas puedes hacer lanzas. Entonces puedes cazar para obtener alimentos, y pieles para hacer ropa, y un rollo para dormir y una mochila. Te llevará tiempo prepararte, y un año o más para el regreso. Te sentirás solitario sin Thonolan".

Jondalar se hundió más aún entre las pieles.

"¿Por qué tuvo que morir Thonolan? ¿Por qué no me mató a mí el león?" Las lágrimas le corrieron por las mejillas. "Thonolan no habría hecho nada tan estúpido. Ojalá supiera yo dónde está ese cañón, hermanito. Ojalá un zelandoni te hubiera ayudado a hallar tu camino en el otro mundo. Odio la idea de que algún animal depredador haya esparcido tus huesos".

Oyó ruido de cascos por el sendero rocoso que subía desde la playa y pensó que Ayla estaba de regreso; pero era el potro. Se levantó, se fue hasta el saliente y registró el valle con la mirada: no se veía a Ayla por ninguna parte.

—¿Qué pasa, compañerito? ¿Te dejaron atrás? Es culpa mía, pero ya volverán... aunque sólo sea por ti. Además, Ayla vive aquí... sola. Me pregunto cuánto tiempo lleva aquí. Sola. Me pregunto si yo habría sido capaz...

"Aquí estás, llorando tu torpeza, y mira por todo lo que ella ha tenido que pasar. Y no está llorando. ¡Es una mujer tan notable! Bella. Magnífica. Y tú has perdido todo eso, Jondalar ¡idiota! ¡Oh, Doni! Ojalá pudiera reparar todo esto".

Jondalar estaba equivocado; Ayla estaba llorando, llorando como nunca antes había llorado. Eso no la hacía menos fuerte, sólo la ayudaba a aguantarlo. Fue impulsando a Hinny hasta que dejaron el valle muy atrás, y entonces se detuvo en un meandro que formaba un recodo; era un afluente del río que corría junto a la cueva. El terreno dentro del recodo se inundaba con frecuencia, dejando limo de acarreo que proporcionaba una base fértil a la vegetación lujuriante. Era un lugar donde había cazado urogallos de los sauces y perdiz blanca, así como toda una variedad de animales desde la marmota hasta el ciervo gigante que encontraban en aquel lugar seductor un verdor al que no podían resistir.

Levantando la pierna, se deslizó del lomo de Hinny, bebió un trago y se lavó la cara sucia y con chorretes de lágrimas. Le parecía haber tenido una pesadilla. Todo el día había sido una serie vertiginosa de exaltaciones emocionales y depresiones abrumadoras, y cada cambio producía altos y bajos más acentuados. No creía poder soportar un cambio más, ni hacia arriba ni hacia abajo.

La mañana prometía; Jondalar había insistido en ayudarla a recoger grano, y la había asombrado ver la rapidez con que aprendía. Ella estaba segura de que cosechar grano no era algo que él supiera de antes, pero en cuanto le enseñó, lo captó rápidamente. Era algo más que el par de manos adicional para ayudar; era la compañía. Ya hablaran o no, tener otra persona cerca le hizo comprender cuánto había echado de menos la compañía.

Luego, hubo un leve desacuerdo; nada grave. Ella quería seguir recogiendo y él deseaba terminar en cuanto se terminó el agua. Pero cuando regresó con la vejiga de agua y comprendió que él querría probar de montar a caballo, pensó que podía ser un medio para tenerlo consigo. Le gustaba el potro, y si le gustara cabalgar, podría quedarse hasta que creciera el potro. Tan pronto como ella se lo ofreció, saltó sobre la oportunidad.

Eso los había puesto a ambos de buen humor. Así comenzaron a reírse. Ella no había vuelto a reír así desde que Bebé se fue. Le agradaba la risa de Jondalar . . . sólo de oírla se animaba.

"Entonces fue cuando me tocó", pensó. "Ninguno del Clan toca de esa manera, por lo menos no fuera de las piedras-límite. Quién sabe lo que un hombre y su compañera harán por la noche, bajo las pieles. Tal vez se toquen como ellos se tocan. ¿Se tocarán todos los Otros de esa manera, fuera del hogar? Me gustó cuando me tocó. ¿Por qué echó a correr?"

Ayla habría querido morirse de vergüenza, segura de que era la mujer más fea del mundo, cuando él fue a aliviarse. Entonces, en la caverna, cuando le dijo que la deseaba, que no creía que ella lo quisiera, casi lloró de gozo. Por la manera que tenía de mirarla, casi podía sentir el calor por dentro, el deseo, la sensación de atracción. Estuvo tan furioso cuando le habló de Broud, que ella quedó convencida de que la quería. Tal vez la próxima vez que estuviera dispuesto...

Pero nunca olvidaría cómo la miró, como un trozo asqueroso de carne podrida. Inclusive se estremeció.

"¡Iza y Creb no son animales! Son gente. Gente que me recogió y me amó. ¿Por qué los odia? Esto fue primero tierra de ellos. La especie de Jondalar vino después... mi especie. ¿Así son los de mi especie?

"Me alegro de haber dejado a Durc con el Clan. Ellos podrán pensar que es deforme, Broud podrá odiarlo porque es hijo mío, pero mi bebé no será un animal... una abominación. Es la palabra que dijo; no necesita explicarla", Otra vez se echó a llorar. "Mi bebé, mi hijito... No es deforme... es saludable y fuerte. Y no es un animal, no es... una abominación.

"¿Cómo pudo cambiar tan aprisa? Me estaba mirando con sus ojos azules, me estaba mirando... Y de repente se apartó como si pudiera quemarlo, como si fuera yo un espíritu maligno cuyo nombre sólo lo conocen los mog-urs. Fue peor que una maldición de muerte. Ellos sólo se dieron vuelta y dejaron de verme; yo estaba muerta y pertenecía al otro mundo. No me miraron como si fuera una... abominación".

El sol poniente dejó paso al fresco de la tarde. Inclusive durante la época más calurosa del verano, la estepa era fría de noche. Ayla se estremeció en su manto de verano. "Si se me hubiera ocurrido traer una piel y la tienda... No, Hinny se preocuparía por el potro, y él necesita mamar".

Cuando Ayla se puso de pie a la orilla del río, Hinny alzó la cabeza entre las abundantes hierbas, fue hacia ella trotando y espantó un par de perdices blancas. La reacción de Ayla fue casi instintiva: sacó la honda de la cintura y se agachó para recoger guijarros en un solo movimiento. Las aves habían alzado apenas el vuelo cuando una, y después la otra, cayeron a plomo. Ayla las fue a buscar, buscó el nido y se detuvo.

"¿Para qué voy a buscar los huevos? ¿Voy a cocinar el plato favorito de Creb para Jondalar? ¿Y por qué tengo que prepararle nada, y menos aún el plato predilecto de Creb?" Pero al ver el nido, poco más que una ligera depresión arañada en el suelo duro y que contenía una nidada de siete huevos, se encogió de hombros y los tomó con cuidado.

Dejó los huevos cerca del río, al lado de las aves, y entonces arrancó largos carrizos que crecían junto a la ribera. La canasta medio improvisada que trenzó sólo le llevó unos instantes; la utilizaría únicamente para transportar los huevos, y la desecharía después. Utilizó más carrizos para juntar las patas emplumadas del par de perdices; ya les estaban creciendo las abundantes plumas de invierno para andar por la nieve.

Invierno. Ayla se estremeció. No quería pensar en el invierno, frío y yermo. Pero el invierno nunca estaba totalmente alejado de la mente; el verano sólo era el momento de prepararse para el invierno.

Jondalar se marcharía; lo sabía. Era tonto creer que iba a quedarse con ella aquí, en el valle. ¿Por qué habría de quedarse? Y ella, ¿se quedaría si tuviera a su gente? Iba a ser peor cuando él se marchara . . . aun cuando la hubiera mirado de aquella manera.

—¿Por qué tenía que venir?

El sonido de su propia voz la sobresaltó. No estaba acostumbrada a hablar en voz alta cuando estaba sola. "Pero puedo hablar. Por lo menos, eso hizo Jondalar. Por lo menos, si llego a ver gente, puedo hablar ahora. Y sé que hay gente que vive al Oeste. Iza tenía razón: tiene que haber mucha gente, muchos Otros".

Colocó las perdices sobre el lomo de la yegua, colgando a ambos lados, y sostuvo el canastillo de huevos entre las piernas. "Yo nací de los Otros. Busca un compañero, me dijo Iza. Creí que mi tótem me había enviado a Jondalar, pero si me enviara alguno mi tótem, ¿me miraría de esa manera?"

—¿Cómo pudo mirarme de esa manera? —gritó, en un sollozo convulsivo—. ¡Oh, León Cavernario, no quiero volver a estar sola! —Ayla se dejó caer de nuevo, abandonándose al llanto. Hinny observó la falta de dirección pero no importaba: sabía el camino. Al cabo de un rato Ayla se enderezó—. Nadie me obliga a quedarme aquí. Hace tiempo que debí haberme puesto a buscar. Ahora puedo hablar . . .

". . . y puedo decirles que Hinny no es un caballo que se pueda cazar —prosiguió en voz alta después de recordárselo—. Lo tendré todo preparado y me marcharé la primavera que viene. Ya sabía que no lo volvería a aplazar.

"Jondalar no se marchará en seguida. Necesitará ropa y armas. Tal vez mi León Cavernario lo haya enviado para que me enseñe. Entonces, tendré que aprender lo más posible antes de que se marche. Lo observaré y le haré preguntas, no importa cómo me mire. Broud me odió durante todos los años que pasé con el Clan. Puedo aguantar si Jondalar ... si él ... me odia''. Y cerró los ojos para rechazar las lágrimas.

Tocó su amuleto, recordando lo que le había dicho Creb mucho tiempo atrás: ''Cuando encuentres una señal que tu tótem haya dejado para ti, guárdala en tu amuleto. Eso te traerá suerte.'' Ayla lo había puesto todo en su amuleto. ''León Cavernario, llevo tanto tiempo sola; pon suerte en mi amuleto''.

El sol se había puesto detrás de la muralla del cañón río arriba para cuando Ayla cabalgó hacia el río. La oscuridad siempre caía rápidamente después. Jondalar la vio llegar y bajó corriendo a la playa. Ayla había puesto a galopar a Hinny, y cuando daba vuelta a la muralla saliente, casi tropieza con el hombre. El caballo se encabritó, y por poco derriba a la mujer. Jondalar tendió la mano para retenerla, pero al sentir carne desnuda, apartó la mano, seguro de que lo despreciaría.

''Me odia'', pensó Ayla. ''¡No soporta siquiera tocarme!'' Ahogó un sollozo y mandó a Hinny camino arriba. La yegua atravesó la playa pedregosa y subió matraqueando el camino con Ayla a cuestas. Ésta puso pie a tierra a la entrada de la caverna y entró rápidamente, deseando tener otro lugar adonde ir; quería esconderse. Dejó caer la canasta de los huevos junto al hogar, agarró una brazada de pieles y se las llevó hasta su área de almacenamiento. Las tiró al suelo al otro lado del tendedero, en medio de canastas nuevas, esteras y tazones, se arrojó encima y se cubrió la cabeza con ellas.

Ayla oyó los cascos de Hinny momentos después, y el potro. Estaba temblando, luchando contra las lágrimas, claramente consciente de los movimientos del hombre en la cueva. Deseaba que saliera para poder llorar.

No oyó pies descalzos sobre el piso de tierra cuando se acercó, pero supo que allí estaba y trató de dominar su temblor.

—¿Ayla? —dijo. Ella no respondió—. Ayla, te he traído un poco de té —ella se mantuvo rígida, inmóvil—. Ayla, no tienes que quedarte aquí atrás. Yo me mudaré. Iré al otro lado del fuego.

''¡Me odia! No puede soportar estar cerca de mí'', pensó, ahogando un sollozo. ''Ojalá se vaya, ojalá se vaya y nada más''.

—Ya sé que no sirve de nada, pero tengo que decirlo. Lo siento, Ayla. Lo siento más de lo que puedo expresar. No merecías lo que hice. No tienes por qué contestar, pero yo tengo que hablarte. Siempre has sido sincera conmigo ... es hora de que yo muestre sinceridad contigo.

"He estado pensando desde que te marchaste a caballo. No sé por qué hice... lo que hice, pero quiero tratar de explicar. Después de que me atacó el león desperté aquí, no sabía dónde estaba, y no podía comprender por qué no me hablabas. Eras un misterio. ¿Por qué estabas aquí, tú sola? Empecé a inventarme una historia respecto a ti, que eras una zelandoni poniéndote a prueba, una mujer santa respondiendo a una vocación para Servir a la Madre. Al ver que no respondías a mis intentos de compartir contigo los Placeres, pensé que estabas evitándolos como parte de tu prueba. Pensé que el Clan sería un extraño grupo de zelandoni con quienes vivías".

Ayla había dejado de temblar y estaba escuchando pero sin moverse.

—Sólo estaba pensando en mí, Ayla —se agachó—. No estoy muy seguro de que me creas, pero yo, bueno... me han considerado como un... hombre atrayente. La mayoría de las mujeres han... querido atraer mi atención; sólo tuve que escoger. Pensé que me estabas rechazando. No estoy acostumbrado a eso, pero no quise admitirlo. Creo que por eso inventé esa historia para ti, para poderme explicar que no parecieras desearme.

"Si hubiera prestado atención, me habría dado cuenta de que no eras una mujer de experiencia que me rechazaba, sino más bien una joven antes de sus Primeros Ritos: insegura y un poco asustada, deseosa de complacer. Si alguien hubiera tenido que reconocerlo yo debería... bueno... no importa. Eso no importa".

Ayla había dejado que cayeran las cobijas, escuchando con tanta intensidad que podía oír cómo su corazón le palpitaba en los oídos.

—Lo único que podía ver era Ayla, la mujer. Y créeme, no pareces una muchacha. Creí que estabas bromeando cuando decías que eras alta y fea. No bromeabas, ¿verdad? De veras así es como te ves. Quizá para los cab... la gente que te crió fueras demasiado alta y diferente, pero Ayla, tienes que saberlo: *no* eres alta y fea. Eres bella. Eres la mujer más bella que he visto en mi vida.

Ella se había vuelto y se estaba sentando.

—¿Bella? ¿Yo? —dijo. Y con una puñalada de incredulidad, volvió a escurrirse entre las pieles por miedo a ser lastimada de nuevo—. Te estás burlando de mí.

Jondalar tendió la mano hacia ella, vaciló y la retiró.

—No puedo reprocharte que no me creas. No después de... lo de hoy. Quizá debería enfrentarme a eso y tratar de explicar.

"Es difícil imaginar todo por lo que has pasado, huérfana y criada por... gente tan diferente. Tener un hijo y que te lo quiten.

Obligarte a abandonar el único hogar que conocías para enfrentarte a un mundo extraño, y vivir aquí, sola. Es más prueba de lo que cualquier mujer santa pensaría poder pasar. No muchas habrían sobrevivido. Tú no eres solamente bella, Ayla, eres fuerte. Eres fuerte por dentro. Pero es probable que tengas que ser más fuerte aún.

"Tienes que saber los sentimientos de la gente respecto a los que tú llamas Clan. Yo pensaba igual . . . la gente piensa que son animales . . .

—¡No son animales!

—Pero yo no lo sabía, Ayla. Hay personas que odian a tu Clan. Yo no sé por qué. Cuando pienso en ello, los animales, los verdaderos animales a los que se da caza, no son odiados. Quizá, dentro de sí, las personas saben que los cabezas chatas, así los llaman también, Ayla, son humanos, pero son tan diferentes que resulta temible o tal vez amenazador. Y sin embargo, algunos hombres obligan a mujeres de cabeza chata a . . . no puedo decir compartir placeres; no conviene esa palabra; tal vez como tú dices, "aliviar sus necesidades". No puedo comprender por qué, ya que hablan de ellas como si fueran animales. No sé si son animales, si los espíritus pueden mezclarse y nacer hijos . . .

—¿Estás seguro de que son espíritus? —preguntó Ayla. Lo decía con tanta seguridad que se preguntó si no tendría razón.

—Sea como sea, tú no eres la única, Ayla, que tenga una mezcla de humano y cabeza chata por hijo, aunque la gente no habla . . .

—Son Clan y son humanos —interrumpió.

—Ayla, vas a oír mucho esa palabra. Es justo decírtelo. También debes saber que cuando un hombre toma por la fuerza a una mujer del *Clan* no es aprobado, pero se pasa por alto. Pero que una mujer "comparta placeres" con un macho cabeza chata es . . . imperdonable ante los ojos de muchas personas.

—¿Una abominación?

Jondalar palideció pero siguió adelante.

—Sí, Ayla, abominación.

—Yo no soy abominación —gritó Ayla—. ¡Y Durc no es abominación! No me gustaba lo que me hacía Durc, pero no era una abominación. De haber sido cualquier otro hombre que lo hiciera sólo por aliviar su necesidad y no con odio, yo lo habría aceptado como cualquier otra mujer del Clan. No es vergonzoso ser mujer del Clan. Yo me habría quedado con ellos, inclusive como segunda esposa de Broud, de haber podido. Sólo por estar cerca de mi hijo. ¡No me importa cuánta gente no lo apruebe!

No podía menos de admirarla; no iba a ser fácil para ella.

—Ayla: no te digo que debas avergonzarte. Sólo te estoy diciendo lo que debes esperar. Quizá podrías decir que vienes de otra gente.

—Jondalar, ¿por qué quieres que diga palabras que no son verdad? No sabría cómo. En el Clan, nadie dice falsedades . . . se sabría, se vería. Aun cuando uno se abstenga de decir algo, se sabe. A veces se tolera por . . . por cortesía, pero se sabe. Yo puedo ver cuando tú dices palabras que no son verdad. Tu rostro me lo dice, y tus hombros y tus manos.

Jondalar se puso colorado. ¿Eran tan visibles sus mentiras? Se alegraba de haber decidido mostrarse tan escrupulosamente sincero con ella. Quizá pudiera aprender algo de ella. Su honradez y su sinceridad eran parte de su fortaleza interior.

—Ayla, no tienes que aprender a mentir, pero pensé que debería decirte estas cosas antes de marcharme.

Ayla sintió que se le hacía un nudo en el estómago, y se le cerró la garganta. "Va a marcharse". Habría querido sumirse nuevamente entre las pieles y cubrir su cabeza.

—Pensé que te irías —dijo—. Pero no tienes nada para el viaje. ¿Qué necesitas?

—Si pudieras darme algo de pedernal, puedo hacer herramientas y algunas lanzas. Y si me dices dónde está la ropa que traía puesta, quisiera remendarla. La mochila debería también estar más o menos entera, si la trajiste del cañón.

—¿Qué es una mochila?

—Es algo como una estructura que se lleva a la espalda, pero al hombro. No hay palabra exacta en Zelandonii; la usan los Mamutoi. La ropa que traía puesta es Mamutoi . . .

—¿Por qué es una palabra diferente? —preguntó Ayla, meneando la cabeza.

—Mamutoi es una lengua diferente.

—¿Una lengua diferente? ¿Qué lengua me has enseñado?

Jondalar tuvo la sensación de que todo se le venía abajo.

—Te enseñé mi lengua . . . Zelandonii. No se me ocurrió . . .

—Zelandonii . . . , ¿viven al Oeste? —Ayla se sentía molesta.

—Bueno, sí, muy lejos al Oeste. Los Mamutoi viven cerca.

—Jondalar, me has enseñado una lengua que hablan personas que viven muy lejos, no una que hable gente de aquí cerca. ¿Por qué?

—Yo . . . no lo pensé. Sólo te enseñé mi lengua —dijo, sintiéndose súbitamente muy mal: no había hecho nada correctamente.

—¿Y eres el único que sabe hablarla?

Jondalar asintió con la cabeza; tenía el estómago revuelto. Ella creía que él le había sido enviado para enseñarle a hablar, pero sólo podía hablar con él.

—Jondalar, ¿por qué no me has enseñado la lengua que todos hablan?

—No hay una lengua que todos hablen.

—Quiero decir la que usas para hablarles a tus espíritus o tal vez a tu Gran Madre.

—No tenemos una lengua exclusiva para hablarle a Ella.

—¿Y cómo hablas con la gente que no conoce tu lengua?

—Aprendemos unos la de los otros. Yo sé tres lenguajes y algunas palabras de otros pocos.

Ayla estaba temblando otra vez. Pensaba que habría podido irse del valle y hablar con la gente que encontrara. Y ahora, ¿qué iba a hacer? Se puso de pie y él también.

—Yo quería saber todas tus palabras, Jondalar. Tengo que saber hablar. Tienes que enseñarme. Tienes que . . .

—Ayla, no puedo enseñarte dos lenguas más ahora. Lleva tiempo. Ni siquiera las conozco a la perfección . . . es algo más que palabras . . .

—Podemos empezar con las palabras. Tendremos que empezar desde el principio. ¿Cuál es la palabra para *fuego* en Mamutoi?

Se la dijo y comenzó a alegar, pero ella siguió, palabra tras palabra, en el orden en que las había aprendido en la lengua Zelandonii. Después de recorrer una larga lista, Jondalar la detuvo nuevamente.

—Ayla, ¿de qué sirve decir un montón de palabras? No las puedes recordar así no más.

—Ya sé que mi memoria podría ser mejor. Dime qué palabras están equivocadas.

Regresó a la palabra *fuego* y le repitió todas las palabras, una por una, en ambas lenguas. Para cuando terminó él la contemplaba dominado por una admiración reverente. Recordaba que no fueron las palabras las que le resultaron difíciles al aprender Zelandonii, sino la estructura y el concepto del lenguaje.

—¿Cómo lo has hecho?

—¿Faltaba alguna?

—No, ¡ni una sola!

Ayla sonrió, tranquilizada.

—Cuando era joven resultaba mucho peor. Tenía que repetirlo todo muchas veces. No sé cómo Iza y Creb tuvieron tanta paciencia conmigo. Ya sé que algunas personas pensaban que no era muy inteligente. He mejorado, pero he tenido que practicar mucho, y sin embargo, todos los del Clan recuerdan todo mejor que yo.

—¿Todos los del Clan pueden recordar mejor que la demostración que acabas de darme?

—No olvidan nada, pero han nacido sabiendo casi todo lo que les hace falta saber, de modo que no tienen que aprender mucho. Sólo necesitan recordar. Tienen ... memorias ... no sé de qué otra manera se podría expresar. Cuando un niño está creciendo, sólo hay que recordarle ... decírselo una vez. Los adultos no tienen necesidad de que se les recuerde, saben cómo recordar. Yo no tenía memorias del Clan. Por eso tenía que repetirlo todo Iza hasta que yo pudiera recordar sin equivocarme.

Jondalar estaba asombrado por su habilidad mnemónica, y le costaba trabajo captar el concepto de memorias del Clan.

—Algunas personas pensaban que no podría ser una curandera sin las memorias de Iza, pero ella decía que podría ser buena aun cuando no recordara tan bien. Decía que yo tenía otras cualidades que ella no comprendía del todo, la manera de saber lo que estaba mal y de encontrar la mejor manera de tratamiento. Me enseñó a probar las medicinas nuevas, para que encontrara los medios de aprovecharlas sin la memoria de las plantas.

"También tienen un lenguaje antiguo. No comprende sonidos, sólo gestos. Todo el mundo conoce el Lenguaje Antiguo, lo emplean en ceremonias y para dirigirse a los espíritus, y también cuando no comprenden el lenguaje cotidiano de otra gente. También lo aprendí.

"Como tenía que aprenderlo todo, me obligué a prestar atención y concentrarme, para recordar después de sólo un «recordatorio», para no impacientar a la gente".

—¿Te comprendo bien? Esa ... gente del Clan, conocen todos su propio lenguaje y alguna especie de lenguaje antiguo que se comprende de un modo general. ¿Todo el mundo puede hablar ... comunicarse con todos los demás?

—Todos, en la Reunión del Clan, podían hacerlo.

—¿Estamos hablando de la misma gente? ¿Cabezas chatas?

—Si así es como llamas al Clan. Ya te dije su aspecto —dijo Ayla y agachó la cabeza—. Fue cuando dijiste que yo era abominación.

Ayla recordaba la mirada helada que había retirado todo calor de sus ojos, el estremecimiento cuando se apartó ... el desprecio. Eso había ocurrido precisamente cuando le hablaba del Clan, cuando creyó que se estaban comprendiendo los dos. Parecía costarle trabajo aceptar lo que ella decía. De repente se sintió incómoda; había estado hablando demasiado cómodamente. Se dirigió rápidamente al fuego, vio las perdices donde las había dejado Jondalar junto a los huevos, y se puso a desplumar para hacer algo.

Jondalar había visto cómo la suspicacia aumentaba en Ayla; la había lastimado demasiado y nunca recuperaría su confianza, aunque por un instante había creído que sería posible. El desprecio que ahora sentía iba dirigido contra sí mismo. Levantó las pieles de Ayla y las llevó a la cama; recogió las que había estado usando él y las trasladó a un lugar del otro lado del fuego.

Ayla dejó las aves: no tenía ganas de desplumar, y corrió a su cama. No quería que le viera los ojos llenos de agua.

Jondalar trató de acomodar las pieles a su alrededor de manera confortable. Memorias, había dicho. Los cabeza chata tienen cierta clase de memorias. Y un lenguaje por señas que todos comprenden. ¿Sería posible? Era difícil de creer salvo por un detalle: Ayla nunca decía cosas falsas.

Ayla se había acostumbrado al silencio y la soledad durante los últimos años. La mera presencia de otra persona, aun cuando la disfrutara, exigía ciertos ajustes, pero los trastornos emocionales de la jornada la habían dejado vacía y agotada. No quería sentir, ni pensar ni reaccionar respecto al hombre que compartía su caverna. Sólo quería descansar.

Pero no podía dormirse. Se había sentido tan confiada con su capacidad para hablar. Había dedicado todos sus esfuerzos y su concentración al estudio del lenguaje, y se sentía frustrada. ¿Por qué le enseñó el idioma de su infancia? Se iba a marchar. Ella no volvería a verlo nunca más. Tendría que abandonar el valle en primavera y encontrar gente que viviera más cerca, y quizá algún otro hombre.

Pero no quería ningún otro hombre; quería a Jondalar con sus ojos y su contacto. Recordaba cómo se había sentido al principio. Él fue el primer hombre de su especie que había visto, y los representaba a todos en general. No era sólo un individuo. No sabía cuándo había dejado de ser un ejemplo para convertirse en Jondalar, el único. Lo único que sabía era que echaba de menos el sonido de su respiración y su calor junto a ella. El vacío del lugar que él ocupó era casi tan grande como el vacío doloroso que sentía dentro de ella.

Jondalar tampoco podía dormir. No se acomodaba. El costado que había estado del lado de ella, estaba frío, y un sentimiento de culpabilidad lo embargaba. No podía recordar haber vivido un día peor, y ni siquiera le había enseñado el lenguaje correcto.

¿Cuándo iba a tener la oportunidad de hablar Zelandonii? Su gente vivía a un año de viaje del valle, y eso a condición de no detenerse mucho tiempo en ninguna parte.

Pensó en el viaje que había realizado con su hermano. Todo parecía tan inútil. ¿Cuánto tiempo hacía que se fue? ¿Tres años? Eso significaba por lo menos cuatro años antes de que estuviera de regreso. Y todo por nada. Su hermano muerto. Jetamio muerta y también el hijo del espíritu de Thonolan. ¿Qué quedaba?

Jondalar había luchado por dominar sus emociones desde que era joven, pero también él tuvo que secarse el rostro con las pieles. Sus lágrimas no eran sólo por su hermano, también por sí mismo: por su pérdida y su pena, y por esa oportunidad perdida que pudiera haber sido maravillosa.

Capítulo 25

Jondalar abrió los ojos. El sueño que había tenido de su hogar fue tan vívido que las paredes desiguales de la caverna le parecieron desconocidas como si el sueño hubiera sido realidad, y la caverna de Ayla una ficción onírica. La niebla del sueño comenzó a disiparse, y las paredes parecían desplazadas. Despertó y se dio cuenta de que había estado mirando desde una perspectiva distinta, desde el lado más alejado del fuego.

Ayla no estaba. Dos perdices desplumadas y la canasta tapada en la que guardaba las plumas estaban junto al hogar; hacía rato que se había ido. La taza que solía usar —la que estaba formada de tal manera que daba la impresión de un animal pequeño por la textura de la madera— estaba fuera; a su lado había una canasta apretadamente tejida en la que ella hacía macerar el té de la mañana para él, y una ramita recién descortezada. Ella sabía que le gustaba mascar el extremo de una ramita hasta convertirlo en fibra erizada para limpiarse los dientes del sarro acumulado durante la noche, y había tomado por costumbre llevarle una todas las mañanas.

Se puso de pie, se estiró: se sentía rígido por la dureza inusitada de su lecho. Ya había dormido sobre la tierra en otras ocasiones, pero un relleno de paja representaba una gran diferencia en cuanto a comodidad, y olía a limpio y dulce. Ayla cambiaba la paja con bastante regularidad, para que no se acumularan los malos olores.

El té del canasto-tetera estaba caliente . . . no podía haberse ido hacía mucho. Se sirvió un poco y olfateó el aroma cálido a menta. A él le agradaba tratar de identificar las hierbas que Ayla utilizaba cada día. La menta era de las que él prefería, y por lo general siempre estaba presente. Tomó unos sorbos y pensó re-

481

conocer el sabor de hoja de frambuesa y quizá alfalfa. Salió llevándose la taza y la ramita.

Parado en la orilla del saliente frente al valle, mascaba la ramita y veía el chorro de orina caer mojando la muralla del risco. No estaba totalmente despierto. Sus acciones eran movimientos mecánicos producidos por el hábito. Cuando terminó, se cepilló los dientes con el palito mascado y se enjuagó la boca con el té. Era un ritual que siempre lo reanimaba, y por lo general lo incitaba a trazar planes para la jornada.

Sólo cuando terminó de beber el té se sintió colorado, y dejó de estar contento consigo mismo. Este día no era como cualquier otro. Sus acciones del día anterior lo impedían. Iba a arrojar la ramita, pero se fijó en ella y la sostuvo ante sus ojos, haciéndola girar entre el índice y el pulgar y pensando en sus implicaciones.

Había sido fácil acostumbrarse a que ella lo cuidara; lo hacía con una gracia tan sutil. Nunca tenía él que pedir nada, ella se adelantaba a sus deseos. La ramita era un buen ejemplo. Era obvio que Ayla se había levantado antes que él, había bajado a buscarla, la había pelado y se la había dejado allí. ¿Cuándo había comenzado a hacerlo? Recordó que cuando pudo bajar solo por primera vez, había encontrado una por la mañana. A la mañana siguiente, al ver una ramita junto a su taza, se había sentido agradecido; por entonces, todavía le costaba trabajo bajar y subir por la empinada senda.

Y el té caliente. No importaba cuándo se despertara, el té caliente estaba dispuesto. ¿Cómo sabía ella cuándo prepararlo? La primera vez que le llevó una taza por la mañana, lo había apreciado con calor. ¿Cuándo fue la última vez que le dio las gracias? ¿Cuántas otras acciones llenas de atención había tenido ella en beneficio de él, tan discretamente? Nunca lo pone en valor. "Así es Marthona", pensó. "Tan llena de tacto con sus dádivas y su tiempo, que nunca se siente nadie obligado con ella". Siempre que se brindaba a ayudarla, Ayla se mostraba sorprendida ¡y tan agradecida! ... como si realmente no esperara nada a cambio de todo lo que había hecho por él.

—Le he dado a ella menos que nada —dijo en voz alta—. E inclusive después de lo de ayer ... —sostuvo en alto la ramita, la hizo girar y la lanzó por encima del borde.

Vio que Hinny estaba en el campo con el potro, corriendo ambos en un amplio círculo, llenos de ánimos, y experimentó una punzada de excitación al ver correr a los caballos.

—¡Míralo!, ¡cómo corre! ¡Apuesto que si contendieran, le ganaría a su madre!

—En una contienda, los garañones jóvenes suelen ganar, pero no en carreras largas —dijo Ayla, apareciendo por el sendero. Jondalar se dio media vuelta, con los ojos brillantes y la sonrisa llena de orgullo por el potro. Su entusiasmo era irresistible y Ayla tuvo que sonreír a pesar de sus recelos. Había esperado que el hombre se encariñaría mucho con el potro ... pero ahora ya no importaba.

—Me preguntaba dónde estarías —dijo; se sentía torpe en su presencia, y se le borró la sonrisa.

—Preparé un fuego en la zanja de rostizar temprano, para las perdices. He salido a ver si estaba a punto.

"No parece muy contento de verme", pensó, volviéndose para entrar en la cueva. También la sonrisa de ella se borró.

—Ayla —llamó Jondalar, corriendo tras ella. Cuando la joven se volvió, ya no supo qué decirle—. Yo ... ejem ... me preguntaba ... ejem ... quisiera hacer algunas herramientas. Si no te importa, claro. No quiero dejarte sin pedernal.

—No importa. Todos los años la crecida se lleva algo y trae más —dijo.

—Debe de arrancarlo de algún depósito gredoso río arriba. Si supiera que no está lejos, iría a buscarlo. Es mucho mejor cuando acaba de ser arrancado. Dalanar saca el suyo de un depósito que hay cerca de su Caverna, y todo el mundo sabe de qué calidad es el sílex Lanzadonii.

El entusiasmo volvió a sus ojos, como sucedía siempre que hablaba de su oficio. "Así era Droog", pensó Ayla. "Le gustaba hacer herramientas y todo lo que se relacionaba con ello". Sonrió para sí recordando cuando Droog descubrió al hijo pequeño de Aga, el que nació después de que se unieran, golpeando una piedra contra otra. "Droog se sintió tan orgulloso que le dio un martillo de piedra. Le gustaba enseñar el oficio; inclusive no le importó enseñarme a mí, aunque era niña".

Jondalar se dio cuenta de que estaba pensando en algo, y vio la sombra de una sonrisa.

—¿En qué estás pensando, Ayla?

—En Droog. Hacía herramientas. Solía permitir que yo lo observara si me estaba calladita y no turbaba su concentración.

—Puedes mirarme a mí, si quieres —dijo Jondalar—. En realidad esperaba que me mostraras tu técnica.

—Yo no soy experta. Puedo hacer las herramientas que necesito, pero las de Droog son mucho mejores que las mías.

—Tus herramientas son muy prácticas. Lo que quisiera ver es la técnica.

Ayla asintió con la cabeza y entró en la cueva. Jondalar se quedó esperando y, al ver que no salía inmediatamente, se preguntó si habría pensado ahora o más tarde. Se fue tras ella justo cuando salía, y saltó hacia atrás tan aprisa que por poco se cae. No quería ofenderla con un contacto involuntario.

Ayla respiró hondo, enderezó los hombros y alzó la barbilla. Tal vez no soportaba estar cerca de ella, pero ella no iba a dejar que viera cuánto la ofendía. Pronto se iría. Echó a andar por el sendero llevando las dos perdices, el canasto con los huevos y un atado grande, envuelto en un pedazo de cuero y sujeto con una cuerda.

—Deja que te ayude a llevar algo —dijo Jondalar, corriendo tras ella. Ayla se detuvo lo suficiente para entregarle el canasto de huevos.

—Primero tengo que preparar las perdices —explicó, dejando el atado en el suelo de la playa. Era una afirmación, pero Jondalar tuvo la impresión de que ella esperaba su consentimiento o por lo menos su asentimiento. No estaba muy errado. A pesar de sus años de independencia, los modales del Clan seguían gobernando muchas de sus acciones. No estaba acostumbrada a hacer otra cosa cuando un hombre había ordenado o solicitado que hiciera algo por él.

—Claro que sí, adelante. Tengo que buscar mis utensilios antes de poder trabajar el pedernal.

Ayla se llevó las gordas aves hacia el otro lado de la muralla, hasta el hoyo que había cavado antes y forrado con piedras. El fuego se había apagado en el fondo del hoyo pero las piedras chisporrotearon cuando les echó unas gotas de agua. Había estado buscando valle arriba y valle abajo la combinación exacta de verduras y hierbas, y las había llevado hasta el horno de piedras. Recogió uña de caballo por su sabor ligeramente salado, ortigas, amaranto y animadas acederas como verdura; cebollas silvestres, un ajillo silvestre y basilisco y salvia, para dar sabor. El humo agregaría también su aroma, y la ceniza de madera, sabor a sal.

Rellenó las perdices con sus huevos envueltos en verduras: tres huevos en una de las aves y cuatro en la otra. Siempre había envuelto las perdices en hojas de parra antes de meterlas en el hoyo, pero no crecían vides en el valle. Recordó que a veces se cocinaba el pescado envuelto en heno fresco, y decidió que también podría hacerse con la volatería. En cuanto tuvo las aves colocadas en la parte inferior del hoyo, amontonó más hierba encima, después piedras, y lo cubrió todo de tierra.

Jondalar tenía un surtido de herramientas de asta, hueso y piedra para tallar instrumentos tendidos ante sí, algunos de los cuales Ayla reconoció. Sin embargo, otros le eran totalmente desconocidos. Ella abrió su atado y puso sus implementos al alcance de la mano, después se sentó y tendió el trozo de cuero sobre su regazo; era una buena protección: el pedernal podía desmenuzarse en astillas finas y cortantes. Echó una mirada a Jondalar. Él estaba mirando los trozos de hueso y piedra que ella había sacado, con mucho interés.

Él le dejó cerca varios nódulos de pedernal. Ella vio que había dos junto a su mano ... y recordó a Droog. La capacidad de un buen artesano de herramientas comenzaba con la selección, recordó. Quería una piedra de grano fino; las miró, escogió la más pequeña. Jondalar estaba asintiendo con la cabeza, aprobando inconscientemente.

Ayla recordó el pequeño que había mostrado su afición por la creación de herramientas cuando apenas gateaba.

—¿Supiste siempre que trabajarías la piedra? —preguntó.

—Por algún tiempo pensé hacerme tallista, inclusive tal vez Servir a la Madre o trabajar con Los que la Sirven —una punzada de pena y nostalgia punzante pasó por sus facciones—. Entonces me mandaron a vivir con Dalanar, y aprendí a tallar piedra. Fue una buena decisión ... me gusta y soy bastante hábil. Nunca habría llegado a ser un buen tallista.

—¿Qué es un "tallista", Jondalar?

—¡Eso es! ¡Lo que faltaba! —su exclamación hizo dar un respingo de consternación a la joven—. No hay tallas ni pinturas ni cuentas ni decoración. Ni siquiera colores.

—No comprendo ...

—Lo siento, Ayla. ¿Cómo puedes saber de lo que estoy hablando? Un tallista es alguien que hace animales de piedra.

Ayla arrugó el entrecejo.

—¿Cómo se puede hacer un animal de piedra? Un animal es carne y sangre; vive y respira.

—No quiero decir un animal de verdad. Quiero decir una imagen, una representación. Un tallista reproduce la similitud de un animal por la forma ... hace que la piedra parezca un animal. Algunos tallistas hacen imágenes de la Gran Madre Tierra también, si reciben alguna visión de Ella.

—¿Una similitud?, ¿de piedra?

—De otras materias también: marfil de mamut, hueso, madera, asta. He oído decir que algunos hacen imágenes de barro. A todo esto, he visto muy buenos parecidos logrados con nieve.

Ayla había estado moviendo la cabeza, tratando de comprender, hasta que Jondalar dijo nieve; entonces recordó un día de invierno, en que estuvo apilando tazones de nieve contra la pared, junto a la cueva. ¿No había imaginado por un instante la semejanza de Brun en aquel montón de nieve?

—¿La semejanza con nieve? Sí —asintió—, creo que comprendo.

Jondalar no estaba seguro de que comprendiera, pero no se le ocurría mejor manera de explicar sin una talla para mostrarle. "¡Qué monótona tuvo que ser su vida", pensó, "criándose con cabezas chatas. Inclusive su ropa es justo útil. ¿Sólo cazarían y dormirían? Ni siquiera apreciaban las Dádivas de la Madre. Ni belleza, ni misterio, ni imaginación. Me pregunto si puede comprender lo que se ha perdido".

Ayla levantó el bloquecito de pedernal, tratando de decidir por dónde empezar. No haría hacha de mano ... inclusive a Droog le parecía una herramienta bastante sencilla aunque muy útil. Pero no creyó que fuera esa la técnica que Jondalar deseaba ver. Tendió la mano hacia un implemento que faltaba en la serie de herramientas del hombre: el hueso de la pata de un mamut ... ese hueso resistente que soportaría el pedernal mientras ella lo trabajara para que la piedra no se astillase. Le dio vueltas hasta situarlo cómodamente entre sus piernas.

Entonces tomó su martillo de piedra: no había diferencia entre el suyo y el de él, salvo que el de ella era más pequeño para encajar en su mano. Sosteniendo firmemente el pedernal sobre el yunque de hueso de mamut, Ayla golpeó con fuerza. Un trozo de la corteza, el recubrimiento exterior, cayó revelando el material gris de dentro. La pieza que había desprendido tenía un bulto grueso donde el martillo había golpeado —el bulbo de percusión— y se ahusaba formando un filo delgado en el otro extremo. Podría haberse utilizado como implemento de corte, y los primeros cuchillos que ella elaboró eran exactamente esos copos de arista afilada, pero los instrumentos que deseaba hacer Ayla exigían una técnica mucho más avanzada y compleja.

Estudió la profunda cicatriz dejada en el núcleo, la impresión negativa del copo. El color era exacto; la textura suave, casi cerosa; no había material externo incorporado. Se podrían hacer buenas herramientas con esa piedra; golpeó otro pedazo de corteza.

Mientras seguía tajando, Jondalar pudo ver que estaba dándole forma a la piedra mientras retiraba el recubrimiento calcáreo. Cuando ya no quedó nada, siguió golpeando un poco acá, otro poco allá, un bulto indeseado en otra parte, hasta que el núcleo de pedernal tuvo la forma de un huevo algo aplastado. Entonces dejó el martillo y tomó un hueso largo y robusto. Poniendo el núcleo de costado y trabajando de la orilla hacia el centro, quitó piezas de la parte superior con el martillo de hueso. El hueso era más elástico, y los trozos de pedernal eran más largos y delgados, con un bulbo de percusión más plano. Cuando terminó, el gran huevo de piedra tenía una parte superior ovalada más bien plana, como si le hubieran rebanado ese extremo.

Entonces se detuvo y, tocándose el amuleto que le colgaba del cuello, cerró los ojos y envió un pensamiento silencioso al espíritu del León Cavernario. Droog había solicitado siempre la ayuda de su tótem para realizar el siguiente paso. Hacía falta tanto suerte como habilidad, y Ayla se sentía nerviosa porque Jondalar la observaba tan de cerca. Quería hacerlo bien, pues comprendía instintivamente que tenía mayor importancia la hechura de los utensilios que las piezas mismas. Si echaba a perder la piedra, se arrojaría una duda sobre la capacidad de Droog y de todo el Clan, por muchas veces que explicara que ella no era realmente una experta.

Jondalar había observado anteriormente el amuleto, pero al ver que lo sostenía entre ambas manos, con los ojos cerrados, se preguntó qué importancia tendría. Ella parecía manejarlo con respeto, casi como él trataría a una donii. Pero una donii era una figura de mujer, esculpida con gran esmero, con toda su abundancia maternal, un símbolo de la Gran Madre Tierra y del maravilloso misterio de la creación. Desde luego, una bolsa de cuero llena de bultos no podía encerrar el mismo significado.

Ayla volvió a tomar el martillo de hueso. Para abrir un copo del núcleo, que tuviera la misma dimensión que la parte superior plana y ovalada, pero con ángulos rectos y cortantes, había que dar un importante paso preliminar: una plataforma de golpeo. Tendría que desprender un copito que dejara una hendidura en la orilla de la cara plana, que tuviera su superficie perpendicular al copo que deseaba finalmente obtener.

Agarrando el núcleo de pedernal con firmeza para tenerlo inmóvil, la mujer apuntó cuidadosamente. Tenía que calcular la fuerza además del punto: si era poco, el copito saldría en ángulo incorrecto, si demasiado, astillaría el borde cuidadosamente formado. Inhaló profundamente y sostuvo en el aire el martillo de hueso antes de dar con él un golpe nítido. El primero era siempre importante. Si todo salía bien, vaticinaba buena suerte, y finalmente exhaló al ver la mella.

Cambiando el ángulo en que tenía el núcleo, volvió a golpear, con más fuerza esta vez. El martillo de hueso aterrizó limpiamente en la mella y un copo cayó del núcleo prefabricado. Tenía la forma de un óvalo largo. Un lado era la superficie plana que había hecho ella; el reverso era la cara bulbosa interior que era suave, más gruesa en el extremo golpeado, y estrechándose hasta un filo de navaja todo alrededor.

Jondalar lo tomó en la mano.

—Es una técnica difícil de dominar. Necesitas fuerza y precisión a la vez. ¡Mira ese filo! No es una herramienta tosca.

Ayla dejó escapar un tremendo suspiro de alivio y sintió el cálido brillo del logro... y algo más. No había desacreditado al Clan. En verdad, lo representaba mejor porque no había nacido en él. Aun cuando ese hombre tan hábil en su oficio hubiera estado observando a un hombre del Clan realizando el mismo trabajo, habría tomado demasiado en cuenta al ejecutante para juzgar objetivamente la obra.

Ayla lo miraba: estaba dando vuelta a la piedra en su mano; de repente, la joven experimentó un cambio interior peculiar. Se sintió acometida por un frío interior sobrenatural, y pareció como si los estuviera observando, a los dos, desde lejos, como si ella estuviera fuera de sí misma.

Un recuerdo vívido le llegó, de otra oportunidad en que había experimentado una desorientación similar. Iba siguiendo lámparas de piedra hacia el interior de una cueva, y se veía a sí misma agarrándose a la piedra húmeda mientras se sentía inexplicablemente atraída hacia un espacio pequeño o iluminado, oculto por gruesas columnas de estalactitas en el corazón de la montaña.

Los mog-urs estaban sentados en círculo alrededor de una fogata, pero era el Mog-ur —el propio Creb— cuya mente poderosa, ampliada y sostenida por la bebida que Iza le había enseñado a hacer para los magos, descubrió su presencia. Ella también había consumido la potente sustancia, sin querer, y su mente vagaba descontroladamente. El Mog-ur la sacó del profundo abismo que había en ella y la llevó consigo por el viaje espantoso y fascinante de la mente hasta los comienzos primordiales.

En el proceso, el más grande hombre santo del Clan, cuyo cerebro no tenía igual ni siquiera entre los suyos, forjó nuevas sendas en el cerebro de ella, allí donde sólo hubo tendencias rudimentarias. Pero aun pareciéndose al de él, el cerebro de ella no era igual. Podía regresar con él y sus memorias hasta su comienzo común, y a través de cada fase del desarrollo, pero él no pudo ir tan lejos cuando ella volvió y avanzó un paso más.

Ayla no comprendía lo que había lastimado tan profundamente a Creb, sólo sabía que eso los había cambiado, a él y la relación entre ambos. Como tampoco comprendía los cambios que él había forjado, pero durante un instante sintió con una certeza absoluta que ella había sido enviada al valle para una finalidad que comprendía al hombre alto y rubio.

Al verse a sí misma con Jondalar en la playa pedregosa del remoto valle, corrientes aberrantes de luz y movimiento formándose en un espesamiento sobrenatural del aire y desapareciendo en el vacío, los rodearon, uniéndolos. Ella sintió una vaga noción de su propio destino como nexo axial de muchos cabos que vinculaban pasado, presente y futuro por medio de una transición crucial. Un frío profundo se apoderó de ella; boqueó y, con un respingo, se encontró mirando unas cejas hirsutas y una expresión de alarma. Se sacudió para disipar una sensación fantástica de irrealidad.

—¿Te sientes bien, Ayla?

—Sí. Sí, estoy bien.

Un frío inexplicable había puesto la carne de gallina a Jondalar, y tenía de punta los pelos de la nuca. Sintió el fuerte impulso de protegerla pero sin saber contra qué amenaza. Sólo duró un instante y trató de sacudirse la impresión, pero la inquietud prevalecía.

—Creo que va a cambiar el tiempo —dijo—. He sentido un viento frío —ambos levantaron la vista hacia el cielo azul y límpido, sin una sola nube.

—Es la temporada de las tormentas. Pueden ser repentinas.

Jondalar asintió y entonces, para aferrarse a algo material, volvió la conversación hacia los prosaicos materiales de la confección de herramientas.

—¿Y cuál es tu siguiente paso, Ayla?

La mujer volvió a la tarea. Con una concentración cuidadosa, talló cinco óvalos más de pedernal de filo cortante; después de un examen final del resto de piedra para ver si podría desprenderle un copo aprovechable, lo descartó.

Entonces se volvió hacia los seis copos de pedernal gris y tomó el más fino de todos. Con una piedra suave, redonda y aplastada, retocó el largo filo, poniéndolo romo en la parte donde se agarraba y afilándolo en punta en la parte opuesta al bulbo de percusión. Cuando quedó satisfecha, se lo tendió a Jondalar en la palma de la mano.

El hombre lo tomó y lo examinó detenidamente. Su sección transversal era gruesa, pero se afilaba a lo largo formando una arista fina y cortante. Era lo suficientemente grande para tomarse con la mano, y el lomo estaba lo suficientemente romo para no lastimar al usuario. En ciertos aspectos se parecía a la punta de la lanza Mamutoi, pero no estaba hecho para ponerle mango ni vara. Era un cuchillo de mano, y por haberla visto manejando uno similar, sabía que era sorprendentemente eficaz.

Jondalar lo dejó y asintió con la cabeza, invitándola a continuar. Ayla recogió otro copo grueso de piedra y, con ayuda de un diente canino de animal, se puso a astillar el extremo del óvalo. El proceso sólo lo hizo ligeramente más romo, lo suficiente para fortalecer el borde de manera que el extremo agudo y redondeado no se rompiera al usarse para rascar pelos y carne de las pieles. Ayla lo dejó y tomó otra pieza.

Puso una piedra grande y suave, de la playa, sobre el yunque de pata de mamut. Entonces, aplicando presión con el retocador de colmillo afilado sobre la piedra, hizo una muesca en forma de V en medio de una orilla larga y afilada, lo suficientemente grande para afilar el extremo de un palo de lanza en forma de punta. Sobre un copo ovalado más grande y aplicando una técnica similar, hizo una herramienta que podría utilizarse para abrir hoyos en cuero o madera, asta o hueso.

Ayla no sabía qué otras herramientas podría necesitar, de manera que decidió dejar los dos últimos copos de pedernal disponibles para más adelante. Apartando la pata de mamut, recogió las puntas del cuero y lo llevó hasta el basurero del otro lado de la muralla, para sacudirlo; las astillas de pedernal serían lo suficientemente agudas para cortar el pie descalzo más duro. Nada había dicho Jondalar de las herramientas recién confeccionadas, pero Ayla observó que las estaba mirando por todos lados y sosteniéndolas en la mano como para probarlas.

—Quisiera utilizar tu protector de cuero —dijo Jondalar.

Ayla se lo entregó, contenta de haber terminado con su demostración, y esperando con fruición ver la suya. Jondalar tendió el cuero sobre su regazo, cerró entonces los ojos y pensó en la piedra y en lo que haría con ella. Entonces tomó uno de los nódulos de pedernal que había llevado y lo examinó.

El duro mineral silíceo había sido desprendido de depósitos calcáreos asentados durante el periodo cretáceo. Todavía llevaba huellas de sus orígenes en el recubrimiento exterior, aunque había sido arrancado por la corriente violenta y golpeado en el angosto cañón río arriba, antes de ser lanzado a la playa pedregosa. El pedernal era el material más eficaz que se presentaba en forma natural para hacer herramientas. Era duro y, sin embargo, gracias a su estructura cristalina tan fina, podía trabajarse; lo único que podía limitar sus formas era la habilidad y pericia del trabajador.

Jondalar estaba buscando las características distintivas del pedernal de calcedonia, el más puro y más claro. Cualquier piedra que tuviera rajas o astillas la descartaba, así como las que al ser golpeadas con otra piedra indicaban, al oído, que tenían fallas o material ajeno. Finalmente escogió una.

Sosteniéndola con el muslo, la sujetó con la mano izquierda y, con la derecha tomó el martillo y lo sopesó para sentirlo bien; era nuevo, y todavía no estaba familiarizado con él; cada martillo tenía su individualidad propia. Cuando lo sintió bien, sostuvo firmemente el pedernal y golpeó. Un trozo grande de la corteza de un blanco grisáceo cayó. Por dentro, el pedernal tenía un matiz de gris más claro que el que había empleado Ayla, con un reflejo azulado. Textura fina; una buena piedra; buena señal.

Volvió a golpear, y otra vez más. Ayla estaba suficientemente familiarizada con el proceso para reconocer de inmediato su pericia. Superaba de lejos la habilidad que ella pudiera tener. Al único que había visto dar forma a la piedra con una confianza tan certera fue Droog. Pero la forma que estaba dando Jondalar a su piedra no se parecía a ninguna de las que hiciera el especialista del Clan. Se inclinó más para observar.

El núcleo de Jondalar, en vez de tomar forma ovoide, se estaba volviendo más cilíndrico pero exactamente circular. Al desprender copos a ambos lados, estaba creando un borde que seguía el cilindro a lo largo. El borde era todavía tosco y desigual cuando se quitó la corteza, y Jondalar dejó el martillo para tomar un buen trozo de cornamenta que estaba cortado debajo de la primera bifurcación para eliminar las ramas.

Con el martillo de asta, desprendió trozos más pequeños para que el borde quedara recto. Estaba preparando su núcleo, él también, pero con una forma previamente determinada . . . eso le resultaba obvio a Ayla. Cuando se sintió finalmente satisfecho con el borde, tomó otro implemento, uno que había despertado la curiosidad de la mujer. También estaba hecho con una sección de cornamenta, más larga que la primera y que, en vez de estar cortada debajo de la bifurcación, tenía dos ramificaciones que salían del asta central cuya base había sido tallada en punta fina.

Jondalar se incorporó y sostuvo con el pie el núcleo de pedernal. Entonces, colocó la punta del asta ramificada justo por encima del borde que había formado con tanto esmero. Sostuvo la rama superior saliente de manera que la más baja estuviera de frente y sobresaliera. Entonces, con un hueso largo y pesado, golpeó la púa saliente.

Una hoja delgada cayó. Era tan larga como el cilindro de piedra, pero su grosor sería la sexta parte de su longitud. La sostuvo frente al sol y se la mostró a Ayla: una luz se filtraba al través. El borde que había preparado con tanto esmero corría desde el centro de la cara exterior a todo lo largo, y tenía dos orillas afiladas y cortantes.

Con la punta del punzón de asta colocada directamente sobre el pedernal, no había tenido que apuntar tan cuidadosamente ni calcular tan exactamente la distancia. La fuerza de la percusión iba dirigida con exactitud hacia donde él quería, y con la fuerza del golpe repartida entre los objetos resistentes intermedios —el martillo de hueso y el punzón de asta— casi no había bulbo de percusión. La hoja era larga y estrecha y de una delgadez uniforme. Sin tener que juzgar tan cuidadosamente la fuerza del golpe, Jondalar controlaba mucho mejor los resultados.

La técnica de Jondalar para trabajar la piedra representaba un progreso revolucionario, pero tan importante como la hoja que producía era la cicatriz que dejaba atrás, en el núcleo. El borde que había preparado había desaparecido; en su lugar había una larga depresión con dos bordes a cada lado. Tal había sido la finalidad del cuidadoso trabajo previo.

Apartó la punta del punzón para ponerla encima de uno de los dos bordes, y volvió a golpear con el martillo de hueso. Cayó otra hoja delgada y larga, dejando otros dos bordes detrás. Jondalar movió de nuevo el punzón, sobre otro de los bordes, desprendió otra hoja y formó más bordes.

Cuando acabó con todo el material aprovechable, no tenía seis sino veinticinco hojas alineadas ... más de cuatro veces el filo cortante útil de la misma cantidad de piedra, más de cuatro veces el número de piezas. Largas y delgadas, con filos tan agudos como los de un escalpelo, las hojas podrían aprovecharse para cortar tal como estaban, pero no constituían el producto terminado. Más adelante serían elaboradas para multitud de usos, especialmente para hacer herramientas. Según el filo y la calidad del nódulo de pedernal, se podría sacar no cuatro sino de seis a siete veces el número utilizable de piezas para hacer herramientas, con piedras de un mismo tamaño, aplicando la técnica más avanzada. El nuevo método no sólo proporcionaba un mayor control al obrero sino que, a su gente, le proporcionaba una ventaja sin igual.

Jondalar tomó una de las hojas y se la entregó a Ayla. Ésta comprobó ligeramente lo cortante del filo con su dedo pulgar, ejerció un poco de presión para reconocer su fuerza y la volvió sobre su mano. Se encorvaba en los extremos; era la naturaleza del material, pero más visible en la hoja larga y delgada. Sin embargo, la forma no limitaba sus funciones.

—Jondalar, esto es... no sé la palabra. Es maravilloso... importante. Has sacado tantas... No has terminado con éstas, ¿verdad?

—No, todavía no —contestó Jondalar, sonriendo.

—Son tan delgadas y tan finas... son bellas. Pueden romperse más fácilmente, pero creo que si se retocan los extremos, pueden ser rascadoras fuertes —su espíritu práctico estaba ya convirtiendo en herramientas las piedras sin forma definida.

—Sí, y como los tuyos, buenos cuchillos... aunque quiero hacerles una espiga para ponerles mango.

—Yo no sé lo que es "espiga".

Jondalar alzó una hoja para explicar.

—Puedo hacer romo el lomo de esto y dar forma a una punta, y tendré un cuchillo. Si quito unos cuantos copos de la cara interior, podré inclusive enderezar algo la curva. Ahora bien, a medio camino de la hoja, si presiono para romper el borde y formar un saliente, éste es una "espiga".

Recogió un pequeño fragmento de asta.

—Si encajo la espiga en un trozo de hueso, madera o asta como ésta, el cuchillo tendrá mango. Es más fácil de usar con mango. Si pones a cocer el asta durante un rato, se hinchará y se ablandará, y entonces podrás meterle la espiga en el centro, donde está más blando. Una vez seco el trozo de asta, se encoge y aprieta la espiga. A menudo se sostiene, sin tener que amarrarlo ni pegarlo, por mucho tiempo.

Ayla estaba muy excitada con el nuevo método y deseaba practicarlo, como siempre había hecho después de observar a Droog, pero no estaba segura de que no violaría las costumbres o tradiciones de Jondalar. Cuanto más sabía de las costumbres de su gente, menos sentido parecían tener. No pareció mirar mal que ella cazara, pero tal vez no quisiera que ella hiciera la misma clase de herramientas que él.

—Me gustaría probar... ¿No hay... objeción a que las mujeres hagan herramientas?

La pregunta agradó al joven. Hacía falta habilidad para confeccionar la clase de herramientas que ella hacía; estaba seguro de que inclusive el mejor especialista lograba resultados incongruentes, aun cuando el peor podría sin duda producir accidentalmente algunas piezas aprovechables. Pero él habría comprendido que

Ayla tratara de justificar su propio método. En cambio, parecía reconocer su técnica por lo que era —un gran progreso— y deseaba probarla. Se preguntó cómo se sentiría él si alguien le mostrara un progreso tan radical.

"Querría aprenderlo", se dijo con sonrisa torcida.

—Las mujeres pueden tallar bien el pedernal. Mi prima Joplaya es una de las mejores. Pero es tan pesada . . . nunca se lo diría; no me permitiría olvidarlo nunca más —y sonrió al recordar.

—En el Clan, las mujeres hacen herramientas pero armas, no.

—Las mujeres hacen armas. Después de tener hijos, las mujeres Zelandonii pocas veces cazan, pero si aprendieron de jóvenes, comprenden la manera de usar las armas. Muchas herramientas y armas se pierden durante una cacería. El hombre cuya esposa sabe hacerlas, siempre tiene un buen surtido. Y las mujeres están más cerca de la Madre. Algunos hombres creen que las armas hechas por mujeres tienen más suerte. Pero si un hombre tiene mala suerte, o carece de habilidad, siempre echará la culpa a quien hizo las armas, especialmente si es una mujer.

—¿Podría yo aprender?

—Cualquiera capaz de hacer herramientas como las que haces tú, aprenderá desde luego a hacerlas de esta manera.

Él había contestado a su pregunta en un sentido algo distinto de lo que ella quería. Sabía que era capaz de aprender . . . lo que había tratado de saber era si estaba permitido. Pero su respuesta la hizo detenerse a pensar.

—No, no creo que sea posible.

—Claro que puedes aprender.

—Ya sé que puedo aprender, Jondalar, pero no cualquiera que haga herramientas a la manera del Clan puede aprender a hacerlas a tu manera. Algunos podrían, creo que Droog podría, pero todo lo que sea nuevo les resulta difícil. Aprenden de sus memorias.

Al principio Jondalar creía que estaba bromeando, pero hablaba en serio. "¿Podría tener razón? Si tuvieran la oportunidad, los cab . . . los especialistas del Clan, ¿serían incapaces de aprender, pero no por falta de voluntad?"

Entonces se le ocurrió que él no habría creído que fueran capaces siquiera de hacer herramientas, y de eso hacía poco tiempo. Hacían herramientas, se comunicaban y recogieron a una niña ajena. Había aprendido más cosas de los cabezas chatas en los últimos días que ninguna otra persona, exceptuando a Ayla. Tal vez fuera útil enterarse de algo más acerca de ellos, tal vez. Parecía haber en ellos mucho más de lo que nadie creyera.

Al pensar en los cabezas chatas recordó repentinamente el día anterior, y un rubor de vergüenza inesperado se apoderó de él. Con su concentración en la confección de herramientas, se le había olvidado. Había estado mirando a la mujer, pero sin ver realmente sus trenzas doradas brillando bajo el sol que formaban un contraste muy fuerte con el color tostado oscuro de su piel; o sus ojos, de un gris azulado, claros como el color traslúcido del pedernal fino.

"¡Oh, Madre!, ¡cuán bella era!" Cobró conciencia aguda de ella, sentada junto a él, tan cerca que sintió un movimiento intempestivo en sus ijares. No podría haber dejado de notar su repentino cambio de intereses aunque lo hubiera intentado; y definitivamente, no lo intentó.

Ayla sintió su cambio de humor; la bañó, la pilló por sorpresa. ¿Cómo era posible que unos ojos fueran tan azules? Ni el cielo ni las gencianas que crecían en los prados de la montaña junto a la caverna del Clan eran tan azules, de un matiz tan profundo y vibrante. Podía sentir que . . . esa sensación volvía. El cuerpo le titilaba, anhelaba que él la tocara. Se inclinaba hacia delante, atraída hacia él, y sólo con un supremo esfuerzo de voluntad pudo cerrar los ojos y apartarse.

"¿Por qué me mira así cuando soy . . . una abominación?, ¿cuando no puede tocarme sin apartarse como si lo quemara?" El corazón le latía con fuerza; jadeaba como si hubiera estado corriendo, y trató de calmar su respiración.

Ella oyó que se levantaba, antes de abrir los ojos. El cuero protector había sido retirado violentamente y las hojas tan cuidadosamente talladas estaban dispersas. Ayla vio cómo se alejaba con movimientos rígidos, con los hombros echados hacia delante, hasta que pasó detrás de la muralla. Parecía desdichado, tan desdichado como ella.

Una vez que pasó la muralla, Jondalar echó a correr. Corrió a campo traviesa hasta que las piernas le dolieron y su respiración salió entrecortada por sollozos; entonces corrió un poco menos y trotó antes de detenerse, jadeando.

"Tonto estúpido, ¿qué necesitas para convencerte? Sólo porque es tan decente que te permite juntar unas provisiones, no significa que quiera nada contigo . . . y menos eso. Ayer se sintió lastimada y ofendida porque tú no . . . Eso fue antes de que ·lo echaras todo a perder".

No le gustaba recordarlo. Sabía cómo se había sentido, lo que ella había tenido que ver: la repugnancia, el asco. "Entonces, ¿qué hay ahora que no sea lo mismo? Ella vivió con cabezas chatas,

¿recuerdas? Por años. Se convirtió en uno de ellos. Uno de sus machos . . ."

Estaba intentando recordar, a propósito, todo lo aborrecible, lo impuro y sucio que era parte de su modo de vida. ¡Ayla era todo ello! Cuando era un muchachito que se escondía en la maleza con otros como él, contándose las palabras más sucias que sabían, una de ellas era "hembra cabeza chata". Cuando fue mayor, no mucho pero lo suficiente para saber lo que significaba "hacer mujeres", esos mismos muchachos se reunían en rincones oscuros de la caverna para hablar en voz baja de las muchachas y burlarse diciendo que se conseguirían una hembra de cabeza chata, y se asustaban unos a otros con las consecuencias.

Inclusive entonces, el concepto de un macho cabeza chata y una mujer resultaba inimaginable. Sólo cuando fue hombre joven se habló de eso, pero fuera del alcance de los adultos. Cuando los jóvenes querían ser de nuevo chiquillos que reían tontamente, y contarse las historias más rudas y cochinas que podían imaginar, trataban de machos de cabeza chata y mujeres y de lo que le pasaría al hombre que compartiera placeres con esa mujer después, aun sin saberlo, especialmente sin saberlo. Ahí estaba el chiste.

Pero no bromeaban acerca de abominaciones . . . o de las mujeres que las engendraban. Eran mezclas impuras de espíritus, un mal suelto sobre la Tierra, que inclusive la Madre, creadora de toda vida, aborrecía. Y las mujeres que los parieran eran intocables.

"¿Podría ser eso Ayla? ¿Podría estar profanada? ¿Sucia? ¿Mala? ¿La honrada y sincera Ayla? ¿Con su Don de Curar? Tan juiciosa, temeraria, gentil y bella. ¿Podría una persona tan bella estar mancillada?

"No creo que entendiera siquiera el significado. Pero, ¿qué pensaría alguien que no la conociera? ¿Y si la encuentran y ella les dice quiénes la criaron? ¿Si les hablara del . . . hijo? ¿Qué pensaría Zelandoni?, ¿o Marthona? Y ella se los diría, además; les contaría de su hijo y les haría frente. Creo que Ayla podría enfrentarse a cualquiera, inclusive a Zelandoni. Casi podría ser una zelandoni, con su habilidad para curar y su manera de atraer a los animales.

"Pero si Ayla no es algo malo, entonces todo lo que se dice de los cabezas chatas es mentira. Nadie se lo podrá creer".

Jondalar no había prestado la menor atención al lugar hacia el que se dirigía y se sobresaltó al sentir un hocico suave en su mano. No había visto los caballos. Se detuvo para rascar y acariciar al potrillo. Hinny se fue dirigiendo poco a poco a la caverna, paciendo mientras avanzaba. El potro brincó, adelantándose a su madre, cuando el hombre le dio un golpecito final. Jondalar no tenía prisa en encontrarse de nuevo ante Ayla.

Pero Ayla no estaba en la caverna; había seguido a Jondalar al otro lado de la muralla y lo vio correr a lo largo del valle. A veces a ella le entraban ganas de correr, pero se preguntó por qué se había echado a correr tan aprisa, de repente. ¿Sería por ella? Tocó con la mano la tierra caliente sobre el hoyo de rostizar, y entonces se fue hacia el bloque de roca, Jondalar, nuevamente distraído con sus pensamientos, se sorprendió al ver a los dos animales junto a ella.

—Lo . . . lo siento, Ayla; no debía correr así.

—A veces yo necesito correr. Ayer Hinny corrió por mí. Ella llega más lejos.

—También siento mucho eso.

Ella asintió. "Otra vez la cortesía. ¿Qué querría decir eso, en realidad?" En silencio se recostó contra Hinny mientras la yegua dejaba caer la cabeza sobre el hombro de la mujer. Jondalar las había visto asumir esa postura anteriormente, cuando Ayla estaba perturbada. Parecían sentirse apoyadas la una por la otra. A él también le producía satisfacción acariciar al potro.

Pero el caballito era demasiado impaciente para mantenerse tanto rato inactivo, a pesar de lo mucho que le agradaban los mimos. Alzó la cabeza, enderezó la cola y se alejó brincando. Entonces, con otro brinco de cabrito, se dio media vuelta, regresó y dio un topetazo al hombre como pidiéndole que fuera a jugar con él. Ayla y Jondalar soltaron la carcajada, y la tensión se disipó.

—Ibas a ponerle nombre —dijo Ayla. Era una afirmación y no llevaba en sí ninguna imposición. Si él no le daba nombre al caballo, sin duda lo haría ella.

—No sé qué nombre ponerle. Nunca he tenido que pensar en un nombre antes de ahora.

—Tampoco yo, hasta Hinny.

—¿Y a tu hijo?, ¿tú le pusiste nombre?

—Creb se lo puso. Durc era el nombre de un joven de una leyenda. Era mi leyenda predilecta entre todas las leyendas y cuentos. Creb lo sabía. Creo que escogió ese nombre para complacerme.

—Yo no sabía que tu Clan tenía leyendas. ¿Cómo se cuenta una historia sin hablar?

—Lo mismo que la cuentas con palabras, pero en algunos aspectos es más fácil mostrar algo que contarlo.

—Supongo que así es —dijo Jondalar, preguntándose qué clase de historias contarían o mejor dicho, mostrarían. No habría creído que los cabezas chatas fueran capaces de imaginar historias.

Ambos estaban mirando al potro que, con la cola al aire y la cabeza hacia delante, disfrutaba de una buena carrera. "¡Qué semental va a ser!", pensaba Jondalar. "¡Qué corredor!"

—¡Corredor! —dijo—. ¿Qué te parece si le ponemos Corredor? —había empleado la palabra tantas veces refiriéndose al potro que le sentaba.

—Me gusta. Es un buen nombre. Pero para que sea suyo, hay que ponérselo oficialmente.

—¿Cómo se pone un nombre oficialmente?

—No estoy segura de que sea conveniente para un caballo, pero yo le puse nombre a Hinny del mismo modo que se pone nombre a los niños del Clan. Te mostraré.

Seguidos por los caballos, fueron, Ayla por delante, a un arroyo de la estepa que había sido lecho de un río pero que llevaba seco tanto tiempo que estaba en parte convertido en relleno. Un lado se había erosionado y mostraba las capas horizontales de estrato. Con asombro de Jondalar, Ayla aflojó una capa de ocre rojo con un palito y recogió con ambas manos la tierra de un rojo moreno oscuro. De regreso en el río, mezcló la tierra roja con agua hasta formar una pasta lodosa.

—Creb mezclaba el color rojo con grasa de oso cavernario, pero yo no tengo, y de todos modos creo que un lodo simple será mejor para un caballo: se seca y se le cae. Lo que cuenta es ponerle nombre; tendrás que sujetarle la cabeza.

Jondalar hizo señas; el potro tenía ganas de travesear pero comprendió el gesto. Se quedó quieto mientras el hombre le pasaba un brazo alrededor del cuello y lo rascaba. Ayla hizo varios movimientos con el Antiguo Idioma solicitando la atención de los espíritus. No quería que la cosa fuera demasiado seria. Todavía no estaba segura de que los espíritus no se ofendieran porque ponía nombre a un caballo, aunque el ponérselo a Hinny no había tenido malas consecuencias. Entonces tomó un puñado de lodo rojo.

—El nombre de este caballo macho es Corredor —dijo, haciendo los gestos mientras hablaba. Entonces untó de tierra roja y mojada la cara del animal, desde el mechón blanco de la frente hasta el extremo de su larga nariz.

Fue todo muy rápido, antes de que el potro pudiera zafarse del abrazo de Jondalar. Se alejó dando pasos cortos, sacudiendo la cabeza y tratando de liberarse de la humedad desacostumbrada; entonces le dio un topetazo a Jondalar dejando una raya roja sobre su pecho desnudo.

—Creo que acaba de ponerme nombre —dijo el hombre, sonriendo. Entonces, haciendo honor a su nombre, Corredor echó a correr por el campo. Jondalar se quitó la mancha rojiza del pecho—. ¿Por qué has empleado esto?, ¿la tierra roja?

—Es especial . . . santo . . . para espíritus —explicó Ayla.

—¿Sagrado? Nosotros decimos sagrado. La sangre de la Madre.

—La sangre, sí. Creb . . . el Mog-ur, frotó con un ungüento de tierra roja y grasa de oso cavernario el cuerpo de Iza, después de que su espíritu se fue. Decía que era la sangre del nacimiento, para que Iza pudiera nacer en el otro mundo —recordarlo todavía le causaba pena.

Jondalar abrió mucho los ojos.

—Los cabezas chatas . . . quiero decir, tu Clan, ¿utiliza la tierra sagrada para enviar un espíritu al otro mundo? ¿Estás segura?

—Nadie queda debidamente enterrado de no ser así.

—Ayla, nosotros utilizamos la tierra roja. Es la sangre de la Madre. Se pone en el cuerpo y la tumba para que se lleve de regreso el espíritu a Su seno para nacer de nuevo —una expresión de dolor pasó por su rostro—. Thonolan no tuvo tierra roja.

—No tenía para él, Jondalar, y no podía tomar el tiempo necesario para conseguirla. Tenía que traerte aquí pues de lo contrario habría hecho falta una segunda tumba. Les pedí a mi tótem y al espíritu de Ursus, el Gran Oso Cavernario, que le ayudaran a encontrar su camino.

—¿Lo enterraste? ¿Su cuerpo no quedó para los depredadores?

—Puse su cadáver junto a la muralla y desprendí una roca para que la grava y las piedras lo cubrieran. Pero no tenía tierra roja.

A Jondalar, la idea de los entierros de los cabezas chatas le resultó la más difícil de captar. Los animales no entierran a sus muertos. Sólo los humanos pensaban en de dónde procedían y dónde irían después de morir. ¿Podrían los espíritus del Clan guiar a Thonolan en su camino?

—Es más de lo que habría tenido mi hermano de no haber estado tú aquí, Ayla. Y yo tengo muchísimo más: tengo mi vida.

Capítulo 26

—Ayla, no recuerdo haber comido nunca nada tan sabroso. ¿Dónde aprendiste a guisar tan bien? —dijo Jondalar, sirviéndose al mismo tiempo otro trozo del delicioso y bien condimentado platillo de perdiz blanca.

—Iza me enseñó —¿dónde podría haber aprendido? Era el plato predilecto de Creb. Ayla no sabía porqué, pero la pregunta la irritó un poco. ¿Por qué no iba a saber ella cocinar?—. Una curandera sabe de hierbas, Jondalar: las que curan y las que dan sabor.

Él reconoció el tono de fastidio en la voz y se preguntó cuál sería la causa. Sólo había querido felicitarla. La comida estaba buena; excelente, en realidad. Pensándolo bien, todo lo que ella preparaba era delicioso. Muchos de los alimentos resultaban desconocidos para él, pero una de las razones para viajar consistía en vivir nuevas experiencias, y aun cuando desconocida, la calidad era evidente.

Y ella lo hacía todo. Como el té caliente de las mañanas. "Resulta fácil olvidar todo lo que hace. Cazó, cosechó y cocinó esta comida. Lo proporcionó todo. Lo único que haces es comértelo, Jondalar. No has aportado nada. Lo has recibido todo y no has dado nada a cambio . . . menos que nada.

"Y ahora la felicitas . . . palabras. ¿Puedes reprochar que se sienta fastidiada? Se alegrará cuando te vayas, sólo sirves para darle más trabajo.

"Podrías cazar un poco, por lo menos devolverle algo de la carne que has comido. Eso parece tan poco ¡después de todo lo que ha hecho por ti! ¿No se te ocurre nada más . . . duradero? Ya caza bastante bien ella sola. ¿De qué serviría un poco más de caza?

"Pero, ¿cómo lo consigue con esa torpe lanza? Me pregunto . . . ¿le parecería que estoy insultando a su Clan si yo . . . le ofreciera . . .?"

—Ayla . . . yo, ejem . . . quiero decir algo pero no quisiera ofenderte.

—¿Por qué te preocupa ahora ofenderme? Si tienes algo que decir, dilo —las punzadas de irritación se sentían aún, y él sintió tanta pena que en poco estuvo que callara.

—Tienes razón. Es un poco tarde. Pero me preguntaba . . . ejem . . . , ¿cómo cazas con esa lanza?

La pregunta la intrigó.

—Abro una zanja y corro; no: provoco una estampida en una manada, hacia la zanja. Pero el invierno pasado . . .

—¡Una trampa! Por supuesto, entonces puedes acercarte lo suficiente para usar esa lanza. Ayla, has hecho tanto por mí que quisiera hacer algo por ti antes de marcharme, algo que valga la pena. Pero no quiero que mi sugerencia te ofenda. Si no te gusta lo olvidas y ya está. ¿De acuerdo?

Ella asintió con la cabeza, algo aprensiva pero curiosa.

—Tú eres . . . eres una buena cazadora, especialmente considerando tu arma, pero creo que puedo mostrarte la manera de hacerlo más fácil, con una mejor arma de caza, si me lo permites.

El fastidio de Ayla se evaporó.

—¿Quieres enseñarme una mejor arma para cazar?

—Y una manera más fácil de cazar . . . a menos que no quieras. Hará falta algo de práctica . . .

Ayla meneó la cabeza, incrédula.

—Las mujeres del Clan no cazan, y ningún hombre quería que yo cazara . . . ni siquiera con la honda. Brun y Creb sólo lo permitieron para apaciguar a mi tótem. El León Cavernario es un poderoso tótem masculino, y les hizo saber que él quería que yo cazara. No se atrevieron a desafiarlo —de repente recordó una escena, viva en su memoria—. Hicieron una ceremonia especial —tocó la pequeña cicatriz que tenía en la garganta—. Creb sacó sangre de mi cuello como sacrificio a los Antiguos, para convertirme en la Mujer que Caza.

"Cuando encontré este valle, la única arma que conocía era mi honda. Pero una honda no basta, de modo que hice lanzas como las que utilizaban los hombres, y aprendí a cazar con ellas, lo mejor que pude. Nunca creía que un hombre me quisiera enseñar una manera mejor de hacerlo —se detuvo y se miró el regazo, súbitamente abrumada—. Lo agradecería muchísimo, Jondalar. No puedo decirte cuánto.

Las líneas de tensión que surcaban la frente del hombre se borraron. Pensó ver que brillaba una lágrima. ¿Significaría eso tanto para ella? ¡Y él que temía que no lo tomara bien! ¿Llegaría a comprenderla algún día? Cuanto más la conocía, menos parecía saber de ella. ¿Aprendería sola?

—Necesitaré hacer algunas herramientas especiales. Y algunos huesos, los de patas de ciervo que encontré servirán bien pero hará falta remojarlos. ¿Tienes algún recipiente que pueda usar para remojar huesos?

—¿De qué tamaño lo quieres? Tengo muchos recipientes —dijo, levantándose.

—Puedo esperar a que termines de comer, Ayla.

Ya no tenía ganas de comer: estaba demasiado excitada. Pero él no había terminado. Ayla se volvió a sentar y se puso a picotear la comida hasta que él se dio cuenta de que no comía.

—¿Quieres que busquemos ahora entre los recipientes? —preguntó.

Ayla se puso de pie de un salto, se fue al área de almacenamiento, y regresó a buscar una lámpara de piedra. Estaba oscuro el fondo de la cueva; le entregó la lámpara a Jondalar mientras ella descubría canastos, tazones y recipientes de corteza de abedul que estaban recogidos y metidos unos dentro de otros. Él alzaba la lámpara para arrojar más luz, y echó una mirada a su alrededor. Había tanto, mucho más de lo que ella pudiera necesitar.

—¿Tú hiciste todo eso?

—Sí —contestó, buscando entre los montones.

—Te habrá llevado días . . . lunas . . . estaciones. ¿Cuánto tiempo te llevó?

Ayla trató de hallar el modo de contestar.

—Estaciones, muchas estaciones. La mayor parte las hice durante la estación fría. No tenía otra cosa que hacer. ¿Alguno de éstos es del tamaño conveniente?

Jondalar miró los recipientes que ella había sacado y escogió varios, más para examinar la artesanía que para escoger. Resultaba difícil de creer. Por muy hábil que fuera o muy rápida con sus manos, las canastas finamente trenzadas y los tazones de fino acabado habían llevado mucho tiempo. ¿Cuánto tiempo llevaría allí? Sola.

—Éste estará bien —dijo, escogiendo un tazón grande en forma de artesa con altos lados. Ayla recogió todo lo demás ordenadamente y lo volvió a guardar mientras Jondalar sostenía la lámpara.

"No podía ser mucho más que una niña cuando llegó", pensaba Jondalar. "No es muy grande, ¿o sí?" Era difícil de apreciar. Tenía una cualidad sin edad, cierta ingenuidad que se llevaba mal con su cuerpo pleno y maduro de mujer. Había dado a luz; era una mujer de pies a cabeza. "Me pregunto qué edad tendrá".

Bajaron por el sendero; Jondalar llenó de agua el tazón y examinó los huesos de pata que había encontrado en el depósito de desechos.

—Éste tiene una raja que no vi —dijo, mostrándole el hueso antes de descartarlo. Los demás, los metió en el agua. Mientras regresaban a la cueva trató de calcular la edad de Ayla. "No puede ser demasiado joven . . . es una curandera demasiado experta. Pero, ¿será de la misma edad que yo?"

—Ayla, ¿cuánto tiempo hace que llegaste aquí? —preguntó mientras entraban en la cueva, sin poder dominar más su curiosidad.

Ella se detuvo sin saber qué contestar ni cómo podría hacerle comprender. Recordó sus varas de contar, pero aun cuando Creb le había mostrado cómo hacer las marcas, se suponía que ella no debía saber. Jondalar tal vez no aprobara. "Pero ya se va a marchar", pensó.

Sacó un haz de las varas que había marcado diariamente, lo desató y las extendió.

—¿Qué es eso? —preguntó Jondalar.

—Me preguntas que cuánto tiempo hace que llegué. No sé cómo decírtelo, pero desde que encontré este valle, he hecho una muesca en una vara cada noche. He estado aquí tantas noches como marcas hay en mis varas.

—¿Sabes cuántas marcas hay?

Ayla recordó lo frustrada que se había sentido cuando había tratado de sacar algo en limpio de sus varas marcadas.

—Tantas como las que hay —contestó.

Jondalar tomó una de las varas, intrigado. Ayla no sabía las palabras para contar, pero tenía cierta intuición. Ni siquiera todos los de su Caverna las captaban plenamente. La magia poderosa de su significado no le era dada a todos. Zelandoni le había explicado algunas. Él no conocía toda la magia que encerraban, pero sabía más que muchos que no habían tenido la vocación. ¿Dónde habría aprendido Ayla a marcar las varas? ¿Cómo una persona criada por cabezas chatas podría tener algún entendimiento de las palabras para contar?

—¿Cómo aprendiste a hacer esto?

—Me enseñó Creb; hace mucho. Cuando era una niña pequeña.

—Creb..., ¿el hombre en cuyo hogar vivías? ¿Él sabía lo que significaban? ¿No estaba haciendo señales y nada más?

—Creb era... Mog-ur... hombre santo. El Clan volvía los ojos hacia él para saber cuál era el momento conveniente para ciertas ceremonias como los días de poner nombres o las Reuniones del Clan. Así era como sabía. No creo que pensara que yo pudiera comprender... es difícil inclusive para los mog-urs. Me enseñó para que no estuviera haciéndole preguntas todo el tiempo. Después me dijo que no hablara más de ello. Una vez, cuando era ya mayor, me sorprendió marcando los días del ciclo de la luna y se enojó mucho.

—Ese... Mog-ur —a Jondalar se le dificultaba la pronunciación—. ¿Era un santo, alguien sagrado, como un zelandoni?

—Yo no sé. Tú dices zelandoni cuando hablas de curar. Mog-ur no era curandero. Iza conocía las plantas y las hierbas... era curandera. Mog-ur conocía los espíritus. Él la ayudaba hablándoles.

—Un zelandoni puede ser curandero o puede tener otras facultades. Un zelandoni es alguien que ha recibido el llamado para Servir a la Madre. Algunos no tienen facultades especiales, sólo el deseo de servir. Pueden hablarle a la Madre.

—Creb tenía otras facultades. Era el más alto, el más poderoso. Podía... hacía... no sé cómo explicarlo.

Jondalar asintió; no siempre era fácil explicar las facultades de un zelandoni, pero también eran guardianes de un conocimiento especial. Volvió la mirada hacia las varas.

—Y eso —dijo, señalando las marcas especiales—, ¿qué significa?

—Es... es mi... —dijo Ayla, ruborizándose—, es mi feminidad —explicó, tratando de encontrar la expresión correcta.

Se suponía que las mujeres del Clan evitaban a los hombres durante el menstruo, y los hombres las ignoraban por completo. Las mujeres sufrían el ostracismo parcial, la maldición femenina, porque temían la fuerza vital misteriosa que capacitaba a la mujer para dar vida. Impregnaba al espíritu de su tótem con una fortaleza extraordinaria que combatía las esencias de los tótems de los hombres. Cuando una mujer sangraba, significaba que su tótem había vencido y herido la esencia del tótem masculino... que lo había expulsado. Ningún hombre deseaba que el espíritu de su tótem se viera arrastrado a batallar en esos momentos.

Pero Ayla se había visto ante un dilema poco después de llevar al hombre a la caverna. No podía mantenerse en un aislamiento estricto cuando se inició su hemorragia, no cuando él apenas tenía un soplo de vida y necesitaba ser atendido constantemente. Tuvo que ignorar el mandato. Más adelante trató de que su contacto con él, durante esos momentos, fuera lo más breve posible, pero no podía evitarlo del todo puesto que ambos compartían la cueva. Y tampoco podía limitarse exclusivamente a las tareas femeninas, como era la práctica del Clan. No había otras mujeres para sustituirla. Ella tenía que cazar para el hombre, guisar para el hombre, y éste quería que ella compartiera sus comidas.

Lo único que pudo hacer para conservar cierta apariencia de decoro femenino fue evitar cualquier referencia al tema y cuidarse en privado, para mantener el hecho lo más oculto posible. Entonces, ¿cómo iba a poder contestar a la pregunta?

Pero él aceptó su manifestación sin el menor asomo de reparos ni recelos. No pudo descubrir la menor señal de que estuviera perturbado.

—La mayoría de las mujeres llevan una especie de recordatorio. ¿Quién te enseñó, Creb o Iza, a hacerlo?

Ayla agachó la cabeza para disimular su confusión.

—No, yo lo hice para saber. No quería encontrarme lejos de la caverna sin estar preparada.

El gesto de asentimiento del hombre la sorprendió.

—Las mujeres cuentan una historia sobre las palabras para contar —prosiguió—. Dicen que Lumi, la Luna, es amante de la Gran Madre Tierra. Los días que Doni sangra, no quiere compartir los placeres con él. Eso lo enoja y lastima su orgullo; se aparta de Ella y esconde su luz. Pero no puede permanecer lejos mucho tiempo; se siente solitario, echa de menos su cuerpo lleno y cálido, y entonces acecha para verla. Para entonces Doni está perturbada y no quiere mirarlo. Pero cuando él vuelve y brilla para Ella en todo su esplendor, no puede resistírsele. Se abre a él una vez más y ambos son felices.

"A eso se debe que muchos de sus festivales se celebren cuando hay luna llena. Las mujeres dicen que sus fases van con las de la Madre ... cuando sangran dicen que es tiempo de Luna, y saben cuándo esperarlo vigilando a Lumi. Afirman que Doni les enseñó las palabras de contar para que pudieran saber inclusive cuando la luna está oculta tras las nubes, pero ahora se utilizan para cosas más importantes".

Aun cuando la desconcertaba oír a un hombre hablar tan sencillamente de asuntos íntimamente femeninos. Ayla quedó fascinada con la historia.

—A veces observo la luna —dijo— pero también marco la vara. ¿Qué son las palabras para contar?

—Son ... nombres para las marcas de tus varas, para empezar, y para otras cosas también. Se emplean para decir el número de ... todo. Pueden decir cuántos ciervos ha visto un explorador o a cuántos días de distancia se encuentran. Si es una manada numerosa, por ejemplo el bisonte en otoño, entonces un zelandoni debe ir a observar la manada, uno que conozca la manera especial de utilizar las palabras para contar.

Una corriente interior de anticipación recorrió a la mujer; casi podía comprender lo que le estaba diciendo Jondalar. Sentía que estaba al borde de resolver preguntas cuyas respuestas la habían rehuido.

El hombre alto y rubio examinó el montón de piedras redondas para cocer y las tomó en ambas manos.

—Deja que te enseñe —dijo. Las puso en fila y, señalándolas de una en una, comenzó a contar—: Uno, dos, tres, cuatro, cinco, seis, siete ...

Ayla lo observaba con una excitación que iba en aumento.

Cuando terminó, miró a su alrededor para hallar algo más que contar y alzó unas cuantas de las varas marcadas por Ayla y volvió a contar.

—Una —dijo, dejando la primera en el suelo—, dos —y puso la siguiente a su lado—, tres, cuatro, cinco ...

Ayla recordó claramente cuando Creb le dijo: "Año del nacimiento, año de caminar, año de destete ..." señalando sus dedos extendidos. Ella alzó la mano y, mirando a Jondalar, señaló cada uno de los dedos.

—Uno, dos, tres, cuatro, cinco.

—¡Eso es! ¡Estaba seguro de que andabas cerca, al ver tus varas!

La sonrisa de Ayla era triunfante, gloriosa. Alzó una de las varas y se puso a contar las marcas. Jondalar prosiguió con las palabras que ella no sabía aún, pero inclusive así, tuvo que detenerse poco después de la segunda marca especial. Arrugó el entrecejo, concentrándose.

—¿Esto es el tiempo que llevas aquí? —preguntó, indicando las varas que había sacado.

—No —contestó Ayla, y fue a buscar las demás. Desatando los haces, extendió todas las varas.

Jondalar se acercó para mirar y palideció. Se le revolvió el estómago: ¡años!, ¡esas marcas representaban años! Las alineó para poder ver todas las marcas y las estudió un rato. Aun cuando Zelandoni le había explicado algunas maneras de calcular números más altos, tenía que pensar.

Entonces sonrió. En vez de tratar de contar los días, contaría las señales especiales, las que representaban un ciclo completo de las fases de la luna así como el principio de su tiempo lunar. Señalando cada marca, hizo una señal en la tierra al decir en voz alta la palabra de contar. Al cabo de trece señales, comenzó otra hilera pero saltándose la primera señal como se lo había explicado Zelandoni, y sólo hizo doce señales. Los ciclos lunares no se ajustaban a las estaciones o los años. Llegó al final de sus señales al terminar la tercera hilera, y miró a Ayla lleno de pasmo.

—¡Tres años! ¡Llevas tres años aquí! Es el tiempo que llevo de viaje. ¿Has estado sola todo ese tiempo?

—He tenido a Hinny, y hasta...

—Pero, ¿no has visto gente?

—No, no desde que dejé el Clan.

Ella pensaba en los años a la manera en que los había calculado. Al principio, cuando dejó el Clan, encontró el valle y adoptó la potrilla, lo llamó el año de Hinny. La primavera siguiente, el inicio del ciclo del renacer de la naturaleza, encontró al cachorro de león, y pensó en ese año como el de Bebé. Del año de Hinny al de Bebé, era el uno de Jondalar. Después fue el año del garañón: dos. Y tres fue el año de Jondalar y el potro. Ella recordaba mejor los años a su manera, pero le gustaban las palabras para contar. El hombre había logrado que las señales le indicaran cuánto tiempo llevaba en el valle, y ella deseaba aprender a hacerlo.

—¿Sabes la edad que tienes, Ayla? ¿Cuántos años has vivido? —preguntó repentinamente Jondalar.

—Déjame que lo piense —contestó. Alzó una mano con los dedos extendidos—. Creb decía que Iza calculó que yo tendría éstos... cinco años... cuando me encontraron —Jondalar hizo cinco rayas en el suelo—. Durc nació la primavera del año que fuimos a la Reunión del Clan. Me lo llevé. Creb dijo que hay estos años entre las Reuniones del Clan —y agregó dos dedos más a los cinco de la otra mano.

—Son siete —dijo Jondalar.

—Hubo una Reunión del Clan el verano antes de que me encontraran.

—Es uno menos. Déjame pensar —dijo, haciendo más rayas en el suelo. Entonces meneó la cabeza—. ¿Estás segura? Eso significa que tu hijo nació cuando tenías once años.

—Estoy segura, Jondalar.

—He oído de algunas mujeres que daban a luz tan jóvenes, pero no muchas. Trece o catorce es más común, y hay quien cree que es demasiado joven. Tú misma eras apenas más que una niña.

—No. No era una niña. Para entonces no era una niña desde hacía varios años. Era demasiado alta para ser una niña, más alta que los demás, incluyendo a los hombres. Y era ya más vieja que la mayoría de las niñas cuando se convierten en mujeres —su boca se torció en una sonrisa sesgada—. No creo que podría haber esperado más. Algunos creían que nunca sería mujer porque tengo un tótem masculino tan fuerte. Iza se puso tan contenta cuando... cuando comenzaron los tiempos de la luna. Y también yo hasta que... —se borró la sonrisa—. Fue el año de Broud. El siguiente fue el año de Durc.

—El año antes de que naciera tu hijo... ¡diez! ¿Tenías diez años cuando te forzó? ¿Cómo pudo hacerlo?

—Yo era una mujer, más alta que la mayoría de las mujeres. Más alta que él.

—Pero no más fuerte que él. ¡He visto algunos de esos cabezas chatas! Tal vez no sean altos pero son poderosos. No quisiera tener que pelear con uno de ellos cuerpo a cuerpo.

—Son hombres, Jondalar —corrigió Ayla con dulzura—. No son cabezas chatas... son hombres del Clan.

Eso lo detuvo en seco. Por muy bajo que hablara, tenía la mandíbula tensa.

—Después de lo ocurrido, ¿insistes en que no era un animal?

—Puedes decir que Broud es un animal porque me forzó, pero entonces, ¿cómo les dices a los hombres que fuerzan a las mujeres del Clan?

Él no lo había considerado exactamente de esa manera.

—Jondalar, no todos los hombres eran como Broud. La mayoría no lo eran. Creb no lo era: era gentil y bondadoso aun cuando era un poderoso Mog-ur. Brun no lo era, aun cuando era el jefe; tenía una voluntad fuerte, pero era justo. Me aceptó en su Clan. Tenía que hacer ciertas cosas, era la costumbre del Clan, pero me honró con su gratitud. Los hombres del Clan no suelen mostrar agradecimiento a las mujeres en público. Él me permitió cazar; aceptó a Durc. Cuando me marché, prometió protegerlo.

—¿Cuándo te marchaste?

Ayla se detuvo a pensar. El año de nacer, el año de caminar, el año del destete.

—Durc tenía tres años cuando me marché.

Jondalar agregó tres rayas más.

—¿Tenías catorce años?, ¿sólo catorce? ¿Y desde entonces has vivido aquí sola? ¿Durante tres años? —contó todas las rayas—. Ayla, tienes diecisiete años. Y en tus diecisiete años has vivido toda una vida.

Ayla se quedó sentada en silencio un rato, pensativa; entonces dijo:

—Ahora Durc tiene seis años. Los hombres lo estarán llevando a campo de prácticas. Grod le hará una buena lanza, para su tamaño, y Brun le enseñará a usarla. Y si vive aún Zoug le enseñará a usar la honda. Durc practicará la caza de animales pequeños con su amigo Grev. Durc es más joven pero más alto que Grev. Siempre fue alto para su edad . . . lo heredó de mí. Puede correr aprisa; ninguno puede correr tanto como él. Y maneja bien la honda. Y Uba lo quiere. Lo quiere tanto como yo.

Ayla no se dio cuenta de que se le caían las lágrimas hasta que respiró hondo, y fue un sollozo, y sin saber cómo, se encontró en los brazos de Jondalar con la cabeza sobre el hombro de él.

—Todo está bien, Ayla —dijo el hombre, dándole golpecitos suaves. Madre a los once años, arrancada de su hijo a los catorce. Sin poder verlo crecer, ni siquiera segura de que siguiera con vida. "Está segura de que alguien lo quiere y lo cuida y le enseña a cazar . . . como a cualquier otro niño".

Ayla se sentía deshecha cuando finalmente alzó la cabeza del hombro de Jondalar, pero también se sentía más ligera, como si su pena pesara menos sobre ella. Era la primera vez, desde que dejó el Clan, que compartía su pérdida con otra alma humana. Le sonrió, agradecida.

Él le sonrió también con ternura y compasión, y algo más que surgía de la fuente inconsciente de su yo interior y se mostraba en las profundidades azules de sus ojos. Y que encontró una cuerda correspondiéndole en la mujer. Pasaron un buen rato sujetos en el abrazo íntimo de ojos silenciosos pero sinceros, declarando en silencio lo que no dirían en voz alta.

La intensidad fue demasiado para Ayla; todavía no estaba acostumbrada a la mirada directa. Logró arrancarse a la contemplación y se puso a recoger las varas marcadas. Jondalar tardó un poco en reponerse y ayudarla a atar las varas en haces. Trabajar junto a ella le daba más conciencia aún de su plenitud cálida y su agradable olor a mujer, que cuando la estaba consolando entre sus brazos. Y Ayla experimentó una sensación retroactiva de los puntos en que se habían unido sus cuerpos, donde sus manos suaves la habían tocado, y el sabor a sal del cutis del hombre mezclado con sus lágrimas.

Ambos se percataron de que se habían tocado sin que ninguno de los dos se hubiera ofendido, pero evitaron cuidadosamente mirarse directamente o rozarse, temerosos de que pudiera perturbarse su momento espontáneo de ternura.

Ayla recogió sus varas y se volvió hacia el hombre.

—¿Cuántos años tienes tú, Jondalar?

—Tenía dieciocho al iniciar mi viaje. Thonolan tenía quince . . . y dieciocho al morir. ¡Tan joven! —su expresión delató su dolor; después, prosiguió—: Ahora tengo veintiún años. Soy viejo para estar soltero. La mayoría de los hombres han encontrado una mujer y formado un hogar a una edad mucho menor. Inclusive Thonolan. Tenía dieciséis en su Matrimonial.

—Sólo encontré dos hombres . . . , ¿y su compañera?

—Falleció al dar a luz. También su hijo murió —los ojos de Ayla se llenaron de compasión—. Por eso reanudamos el viaje; no podía quedarse allí. Desde el principio éste fue más su viaje que el mío. Siempre andaba en busca de la aventura, siempre inquieto. Se atrevía a todo, pero todos lo querían. Yo sólo viajaba con él. Thonolan fue mi hermano, y el mejor amigo que tuve. Cuando murió Jetamio, traté de persuadirlo de que regresara conmigo a nuestra tierra, pero no quería. Estaba tan abrumado por el dolor que deseaba seguirla en el otro mundo.

Ayla recordó la profundidad de la desolación de Jondalar cuando se enteró de que había muerto su hermano, y pudo reconocer que el dolor seguía igual de profundo.

—Quizá sea más feliz, si es lo que deseaba. Es difícil seguir viviendo cuando se pierde a alguien tan amado —dijo con dulzura.

Jondalar recordó la pena inconsolable de su hermano y la comprendió mejor ahora. Tal vez Ayla tuviera razón. Ella tenía que saberlo, había sufrido suficientes penalidades y dolores. Pero ella decidió vivir. Thonolan tenía valor, era imperioso y arrojado; el valor de Ayla era el de sobrevivir.

Ayla no durmió bien, y las vueltas y movimientos que oía desde el otro lado del fuego le hacían preguntarse si también Jondalar estaría despierto. Habría querido levantarse e ir a él, pero el ánimo de ternura atenta que había surgido de penas compartidas parecía tan frágil, que temía echarlo a perder pidiendo más de lo que él estuviera dispuesto a dar.

A la luz tenue del fuego cubierto, podía ver la forma del cuerpo del hombre envuelto en pieles con un brazo moreno por el sol y una pantorrilla musculosa, con el talón en el suelo. Lo veía más claramente si cerraba los ojos que cuando los abría hacia el bulto que respiraba al otro lado. Su cabello lacio y amarillo atado con un trozo de correa, su barba, más oscura y rizada; sus sorprendentes ojos que decían más que sus palabras, y sus manos grandes, sensibles, de dedos largos, iban más allá de la visión. La llenaban de una visión interior. Él sabía siempre qué hacer con las manos, ya fuera al sostener un trozo de pedernal o al encontrar el lugar exacto para rascar al potro. Corredor. Era un buen nombre. El hombre le puso nombre.

¿Cómo podía ser tan amable un hombre tan alto y tan fuerte? Ella había sentido sus músculos duros, los había sentido moviéndose cuando la consolaba. Él no tenía... vergüenza en cuanto a mostrar atenciones, a mostrar dolor. Los hombres del Clan eran más distantes, más reservados. Inclusive Creb: bien sabía ella cuánto la quería, y sin embargo, no había mostrado tan abiertamente sus sentimientos ni siquiera entre los límites de las piedras de su hogar.

¿Qué iba a hacer ella cuando se quedara sola? No quería pensar en eso. Pero tenía que encararlo: Jondalar iba a marcharse. Dijo que deseaba dejarle algo antes de irse... dijo que se iba.

Ayla se pasó la noche dando vueltas y agitándose, viendo de cuando en cuando su torso desnudo, profundamente tostado; la nuca y los anchos hombros; y una vez, su muslo derecho con una cicatriz en zigzag, pero nada peor. ¿Por qué habría sido enviado? Ella estaba aprendiendo las nuevas palabras..., ¿sería para enseñarle a hablar? Iba a mostrarle una mejor manera de cazar, algo nuevo. ¿Quién habría imaginado que un hombre estuviera dispuesto a enseñarle una nueva habilidad para la caza? Jondalar también era distinto de los hombres del Clan en ese aspecto. "Quizá pueda hacer algo especial para él, de manera que me recuerde", pensó.

Ayla dormitó pensando cuántas ganas tenía de que él la abrazara de nuevo, de sentir su calor, su piel contra la de ella. Despertó justo antes del alba soñando que Jondalar caminaba por la estepa de invierno, y entonces supo lo que querría hacer. Quería hacer algo que siempre estuviera contra su piel, algo que le diera calor.

Se levantó sigilosamente y encontró la ropa que le había cortado del cuerpo aquella primera noche, y la llevó hasta el fuego. Todavía estaba tiesa por la sangre seca, pero si la dejara remojar podría ver cómo estaba hecha. La camisa con el diseño fascinante, podría recuperarse, pensó, con sólo sustituir las piezas para los brazos. Los pantalones deberían reproducirse con nuevo material, pero podría salvar parte de la parka. Las abarcas estaban intactas, sólo habría que ponerle correas nuevas.

Se inclinó hacia los carbones rojos, examinando las costuras: había orificios perforados en las pieles, junto a las orillas; después se habían unido con tiras de tendón y de cuero fino. Ya lo había visto antes, la noche que lo desnudó; no estaba segura de poder reproducir las prendas, pero podía intentarlo.

Jondalar se agitó, y Ayla aguantó la respiración. No quería que la sorprendiera con sus ropas; no quería que supiera nada antes de que estuviera terminado. El hombre se tranquilizó de nuevo, y su respiración tomó el ritmo de un sueño profundo. Ayla hizo un atado con la ropa y la escondió bajo las pieles de su cama. Más tarde podría rebuscar entre sus montones de pieles curtidas para escoger cuáles utilizar.

Una luz pálida comenzó a filtrarse por las aberturas de la caverna; un ligero cambio en su respiración y sus movimientos indicó a la mujer que Jondalar despertaría pronto. Echó leña al fuego junto con piedras para calentar, y preparó la canasta-olla. La bolsa de agua estaba casi vacía, y el té sabía mejor con agua fresca. Hinny y su potro estaban en pie al otro lado de la cueva, y Ayla se detuvo al oír resoplar suavemente a la yegua.

—Tengo una idea maravillosa —dijo a la yegua en el silencioso lenguaje de señales, sonriendo—. Voy a hacerle a Jondalar algo de ropa, su tipo de ropa. ¿Crees que le agrade? —entonces dejó de sonreír; pasó el brazo por el cuello de Hinny, otro brazo alrededor de Corredor, e inclinó la cabeza contra la yegua. "Entonces me dejará", pensó. No podía obligarlo a quedarse; sólo podía ayudarlo a marcharse.

Bajó el sendero con la primera luz del amanecer, tratando de olvidar su triste futuro sin Jondalar y de consolarse a la idea de que la ropa que le haría estaría pegada a su cuerpo. Se quitó el manto para darse un baño matutino de corta duración, después halló una ramita del tamaño deseado y llenó la bolsa de agua.

"Esta mañana probaré algo distinto", pensó; "yerba dulce y manzanilla". Peló la ramita, la colocó junto a la taza y puso a macerar el té. "Las grosellas están maduras, creo que recogeré algunas".

Puso el té caliente para Jondalar, escogió una canasta y salió de nuevo. Corredor y la yegua la siguieron y se pusieron a pacer la hierba junto a las grosellas. También extrajo zanahorias silvestres, pequeñas y de un amarillo pálido, y chufas blancas y feculentas, aunque las prefería cocidas.

Cuando regresó, Jondalar estaba fuera, en el saliente soleado. Le hizo señas mientras lavaba las raíces, después las subió y las agregó a un caldo que había empezado a hacer con carne seca. Lo probó, le espolvoreó algunos condimentos secos y dividió las grosellas en dos raciones, antes de servirse una taza de té frío.

—Manzanilla —dijo Jondalar— y no sé qué más.

—No sé cómo lo llamas, es algo así como hierba con sabor dulce. Ya te enseñaré la planta —vio que los implementos para hacer herramientas estaban fuera además de varias de las hojas que había tallado la vez anterior.

—Creo que comenzaré temprano —dijo, al verla interesada—. Tengo que hacer algunas herramientas, antes que nada.

—Ya es hora de ir de cacería. ¡La carne seca es tan magra! Ya tendrán los animales algo de grasa, ahora que la estación está avanzada. Tengo ganas de comerme un asado de carne fresca con chorretes de grasa.

Jondalar sonrió.

—Sólo de oírtelo decir ya parece delicioso. Lo digo en serio, Ayla, eres una cocinera notablemente buena.

Ayla se ruborizó y agachó la cabeza. Era agradable saber que lo pensaba, pero curioso que se fijara en algo tan natural.

—No quería causarte embarazo alguno.

—Iza solía decir que las felicitaciones hacen que los espíritus sientan celos. Hacer bien una tarea debería ser suficiente.

—Creo que Marthona e Iza se habrían llevado bien. Tampoco le agradan los cumplidos. Solía decir: "El mejor cumplido es una tarea bien hecha." Sin duda, todas las madres son iguales.

—¿Marthona es tu madre?

—Sí. ¿No te lo había dicho?

—Pensé que lo sería, pero no estaba segura. ¿Tienes hermanos? ¿Además del que perdiste?

—Tengo un hermano mayor, Joharran. Es ahora el jefe de la Novena Caverna. Nació en el hogar de Joconan. Cuando éste murió, mi madre se unió a Dalanar. Yo nací en su hogar. Entonces Marthona y Dalanar cortaron el nudo, y ella se casó con Willomar. Thonolan nació en su hogar, y también Folara, mi hermana menor.

—Tú viviste con Dalanar, ¿verdad?

—Sí, tres años. Me enseñó mi oficio . . . aprendí con el mejor. Yo tenía doce años cuando fui a vivir con él, y era un hombre desde hacía casi un año. Mi virilidad me llegó muy pronto, y también era corpulento para mi edad —una expresión extraña, enigmática, pasó por su rostro—. Lo mejor era que me marchara —entonces sonrió—. Fue entonces cuando conocí a Joplaya, mi prima. Es hija de Jerika y ha nacido en el hogar de Dalanar después de que se casaran. Tiene dos años menos. Dalanar nos enseñó a trabajar el pedernal a los dos juntos. Siempre era una competencia; por eso nunca le voy a decir lo bien que lo hace. Pero lo sabe. Tiene buen ojo y mano firme . . . algún día será tan buena como Dalanar.

Ayla guardó silencio un momento.

—Hay algo que todavía no comprendo del todo, Jondalar. Folara tiene la misma madre que tú, de modo que es tu hermana, ¿no es cierto?

—Sí.

—Tú naciste en el hogar de Dalanar, y Joplaya nació en el hogar de Dalanar, y es tu prima. ¿Qué diferencia hay entre hermana y prima?

—Hermanos y hermanas vienen de la misma madre. Los primos no son tan próximos. Yo nací en el hogar de Dalanar . . . probablemente soy de su espíritu. La gente dice que nos parecemos. Creo que también Joplaya es de su espíritu; su madre es bajita pero ella es alta, como Dalanar. No tan alta pero un poco más alta que tú, Ayla.

"Nadie sabe con seguridad de quién será el espíritu que la Gran Madre escoja para mezclarlo con el de una mujer, de modo que Joplaya y yo podemos ser del espíritu de Dalanar pero, ¿quién sabe? Por eso somos primos".

Ayla asintió con la cabeza.

—Quizá Uba sea prima pero para mí fue hermana.

—¿Hermana?

—No éramos verdaderamente hermanas. Uba era hija de Iza, nació después de que me recogieran. Iza decía que ambas éramos sus hijas —los pensamientos de Ayla se volvieron hacia dentro—. Uba se casó, pero no con el hombre que ella hubiera escogido. Pero entonces, el otro hombre sólo habría podido casarse con su hermana, y en el Clan los hermanos no pueden casarse.

—Nosotros no casamos hermanos con hermanas —dijo Jondalar—. Por lo general no nos casamos entre primos tampoco, aunque no está totalmente prohibido; se mira con malos ojos. Hay ciertas clases de primos más aceptables que otras.

—¿Qué clase de primos hay?

—Muchas clases, unos más próximos que otros. Los hijos de las hermanas de tu madre son tus primos, los hijos de la compañera del hermano de tu madre; los hijos de . . .

—¡Es demasiado complicado! ¿Cómo sabes quién es primo y quién no? Casi todo el mundo podría ser primo . . . ¿Con quién se puede uno casar entonces, en tu Caverna?

—No suele uno casarse con alguien de su misma Caverna. Por lo general es con alguien que se conoce en la Reunión de Verano. Yo creo que a veces está permitido casarse con primos porque tal vez se ignore que la persona con quien va uno a casarse está relacionada hasta que se citan los nexos . . . las relaciones. Por lo general la gente conoce a sus primos más cercanos, aun cuando vivan en otra Caverna.

—¿Como Joplaya?

Jondalar asintió con la cabeza porque tenía la boca llena de grosellas.

—Jondalar, ¿y si no fueran los espíritus los que hacen hijos? ¿Y si fuera el hombre? ¿No significaría eso que los hijos son tanto del hombre como de la mujer?

—El bebé crece dentro de la mujer, Ayla. Proviene de ella.

—Entonces, ¿por qué se unen el hombre y la mujer?

—¿Por qué nos dio la Madre la Dádiva del Placer? Tendrás que preguntarle eso a Zelandoni.

—¿Por qué dices siempre "la Dádiva del Placer"? Hay muchas cosas que hacen feliz a la gente y le proporcionan placer. ¿Le causa tanto placer a un hombre meter su órgano dentro de una mujer?

—No sólo al hombre, a la mujer . . . pero tú no sabes, ¿verdad? No tuviste Primeros Ritos. Un hombre te abrió, te hizo mujer, pero no es lo mismo. ¡Fue vergonzoso! ¿Cómo pudieron permitir que eso pasara?

—No comprendían, sólo veían lo que él hacía. Lo que él hizo no era vergonzoso, sólo la manera en que lo hizo. No lo hizo por Placeres . . . Broud lo hizo con odio. Yo sentí dolor, ira, pero vergüenza, no. Y tampoco placer. No sé si Broud inició mi bebé, Jondalar, o si me hizo mujer para que pudiera tener uno, pero mi hijo me hizo feliz. Durc fue mi placer.

—La Dádiva de la Vida que nos hace la Madre es una dicha, pero hay algo más en la unión de un hombre y una mujer. Eso también es una Dádiva, y debe hacerse con gozo en Su honor.

"Tal vez haya cosas que tú también ignoras", pensó Ayla. "Pero parece tan seguro. ¿Podría tener razón?" Ayla no lo creía del todo, pero se interrogaba.

Después de la comida, Jondalar se pasó a la parte ancha y plana del saliente donde estaban preparados sus implementos. Ayla lo siguió y se sentó cerca de él. Jondalar extendió las hojas que había hecho, para poder compararlas. Diferencias ínfimas hacían algunas más apropiadas para ciertas herramientas que otras. Escogió una hoja, la sostuvo frente al sol y se la mostró.

La hoja tenía más de cuatro pulgadas de largo y menos de una pulgada de ancho. El borde en medio de su cara exterior era recto y se ahusaba regularmente desde el borde hasta aristas tan finas que la luz la atravesaba. Formaba una curva hacia arriba, hacia su suave cara bulbosa interior. Sólo cuando se sostenía frente al sol, podían verse las líneas de fractura que irradiaban desde un bulbo de percusión muy plano. Las dos orillas cortantes eran rectas y filosas. Jondalar se arrancó un pelo de la barba para probar el filo. Se cortó sin resistencia. Era lo más parecido a una hoja perfecta que se pudiera lograr.

—Me quedaré con ésta para afeitarme —dijo.

Ayla no entendió lo que quería decir, pero había aprendido, a fuerza de observar a Droog, a aceptar cualesquiera comentarios y explicaciones que se dieran sin hacer preguntas que pudieran interrumpir la concentración. Jondalar apartó la hoja y recogió otra. Los dos filos de ésta se inclinaban sin encontrarse, lo cual hacía un extremo más estrecho. Tomó un guijarro redondo de la playa, más o menos el doble del tamaño de su puño, y apoyó en él el extremo más angosto. Entonces, con la punta roma de un asta, cortó el extremo en forma de punta triangular. Apretando los lados del triángulo contra el yunque de piedra, desprendió briznas que dejaron la hoja con una punta estrecha y afilada.

Tendió un extremo del protector de cuero y le hizo un agujerito

—Esto es una lezna —dijo, mostrándosela a Ayla—. Con ella se hacen agujeritos para meter hebras de tendón y coser la ropa.

¿La habría visto examinar su ropa?, se preguntó Ayla de repente. Parecía saber lo que había estado planeando.

—También voy a hacer un taladro. Es como esto pero mayor y más robusto, para hacer orificios en madera, hueso o asta.

Ayla se tranquilizó: sólo estaba hablando de herramientas.

—Yo he utilizado una ... lezna para hacer agujeros para bolsas, pero ninguna tan fina como ésta.

—¿La quieres? —preguntó, sonriendo—. Puedo hacerme otra.

Ayla la tomó e inclinó la cabeza, tratando de expresar agradecimiento a la manera del Clan; entonces recordó.

—Gracias —dijo.

Jondalar le sonrió ampliamente, contento. Entonces tomó otra hoja y la sostuvo contra la piedra. Con el martillo romo de asta, cortó en ángulos rectos el extremo de la hoja, sesgándola un poco. Entonces, sosteniendo el extremo cuadrado para que quedara en sentido perpendicular ante el golpe, dio fuertemente contra un filo. Un trozo largo cayó —la astilla del buril— dejando la hoja con una punta fuerte, aguda, de cincel.

—¿Estás familiarizada con esta herramienta? —preguntó.

Ayla la examinó, meneó la cabeza y la devolvió.

—Es un buril —dijo Jondalar—. Lo utilizan los tallistas y los escultores, aunque el de éstos es algo distinto. Voy a utilizar éste para el arma de que te hablé.

—Buril, buril —repitió Ayla, acostumbrándose a la palabra.

Después de confeccionar unas cuantas herramientas más parecidas a las que ya había hecho, Jondalar sacudió el protector de cuero por encima del borde del saliente y acercó el recipiente en forma de artesa. Sacó un hueso largo y lo limpió, después hizo girar la pata delantera entre sus manos, buscando por dónde empezar. Se sentó, sujetó el hueso contra su pie y con el buril trazó una línea larga; después rayó otra línea que se unió en un punto con la anterior. Otra raya corta constituyó la base de un triángulo muy largo.

Volvió a apoyar el buril en la primera línea y sacó una larga viruta de hueso, y siguió profundizando las rayas con la punta del cincel, sumiéndola cada vez más en el hueso. Siguió con la misma operación hasta llegar al centro hueco y pasando una vez más para asegurarse de que no había quedado nada sin cortar, oprimió la base: la larga punta del triángulo saltó y Jondalar extrajo toda la pieza. La dejó a un lado, volvió al hueso y grabó otra línea larga que formaba un punto con uno de los lados recientemente cortados.

Ayla no le quitaba la vista de encima por miedo a perderse algo. Pero al cabo de unas cuantas veces sólo era repetición, y sus pensamientos regresaron a la conversación del desayuno. La actitud de Jondalar había cambiado, no cabía duda. No se trataba de un comentario específico que pudiera haber hecho sino más bien una modificación en el tono de sus comentarios.

Recordó cómo dijo: "Marthona e Iza se habrían llevado bien", y algo acerca de que todas las madres eran iguales. ¿Le habría gustado una cabeza chata a su madre? ¿Eran iguales? Y más tarde, aunque estaba enojado, se había referido a Broud como a un hombre... un hombre que le había abierto el camino para que tuviera un hijo. Y dijo que no comprendía cómo aquella "gente" lo había permitido. No se había dado cuenta, y eso la agradó más. Estaba pensando en el Clan como gente. No animales, no cabezas chatas, no abominaciones: ¡gente!

Su atención volvió al hombre en cuanto cambió de actividad. Había tomado uno de los triángulos de hueso y un rascador de pedernal, fuerte y afilado, y estaba suavizando los bordes agudos del hueso, sacando largas virutas. No tardó en tener una sección redondeada de hueso que se afilaba en punta.

—Jondalar, ¿estás haciendo una... lanza?

—El hueso puede afilarse en punta como la madera —dijo el hombre, sonriendo—, pero es más fuerte y no se astilla, y el hueso pesa poco.

—¿No es una lanza muy corta? —preguntó Ayla.

Jondalar lanzó una carcajada fuerte y sonora.

—Lo sería si fuera todo. Ahora sólo estoy haciendo puntas. Hay quien hace lanzas de pedernal. Los Mamutoi las hacen, sobre todo para cazar mamut. El pedernal es quebradizo, claro, pero con filos agudos como cuchillos, una lanza de pedernal puede perforar el rudo cuero de un mamut con mayor facilidad. Sin embargo, para cazar cualquier otra cosa, el hueso constituye una punta mejor. Los mangos serán de madera.

—¿Y cómo los juntas?

—Mira —dijo, haciendo girar la punta para que viera la base—. Puedo astillar este extremo con un buril y un cuchillo, y entonces darle forma al extremo del mango de madera para que encaje en el corte —lo demostró sosteniendo el índice de una mano entre el índice y el pulgar de la otra—. Entonces puedo agregar algo de pegamento o de alquitrán y atarlo bien fuerte con cuerda de cuero o de tendón. Cuando se seque y se encoja, las dos partes quedarán unidas.

—Esa punta es tan pequeña... el asta será una rama.

—Será más que una rama, pero no tan pesada como tu lanza. No debe serlo para que se pueda arrojar.

—¡Arrojarla! ¡Arrojar una lanza!

—Tú arrojas piedras con tu honda, ¿no? Puedes hacer eso mismo con una lanza. No tendrás que abrir zanjas e inclusive puedes matar en movimiento, una vez que adquieras la habilidad. Con la puntería que tienes lanzando con honda, creo que aprenderás pronto.

—¡Jondalar! ¿Sabes cuántas veces he deseado poder cazar ciervos y bisontes con la honda? Nunca se me ocurrió arrojar una lanza —arrugó la frente—. ¿Puedes lanzar con fuerza suficiente? Yo lanzo mucho más fuerte y lejos con la honda que con la mano.

—No tendrás toda la fuerza pero sí la ventaja de la distancia. Pero tienes razón. Es malo que no se pueda lanzar la lanza con honda, pero... —se detuvo sin terminar la frase—. Me pregunto... —la frente se le contrajo ante un pensamiento tan sorprendente que exigió atención inmediata—. No, no lo creo... ¿Dónde podemos encontrar algunas astas?

—Junto al río, Jondalar, ¿hay alguna razón por la que yo no pueda ayudar a hacer esas lanzas? Aprendería más aprisa mientras tú estás aquí y me muestras lo que esté haciendo mal.

—Claro que sí —contestó, pero sintió un peso de plomo al bajar por el sendero. Se le había olvidado que iba a marcharse, y lamentaba que ella se lo recordara.

Capítulo 27

Ayla se agazapaba y miraba tras una cortina de hierba alta y dorada, inclinada por el peso de sus espigas maduras, concentrándose en los contornos del animal. Tenía una lanza en la mano derecha, balanceándola para arrojarla, y otra preparada en la izquierda. Un mechón de largos cabellos rubios, fugitivo de una trenza apretada, le cruzaba la cara. Cambió ligeramente la posición de la larga lanza, bucando el punto de equilibrio, y entonces, entrecerrando los ojos, la aferró y afinó la puntería. Brincando hacia delante, arrojó la lanza.

—¡Oh, Jondalar! ¡Nunca lograré tener puntería con esta lanza! —dijo Ayla, exasperada. Se fue hasta un árbol acolchonado con una piel rellena de hierba, y recobró la lanza que todavía oscilaba de la grupa de un bisonte que Jondalar había dibujado con un trozo de carbón.

—Exiges demasiado de ti misma, Ayla —dijo Jondalar, sonriendo con orgullo—. Lo haces mucho mejor de lo que crees. Estás aprendiendo muy aprisa pero, a decir verdad, nunca he visto tanta determinación. Practicas en cuanto tienes un momento de libertad. Creo que ese debe de ser tu problema en este momento: te esfuerzas demasiado. Necesitas relajarte.

—De esa manera fue como aprendí a tirar con la honda: practicando.

—Pero no conseguiste dominar esa arma de la noche a la mañana, ¿verdad?

—No. Tardé varios años. Pero no quiero que pasen años antes de poder cazar con esta lanza.

—No te preocupes. Probablemente podrías cazar ya y conseguir algo. No tienes el impulso ni la rapidez a que estás acostumbrada, Ayla, pero nunca los tendrás. Tienes que descubrir tu nuevo alcance. Si quieres seguir practicando, ¿por qué no pasas un rato con la honda?

—Con la honda no necesito practicar.

—Pero necesitas descansar, y creo que te ayudará a aflojar la tensión. Anda, prueba.

Al sentir el contacto familiar de la tira de cuero entre las manos, vio que se disipaba su tensión con el ritmo y el movimiento de la honda. Disfrutaba la cálida satisfacción de una hábil pericia, aunque había tenido que batallar para aprender. Podía darle a cualquier cosa que se propusiera, sobre todo los blancos de práctica que no se movían. La admiración visible del hombre la incitó a una demostración para presumir de su habilidad.

Tomó un puñado de guijarros de la orilla del río y se fue al extremo del campo para mostrar su alcance verdadero. Mostró su técnica de lanzamiento rápido de dos piedras, y mostró con qué rapidez podía seguir con otras dos.

Jondalar se acercó y se puso a prepararle blancos para probar su puntería. Puso cuatro piedras en hilera sobre un tronco caído; las derribó con cuatro lanzamientos rápidos. Lanzó dos piedras al aire, una tras otra; Ayla las alcanzó a medio camino. Entonces Jondalar hizo algo que la sorprendió: se puso en medio del campo, con una piedra sobre cada hombro, y la miró, sonriendo. Sabía que ella lanzaba la piedra con la honda con tal fuerza que por lo menos podría ser doloroso... fatal si diera en un punto vulnerable. Esa prueba demostraba la confianza que tenía en ella, pero más, ponía a prueba la confianza de ella en su propia habilidad.

Jondalar oyó el silbido del viento y el rudo chasquear de piedra contra piedra cuando primero una y después la otra piedra fueron derribadas. No se salvó de una marca como precio de su peligroso juego: una diminuta astilla se desprendió de una piedra y se le hincó en el cuello. No se inmutó, pero un chorrito de sangre, que brotó en cuanto se sacó la astilla, lo denunció.

—¡Jondalar!, ¡estás lastimado! —exclamó Ayla al verlo.

—Sólo una astilla, no es nada. Pero ¡qué manera de manejar la honda, mujer! Nunca he visto a nadie manejar así un arma.

Ayla nunca había visto a nadie mirarla así. Los ojos del hombre brillaban, llenos de respeto y admiración; su voz estaba ronca de cálido encomio. Ayla se ruborizó, llena de tal oleada de emoción que se le llenaron los ojos de lágrimas a falta de otro desahogo.

—Si pudieras arrojar la lanza de esa manera... —calló y cerró los ojos, esforzándose por imaginar algo—. Ayla, ¿me permites la honda?

—¿Quieres aprender a manejar la honda? —preguntó, entregándosela.

—No del todo.

Levantó una de las lanzas que yacían en el suelo, y trató de encajar el extremo de madera en la bolsa de la honda, amoldada según la forma de los cantos rodados que solía contener. Pero no estaba suficientemente familiarizado con la técnica del manejo de la honda, y después de varios intentos torpes, la devolvió junto con la lanza.

—¿Crees que podrías arrojar esa lanza con tu honda?

Ella vio lo que trataba de lograr y consiguió hacer un arreglo insatisfactorio: el extremo del asta de la lanza estirando la honda, mientras sostenía los extremos y el mango de la lanza a un mismo tiempo. No pudo lograr un buen equilibrio —tenía poca fuerza y menos control sobre el largo proyectil, en cuanto éste dejó su mano— pero consiguió arrojarlo.

—Tendría que ser más larga, o más corta la lanza —dijo Jondalar, tratando de imaginar algo que no había visto nunca—. Y la honda es demasiado flexible. La lanza necesita más apoyo. Algo en qué apoyarse ... tal vez madera o hueso ... con un tope posterior para que no resbale. ¡Ayla!, no estoy seguro pero creo que podría funcionar. Creo que me sería posible hacer un ... ¡tiralanzas!

Ayla observaba a Jondalar mientras éste construía y experimentaba, tan fascinada por el concepto de hacer algo a partir de una idea como por el proceso de elaboración. La cultura en que ella se había criado no era propensa a tales innovaciones, y no se percataba de que ella había inventado métodos de caza y una rastra partiendo de una fuente similar de creatividad.

Jondalar utilizaba materiales para sus necesidades y adaptaba herramientas para nuevos usos. Le pedía consejo, aprovechando los años de experiencia que tenía ella con su arma de arrojar, pero pronto se hizo evidente que el artefacto que estaba fabricando, aun cuando la inspiración había salido de la honda, era un dispositivo nuevo y único.

Una vez que tuvo establecidos los principios básicos, dedicó tiempo a las modificaciones para mejorar el desempeño de la lanza, y ella no estaba más familiarizada con los detalles más perfeccionados del lanzamiento de una lanza que él con la operación de una honda. Jondalar la informó, con un destello de deleite, que tan pronto como tuviera buenos modelos que funcionaran, ambos necesitarían practicar.

Ayla decidió dejar que utilizara las herramientas que mejor conocía él, para acabar los dos modelos. Quería experimentar con otra de sus herramientas. No había adelantado mucho su confección de prendas para él. Pasaban tanto tiempo juntos, que sólo disponía de un rato, al amanecer o en medio de la noche, mientras él dormía.

Mientras él refinaba y acababa, ella sacó las prendas viejas y sus nuevos materiales al saliente. A la luz del día pudo ver cómo estaban cosidas las piezas originales. Tan interesante le pareció el procedimiento y tan extrañas las prendas, que se le ocurrió hacer una adaptación para sí misma. No trató de imitar el complicado diseño con cuentas y plumas de la camisa, pero lo estudió muy detenidamente, pensando que podría ser un buen reto para el próximo invierno silencioso.

Desde su ventajoso punto de observación podía ver a Jondalar en la playa y en el campo, y apartar su proyecto antes de su llegada. Pero el día que subió corriendo por el sendero, mostrando orgullosamente dos tiralanzas acabados, apenas tuvo tiempo Ayla de arrugar la prenda en que estaba trabajando como si fuera un montón de piel. Él estaba demasiado entusiasmado con su logro para fijarse en nada más.

—¿Qué te parece, Ayla? ¿Funcionará?

Ella tomó una en la mano. Era un dispositivo sencillo pero ingenioso: una plataforma plana y angosta, de una longitud más o menos igual a la mitad de la lanza, con un surco en medio donde reposaba la lanza, y un tope labrado en forma de gancho. Dos bucles de correa para los dedos estaban sujetos a cada uno de los lados, cerca de la parte delantera del tiralanzas.

El tiralanzas se sostenía primero en posición horizontal, con dos dedos metidos en los bucles de cuero sujetando la lanza y el dispositivo; la lanza reposaba en el surco, con el extremo de madera contra el tope. Al lanzarla, sosteniendo el extremo delantero por los bucles, el extremo posterior saltaba, incrementando el largo del brazo que lanzaba. El apalancamiento adicional incrementaba la velocidad y la fuerza con que la lanza se soltaba de la mano.

—Jondalar, creo que ha llegado la hora de comenzar las prácticas.

Las prácticas ocupaban sus jornadas. El cuero relleno alrededor del árbol que les servía de blanco se cayó a pedazos, por tantos pinchazos, y Jondalar puso otro, pero esta vez dibujó la silueta de un ciervo. Adaptaciones secundarias fueron imponiéndose a medida que ambos adquirían experiencia. Cada uno de ellos aprovechaba la técnica del arma con la que más familiarizado estaba. Los fuertes lanzamientos de Jondalar solían tener más altura; los de ella, más sesgados, tenían una trayectoria más plana. Y cada uno hacía unos cuantos ajustes al tiralanzas para acomodarlo a su estilo individual.

Una competencia amistosa se estableció entre ellos. Ayla trataba, pero no podía igualar los poderosos embates que le daban mayor alcance a Jondalar; éste no podía igualar la puntería mortal de Ayla. Ambos estaban asombrados ante la ventaja incalculable que representaba la nueva arma. Con ella, Jondalar podía arrojar una lanza con mayor fuerza y un control perfecto a más del doble de la distancia, una vez logrado cierto grado de habilidad. Pero un aspecto de las sesiones de prácticas con Jondalar tuvo un efecto mayor sobre Ayla que el arma misma.

Siempre había practicado y cazado sola. Primero jugando en secreto, temerosa de que la descubrieran. Después practicando en serio, pero no menos en secreto. Cuando se le permitió cazar, fue de mala gana. Nadie cazó nunca con ella. Nadie la alentó cuando erraba ni compartió su triunfo cuando tenía buena puntería. Nadie estudió con ella la mejor manera de usar un arma, la aconsejó respecto a enfoques alternativos ni escuchó con interés o respeto una sugerencia suya. Y nunca habían reído ni bromeado con ella. Ayla nunca había gozado del compañerismo, la amistad, la diversión de un compañero.

Y sin embargo, al aliviarse las tensiones que la práctica acarreaba, siempre había entre ellos cierta distancia que no parecían poder suprimir. Cuando hablaban de temas tan inocuos como la caza o las armas, sus conversaciones eran animadas; pero la introducción de cualquier elemento personal provocaba silencios incómodos y evasiones corteses y vacilantes. Un contacto accidental era como un choque perturbador del que ambos se apartaban de un salto, siempre seguido de un ceremonial rígido y de ideas posteriores.

—¡Mañana! —dijo Jondalar, arrancando una lanza que vibraba. Parte del relleno de heno se salió a través de un orificio muy amplio y desgarrado del cuero.

—Mañana, ¿qué? —preguntó Ayla.

—Mañana nos vamos de cacería. Ya hemos jugado bastante. No aprenderemos nada más embotando puntas de lanza contra un árbol. Ha llegado la hora de hacerlo en serio.

—Mañana —convino Ayla.

Recogieron varias lanzas y tomaron el camino de regreso.

—Ayla, tú conoces mejor esta región. ¿Adónde deberíamos ir?

—Conozco mejor la estepa al Este, pero quizá debería explorar antes. Podría ir con Hinny —alzó la mirada para comprobar la posición del sol—. Todavía es temprano.

—Buena idea. El caballo y tú valen más que un puñado de exploradores a pie.

—¿Quieres retener a Corredor? Me sentiré mejor si sé que no nos sigue.

—¿Y mañana, cuando salgamos a cazar?

—Tendremos que llevárnoslo. Necesitamos a Hinny para traer la carne. Hinny se siente siempre molesta cuando hay matanza, pero se ha acostumbrado. Se quedará donde yo quiera que se quede, pero si el potro se excita y corre, y tal vez es arrollado por una estampida . . . No sé.

—No te preocupes por eso ahora. Ya trataré de pensar en algo.

El agudo silbido de Ayla trajo a la yegua y el potro. Mientras Jondalar rodeaba con un brazo el cuello de Corredor, rascaba ahí donde tenía comezón y le hablaba. Ayla montó en Hinny y la lanzó a galope. El pequeño estaba a gusto con el hombre. Cuando la mujer y la yegua estuvieron lejos, Jondalar recogió la brazada de lanzas y los dos tiralanzas.

—Bueno, Corredor, ¿nos vamos a la cueva a esperarlas?

Dejó las lanzas fuera de la entrada al pequeño paso de la muralla del cañón y siguió adelante. Estaba inquieto y no sabía qué hacer consigo mismo. Atizó el fuego, juntó los carbones, agregó un poco de leña y salió a la parte delantera del saliente para mirar el valle. El hocico del potro buscó su mano, y Jondalar acarició distraídamente al peludo caballito. Mientras metía los dedos entre el pelaje más espeso ya del potro, pensó en el invierno.

Quiso pensar en otra cosa. Los días cálidos del verano tenían una cualidad interminable, tan parecidos el uno al otro que diríase que el tiempo estaba suspendido. Las decisiones se aplazaban fácilmente. Mañana podría pensar en el frío que iba a venir . . . pensar en marcharse. Se fijó en el sencillo taparrabo que llevaba puesto.

—A mí no me sale un pelaje de invierno como a ti, compañerito. Debería hacerme pronto algo que dé más calor. Le di la lezna a Ayla y no he vuelto a hacer otra. Quizá sea eso lo que debería ponerme a hacer . . . más herramientas. Y tengo que pensar en la manera de evitar que seas lastimado.

Volvió a entrar en la cueva, pasó por encima de las pieles de su lecho y echó una mirada nostálgica hacia el lado del fuego donde Ayla dormía. Revolvió en el área de almacenamiento en busca de una cuerda fuerte o alguna correa y encontró varias pieles enrolladas y apartadas. "Desde luego, esta mujer sí que sabe preparar pieles", pensó, tocando la textura aterciopelada. "Quizá me permita usar algunas de éstas. Pero no me gustaría pedírselo.

"Si funcionan esos tiralanzas, podría conseguir suficientes pieles para hacer algo con qué cubrirme. Tal vez pueda tallar un encanto en ellos, para que tengamos suerte. No puede hacer daño. Aquí hay un rollo de correa. Quizá pueda hacer algo para Corredor con esto. ¡Qué bien corre! Espera a que se convierta en garañón. ¿Permitiría un garañón que alguien monte sobre su lomo? ¿Podría hacerle ir adonde yo quisiera?

"Nunca lo sabrás. No estarás aquí cuando se convierta en garañón. Te vas a marchar".

Jondalar tomó el rollo de correa, se detuvo a recoger el atado de sus herramientas para tallar pedernal y bajó por el sendero hasta la playa. El río invitaba, y él tenía calor y estaba sudoroso. Se quitó el taparrabo y entró en el agua y después se puso a nadar río arriba, contra la corriente. Por lo general regresaba siempre al llegar al angosto paso; esta vez decidió explorar más lejos. Llegó más allá de los primeros rápidos y del último recodo, y vio una muralla rugiente de agua blanca; entonces se dio media vuelta.

El ejercicio le había devuelto su vigor, y la sensación de haber hecho un descubrimiento le alentó a efectuar un cambio. Se echó el cabello hacia atrás, lo retorció y después retorció su barba. "La has tenido todo el verano, Jondalar, y está terminándose. ¿No crees que ya es hora?

"Primero me afeitaré, después prepararé algo para mantener a Corredor fuera del paso. No quiero ponerle una soga al cuello. Entonces haré una lezna y uno o dos buriles, para poder tallar un encantamiento en los tiralanzas. Y creo que prepararé la cena. Estando cerca de Ayla se me va a olvidar. Claro que no alcanzo su perfección, pero creo que todavía soy capaz de preparar una cena; la Madre sabe que lo hice con mucha frecuencia durante el viaje.

"¿Qué podría tallar en los tiralanzas? Una donii traería la mejor de las suertes, pero le di la mía a Noria. Me pregunto si habrá tenido un bebé de ojos azules. Desde luego es una idea rara la de Ayla: que es un hombre el que inicia el bebé. ¿Quién habría pensado que esa era la idea que tenía la vieja Haduma? Los Primeros Ritos. Nunca tuvo Ayla Primeros Ritos. Ha sufrido tanto y es maravillosa con esa honda. Y nada mala tampoco con el tiralanzas. Creo que pondré un bisonte en el tiralanzas de ella.

¿Servirán realmente? Ojalá tuviera una donii. Tal vez puedo hacer una ..."

Jondalar comenzó a mirar a lo lejos por si veía a Ayla, a medida que el cielo se oscurecía. Cuando el valle se convirtió en un pozo negro sin fondo, hizo una fogata en el saliente para que pudiera encontrar su camino, y todo el tiempo creía oírla subiendo por el sendero. Finalmente se hizo una antorcha y bajó. Siguió la orilla del río rodeando la muralla salediza, y habría seguido adelante de no haber oído el ruido de cascos que se aproximaban.

—¡Ayla! ¿Por qué tardaste tanto?

El tono perentorio la tomó por sorpresa.

—He ido a explorar en busca de manadas. Ya lo sabías.

—Pero ya es de noche.

—Lo sé. Casi había oscurecido cuando emprendí el regreso. Creo haber encontrado el lugar, una manada de bisonte al Sureste ...

—¡Era casi de noche y tú andabas tras los bisontes! ¡No se puede ver un bisonte en la oscuridad!

Ayla no podía comprender por qué estaba tan excitado ni por qué tantas preguntas reclamándole.

—No estaba buscando bisontes en la oscuridad, ¿y por qué quieres quedarte aquí hablando?

Con un relincho agudo, el potro apareció en el círculo de luz de la antorcha y dio un topetazo a su madre. Hinny respondió y antes de que pudiera desmontar Ayla, ya estaba el potro metiendo el hocico bajo las patas traseras de la yegua. Jondalar se dio cuenta de que había estado actuando como si tuviera derecho a interrogar a Ayla, y se apartó de la luz de la antorcha, agradeciendo que la oscuridad disimulara que se le había puesto la cara colorada. Siguió, cerrando la marcha, mientras Ayla subía pesadamente por el sendero; estaba tan apenado que no se dio cuenta de que la mujer estaba totalmente agotada.

Al llegar a la cueva Ayla agarró una de las pieles de su cama y envolviéndose en ella se encuclilló junto al fuego.

—Se me olvidó el frío que hace de noche —dijo—. Debería haber llevado un manto caliente, pero no creí que estaría tanto tiempo fuera.

Jondalar la vio temblando y se sintió más apenado aún.

—Tienes frío. Te voy a dar algo caliente de beber —le sirvió un caldo caliente en una taza.

Ayla no le había prestado mucha atención tampoco ... lo que más deseaba era acercarse al fuego, pero al alzar la mirada para tomar la taza por poco la suelta.

—¿Qué le ha pasado a tu cara? —preguntó, medio preocupada y medio sobresaltada.

—¿Qué quieres decir? —preguntó Jondalar, molesto.

—Tu barba . . . se fue.

La expresión sobresaltada de su rostro, parecida a la de Ayla, dejó paso a una sonrisa.

—Me la afeité.

—¿Afeité?

—La corté; junto a la piel. Por lo general lo hago en verano. Me da comezón cuando tengo calor y sudo.

Ayla no pudo resistir: tendió la mano hasta el rostro de él para sentir la suavidad de su mejilla, y entonces, frotando la textura, un principio de aspereza; raspaba como la lengua de un león. Recordó que no traía barba cuando lo encontró, pero después de que le creció no volvió a prestarle atención. Parecía tan joven sin barba, conmovedor a la manera de los niños, no como un hombre. No estaba acostumbrada a hombres adultos sin barba. Le pasó el dedo por la fuerte quijada y la ligera hendidura de su firme barbilla.

El contacto de ella lo inmovilizó. No podía apartarse. Sentía con cada uno de sus nervios el diseño que le hacía con las yemas de los dedos. Aun cuando ella no había tenido intenciones eróticas, sino sólo una curiosidad gentil, la respuesta de él provenía de un punto más profundo. La palpitación insistente y tensa de ijares fue tan inmediata y potente que lo tomó por sorpresa.

La forma en que la miraba produjo en ella una oleada de deseo por conocerlo como hombre, a pesar de su aspecto casi demasiado juvenil. Él se acercó para tomarle la mano, para sujetarla contra su rostro, pero con esfuerzo ella la retiró, tomó la taza y bebió sin saborear. Era algo más que sentirse cohibida por haberlo tocado. Recordó vivamente la última vez que habían estado sentados frente a frente cerca del fuego, y que sus ojos expresaron esa mirada. Y esta vez lo había estado tocando. Tenía miedo de mirarlo, miedo de ver aquella mirada horrible, despectiva. Pero las yemas de sus dedos recordaban su rostro suave y áspero, y titilaban.

Jondalar se sintió angustiado ante su reacción instantánea, casi violenta, al contacto suave de su mano. No podía apartar los ojos de ella que evitaba encontrarse con los suyos. Mirándola así desde arriba parecía tan tímida, tan frágil, y sin embargo, sabía la fuerza que encerraba. Pensaba en ella como en una bella hoja de pedernal, perfecta al caer de la piedra, pero tan dura y aguda que podría cortar el cuero más duro de un tajo.

"¡Oh, Madre!, ¡es tan bella!", pensó. "Oh, Doni, Gran Madre Tıerra, quiero a esa mujer, la quiero tanto . . ."

De repente dio un brinco. No podía quedarse mirándola. Entonces recordó que había preparado la cena. "Ahí está, cansada y muerta de frío, y yo aquí sentado". Entonces se fue a buscar el plato de hueso de mamut que solía usar ella.

Ayla oyó que se levantaba. Se había puesto de pie tan de repente que la había convencido de que le volvió a inspirar repugnancia. Empezó a temblar y apretó las mandíbulas para tratar de detenerse. No podía volver a enfrentar aquello. Quería decirle que se fuera para no tener que verlo ni ver sus ojos que la llamaban . . . abominación. A pesar de tener los ojos cerrados, sintió que estaba de nuevo delante de ella, y aguantó la respiración.

—¿Ayla? —podía ver que temblaba, a pesar del fuego y de la piel—. Pensé que tal vez fuera tarde cuando volvieras, de modo que me adelanté y preparé algo de cenar. ¿Quieres un poco? ¿No estás demasiado cansada?

¿Habría oído bien? Abrió los ojos despacio: sostenía un plato. Lo dejó frente a ella, acercó una estera y se sentó a su lado. Había una liebre asada, algunas raíces cocidas en un caldo de carne seca que ya le había servido, e inclusive algunas moras.

—¿Tú . . . has guisado esto . . . para mí?

—Ya sé que no es tan rico como lo que haces tú, pero espero que se pueda comer. Pensé que sería mala suerte utilizar ya el tiralanzas, de modo que sólo empleé la lanza. La técnica para arrojarla es diferente y no estaba muy seguro de que con tanto practicar no habría perdido puntería, pero supongo que eso es algo que no se olvida. Anda, come.

Los hombres del Clan no guisaban . . . no tenían memorias para ello. Sabía que Jondalar era más versátil en cuanto a habilidades, pero nunca se le ocurrió que pudiera guisar; no, habiendo cerca una mujer. Más aún de lo que podía y hacía, era que se le hubiera ocurrido, en primer lugar. En el Clan, inclusive después de que se le permitió cazar, se esperaba que llevara a cabo las tareas habituales. Resultaba tan inesperado . . . tan considerado. Sus temores eran infundados y no sabía qué decir. Agarró una pata que Jondalar había cortado y le dio un mordisco.

—¿Está bueno? —preguntó, algo preocupado.

—Maravilloso —respondió, con la boca llena.

Estaba bueno, pero no hubiera importado aunque se hubiera quemado: le habría sabido delicioso. Tenía la sensación de que iba a echarse a llorar. Jondalar sacó con un cucharón largas raíces delgadas. Agarró una y mordió.

—¿Es raíz de trébol? Sabe bien.

—Sí —contestó él, muy contento de sí mismo—. Son más ricas con algo de aceite para bañarlas. Es uno de esos alimentos que suelen hacer las mujeres para los hombres en los festines especiales, porque es de los predilectos. Vi el trébol río arriba y pensé que te gustaría —había sido una buena idea preparar la cena pensó, gozando de su sorpresa.

—Cuesta mucho arrancarlas. No hay mucho que comer en cada una, pero yo no sabía que fueran tan ricas. Yo sólo uso las raíces como medicamento, como parte de un tónico en primavera.

—Por lo general las comemos en primavera. Es una de las primeras verduras del año.

Oyeron ruido de cascos en el saliente de piedra y se volvieron mientras Hinny y Corredor entraban. Al cabo de un rato Ayla se levantó y los instaló para la noche. Era un ritual nocturno que consistía en saludos, afecto compartido, heno fresco, grano, agua y, sobre todo después de una larga cabalgada, una fricción con cuero absorbente y una pasada con un cardo para desenredar el pelo. Ayla se dio cuenta de que había heno fresco, grano y agua.

—También pensaste en los caballos —dijo, al sentarse para terminar sus moras. Aun cuando no hubiera tenido hambre, se las habría comido todas.

—No tenía mucho que hacer —contestó Jondalar, sonriendo—. Oh, tengo algo que enseñarte —se levantó y volvió con los dos tiralanzas—. Espero que no te importe, es para tener buena suerte.

—¡Jondalar! —casi le daba miedo tocar el suyo—. ¿Tú lo hiciste? —su voz encerraba un tono reverente. Se había sorprendido al verle dibujar la silueta de un animal en el blanco, pero esto era mucho más—. Es . . . como si tomaras el tótem, el espíritu del bisonte, y lo pusieras ahí.

El hombre sonreía, contento. Ayla tenía la particularidad de convertir las sorpresas en algo grande. El tiralanzas de Jondalar tenía un enorme ciervo con una cornamenta palmeada imponente, y Ayla también se maravilló al verlo.

—Se supone que captura el espíritu del animal para que sea atraído hacia el arma. No soy muy buen tallista, deberías ver los trabajos que hacen algunos, y los de escultores y grabadores y los artistas que pintan las paredes sagradas.

—Estoy segura de que has puesto una potente magia en éstos. No he visto ciervos pero una manada de bisontes se encuentra al Sureste. Creo que comienzan a emigrar. ¿Crees que un bisonte será atraído por un arma que tenga grabado un ciervo? Puedo salir de nuevo mañana en busca de una manada de ciervos.

—Servirá también con el bisonte. El tuyo tendrá más suerte; de todos modos, me alegro de haber puesto un bisonte en el tuyo.

Ayla no sabía qué decir. Siendo un hombre, le había dado a ella más suerte para cazar que para sí . . . y se alegraba.

—También iba a hacer una donii para tener suerte, pero no tuve tiempo.

—Jondalar, estoy confusa. ¿Qué es donii? ¿Es tu Madre Tierra?

—La Gran Madre Tierra es Doni, pero adopta otras formas y todas ellas son donii. Una donii suele ser Su forma espiritual, cuando cabalga el viento o se introduce en sueños . . . los hombres suelen soñar con Ella como una hermosa mujer. Una donii también es la figura esculpida de una mujer, por lo general una madre abundosa, porque las mujeres son las que Ella bendice. Las hizo a Su imagen y semejanza, para que creen vida como Ella creó toda vida. Reposa más fácilmente en la imagen de una madre. Por lo general se envía una donii para guiar al hombre por el mundo de los espíritus . . . algunos dicen que las mujeres no necesitan guía, que ya saben el camino. Y algunas mujeres pretenden que pueden convertirse en donii cuando quieren . . . y no siempre para bien del hombre. Los Sharamudoi que viven al oeste de aquí dicen que la Madre puede adoptar la forma de un ave.

Ayla asintió.

—En el Clan, sólo los Antiguos son espíritus hembra.

—¿Y qué hay de los tótems? —preguntó Jondalar.

—Los espíritus totémicos protectores son todos masculinos, tanto para hombres como para mujeres, pero los tótems de las mujeres suelen ser animales más pequeños. Ursus, el Gran Oso Cavernario, es el gran protector de todo el Clan: el tótem de cada uno. Ursus era el tótem personal de Creb. Fue escogido del mismo modo que el León Cavernario me escogió a mí. Puedes verme la marca —y le mostró las cuatro cicatrices paralelas en su muslo izquierdo, donde la había arañado un león cavernario a los cinco años de edad.

—Yo no tenía idea de que los cab . . . de que los de tu Clan comprendieran el mundo de los espíritus, Ayla. Resulta difícil de creer . . . a ti te creo, pero me resulta difícil captar que la gente de la que hablas es la misma en quien he pensado siempre como cabezas chatas.

Ayla bajó la cabeza y después alzó la mirada. Tenía los ojos llenos de seriedad y preocupación.

—Creo que el León Cavernario te ha elegido a ti, Jondalar. Creo que ahora es tu tótem. Creb me dijo que no es fácil vivir con un tótem poderoso. Él perdió un ojo al ser sometido a prueba, pero obtuvo un poderío muy grande. Después de Ursus, el León Cavernario es el tótem más poderoso, y no ha sido fácil. Me ha hecho pasar por pruebas muy difíciles, pero una vez que comprendí porqué, no volví a preocuparme. Creo que deberías saberlo, por si es también tu tótem ahora —bajó la mirada, esperando no haber dicho demasiado.

—Los de tu Clan significan mucho para ti, ¿verdad?

—Quise ser una mujer del Clan, pero no pude. No conseguí convertirme en una. No soy como ellos. Soy de los Otros. Creb lo sabía; Iza me dijo que me fuera y buscara a mi gente. No quería irme, pero tuve que hacerlo y no podré regresar jamás. Estoy maldita a muerte. Estoy muerta.

Jondalar no estaba muy seguro de lo que quería decir eso, pero un escalofrío le puso la carne de gallina cuando se lo oyó decir. Ayla respiró muy hondo antes de continuar.

—No recuerdo a la mujer de quien nací ni mi vida antes del Clan. Intenté recordarlo, pero no podía imaginar un hombre de los Otros, un hombre como yo. Ahora, cuando intento imaginar a otros, sólo puedo verte a ti. Eres el primero de mi especie que he visto, Jondalar. No importa lo que suceda: nunca te olvidaré —Ayla se detuvo, considerando que había dicho demasiado. Se puso de pie—. Si queremos cazar por la mañana tendremos que dormir un poco.

Jondalar sabía que la habían criado los cabezas chatas y que había vivido sola en el valle desde que los dejó, pero antes de oírselo decir, no había comprendido del todo que él era el primero. Lo perturbó pensar que representaba a todo su pueblo, y no estaba muy ufano de la manera en que lo había hecho. Y sin embargo, sabía la opinión que todos tenían de los cabezas chatas. Si se lo hubiera dicho sin más, ¿habría causado la misma impresión? ¿Habría sabido realmente lo que debía esperar?

Se fue a acostar con sentimientos inseguros, ambivalentes. Una vez tendido en su cama se quedó mirando fijamente al fuego, pensando. De repente experimentó una sensación deformante, y algo semejante a un vértigo pero sin marearse. Vio una mujer como si estuviera reflejada en una poza en la que hubiera caído una piedra; una imagen flotante de la que se formaban círculos ondeantes cada vez más grandes. No quería que la mujer lo olvidara... que lo recordara era muy importante.

Experimentó una divergencia, una bifurcación del camino, una elección sin nadie que lo guiara. Una corriente de aire caliente le puso de punta el pelo de la nuca. Sabía que Ella lo estaba abandonando. Nunca había sentido conscientemente Su presencia, pero supo cuando se hubo ido, y el vacío que dejaba tras Ella le dolía. Era el principio de un final: el final del hielo, el final de una era, el final del tiempo en que Su alimento proveía. La Madre Tierra estaba dejando que sus hijos encontraran solos el camino, que labraran sus vidas, que pagaran las consecuencias de sus acciones: que llegaran a la mayoría de edad. No mientras él viviera, no durante muchas generaciones por venir, pero el primer paso inexorable se había dado. Ella había transmitido Su dádiva de despedida, Su Dádiva del Conocimiento.

Jondalar sintió un gemido fantasmagórico, penetrante, y supo que era el llanto de la Madre.

Como una correa tensa y súbitamente suelta, la realidad volvió a su lugar. Pero se había tensado demasiado y no podía encajar en su dimensión original. Se percató de que algo estaba fuera de lugar. Miró a Ayla, acostada del otro lado del fuego, y vio que las lágrimas le corrían por la cara.

—¿Qué pasa, Ayla?

—No lo sé.

—¿Estás segura de que podrá llevarnos a los dos?

—No, no estoy segura —dijo Ayla, conduciendo a Hinny, cargada con los canastos. Corredor iba detrás, con una soga atada a una especie de cabestro hecho de correas. Eso le daba libertad para pacer y mover la cabeza pero no se apretaría alrededor de su cuello, ahogándolo. El cabestro había molestado al potro al principio, pero se estaba acostumbrando—. Si podemos cabalgar ambos, el viaje será más rápido. Si no le gusta, ya me lo hará saber. Entonces podremos cabalgar por turno o caminar.

Cuando llegaron al bloque de roca que había en el prado, Ayla montó a caballo, se movió un poco y sujetó a la yegua mientras Jondalar montaba. Hinny echó las orejas hacia atrás. Sintió el peso adicional y no estaba acostumbrada, pero era una yegua robusta y resistente, y echó a andar en cuanto Ayla le hizo la señal. La mujer la mantuvo a paso regular y sentía cuando la yegua necesitaba descansar por el cambio de paso; entonces era el momento de detenerse.

La segunda vez que se pusieron en marcha, Jondalar estaba más relajado y entonces habría preferido estar más nervioso. Sin la preocupación, tenía demasiada conciencia de la mujer que cabalgaba delante. Podía sentir la espalda de ella contra él, sus muslos contra los de él, y Ayla se volvió sensible a algo más que la yegua. Una presión dura y caliente se había alzado tras ella, sobre la cual Jondalar no disponía de control alguno, y cada movimiento de la yegua los hacía juntarse. Ayla deseaba que desapareciera . . . y no lo deseaba.

Jondalar comenzaba a sentir un dolor que nunca anteriormente había sentido. Nunca se había visto obligado a aguantar su deseo por tanto tiempo. Desde los primeros días de su hombría, siempre hubo algún medio de alivio, pero aquí no había más mujer que Ayla. Él se negaba a aliviarse solo y trataba inexorablemente de soportarlo.

—Ayla —y su voz sonaba tensa—. Creo . . . que ya es hora de descansar —consiguió decir.

Ella detuvo a la yegua y se apeó lo más pronto que pudo.

—No es lejos —dijo—. Podemos llegar a pie.

—Sí, de ese modo Hinny descansará un poco.

Ayla no discutió aunque sabía que no iba a pie por eso. Iban los tres de frente, con la yegua en medio, hablando por encima de su lomo. Inclusive entonces, le costaba trabajo a Ayla fijarse en puntos de referencia y orientación, y Jondalar caminaba con dolor en los ijares, agradecido porque la yegua lo ocultara.

Cuando llegaron a la vista de una manada de bisontes, la anticipación a la idea de cazar de verdad con el tiralanzas comenzó a aliviar algo su ardor contenido, aunque ambos tenían buen cuidado de no acercarse demasiado el uno a la otra, y preferían tener uno de los caballos en medio.

Los bisontes circulaban cerca de un riachuelo. La manada era más numerosa que cuando la vio Ayla el día anterior. Varios grupos más se le habían integrado y más llegarían después. Finalmente, decenas de miles de animales de un moreno oscuro, de pelo áspero, todos muy juntos, recorrerían acres de colinas ondulantes y valles fluviales, una alfombra mugiente, viviente y atronadora. Dentro de aquella muchedumbre, cualquier animal individual tenía poca importancia; la estrategia de la supervivencia dependía del número.

Inclusive el más corto número que se había agrupado cerca del riachuelo, había renunciado a su áspera individualidad ante el instinto de la manada. Más adelante, la supervivencia exigiría que se separaran de nuevo en pequeñas manadas familiares, para buscar alimentos durante las temporadas de escasez.

Ayla se llevó a Hinny cerca del río, junto a un pino tenaz, retorcido y deformado por el viento. En la lengua de señales del Clan, dijo a la yegua que permaneciera allí, y al ver cómo acercaba a sí el potro, Ayla comprendió que no debería haberse preocupado por Corredor: Hinny era muy capaz de alejar a su hijo de cualquier peligro. Pero Jondalar se había tomado la molestia de encontrar la solución a un problema que ella había previsto, y sentía curiosidad por ver cómo resultaba.

La mujer y el hombre tomaron un tiralanzas cada uno y un portalanzas con largas lanzas, y se dirigieron a pie hacia la manada. Duras pezuñas habían quebrado la corteza seca de la estepa y producido una niebla de polvo que recaía como una capa fina sobre el pelo oscuro y desgreñado. El movimiento de la manada era revelado por el polvo que asfixiaba, del mismo modo que el humo de un incendio que comienza a apagarse en la pradera mostraría el rumbo de las llamas . . . y en su estela quedaba una desolación similar.

Ayla y Jondalar rodearon para quedar bajo el viento de la manada que se movía despacio, entrecerrando los ojos para escoger animales individuales mientras el viento, cargado del olor rancio y caliente de los bisontes, les arrojaba fina arena a la cara. Terneras lloriqueantes seguían a las vacas, y añeros daban topetazos poniendo a prueba la paciencia de los toros de lomo jorobado.

Un toro viejo, rodando en un hondón polvoriento, se esforzaba por ponerse en pie; su cabeza enorme colgaba muy abajo como si los enormes cuernos negros pesaran demasiado. Los seis pies y seis pulgadas de Jondalar superaban algo la joroba del animal, pero la diferencia no era grande. Las patas delanteras del animal, potentes y gruesamente forradas de piel peluda, se ahusaban hacia las patas traseras cortas y flacas. El enorme y viejo animal, probablemente lejos ya de su mejor época, era demasiado duro y fibroso para sus necesidades, pero bien sabían ellos que podría ser formidable, cuando los miró con suspicacia. Ambos se quedaron inmóviles hasta que se alejó.

Mientras se acercaban, el ruido retumbante que producía la manada aumentó, desintegrándose en varios tonos distintos de mugidos y balidos. Jondalar señaló una hembra joven; la ternera era casi adulta, a punto de poder parir, y estaba gordita por los pastos del verano. Ayla asintió con un gesto. Encajaron las lanzas en sus tiralanzas y Jondalar indicó por señas que pasaría al otro lado de la vaquilla.

Debido a algún instinto desconocido o tal vez porque había visto al hombre en movimiento, el animal sintió que había sido escogido como presa. Nerviosa, se acercó más al cuerpo de la manada. Otros animales se estaban moviendo a su alrededor, y eso distrajo la atención de Jondalar. Ayla estaba segura de que se quedarían sin la vaca. Jondalar estaba de espaldas, no podía hacerle señas, y la ternera se ponía fuera de alcance. No podía gritar; aun cuando pudiera oírla, eso espantaría al bisonte.

Tomó su decisión y apuntó; Jondalar miró hacia atrás justo cuando ella iba a lanzar, se hizo cargo de la situación y preparó su tiralanzas. La ternera se movía rápidamente, agitando a los otros animales, y ellos también. El hombre y la mujer habían creído que la nube de polvo bastaría para ocultarlos, pero los bisontes estaban acostumbrados; la vaquilla casi había alcanzado la seguridad de la multitud mientras otros se juntaban con ella.

Jondalar corrió hacia ella y balanceó su lanza. La de Ayla siguió un instante después, hallando su blanco en el cuello peludo del bisonte, después de que la lanza de él le desgarró la parte suave de la panza. El impulso del animal lo llevó hacia delante, después se fue deteniendo; vaciló, trastabilló y cayó de rodillas rompiendo la lanza de Jondalar al derrumbarse encima. La manada olió sangre; unos cuantos olisquearon la ternera caída, mugiendo con inquietud; otros reconocieron la muerte, empujando y arremolinándose; el aire rezumaba tensión.

Ayla y Jondalar corrieron hacia su presa caída desde direcciones opuestas. De repente, él se puso a gritar y hacer señas con los brazos; Ayla meneó la cabeza, sin entender sus indicaciones.

Un toro joven, que había estado dando topetazos, obtuvo por fin una respuesta del viejo patriarca y se apartó, corriendo y tropezando con una vaca nerviosa. El macho joven retrocedió, indeciso y agitado, pero su acción evasiva fue interrumpida por el toro viejo. No sabía hacia dónde volverse hasta que captó su atención una silueta bípeda en movimiento; agachó la cabeza y se dirigió a ella.

—¡Ayla! ¡Cuidado! —gritaba Jondalar, corriendo hacia ella. Tenía una lanza en la mano y la apuntaba.

Ayla se volvió y divisó al toro joven que iba a embestirla. Su instinto le indicó la honda: reacción natural, pero la descartó instantáneamente y de golpe colocó una lanza en su dispositivo.

Jondalar arrojó su lanza a mano un instante antes que ella, pero el tiralanzas proporcionó una velocidad mayor. El arma de Jondalar dio contra un flanco, haciendo girar momentáneamente al bisonte. Al mirar, vio que la lanza de Ayla, oscilando aún, estaba plantada en el ojo del toro joven; el animal estaba muerto antes de derrumbarse.

Las carreras, los gritos y una nueva fuente de olor a sangre mandó a los animales, que circulaban sin rumbo, en una dirección concertada: lejos de la actividad perturbadora. Los últimos rezagados pasaron al lado de sus semejantes caídos para unirse con la manada en una estampida que hacía temblar la tierra. Aún podía oírse el retumbar después de que recayó el polvo.

El hombre y la mujer estaban algo ensordecidos mientras miraban los dos bisontes muertos en la planicie vacía.

—Se acabó —dijo Ayla—. Así no más.

—¿Por qué no corriste? —gritó Jondalar, abandonándose al susto ahora que ya había pasado todo. Fue a grandes trancos hacia ella—. ¡Podía haberte matado!

—No podía darle la espalda a un toro que embestía —respondió Ayla—. Ahí sí que de seguro me corneaba —volvió a mirar al bisonte—. No, creo que tu lanza lo habría detenido . . . pero yo no lo sabía. Nunca anteriormente había cazado con alguien. Siempre tuve que cuidarme sola. De no ser así, nadie lo habría podido hacer por mí.

Las palabras de Ayla colocaron una última pieza del rompecabezas, y súbitamente Jondalar tuvo presente el cuadro de lo que tuvo que haber sido su vida. "Esa mujer", pensó, "esa mujer dulce, atenta y amante, ha sobrevivido más de lo que nadie podría creer. No, no podía correr, no huiría de nada, ni siquiera de ti. Siempre que perdías el control, Jondalar, y te abandonabas a tu carácter, la gente retrocedía. Pero en tus peores momentos, ella no ha cedido terreno".

—Ayla, bella mujer, salvaje y maravillosa, ¡mira qué cazadora eres! —sonrió—. ¡Mira lo que hemos hecho! Tenemos dos. ¿Cómo vamos a poder llevarlos a casa?

Al darse cuenta plenamente de lo que habían logrado, Ayla sonrió con satisfacción, triunfo y gozo. Eso hizo comprender a Jondalar que no había visto con mucha frecuencia semejante sonrisa. Era bella, pero cuando sonreía de esa manera, brillaba como si tuviera prendido un fuego por dentro. Una carcajada salió inesperadamente de sus labios . . . desinhibida y contagiosa. Ella hizo coro; no podía remediarlo. Era el grito de victoria de ambos, el grito del éxito.

—¡Mira qué cazador eres, Jondalar! —dijo Ayla.

—Son los tiralanzas . . . esa fue la diferencia. Nos metimos en ese rebaño, y antes de que se dieran cuenta . . . ¡dos! ¡Piensa lo que eso puede significar!

Ella sabía lo que significaba para ella. Con el arma nueva podría cazar siempre para sí; en verano, en invierno. No habría que cavar zanjas. Podría viajar y cazar. El tiralanzas tenía las mismas ventajas que la honda, y muchas más.

—Yo sé lo que significa. Dijiste que me mostrarías una mejor manera de cazar . . . más sencilla . . . más fácil. Lo has hecho, y esto es más de lo que imaginé, Jondalar. No sé cómo decírtelo . . . me siento tan . . .

Sólo podía expresar su gratitud de una forma: en la forma que aprendió en el Clan Se sentó a los pies de él y agachó la cabeza. Tal vez él no le diera un golpecito en el hombro para permitirle dirigirse a él, como convenía, pero tenía que intentarlo.

—¿Qué estás haciendo? —preguntó Jondalar agachándose para hacer que se pusiera de pie—. No te sientes así, Ayla.

—Cuando una mujer del Clan quiere decirle algo importante a un hombre, así es como solicita su atención —le dijo, alzando la vista—. Es importante para mí decirte cuánto significa esto, lo agradecida que estoy por el arma. Y por enseñarme tus palabras, por todo.

—Por favor, Ayla, levántate —dijo, poniéndola de pie—. No te di esa arma, tú me la diste a mí. Si no te hubiera visto usar la honda, no se me habría ocurrido. Yo te estoy agradecido a ti, y por más que esta arma.

Le tenía sujetos los brazos, con el cuerpo junto al suyo. Ella lo miraba a los ojos, sin poder ni desear apartar la mirada. Jondalar se inclinó y puso su boca sobre la de ella.

Los ojos de Ayla se abrieron muy grandes por la sorpresa: era tan inesperado. No sólo la acción de él sino la reacción de ella, el sobresalto que la había recorrido toda al sentir sus labios. No sabía cómo responder.

Y finalmente Jondalar comprendió. No la llevaría más allá que aquel beso suave . . . todavía no.

—¿Qué es eso boca a boca?

—Es un beso, Ayla. Es tu primer beso, ¿verdad? Siempre se me olvida, pero es muy difícil mirarte y . . . Ayla, a veces soy un hombre muy estúpido.

—¿Por qué dices eso? ¡Tú no eres estúpido!

—Soy estúpido. No puedo convencerme de lo estúpido que he sido —la soltó—. Pero en este momento creo que será mejor encontrar la manera de llevarnos esos bisontes a la cueva, porque si me quedo aquí mirándote así, nunca podré hacerlo bien para ti. De la manera que debe hacerse para tu primera vez.

—¿De la manera que debe hacerse? —preguntó Ayla, sin el menor deseo de que se alejara.

—Los Primeros Ritos, Ayla. Si me lo permites.

Capítulo 28

—No creo que Hinny podría haberlos arrastrado a ambos hasta aquí de no haber dejado atrás las cabezas —dijo Ayla—. Fue una buena idea —con Jondalar, arrastró el cadáver del toro fuera de la rastra y sobre el saliente—. ¡Hay tanta carne! Vamos a tardar mucho cortándola. Deberíamos empezar ahora mismo.

—Esperarán un rato, Ayla —su sonrisa y su mirada la llenaron de calor—. Creo que tus Primeros Ritos son más importantes. Te ayudaré a quitarle el arnés a Hinny . . . y me iré a dar un baño. Estoy sudoroso y cubierto de sangre.

—Jondalar . . . —y Ayla vaciló. Se sentía excitada y tímida al mismo tiempo—. ¿Es una ceremonia, esos Primeros Ritos?

—Sí, es una ceremonia.

—Iza me enseñó a prepararme para las ceremonias. ¿Hay algún . . . preparativo para esta ceremonia?

—Por lo general, las viejas ayudan a las jóvenes a prepararse. No sé qué digan ni qué hagan. Creo que deberías hacer lo que te parezca apropiado.

—Entonces iré por saponaria y me purificaré, como me enseñó Iza. Esperaré a que termines de bañarte. Tendré que estar sola mientras me preparo —se ruborizó y bajó la mirada.

"Parece tan joven y tan tímida", pensó Jondalar. "Como la mayoría de las jóvenes en sus Primeros Ritos". Y sintió la oleada acostumbrada de ternura y excitación: inclusive sus preparativos eran correctos.

—También a mí me gustaría un poco de saponaria.

—Voy a buscártela —dijo Ayla.

Él sonreía mientras seguía la orilla del río detrás de Ayla, y después de que arrancara la raíz y regresara a la caverna, se zambulló en el agua salpicando mucho, sintiéndose mejor consigo mismo de lo que se había sentido en mucho tiempo. Sacó a golpes la espuma jabonosa de las raíces, se la untó por el cuerpo, se quitó la correa del cabello y se enjabonó la cabeza; por lo general bastaba con arena, pero la raíz de saponaria era mejor.

Hizo un clavado en el agua y nadó río arriba, casi hasta las cataratas. Cuando regresó a la playa se puso el taparrabo y corrió a la cueva. Había carne asándose y olía ... Estaba tan relajado y feliz que no podía ni creerlo.

—Me alegro de que hayas vuelto. Me llevará un buen rato purificarme como es debido, y no quiero que se haga tarde —tomó un tazón de líquido humeante lleno de helechos de cola de caballo para su cabello, y una piel curtida sin estrenar, para su manto.

—Tómate todo el tiempo que quieras —dijo Jondalar, dándole un beso ligero.

Ella echó a andar pero se volvió.

—Me gusta ese boca a boca, Jondalar. El beso.

—Espero que te guste también lo demás —dijo él, cuando ella estuvo lejos.

Jondalar anduvo por la caverna viéndolo todo con los ojos nuevos. Vigiló el trozo de bisonte que estaba asándose, vio que Ayla había envuelto en hojas algunas raíces y las acercó al carbón encendido, encontró el té caliente que le había preparado. "Habrá arrancado las raíces mientras yo nadaba", se dijo.

Vio sus cobijas de piel en el otro lado del fuego, arrugó la frente y con gran deleite las recogió para depositarlas junto al lugar vacío, al lado de las de Ayla. Después de estirarlas, fue por el atado donde guardaba sus herramientas y recordó la donii que había comenzado a tallar. Se sentó en la estera sobre la que habían estado sus cobijas de pieles, y abrió el envoltorio de gamuza.

Examinó el trozo de marfil de colmillo de mamut que había comenzado a convertir en figura femenina y decidió terminarla. No sería el mejor tallista, pero no parecía bien celebrar una de las más importantes ceremonias de la Madre sin una donii. Tomó unos cuantos buriles y se llevó fuera el marfil.

Se sentó en la orilla, labrando, dando forma, esculpiendo, pero se dio cuenta de que el marfil no iba a resultar amplio y maternal. Estaba tomando la forma de una mujer joven. El cabello, que había comenzado a hacer en el estilo de la antigua donii que había regalado —una forma encrespada que cubría el rostro así como la espalda— sugería trenzas, trenzas apretadas alrededor de la cabeza excepto del rostro. Éste no tenía nada. Nunca se tallaba rostro a una donii, ¿quién podría mirar a la cara de la Madre? ¿Quién podía conocerla? Era todas las mujeres y ninguna.

Dejó de labrar y miró río arriba y río abajo, con la esperanza de verla, aunque había dicho que quería estar sola. ¿Podría darle placer?, se preguntó. Nunca había dudado de sí cuando acudían a él para Primeros Ritos en las Reuniones de Verano, pero aquellas jóvenes conocían las costumbres y sabían lo que podían esperar. Había mujeres mayores que se lo explicaban.

"¿Debería tratar de explicarle? No, no sabrías qué decir, Jondalar. Muéstrale y nada más. Ella te hará saber si algo no le agrada. Es una de sus cualidades más atrayentes: su sinceridad. Nada de melindres. Es alentador.

"¿Cómo será mostrar la Dádiva del Placer de la Madre a una mujer que no sabe de fingimientos?, ¿que nunca disimulará ni fingirá deleite?

"¿Por qué tendría que ser diferente de las demás mujeres, en los Primeros Ritos? Porque no es como ninguna otra mujer en los Primeros Ritos. Ha sido abierta y con mucho dolor. ¿Y si no puedes superar ese terrible inicio? ¿Y si no puede disfrutar los placeres, y si no eres capaz de hacérselos sentir? Ojalá hubiera un medio para que olvidara. ¡Si pudiera atraerla a mí, superar su resistencia y capturar su espíritu!

"¿Capturar su espíritu?"

Miró la figurilla que tenía en la mano y de repente su mente se puso a funcionar velozmente. ¿Por qué grababan la imagen de un animal en un arma o en las Paredes Sagradas? Para aproximarse a su espíritu madre, para superar su resistencia y cautivar su esencia.

"No seas ridículo, Jondalar. No puedes cautivar así el espíritu de Ayla. No estaría bien: nadie pone un rostro en una donii. Los humanos nunca han sido descritos ... una semejanza podría cautivar la esencia de un espíritu. Pero ... ¿por quién sería cautivada?

"Nadie debería cautivar a otro. ¡Darle la donii! Entonces, su espíritu le sería devuelto, ¿verdad? Si te quedas con él sólo un rato, y se lo entregas ... después.

"Si le pones su rostro, ¿se convertirá ella en una donii? Casi crees que es una, con su arte médico y su magia con los animales. Si es una donii, puede decidir cautivar tu espíritu. ¿Sería acaso tan malo?

"Quieres algo que se quede contigo, Jondalar. La parte del espíritu que siempre queda en manos del hacedor. Quieres esa parte de ella, ¿no es cierto?

"Oh, Madre Grande: dime, ¿sería algo terrible si lo hiciera? ¿Ponerle rostro a una donii?"

Se quedó mirando la figurilla de marfil que había tallado. Entonces, con un buril, comenzó a trazar la forma de un rostro, un rostro familiar.

Cuando terminó, sostuvo en el aire la figurilla de marfil y la hizo girar lentamente. Un tallista auténtico podría haberlo hecho mejor, pero no estaba mal. Se parecía a Ayla, pero más en la sensación que por una verdadera semejanza: como la sentía él. Volvió a entrar en la caverna y trató de pensar dónde podría ponerla. La donii debería estar cerca, pero no quería que Ayla la viera aún. Vio un atado de cuero cerca de la pared, junto a la cama de ella, y metió la figurilla de marfil entre unos pliegues.

Salió de nuevo y miró desde el extremo más alejado. ¿Por qué tardará tanto? Miró los dos bisontes tendidos uno al lado del otro. Esperarían. Las lanzas y los tiralanzas estaban apoyados en la muralla de piedra cerca de la entrada. Lo recogió todo y se lo llevó adentro, y entonces oyó pasos sobre la grava. Se volvió.

Ayla ataba el cinturón de su manto nuevo, se puso el amuleto y echó su cabellera hacia atrás, cepillada con un cardo pero sin secar del todo, apartándola de la cara. Recogió el manto sucio y echó a andar por el sendero. Estaba nerviosa y excitada.

Tenía una vaga idea de lo que Jondalar quería decir con Primeros Ritos, pero la conmovía el deseo evidente de hacerlo para ella y compartirlo con ella. No pensaba que la ceremonia fuera muy mala ... inclusive Broud había dejado de lastimarla después de las primeras veces. Si los hombres hacían la señal a las mujeres que les gustaban, ¿significaría que Jondalar había comenzado a fijarse en ella?

Al acercarse a lo alto del sendero, Ayla se sobresaltó por un movimiento rápido de color tostado.

—¡Quédate ahí! —gritó Jondalar—. ¡Quédate ahí, Ayla! ¡Es un león cavernario!

Él estaba delante de la entrada de la caverna, lanza en mano y se preparaba a arrojarla hacia un enorme felino, agazapado, a punto de brincar, con un gruñido retumbándole en la garganta.

—¡No, Jondalar! —gritó Ayla, poniéndose entre ambos a todo correr—. ¡No!

—¡Quítate, Ayla! ¡Oh, Madre, detenla! —gritó el hombre cuando saltó frente a él, sobre la trayectoria del león que se abalanzaba.

La mujer hizo una señal rápida, imperiosa, y en el lenguaje gutural del Clan gritó: "¡Ya!"

El enorme león cavernario de melena rojiza, con un retorcimiento del cuerpo, cortó en seco el brinco y cayó a los pies de la mujer. Entonces frotó su enorme cabeza contra la pierna de ella; Jondalar se quedó estupefacto.

—¡Bebé, oh, Bebé! Has vuelto —decía Ayla con gestos, y sin vacilar, sin ningún temor, abrazó el enorme cuello del león.

Bebé la derribó, con toda la suavidad de que era capaz, y Jondalar los contemplaba, boquiabierto, mientras el león cavernario más grande que viera en toda su vida, encerraba a la mujer entre sus patas delanteras en lo más parecido a un abrazo que, según él, pudiera dar un león. El felino lamió lágrimas saladas del rostro de la mujer con una lengua que lo raspaba hasta dejarlo en carne viva.

—Basta, Bebé —dijo Ayla, sentándose—, no me va a quedar cara.

Encontró los lugares detrás de las orejas y alrededor de la melena donde le gustaba que lo rascaran. Bebé se puso panza arriba para que su barbilla gozara de las caricias, con un retumbante gruñido de satisfacción.

—No creí que volvería a verte, Bebé —dijo cuando cesó, y el felino se acostó de panza. Estaba más grande de lo que ella recordaba, y aunque algo delgado, parecía saludable. Tenía cicatrices que ella no le conocía, y pensó que tal vez estuviera luchando por un territorio, y ganando. Eso la llenó de orgullo. Entonces Bebé volvió a fijarse en Jondalar y gruñó amenazadoramente—. ¡No lo mires así! Es el hombre que me trajiste. Tú tienes una compañera ... supongo que ya tendrás varias —el león se puso en pie, le dio la espalda al hombre y se dirigió a los bisontes—. ¿Te parece bien si le damos uno? —preguntó a Jondalar—. La verdad es que tenemos de sobra.

Él seguía con la lanza en ristre, parado en la entrada de la cueva, atónito. Trató de contestar pero sólo le salió un graznido. Entonces recobró el habla.

—¿Que si está bien? ¿Me preguntas que si está bien? Dale los dos. ¡Dale todo lo que quiera!

—Bebé no necesita los dos —y Ayla empleó la palabra del nombre en la lengua que Jondalar ignoraba, pero adivinó que era un nombre—. ¡No, Bebé! No te lleves la ternera —dijo entre sonidos y gestos que el hombre no percibía aún como una lengua, pero que provocó un boqueo de él cuando Ayla apartó el bisonte y empujó al león hacia el otro. El enorme felino plantó los dientes en el cuello cortado del toro joven y lo arrastró desde la orilla; entonces, mejorando el asimiento, echó a andar por el sendero abajo—. Enseguida regreso, Jondalar —dijo—. Tal vez estén Hinny y el potro ahí abajo, y no quiero que Bebé asuste al potro.

Jondalar observó mientras la mujer seguía al león hasta que se perdieron de vista. Aparecieron de nuevo en el valle, junto a la pared, y Ayla caminaba tranquilamente al lado del león que arrastraba el bisonte bajo su cuerpo y entre sus patas.

Cuando llegaron al bloque de roca, Ayla se detuvo y abrazó de nuevo al león. Bebé soltó el bisonte y Jondalar meneó incrédulamente la cabeza cuando vio que la mujer montaba sobre el lomo del feroz depredador. Alzó un brazo y lo dirigió hacia delante, sujetándose de la melena rojiza mientras el descomunal felino saltaba hacia delante. Corrió con su tremenda velocidad, Ayla se asía fuertemente con la larga cabellera flotando tras ella. Entonces el león fue perdiendo velocidad y regresó a la roca.

Volvió a aferrar el joven bisonte y lo arrastró por el valle. Ayla se quedó junto a la roca, viéndolo alejarse. Muy lejos ya, el león volvió a soltar el bisonte; comenzó a dar una serie de gruñidos platicadores, su habitual *bnga, bnga*, y lo convirtió en un rugido tan fuerte que sacudió a Jondalar hasta los huesos.

Cuando desapareció el león cavernario, Jondalar respiró hondo y se recostó contra la muralla, sintiéndose débil. Estaba pasmado y un poco temeroso. "¿Qué es esta mujer?", pensó. "¿Cuál es su tipo de magia? Las aves, tal vez. Inclusive los caballos. Pero ¿un león cavernario?, ¿el más grande que he visto en toda mi vida?

"¿Será una . . . donii? ¿Quién sino la Madre podría obligar a los animales a someterse a su voluntad? ¿Y sus poderes curativos? ¿O su capacidad fenomenal para hablar tan bien en tan poco tiempo?" A pesar de su acento algo insólito, había aprendido la mayor parte de su Mamutoi y palabras de Sharamudoi. ¿Sería un aspecto de la Madre?

La oyó acercarse por el sendero y experimentó un estremecimiento de temor. Casi esperaba oírla declarar que era la Gran Madre Tierra en persona, y se lo habría creído. Vio una mujer con la cabellera en desorden y lágrimas corriéndole·por el rostro.

—¿Qué ocurre? —le preguntó, al sobreponerse la ternura a sus temores imaginarios.

—¿Por qué pierdo a mis bebés? —preguntó, sollozando.

Jondalar palideció: sus bebés. Aquel león, ¿era su bebé? En un sobresalto recordó a la Madre llorando, la Madre de todos.

—¿Tus bebés?

—Primero Durc, y ahora Bebé.

—¿Es el nombre del león?

—¿Bebé? Significa pequeñito, nenito —contestó, tratando de traducir.

—¡Pequeñito! —resopló Jondalar—. Es el león cavernario más grande que he visto en mi vida.

—Ya sé —una sonrisa de orgullo maternal brilló entre las lágrimas de Ayla—. Siempre me aseguré de que tuviera comida suficiente, no como los cachorros de las familias de leones. Pero cuando lo encontré era pequeñito. Lo llamé Bebé y nunca pude ponerle otro nombre.

—¿Lo encontraste? —preguntó Jondalar, vacilante aún.

—Lo habían dejado por muerto. Creo que un ciervo lo pisoteó. Yo estaba correteando los ciervos hacia mi zanja. Brun solía permitirme que llevara animalitos a la caverna, a veces, si estaban lastimados y necesitaban cuidados. Pero nunca carnívoros. No iba a recoger al cachorro de león cavernario, pero las hienas fueron por él. Las espanté con la honda y me lo traje.

Los ojos de Ayla adquirieron una mirada lejana y su boca se torció en una sonrisa sesgada.

—Bebé era tan chistoso de pequeño, siempre me hacía reír. Pero pasé mucho tiempo cazando para él hasta el segundo invierno, cuando aprendimos a cazar juntos. Los tres: también Hinny. No había vuelto a ver a Bebé desde ... —de repente recordó cuándo—. Oh, Jondalar, ¡cuánto lo siento! Bebé es el león que mató a tu hermano. De haber sido otro león, no habría podido arrebatarte de él.

—¡Eres una donii! —exclamó Jondalar—. Te vi en mi sueño. Creí que una donii había venido para llevarme al otro mundo, pero en cambio obligó al león a alejarse.

—Sin duda recobraste el conocimiento un instante, Jondalar. Entonces, cuando te cambié de postura, probablemente te desvaneciste por el dolor. Tenía que apartarte de allí a toda prisa. Sabía que Bebé no me haría daño; a veces es un poco rudo, pero sin querer. No lo puede remediar. Pero yo no sabía cuándo regresaría la leona.

El hombre meneaba la cabeza, incrédulo y maravillado.

—¿Realmente cazaste con ese león?

—No había otro medio para alimentarlo. Al principio, antes de que pudiera matar, derribaba un animal y yo corría montada en Hinny y lo remataba con la lanza. Entonces yo no sabía que se arrojaban las lanzas. Cuando Bebé fue suficientemente grande para matar, a veces yo tomaba un trozo de carne antes de que se pusiera a masticar, o quería aprovechar la piel ...

—De manera que lo empujabas, como con ese bisonte. ¿No sabes lo peligroso que es, quitarle la carne a un león? He visto a uno que mató a su propio cachorro por eso.

—También yo. Pero Bebé es diferente, Jondalar. No fue criado en una familia de leones. Creció aquí, con Hinny y conmigo; cazamos juntos ... está acostumbrado a compartir conmigo. Pero me alegro de que encontrara una leona, así podrá vivir como un león. Hinny se fue algún tiempo con una manada, pero no fue feliz y regresó ... —Ayla sacudió la cabeza y bajó la mirada—. No es cierto. Quiero creerlo. Creo que fue feliz con su manada y su semental. Yo no era feliz sin ella. Me alegro tanto de que aceptara regresar conmigo después de que murió su semental.

Ayla recogió el manto sucio y se metió en la caverna. Jondalar, dándose cuenta de que seguía agarrando la lanza, la apoyó contra la muralla y entró también. Ayla estaba pensativa. El retorno de Bebé había despertado tantos recuerdos. Miró el trozo de bisonte que estaba rostizándose, dio vuelta al espetón y atizó el fuego. Entonces echó agua en un canasto-olla, del vasto estómago de onagro que colgaba de un poste, y puso al fuego unas cuantas piedras para que se calentaran.

Jondalar sólo la observaba, pasmado aún por la visita del león cavernario. Ya había sido suficiente sobresalto ver al león brincar sobre el saliente, pero la manera en que Ayla se había puesto delante, deteniendo al impresionante depredador ... nadie se lo creería.

Mientras la miraba, tuvo la sensación de que había algo diferente en ella. Recordó la primera vez que la había visto con el cabello suelto, dorado y brillando al sol. Había subido desde la playa y él la había visto, toda ella, por vez primera con el cabello suelto y aquel cuerpo magnífico.

—Gusto ver nuevamente a Bebé. Esos bisontes estaban quizá en su territorio. Olió la sangre y nos siguió la pista. Se sorprendió al verte. No sé si te recordaría. ¿Cómo quedaste atrapado en ese cañón ciego?

—¿Có ...? Lo siento: no te escuchaba.

—Me preguntaba cómo tu hermano y tú se dejaron atrapar en ese cañón con Bebé —repitió, levantando la vista. Unos luminosos ojos color de violeta la estaban mirando y le hicieron subir el calor a la cara.

Jondalar hizo un esfuerzo para pensar en la pregunta.

—Estábamos acechando un ciervo; Thonolan lo mató, pero una leona había estado persiguiéndolo y se lo llevó arrastrando. Pero Thonolan fue tras ella. Le dije que se lo dejara, pero no quiso escuchar. Vimos que la leona entraba en la cueva y después se marchaba. Thonolan pensó que podría recuperar la lanza y algo de carne antes de que volviera. El león tenía otras ideas —Jondalar cerró los ojos un momento—. No se lo puedo reprochar. Fue una tontería seguir a la leona, pero no pude detenerlo. Siempre fue temerario, pero después de que murió Jetamio fue algo más que temerario: quería morir. Supongo que tampoco yo debí haberlo seguido.

Ayla sabía que seguía sufriendo por la pérdida de su hermano, y cambió de tema.

—No he visto a Hinny. Debe de andar por la estepa con Corredor. Últimamente anda mucho por ahí. La manera en que pusiste las correas en la cabeza de Corredor funcionó bien, pero no sé si era necesario tenerlo atado a Hinny.

—La cuerda era demasiado larga. No creí posible que se trabara en un arbusto. Pero quedaron sujetos los dos. Habría que recordarlo quizá, para cuando quieras que se queden quietos en alguna parte. Por lo menos Corredor. ¿Hace siempre Hinny lo que quieres tú?

—Supongo que sí, pero es más bien lo que ella quiere. Sabe lo que yo quiero y lo hace. Bebé sólo me lleva adonde él quiere, pero va tan aprisa . . . —los ojos le echaron chispas al recordar su reciente cabalgada. Siempre resultaba palpitante montar al león.

Jondalar recordó cómo se asía al lomo del león cavernario, sus cabellos, más dorados que la melena rojiza, flotando al viento. Al verla había tenido miedo por ella, pero era excitante . . . como ella misma. Tan salvaje y libre, tan bella . . .

—Eres una mujer excitante, Ayla —dijo; y su mirada confirmaba su convencimiento.

—¿Excitante? Excitante es . . . el tiralanzas o cabalgar velozmente montando a Hinny . . . o Bebé, ¿es cierto? —estaba confundida.

—Cierto. Y también lo es Ayla, para mí . . . y bella.

—Jondalar, estás bromeando. Una flor es bella o también el cielo cuando el sol cae tras la arista. Yo no soy bella.

—¿No puede ser bella una mujer?

Ella se apartó de la intensidad de su mirada.

—Yo . . . yo no sé. Pero yo no soy bella. Soy grande y fea.

Jondalar se puso de pie, la tomó de la mano y la hizo incorporarse.

—Veamos, ¿quién es más alto?

Era irresistible parado tan cerca de ella. Vio que se había vuelto a afeitar. Los pelitos de la barba sólo se veían de cerca. Tuvo ganas de tocar su rostro suave-áspero, y los ojos que la miraban le hacían sentir como que podían penetrar dentro de ella.

—Tú —dijo dulcemente.

—Entonces no eres demasiado alta, ¿verdad? Y no eres fea, Ayla —sonrió, pero ella sólo vio la sonrisa en sus ojos—. Es chistoso, pero la mujer más bella que he visto en mi vida cree que es fea.

Ayla oía pero estaba demasiado sumida en los ojos que la retenían, demasiado conmovida por la respuesta de su cuerpo, para fijarse en las palabras. Lo vio acercarse más, inclinándose, poner sus labios sobre los de ella, rodearla con sus brazos y pegarla a su cuerpo.

—Jondalar —suspiró—, me gusta ese boca a boca.

—Beso —dijo él—. Creo que ya es hora, Ayla —la tomó de la mano y se la llevó hacia la cama cubierta de pieles.

—¿Ahora?

—Los Primeros Ritos —explicó.

Se sentaron en las pieles.

—¿Qué clase de ceremonia es?

—Es la ceremonia que hace a la mujer. No puedo decírtelo todo al respecto. Las mujeres más viejas le dicen a la muchacha lo que debe esperar y que puede doler, pero que es necesario para abrir el paso que la convierta en mujer. Escogen al hombre que lo hará. Los hombres desean ser escogidos, pero tienen miedo.

—¿Por qué tienen miedo?

—Tienen miedo de lastimar a la mujer, miedo de ser torpes, miedo de que no se levante su hacedor de mujeres.

—¿Eso significa el órgano del hombre? ¡Tiene tantos nombres!

Jondalar recordó todos los nombres, muchos de ellos vulgares o humorísticos.

—Sí, tiene muchos nombres.

—¿Y cómo se llama realmente?

—Supongo que virilidad —dijo, después de pensarlo un instante—, lo mismo que para un hombre, pero "hacedor de mujeres" es otro.

—¿Y qué ocurre si no se levanta la virilidad?

—Hay que acudir a otro hombre ... es muy embarazoso. Pero la mayoría de los hombres desean ser escogidos para la primera vez de una mujer.

—¿Te gusta ser escogido?

—Sí.

—¿Te escogen con frecuencia?

—Sí.

—¿Por qué?

Jondalar sonrió y se preguntó si tantas interrogantes serían el resultado de la curiosidad o del nerviosismo.

—Creo que porque me gusta. La primera vez de una mujer es especial para mí.

—Jondalar, ¿cómo podemos tener una ceremonia de los Primeros Ritos? Ya no es mi primera vez; estoy abierta.

—Ya lo sé; pero en los Primeros Ritos se encierra algo más que abrir el paso.

—No entiendo. ¿Qué más puede haber?

Sonrió nuevamente, entonces se inclinó más cerca y la besó. Ella se recostó en él pero se sobresaltó al sentir que se abría la boca del hombre y que su lengua intentaba entrar en su boca. Se echó hacia atrás.

—¿Qué estás haciendo? —preguntó.

—¿No te agrada? —y su frente se crispó de consternación.

—No lo sé.

—¿Quieres volver a probar, y ver? —"despacio. No la apremies"—. ¿Por qué no te tiendes y te relajas?

La empujó suavemente, después se tendió a su lado, descansando sobre el codo. La miró, volvió a besarla. Esperó hasta sentir que ya no estaba tensa y acarició ligeramente sus labios con la lengua. Se levantó un poco y vio que sonreía la boca, pero que tenía los ojos cerrados. Cuando los abrió, se inclinó para volver a besarla. Ella se tendió para acercarse a él. La besó presionando más y abriendo la boca. Cuando su lengua intentó entrar, Ayla abrió la boca para dejarle.

—Sí —dijo—, creo que me gusta.

Jondalar sonrió. Estaba interrogando, probando, saboreando, y le complacía que no lo encontrara insatisfactorio.

—¿Y ahora qué? —preguntó Ayla.

—¿Más de lo mismo?

—Está bien.

Volvió a besarla, explorando suavemente los labios, el cielo de la boca y bajo la lengua. Entonces con los labios siguió la línea de la quijada. Encontró la orejita, le respiró su aliento en ella, le mordisqueó el lóbulo y cubrió la garganta de besos y de caricias con la lengua. Y entonces regresó a la boca.

—¿Por qué me hace sentir como si tuviera calentura ... y escalofríos? —preguntó Ayla—. No como enfermedad, escalofríos ricos.

—Ahora no tienes que ser curandera, no es una enfermedad —dijo Jondalar, y poco después—: Si tienes calor, por qué no abres el manto, Ayla.

—Está bien. No tengo tanto calor.

—¿Te importa si yo lo abro?

—¿Por qué?

—Porque lo deseo —la besó nuevamente, tratando de deshacer el nudo de la correa que sostenía cerrado el manto. No lo consiguió y pensó que seguiría discutiendo.

—Yo lo abriré —susurró Ayla, cuando le liberó la boca. Hábilmente soltó la correa y se tendió para desenrollarla. El manto de piel cayó y Jondalar jadeó.

—¡Oh, mujer! —dijo, con la voz de deseo, y los ijares se le crisparon—. ¡Ayla! ¡Oh, Doni, qué mujer! —le besó apasionadamente la boca y sumió el rostro en el cuello de ella y aspiró calor. Respirando fuerte, se apartó y vio la marca roja que le había hecho. Aspiró muy hondo para tratar de dominarse.

—¿Pasa algo malo? —preguntó Ayla, frunciendo el entrecejo con preocupación.

—Sólo que te deseo demasiado. Quiero que todo esté bien para ti, pero no sé si podré. Eres . . . ¡tan bella, tan mujer!

La frente arrugada se alisó en una sonrisa.

—Todo lo que tú hagas estará bien, Jondalar.

La besó de nuevo, más suavemente, deseando más que nunca proporcionarle placer. Acarició su costado sintiendo la plenitud de su seno, la depresión de su cintura, la suave curva de la cadera, el músculo tenso del muslo. Ella se estremecía bajo su mano, que acarició los rizos dorados del pubis y subiendo por el vientre, hasta llegar a la hinchazón turgente de su seno, sintió cómo se endurecía el pezón bajo su caricia.

Besó la diminuta cicatriz en la base del cuello; entonces buscó el otro seno y aspiró el pezón con la boca.

—No se siente igual que un bebé —dijo Ayla.

Eso disipó la tensión; Jondalar se sentó, riendo.

—Se supone que no estás analizando esto, Ayla.

—Bueno, pues no se siente igual que cuando mama un bebé, y no sé por qué. No sé por qué un hombre va a querer mamar como un bebé —declaró, a la defensiva.

—¿No quieres que lo haga? No lo haré si es que no te gusta —dijo apesadumbrado.

—No dije que no me gustara. Se siente bien cuando mama un bebé. No se siente igual cuando lo haces tú, pero se siente rico. Lo siento hasta abajo dentro de mí. Un bebé no hace sentir lo mismo.

—Por eso lo hace el hombre, para que la mujer sienta así y para sentirlo así también él. Por eso tengo ganas de tocarte, de darte placer y de experimentarlo yo también. Es la Dádiva del Placer de la Madre a Sus hijos. Nos crió para conocer este placer. y la honramos a Ella cuando aceptamos su dádiva. ¿Quieres que te dé placer, Ayla?

La estaba mirando: el cabello dorado, revuelto sobre la piel, le enmarcaba el rostro. Sus ojos dilatados, profundos y dulces, brillaban con un fuego oculto y parecían llenos como si pudieran derramarse. La boca le tembló cuando quiso contestar; entonces, asintió con la cabeza.

Jondalar besó un ojo cerrado y después el otro, y sintió una lágrima. Saboreó la gota salada con la punta de la lengua. Ella abrió los ojos y sonrió. Jondalar le besó la punta de la nariz, la boca y cada pezón. Entonces se levantó.

Ayla vio que se dirigía al fuego y apartaba el asado en el espetón, y que apartaba de los carbones las raíces envueltas en hojas. Esperó sin pensar, sólo anticipando no sabía qué. Le había hecho sentir más de lo que hubiera creído que su cuerpo fuera capaz de sentir, y sin embargo, había despertado un anhelo inefable.

Jondalar llenó de agua una taza y se la llevó.

—No quiero que nada nos interrumpa —dijo—, y pensé que tal vez querrías un poco de agua.

Ayla meneó la cabeza; él tomó un sorbo y dejó la taza, después desató la correa de su taparrabo y se quedó mirándola, con su prodigiosa virilidad enhiesta. Los ojos de ella sólo encerraban confianza y deseo, nada de ese temor que a menudo provocaba en las mujeres jóvenes, y no tan jóvenes, cuando lo veían por vez primera.

Se tendió junto a ella, llenándose los ojos de ella. Su cabello suave, lujuriante, sus ojos, rebosantes y llenos de espera, su cuerpo magnífico; toda aquella bella mujer esperando que la tocara, esperando que despertara en ella las sensaciones que él sabía que ahí estaban. Quería que durara esa toma de conciencia de parte de ella. Se sentía más excitado que nunca anteriormente en los Primeros Ritos de una novata. Ayla no sabía qué esperar, nadie se lo había descrito en detalles claros y extensos. Sólo habían abusado de ella.

"¡Oh, Doni, ayúdame a hacerlo bien!", pensó, sintiendo que en ese momento estaba asumiendo una tremenda responsabilidad y no un placer deleitable.

Ayla estaba quieta, sin mover un músculo pero estremecida. Sentía como si estuviera esperando desde siempre algo que no podía nombrar pero que él podía darle. Con sólo sus ojos podía tocarla hasta dentro; ella no podía explicar la palpitación, los efectos deliciosos de sus manos, su boca, su lengua, pero ansiaba más. Se sentía incompleta, sin terminar. Hasta que le diera el sabor, no había sabido qué hambre tenía, pero una vez provocada, tenía que satisfacerse.

Cuando sus ojos quedaron satisfechos, los cerró y la besó una vez más. Ella tenía la boca abierta, esperando; atrajo su lengua y experimentó con la suya, tentativamente. Él se apartó y le sonrió para animarla. Tomó una guedeja dorada y brillante de cabello y se la llevó a los labios, y después se frotó el rostro contra la suave abundancia dorada de su corona. Le besó la frente, los ojos, las mejillas, deseando conocerla toda ella.

Encontró la oreja y su aliento cálido mandó estremecimientos deliciosos por el cuerpo de ella una vez más; le mordisqueó la oreja y le chupó el lóbulo. Encontró los nervios tiernos del cuello y la garganta que excitaron largos espasmos deliciosos por lugares secretos e intactos. Sus manos grandes, expresivas y sensibles la exploraron, sintieron la textura sedosa de su cabello, rodearon mejilla y quijada, recorrieron el contorno de su hombro y su brazo. Cuando llegó a la mano, se la llevó a la boca, besó la palma, acarició los dedos uno por uno y siguió la curva interior del brazo.

Ayla tenía los ojos cerrados, cediendo a la sensación con impulsos rítmicos. La boca cálida encontró la cicatriz en el hueco de su cuello, siguió el camino entre los senos y rodeó la curva de uno. Hizo círculos cada vez más pequeños con la lengua y sintió el cambio de textura de la piel al llegar a la aréola; Ayla jadeó al sentir que le tomaba el pezón en la boca, y él sintió que un ardor nuevo palpitaba en sus ijares.

Con su mano siguió el movimiento circular de la lengua en el otro seno, y sus dedos hallaron el pezón duro y erguido. Al principio mamó suavemente, pero cuando ella se tendió hacia él, aumentó la fuerza de succión. Ayla respiraba fuerte, gemía suavemente. La respiración del hombre iba a la par con el deseo de ella; no estaba seguro de poder esperar más. Entonces se detuvo para volver a mirarla: tenía los ojos cerrados y la boca abierta.

La deseaba toda y todo al mismo tiempo. Le tomó la boca, atrajo su lengua en la suya. Cuando la soltó, ella atrajo la suya, siguiendo su ejemplo, y sintió el calor dentro de la suya. Jondalar volvió a encontrar su garganta y trazó círculos húmedos alrededor del otro seno turgente hasta llegar al pezón. Ella se alzó para encontrarlo, deseándolo, y se estremeció cuando él respondió atrayéndola.

Con la mano le acariciaba el vientre, la cadera, la pierna, y entonces tocó la parte interior del muslo. Sus músculos ondularon mientras se tensaba, y después abrió las piernas. Puso la mano sobre el pubis cubierto de rizos de un rubio oscuro y sintió súbitamente una humedad caliente. El sobresalto que dio su ingle en respuesta lo tomó por sorpresa. Se quedó tal como estaba, luchando por dominarse, y casi se rindió cuando sintió otra oleada de humedad en la mano.

Su boca dejó el pezón y formó círculos en el estómago y el ombligo de la joven. Al llegar al pubis, la miró: estaba respirando por espasmos, con la espalda curva y tensa, esperando. Estaba preparada. Le besó el pubis, vello crujiente, y siguió bajando. Ella temblaba, y cuando la lengua de él alcanzó la parte superior de su hendidura, brincó dando un grito y recayó de espaldas, gimiendo.

Su virilidad palpitaba anhelante, impaciente, mientras cambiaba de postura para deslizarse entre las piernas de ella. Entonces abrió los repliegues y saboreó lenta y amorosamente. Ella no podía oír los ruidos que hacía al sumirse en el estallido de sensaciones exquisitas que la recorrían mientras la lengua de él exploraba cada repliegue, cada borde.

Se concentró en ella para dominar su necesidad apremiante, encontró el nódulo que era el centro pequeño pero erguido del deleite en ella, y lo acarició firme y rápidamente. Temía haber llegado al límite de su resistencia cuando ella se retorció sollozando con un éxtasis que nunca anteriormente había experimentado. Con dos largos dedos penetró en su húmeda cavidad y aplicó presión hacia arriba, desde fuera.

De repente Ayla se arqueó y gritó, y él saboreó una nueva humedad. Apretando y aflojando los puños convulsivamente, hacía gestos de llamado inconsciente al ritmo de su respiración espasmódica.

—Jondalar —le gritó—. ¡Oh, Jondalar! Necesito ... te necesito ... necesito algo ...

Él estaba de rodillas, apretando los dientes en un esfuerzo por contenerse, tratando de penetrar suavemente en ella.

—Estoy tratando de hacerlo suavemente —dijo, casi dolorosamente.

—No ... no me hará daño, Jondalar.

¡Era cierto! No era realmente la primera vez. Mientras ella se arqueaba para recibirlo, se abandonó y entró: no había bloqueo. Fue más allá, esperando hallar la barrera, pero se sintió atraído hacia dentro, sintió sus profundidades cálidas y húmedas bien abiertas, que lo abrazaban y lo envolvían hasta que maravillado, sintió que lo recibía todo. Se retiró un poco y volvió a sumirse profundamente en ella. Ayla lo rodeó con las piernas para atraerlo más. Volvió a retirarse y, al penetrar una vez más, sintió que su maravilloso paso palpitante le acariciaba cuan largo era. Fue más de lo que podía aguantar; volvió a empujar una y otra vez con un abandono sin restricción, cediendo por una vez a su necesidad en forma total.

—¡Ayla! . . . ¡Ayla! . . . ¡Ayla! . . . —gritó.

La tensión estaba alcanzando la cima; él sentía cómo se acumulaba en sus ijares Se retiró una vez más; Ayla se tendió hacia él con todos sus nervios y sus músculos. Él penetró en ella con el placer sensual absoluto de enterrar toda su joven virilidad en el calor anhelante. Se esforzaron juntos, Ayla gritó su nombre y, dándole todo lo que le quedaba, Jondalar la llenó.

Durante un instante eterno, los gritos más profundos de él surgieron en armonía con los sollozos de ella repitiendo su nombre mientras paroxismos de un placer inefable se estremecían a través de ellos. Entonces, con un alivio exquisito, cayó encima de ella.

Durante un buen rato sólo se pudo oír la respiración de ambos. No podían moverse. Se habían entregado totalmente el uno a la otra, se habían transmitido cada fibra de su experiencia compartida. Al cabo de un rato no quisieron moverse, no quisieron que terminara aunque sabían que había concluido. Había sido el despertar de Ayla; nunca había conocido los placeres que podía proporcionarle un hombre. Jondalar sabía que su placer consistiría en despertarla, pero ella le había dado una sorpresa inesperada incrementando inmensamente su propia excitación.

Sólo pocas mujeres tenían la profundidad suficiente para darle cabida a todo él; había aprendido a limitar su penetración para tomarlo en cuenta, y lo hacía con sensibilidad y pericia. Nunca volvería a ser lo mismo . . . pero gozar el deleite de los Primeros Ritos y el alivio glorioso y poco frecuente de una penetración completa al mismo tiempo, resultaba increíble.

Siempre se esforzaba más para los Primeros Ritos, había algo en la ceremonia que le hacía dar lo mejor de sí mismo. Sus atenciones y su preocupación eran genuinas, sus esfuerzos tendían a complacer a la mujer, y su satisfacción procedía tanto del deleite de ella como del suyo propio. Pero Ayla lo había complacido, lo había satisfecho más allá de su imaginación más desbocada. Por un instante, pareció que ambos sólo formaban uno.

—Debo resultarte pesado —dijo, retirándose un poco para sostenerse en parte con el codo.

—No —dijo ella con voz dulce—. No eres pesado. No creo que voy a querer levantarme nunca más.

Se inclinó para acariciarle la oreja con la boca y besarle el cuello.

—Tampoco yo tengo ganas de levantarme, pero creo que debo hacerlo —se desprendió lentamente y se tendió junto a ella, poniéndole un brazo por debajo de manera que la cabeza de ella reposara en el hueco de su axila.

Ayla estaba satisfecha, lánguida, totalmente relajada y muy sensible a la presencia de Jondalar. Sentía el brazo que la rodeaba, los dedos que la acariciaban ligeramente, el juego de los músculos pectorales bajo su mejilla, podía oír el latido de su corazón —o tal vez el de ella— en su oído, olía el olor almizclado y cálido de su piel y de sus placeres. Y nunca había sentido que la mimaran tanto, que la atendieran tanto.

—Jondalar —dijo al cabo de un rato—, ¿cómo sabes qué hacer? Yo ignoraba que existían esas sensaciones en mí. ¿Cómo?

—Alguien me mostró, me enseñó, me ayudó a saber lo que necesita una mujer.

—¿Quién?

Ayla sintió que se le tensaban los músculos, reconoció un cambio en su tono de voz.

—Es costumbre que mujeres mayores y con más experiencia enseñen a los hombres jóvenes.

—Quieres decir, ¿como los Primeros Ritos?

—No exactamente; es menos oficial. Cuando los jóvenes comienzan a entrar en calor, las mujeres lo saben. Una, o más, que comprende que está nervioso e inseguro, estará ahí para él, y le ayudará a superarlo. Pero no es una ceremonia.

—En el Clan, cuando un mozo mata por vez primera, en una cacería en serio, no animalitos pequeños, entonces es hombre y tiene una ceremonia de virilidad. Que esté en celo no importa. Lo que hace de él un hombre es cazar. Es cuando debe asumir responsabilidades de adulto.

—Cazar es importante, pero algunos hombres no cazan nunca. Tienen otras habilidades. Supongo que yo no tendría que cazar si no quisiera. Podría hacer herramientas y trocarlas por alimentos o pieles o lo que necesitara. Pero la mayoría de los hombres cazan, y la primera vez que un muchacho mata es muy especial.

La voz de Jondalar adoptó los matices cálidos del recuerdo.

—No hay una verdadera ceremonia, pero el animal que él mata se reparte entre todos los de la Caverna: él mismo no prueba esa carne. Cuando pasa por ahí, todos observan entre ellos, para que oiga, lo grande y maravilloso que era el animal, y qué carne tan tierna y deliciosa. Los hombres lo invitan a participar en sus juegos o sus conversaciones. Las mujeres lo tratan como a un hombre, no como a un muchacho, y le hacen bromas amistosas. Casi cualquier mujer se pondrá a su disposición, si es lo suficientemente mayor y lo desea. El primer animal que uno mata le hace sentirse muy hombre.

—¿Pero sin ceremonia de virilidad?

—Cada vez que un hombre hace una mujer, que la abre, que deja fluir dentro de ella la fuerza vital, reafirma su virilidad. Por eso su instrumento, su virilidad, se llama "hacedor de mujeres".

—Podría hacer algo más que hacer una mujer, podría iniciar un bebé.

—Ayla, la Gran Madre Tierra bendice a una mujer con hijos. Los trae al mundo y al hogar de un hombre. Doni creó a los hombres para ayudarla, para proveerla cuando está embarazada o amamantando y cuidando de un bebé. Y para hacerla mujer. No lo puedo explicar mejor. Quizá Zelandoni pueda.

"Quizá tenga razón", pensó Ayla, acurrucándose contra él. "Pero si no la tiene, tal vez esté creciendo un bebé dentro de mí". Sonrió. "Un bebé como Durc, para amamantarlo, mimarlo y cuidarlo, un bebé que sería en parte Jondalar.

"Pero, y cuando él se vaya, ¿quién me ayudará?", pensó con una punzada de angustia. Recordó su anterior embarazo, tan difícil, su lucha con la muerte durante el alumbramiento. "Si no fuera por Iza, no habría sobrevivido. Y aunque me las arreglara para tener un bebé aquí sola, ¿cómo iba a poder cazar y cuidar de un bebé? ¿Si fuera herida o muriera? ¿Quién cuidaría de mi bebé? Se moriría, solo.

"¡Ahora no puedo tener otro bebé!". Se incorporó. "¿Y si ya se ha iniciado uno? ¿Qué tendré que hacer? ¡La medicina de Iza! Ruda o muérdago . . . no, muérdago no: sólo crece en el roble y por aquí no hay. Pero hay varias plantas que resultarán . . . tendré que pensarlo. Podría ser peligroso, pero es mejor perder ahora el bebé que dejárselo a una hiena después de nacido".

—¿Pasa algo malo, Ayla? —preguntó Jondalar, acariciando un seno firme con la mano, porque sabía que podía y porque eso le hacía desearlo.

Ayla se inclinó sobre su mano, recordando su contacto.

—No, no pasa nada malo.

Sonrió, recordó su profunda satisfacción y experimentó nuevos movimientos. "Pronto", se dijo. "¡Creo que tiene el toque de Haduma!"

Ayla vio calor y deseo en sus ojos azules. "Tal vez quiera hacer otra vez placeres conmigo", pensó Ayla, devolviéndole la sonrisa. Pero la sonrisa se borró. "Si no ha comenzado un bebé y hacemos otra vez placeres, podría comenzar uno. Quizá deba tomarme la medicina secreta de Iza, la que dijo que no debía decírsele a nadie".

Recordó cuando Iza le habló de las plantas —hilo de oro y raíz de salvia de antílope— con una magia tan potente que podían agregar fuerza al tótem de una mujer para luchar contra las esencias fertilizantes del hombre e impedir que se iniciara la vida. Iza no le había hablado nunca anteriormente de la medicina: nadie creyó nunca que llegaría a tener un bebé, y eso no apareció en su adiestramiento. "Tótem fuerte o no, tuve un bebé y podría volver a tener otro. Yo no sé si es el espíritu o el hombre, pero la medicina le sirvió a Iza y creo que haré bien si la tomo, pues quizá tendría que tomar otra para perderlo.

"Ojalá no tuviera que hacerlo, ojalá pudiera quedarme con él. Me gustaría tener un bebé de Jondalar". Tuvo una sonrisa tan tierna y prometedora que el hombre se acercó y la atrajo encima de él; el amuleto que colgaba del cuello le golpeó la nariz.

—¡Oh, Jondalar!, ¿te ha hecho daño?

—¿Qué tienes dentro de esa cosa? ¡Debe de estar llena de piedras! —dijo, sentándose y frotándose la nariz—. ¿Qué es?

—Es ... para el espíritu de mi tótem, para que pueda encontrarme. Conserva la parte de mi espíritu que él reconoce. Cuando me ha dado señales, también las guardo ahí. Todos los del Clan tienen uno. Creb dijo que si lo perdiera, moriría.

—Es un hechizo o un amuleto —dijo Jondalar—. Tu Clan comprende los misterios del mundo de los espíritus. Cuanto más cosas sé de ellos, más parecen personas, aunque distintas de todas las que conozco —su mirada se cargó de arrepentimiento—. Ayla, mi ignorancia fue lo que me hizo portarme como lo hice cuando comprendí lo que entendías por Clan. Fue vergonzoso y lo lamento.

—Sí, fue vergonzoso pero no estoy enojada ni lastimada, ya no. Me has hecho sentir ... quiero hacer una cortesía, también yo. Por hoy, por los Primeros Ritos, quiero decir ... gracias.

—No creo que nadie me haya dado las gracias anteriormente —respondió Jondalar con sonrisa pícara, que fue cambiando a una simple sonrisa aunque sus ojos estaban serios—. Si alguien debiera darlas, sería yo. Gracias, Ayla. No sabes la experiencia que me has dado. No había tenido una satisfacción tan grande desde que ... —se detuvo, y Ayla reconoció una expresión de pena— ... desde Zolena.

—¿Quién es Zolena?

—Ya no hay Zolena. Era una mujer que conocí de joven —se tendió de espaldas y miró el techo de la cueva tanto rato que Ayla no creyó que diría nada más. Entonces comenzó a hablar, más para sí que para ella:

—Era bella entonces. Todos los hombres hablaban de ella, y todos los muchachos pensaban en ella, pero ninguno más que yo, inclusive antes de que la donii se me apareciera en sueños. La noche que vino mi donii, vino como Zolena, y cuando desperté, las pieles en que dormía estaban llenas de mi esencia y mi cabeza llena de Zolena.

"Recuerdo haberla seguido, o haber hallado un lugar para esperar hasta verla. Rogaba a la Madre que me la diera. Pero no pude creerlo cuando vino a mí. Podría haber sido cualquiera de las mujeres, pero la única que yo deseaba era Zolena. ¡Oh, cómo la deseaba!, y vino a mí.

"Primero gocé con ella. Inclusive entonces, ya era grande para mi edad . . . en muchos aspectos. Ella me enseñó a dominarme, a usarlo, y me mostró lo que una mujer necesita. Aprendí que podía obtener placer de una mujer, aun cuando no fuera lo suficientemente profunda, si me contenía lo más posible y la preparaba. Entonces no necesitaría tanta profundidad, y ella recibiría más.

"Con Zolena no tenía que preocuparme. Sin embargo, podía hacer felices a hombres más pequeños . . . también ella podía dominarse. No había hombre que no la deseara . . . y me escogió a mí. Al cabo de algún tiempo me escogía siempre a mí, aunque era apenas poco más que un muchacho.

"Pero había un hombre que andaba siempre tras ella, aunque sabía que ella no lo quería. Eso me enfureció. Cuando nos vio juntos le dijo que, para cambiar, se buscara un hombre; era más joven que Zolena pero más viejo que yo; aunque yo era más grande".

Jondalar cerró los ojos y continuó:

—¡Fui tan estúpido! No debería haberlo hecho, sólo llamó la atención sobre nosotros, pero no quería dejarla en paz. Me sacaba de quicio. Un día lo golpeé y ya no pude detenerme.

"Dicen que no es bueno que un hombre joven ande demasiado con una sola mujer. Con más mujeres hay menos posibilidad de que se encariñen. Se supone que un hombre joven debe casarse con una mujer joven; se supone que las mujeres mayores son para enseñarle. Siempre echan la culpa cuando un hombre joven se siente demasiado apegado a una. Pero no debieron echarle la culpa a ella. Yo no quería a ninguna de las otras mujeres, yo sólo quería a Zolena.

"Aquellas mujeres parecían tan toscas, entonces, tan insensibles, bromeando, burlándose todo el tiempo de los hombres, en especial de los hombres jóvenes. Tal vez fuera insensible, yo también, al apartarlas de mí, al insultarlas.

"Hay unas que escogen a los hombres para los Primeros Ritos. Todos los hombres desean ser elegidos... siempre hablan de ello. Es un honor, y también resulta excitante, pero se preocupan por si serán demasiado rudos o apresurados o algo peor. ¿Qué tiene de bueno un hombre que no sea capaz siquiera de abrir a una mujer? Cada vez que un hombre pasa cerca de un grupo de mujeres, lo embroman".

Y cambiando la voz para imitarlas con timbre atiplado dijo:

—"Ahí va uno guapo. ¿Quieres que te enseñe un par de cosas?" O también: "No he podido enseñarle nada a éste, ¿quiere probar alguna otra?"

Y luego, dijo con su propia voz:

—La mayoría de los hombres aprenden a contestarles y gozan de las bromas tanto como ellas, pero para los jóvenes, resulta duro. Cualquier hombre que pase junto a un grupo de mujeres que ríen, se pregunta si no se estarán burlando de él. Zolena no era como ellas. Las otras mujeres no le tenían mucha simpatía porque a los hombres les gustaba demasiado. En cualquiera de los festivales o fiestas de la Madre, era la predilecta...

"El hombre al que golpeé perdió varios dientes. Es duro para un hombre tan joven perder dientes: no puede masticar, y las mujeres no lo quieren. Desde entonces no he dejado de lamentarlo. ¡Fue una estupidez! Mi madre dio una compensación de mi parte y él se fue a otra Caverna. Pero asiste a las Reuniones de Verano, y me crispo cada vez que lo veo.

"Zolena había estado hablando de servir a la Madre. Yo pensaba hacerme grabador y servirla de ese modo. Entonces fue cuando Marthona decidió que yo podría tener vocación para el trabajo de la piedra, y mandó un mensaje a Dalanar. Poco después, Zolena se retiró para recibir un adiestramiento especial y Willomar me llevó a vivir con los Lanzadonii. Tenía razón Marthona: era lo mejor. Cuando regresé al cabo de tres años, ya no estaba Zolena".

—¿Qué fue de ella? —preguntó Ayla, casi con miedo.

Los que Sirven a la Madre renuncian a su propia identidad y adoptan la identidad de las personas por quienes intercedan. A cambio, la Madre les otorga dádivas desconocidas de sus hijos comunes y corrientes: dádivas de magia, habilidad, conocimiento... y poder. Muchos de los que van a servir nunca pasan de ser meros acólitos. Entre los que reciben Su Llamado, sólo unos pocos tienen verdadero talento, pero ascienden muy rápidamente entre las filas de Los que Sirven.

"Justo antes de que me marchara, Zolena fue convertida en Alta Sacerdotisa Zelandoni, la Primera entre Los que Sirven a la Madre".

De repente Jondalar dio un brinco y vio el cielo occidental escarlata y dorado por las aberturas de la cueva.

—Todavía no anochece y tengo ganas de nadar —dijo, saliendo rápidamente. Ayla recogió su manto y su larga correa, y lo siguió. Para cuando ella llegó a la playa él estaba en el agua; retiró su amuleto, avanzó río adentro y poco después se echó a nadar. Jondalar iba río arriba; ella se reunió con él cuando volvía.

—¿Hasta dónde has ido? —preguntó Ayla.

—Hasta las cataratas —dijo—. Ayla, nunca le he contado eso a nadie, acerca de Zolena.

—¿Has vuelto a verla alguna vez?

La carcajada explosiva de Jondalar estaba llena de un sentimiento de amargura.

—Zolena no, Zelandoni. Sí, la he visto, somos buenos amigos. Inclusive he compartido placeres con Zelandoni —dijo—. Pero ya no me escoge —y se puso a nadar río abajo, fuerte y rápidamente.

Ayla arrugó la frente y meneó la cabeza antes de seguirlo hasta la playa. Se puso el amuleto y ajustó su manto mientras lo seguía por el sendero. Cuando entró en la cueva, Jondalar estaba de pie mirando las brasas. Ayla terminó de ajustarse el manto, recogió algo de leña y la echó al fuego. Él seguía mojado; al ver que se estremecía, fue a buscarle una piel.

—La estación está cambiando —le dijo—. Las tardes son frescas. Toma, póntelo, no sea que te resfríes.

Jondalar se sujetó la piel sobre los hombros, torpemente. "No era correcto para él . . . un manto de piel. Y si se va a marchar tendrá que irse antes de que la temporada cambie". Ayla fue al lugar donde dormía y recogió un atado que había junto a la pared.

—¿Jondalar . . .?

El hombre sacudió la cabeza para regresar al presente y le sonrió, pero sólo con la boca. Cuando Ayla comenzó a desatar el paquete, algo cayó al suelo; ella lo recogió.

—¿Qué es esto? —preguntó con un tono que encerraba a la vez admiración y temor—. ¿Cómo llegó aquí?

—Es una donii —dijo Jondalar al ver la pieza de marfil tallado.

—¿Una donii?

—La hice para ti, para tus Primeros Ritos. Siempre tiene que estar presente una donii en los Primeros Ritos.

Ayla inclinó la cabeza para ocultar las lágrimas que se le saltaron.

—No sé qué decir, nunca he visto nada igual. Es bella. Parece real, como una persona; casi como yo.

—Yo quise que se pareciera a ti, Ayla —le dijo Jondalar tomándola de la barbilla—. Un verdadero tallista la habría hecho mejor ... no. Un verdadero tallista no habría hecho una donii como ésta. No estoy seguro de que yo debería haberla hecho. Por lo general, una donii no tiene rostro ... el rostro de la Madre es inescrutable. Al poner tu rostro en esa donii tal vez tu espíritu haya quedado atrapado ahí. Por eso es tuya, para que la tengas en tu poder, mi obsequio para ti.

—Me pregunto por qué pusiste ahí mi obsequio —dijo Ayla mientras terminaba de desatar el paquete que llevaba—. Hice esto para ti.

Jondalar sacudió el cuero y vio las prendas, y se le iluminaron los ojos.

—¡Ayla! Yo no sabía que pudieras coser ni bordar —dijo, examinando las ropas.

—Yo no hice el bordado. Sólo hice partes para la camisa que traías puesta. Separé las otras para saber de qué tamaño y forma hacer las piezas, y examiné cómo estaban unidas, para poder imitarlo. Utilicé la lezna que me habías dado ... no sé si lo hice bien, pero lo logré.

—Está perfecto —dijo Jondalar, poniéndose la camisa por delante. Se probó los pantalones, después la camisa—. Había estado pensando en hacerme ropa más apropiada para viajar. Un taparrabo está bien aquí, pero ...

Lo había dicho, y en voz alta. Como los malos de que hablaba Creb, cuyo poder sólo se originaba en el reconocimiento de su existencia cuando se decían sus nombres en voz alta, la partida de Jondalar se había convertido en hecho. Ya no era un pensamiento vago que algún día habría de llevarse a ejecución: ahora tenía sustancia. Y adquirió mayor peso cuando los pensamientos de ambos se concentraron en ella, hasta que una presencia física opresiva pareció haber entrado en la cueva y no querer irse.

Jondalar se quitó rápidamente la ropa y la dobló cuidadosamente.

—Gracias, Ayla. No puedo decirte lo que esto representa. Cuando haga más frío, será perfecto, pero todavía no lo necesito —dijo, y se puso nuevamente el taparrabo.

Ayla asintió con la cabeza; no se fiaba de sí misma para hablar. Sentía una presión sobre sus ojos y la figurilla de marfil se veía borrosa; se la llevó al pecho; la amaba. Estaba hecha con sus manos. Él se decía hacedor de herramientas, pero podía hacer muchísimo más; tenía manos lo suficientemente hábiles para hacer una imagen que le produjera la misma sensación de ternura que había sentido cuando él le reveló lo que era el hecho de ser mujer.

—Gracias —dijo, recordando la cortesía.

—No la pierdas nunca —advirtió seriamente—. Con tu rostro o quizá tu espíritu, podría ser peligroso que alguien la encontrara.

—Mi amuleto guarda parte de mi espíritu y del espíritu de mi tótem. Ahora esta donii tiene parte de mi espíritu y del espíritu de tu Madre Tierra. ¿Es también mi amuleto?

Él no había pensado en eso. ¿Sería ella ahora parte de la Madre? ¿Una de las Hijas de la Tierra? Tal vez no debería haberse metido con fuerzas que iban mucho más allá de sus alcances. ¿O habría actuado como agente de ellas?

—No lo sé, Ayla —confesó—. Pero no la pierdas.

Jondalar, si crees que podría ser peligroso, ¿por qué pusiste mi rostro en esta donii?

Él le tomó las manos que sostenían la figurina.

—Porque quería capturar tu espíritu, Ayla. No para siempre, pensaba devolverlo. Quería darte placer y no sabía si podría. No sabía si tú comprenderías; no has sido criada para conocerla. Pensé por un momento que si ponía tu rostro en esto, serviría para atraerte hacia mí.

—Para eso no necesitabas poner mi rostro en una donii. Me habría sentido feliz con sólo que hubieras deseado satisfacer tus necesidades conmigo, antes de saber lo que eran los placeres.

La tomó en sus brazos, incluyendo la donii.

—No, Ayla, puedes haber estado dispuesta, pero yo tenía que comprender que era tu primera vez, de lo contrario no habría estado bien.

Ayla estaba volviendo a perderse en sus ojos. Los brazos de él la apretaron y ella se entregó hasta no saber más que de sus brazos que la estrechaban, su boca hambrienta sobre la boca de ella, el cuerpo de él contra el suyo y una necesidad exigente, que mareaba. No supo cuándo la alzó y la apartó del fuego.

Su cama de pieles la aceptó; sintió que Jondalar no podía soltar la correa, que renunciaba y le levantaba el manto. Se abrió, anhelante, sintió la búsqueda de su virilidad enhiesta y su penetración.

Feroz, casi desesperadamente, Jondalar sumió profundamente su miembro, como si tratara de convencerse de que ella estaba ahí para él, que no tenía que dominarse. Ella se irguió para ir a su encuentro, recibiéndolo, deseando tanto como él.

Jondalar se retiró y volvió a sumirse, sintiendo cómo aumentaba la tensión. Apremiado por la excitación de su envolvimiento total y por el deleite temerario de ceder por completo a la fuerza de su pasión, cabalgó el impulso ascendente con un goce furioso. Ella se reunía con él en cada cresta, respondiéndole a cada embate, arqueándose para guiar la presión de sus movimientos.

Pero las sensaciones que ella experimentaba iban más allá del impulso y la retirada dentro de su orificio. Cada vez que la llenaba, sólo tenía conciencia de él; su cuerpo —nervios, músculos y tendones— sólo estaba lleno de él. Él sentía que la tensión de sus ijares se fortalecía, subía, desbordaba . . . y entonces un crescendo insoportable cuando la presión se quebró en una erupción estremecida al abalanzarse para llenarla por última vez. Ella fue al encuentro de su impulso final, y la explosión se difundió por su cuerpo en un alivio voluptuoso.

Capítulo 29

Ayla se volvió en la cama, sin despertar aún del todo, pero sintiendo cierta incomodidad. El bulto que tenía debajo no se quitó hasta que despertó y lo retiró; alzó el objeto y bajo el rojo resplandor de un fuego casi apagado, vio la silueta de la donii. Reconociéndolo todo de golpe, el día anterior le volvió a la mente vívidamente, y se dio cuenta de que el calor que tenía junto a ella, en su cama, era Jondalar.

"Seguro que nos quedamos dormidos después de hacer Placeres", pensó. Recordando gozosamente, se pegó a él y cerró los ojos. Pero el sueño no quiso volver. Fragmentos de escenas formaban cuadros y texturas que ella seleccionaba con su sentido interno. La cacería, el retorno de Bebé, y los Primeros Ritos, y por encima de todo: Jondalar. Sus sentimientos hacia él estaban más allá de cualesquiera palabras que ella supiera, pero la llenaban de una dicha indescriptible. Pensaba en él, tendida a su lado, hasta que fue demasiado, no pudo contenerse: entonces se deslizó fuera de la cama llevándose la figurina de marfil.

Fue hasta la entrada de la cueva y vio a Hinny y Corredor, en pie, muy juntos. La yegua hizo un hin suave para saludarla, y la mujer se acercó a ellos.

—¿Fue lo mismo para ti, Hinny? —preguntó en voz baja—. ¿Te dio Placeres tu semental? ¡Oh, Hinny, yo no creí que fuera posible! ¿Cómo pudo ser tan terrible con Broud y tan maravilloso con Jondalar?

El caballito la tocó con el hocico, esperando que le prestaran su parte de atención; Ayla lo rascó, lo acarició y lo abrazó.

—No importa qué diga Jondalar, Hinny, yo creo que tu semental te dio a Corredor. Inclusive es igual, y no hay muchos caballos morenos. Supongo que pudo ser su espíritu, pero no lo creo.

"Ojalá pudiera yo tener un bebé, el bebé de Jondalar. No puedo ¿qué haría cuando él se marche?" Palideció con un sentimiento parecido al pánico. "¡Se marche! ¡Oh, Hinny, Jondalar va a marcharse!"

Corrió fuera de la cueva y bajó el empinado sendero, más a tientas que viendo: las lágrimas la cegaban. Corrió a través de la playa pedregosa hasta que la pared salediza la detuvo, entonces se acurrucó allí, sollozando. "Jondalar va a marcharse. ¿Qué haré? ¿Cómo podré sobrellevarlo? ¿Qué puedo hacer para que se quede? ¡Nada!"

Se abrazó y, agachada, se pegó a la muralla rocosa como para tratar de protegerse contra un golpe inminente. Se quedaría sola cuando él se fuera. Peor que sola: sin Jondalar. "¿Qué haré aquí sin él? Quizá también yo debería marcharme, encontrar Otros y quedarme con ellos. No, no lo puedo hacer. Me preguntarán que de dónde vengo, y los Otros odian al Clan. Seré abominación para ellos a menos que les haga palabras que no sean veraces.

"No puedo. No puedo avergonzar a Iza y Creb. Me amaron, me cuidaron. Uba es mi hermana. Está cuidando de mi hijo. El Clan es mi familia. Cuando no tenía a nadie, el Clan se ocupó de mí, y ahora los Otros no me quieren.

"Y Jondalar se marcha. Tendré que vivir aquí sola, toda mi vida. Sería mejor estar muerta. Broud me maldijo; al final de cuentas, ha ganado. ¿Cómo podría vivir sin Jondalar?"

Ayla lloró hasta que no le quedaron más lágrimas. Se secó los ojos con el dorso de las manos y se fijó en que todavía sujetaba la donii. Le dio vueltas, maravillándose tanto ante el concepto de convertir un trozo de marfil en una pequeña mujer como ante la figurina misma. Al claro de luna, todavía se le parecía más: el cabello trenzado, los ojos en la sombra, la nariz y la forma de la mejilla le recordaban su propio reflejo en una poza llena de agua.

¿Por qué habría puesto Jondalar su rostro en ese símbolo de la Madre Tierra que reverenciaban los Otros? ¿Estaría capturado su espíritu, unido a la que él llamaba Doni? Creb había dicho que su espíritu estaba ligado al León Cavernario por su amuleto y por Ursus, el Gran Oso Cavernario, el tótem del Clan. Ella había recibido parte del espíritu de cada uno de los miembros del Clan al convertirse en curandera, y no se lo habían quitado después de la maldición de muerte.

El Clan y los Otros, los tótems y la Madre, todos ellos tenían algún derecho sobre esa parte invisible de ella llamada espíritu. "Creo que mi espíritu debe de estar confuso", pensó. "Sé que yo lo estoy".

Una ráfaga fría la mandó de regreso a la cueva. Apartando el asado frío del camino, hizo un fuego tratando de no despertar a Jondalar, y puso agua a calentar para hacer un té que la ayudara a calmarse. No podía acostarse aún. Miraba las llamas mientras esperaba, y pensó en cuántas veces habría mirado llamas para ver una semblanza de vida. Las lenguas de luz caliente danzaban a lo largo de la leña, lamiéndola, hasta apoderarse de ella y devorarla.

—¡Doni! ¡eres tú! ¡eres tú! —gritó Jondalar en sueños. Ayla dio un brinco y corrió hacia él: se agitaba y se revolvía, sin duda soñando. Se preguntó si debería despertarlo. De repente abrió los ojos con expresión de sobresalto.

—¿Estás bien, Jondalar?

—Ayla, Ayla ¿eres tú?

—Sí, soy yo.

Cerró nuevamente los ojos y murmuró algo incomprensible. Ayla se dio cuenta de que no había despertado; había sido parte del sueño, pero estaba más tranquilo. Lo estuvo mirando hasta que le pareció calmado. Entonces volvió al fuego. Dejó que murieran las llamas mientras bebía su té a sorbitos. Al sentir que el sueño se apoderaba nuevamente de ella, se quitó el manto y se metió entre las pieles junto a Jondalar. El calor del hombre dormido le hizo pensar cuánto frío tendría sin él ... y de su amplio depósito de vacío, salieron nuevas lágrimas. Lloró hasta quedarse dormida.

Jondalar corría, tratando de alcanzar la entrada de la cueva que había allá. Alzó la mirada y vio al león cavernario. ¡No, no, Thonolan! El león cavernario iba tras él, agazapado, y dio un brinco. De repente se apareció la Madre y con una orden imperiosa, alejó al león de él.

—¡Doni! ¡Eres tú, eres tú!

La Madre se volvió, y le vio el rostro: el rostro era la donii tallada para parecerse a Ayla. La llamó.

—¡Ayla, Ayla! ¿Eres tú?

—Sí, soy yo.

La Ayla-donii creció y cambió de forma, se convirtió en la donii antigua que había regalado, la que llevaba tantas generaciones en su familia. Era amplia y maternal y siguió ampliándose hasta adquirir el tamaño de una montaña. Entonces comenzó a dar a luz. Todas las criaturas del mar fluían de Su profunda caverna en una chorrotada de aguas amnióticas, después los insectos y las aves del aire volaron en enjambre. Después los animales de la tierra —conejos, ciervos, bisontes, mamuts y leones cavernarios—

y, a lo lejos, vio a través de una niebla, las formas vagas de personas.

Se fueron acercando a medida que se desvanecía la niebla, y de repente pudo verlas: ¡eran cabezas chatas! Lo vieron y huyeron corriendo. Él los llamó, y una mujer se volvió: tenía el rostro de Ayla. Corrió hacia ella pero la niebla se volvió espesa y lo envolvió.

Tendiendo las manos entre una bruma roja, oyó un rugido lejano, como una catarata; aumentó el ruido, lo abrumó; se vio acorralado por una muchedumbre que emergía de la amplia matriz de la Madre Tierra, una Madre Tierra como una montaña pero con el rostro de Ayla.

Se abrió camino entre el gentío, luchando por llegar a Ella, y finalmente llegó a la vasta caverna, Su profunda entrada. Penetró en Ella y su virilidad tanteó entre Sus cálidos pliegues hasta que lo encerraron en sus profundidades satisfactorias. Él bombeaba furiosamente con una dicha sin restricciones; entonces vio Su rostro, bañado en llanto. Su cuerpo se estremecía por los sollozos. Él quiso consolarla, decirle que no llorara, pero no podía hablar. Lo apartaron.

Estaba en medio de una gran multitud que salía de Su matriz, y todos llevaban camisas bordadas con cuentas. Quiso luchar para volver pero la presión de la gente lo llevaba como un tronco sobre un río caudaloso de agua amniótica, tronco arrastrado por el río Gran Madre con una camisa sangrienta encima.

Volvió la cabeza para mirar y vio a Ayla de pie a la entrada de la caverna; sus sollozos repercutían en sus oídos. Entonces, con un retumbar de trueno, la caverna se derrumbó en un chaparrón de rocas. Y se quedó solo, llorando.

Jondalar abrió los ojos y vio oscuridad. El fuego que había prendido Ayla consumió toda la leña; en la negrura total, no estaba seguro de haber despertado. La muralla de la cueva no tenía definición, ningún foco familiar donde poder orientarse. Por lo que tenía ante los ojos, bien pudiera estar suspendido en un vacío misterioso. Las formas vívidas de sus sueños tenían más sustancia; le pasaban por la mente en trozos y fragmentos que recordaba, fortaleciendo sus dimensiones en sus ideas conscientes.

Para cuando la noche cedió lo suficiente como para delinear la roca viva y las aberturas de la caverna, Jondalar había comenzado ya a encontrarles sentido a las imágenes de sus sueños. No recordaba sus sueños con mucha frecuencia, pero éste había sido tan fuerte, tan tangible, que tenía que ser un mensaje de la Madre. ¿Qué estaba tratando de decirle? Anhelaba la presencia de un zelandoni que le ayudara a interpretar su sueño.

Al comenzar la luz a penetrar en la cueva, vio un tumulto de cabellos rubios enmarcando el rostro dormido de Ayla, y notó el calor de su cuerpo. La observó en silencio mientras las sombras se aclaraban. Tenía un deseo avasallador de besarla pero no quería despertarla. Llevó una larga trenza dorada hasta sus labios. Entonces, silenciosamente, se levantó. Encontró el té tibio, se sirvió una taza y salió a la terraza de la cueva.

Hacía frío, con sólo el taparrabo, pero no hizo caso de la temperatura aunque un pensamiento le pasó por la mente, al recordar la ropa caliente que le había hecho Ayla. Vio cómo se iluminaba el cielo al Este mientras se destacaban los detalles del valle, y rastreó nuevamente el sueño que había tenido, tratando de seguir sus enmarañadas pistas para descubrir el misterio que entrañaba.

¿Por qué le mostraría Doni que toda vida procedía de Ella ... si ya lo sabía? Era uno de los hechos aceptados de su existencia. ¿Por qué tuvo que presentársele en sueños dando nacimiento a todos los peces y las aves y los animales y ... ?

¡Los cabezas chatas! ¡Por supuesto! Le estaba diciendo que la gente del Clan también eran Hijos Suyos. ¿Por qué nunca había puesto eso en claro anteriormente? Nunca había puesto nadie en tela de juicio que toda vida proviniera de Ella; entonces ¿por qué denostar así a esa gente? Los llamaban animales como si los animales fueran malos ... ¿Qué hacía malos a los cabezas chatas?

Porque no eran animales. Eran humanos ¡una especie diferente de humanos! Eso es lo que le estuvo diciendo Ayla todo el tiempo. ¿Sería por eso que uno de ellos tenía el rostro de Ayla?

Podía comprender porqué su rostro estaba en la donii que había tallado, en la que había detenido al león en sus sueños ... nadie creería realmente lo que había hecho Ayla; era todavía más increíble que el sueño. Pero ¿por qué estaba su rostro en la antigua donii? ¿Por qué la Gran Madre Tierra misma había de tener el rostro de Ayla?

Sabía que nunca llegaría a comprender su sueño entero, pero le parecía que todavía se le escapaba una parte importante. Volvió a repasarlo todo, y cuando recordó a Ayla parada delante de la entrada de la caverna que estaba a punto de derrumbarse, casi le gritó que se apartara.

Contemplaba el horizonte con los pensamientos vueltos hacia dentro, sintiendo la misma desolación y soledad que en su sueño cuando estaba solo, sin ella. El llanto le mojó el rostro. ¿Por qué sentía una desesperación tan absoluta? ¿Qué era lo que no veía?

Recordó la gente con camisas bordadas, abandonando la caverna. Ayla había compuesto la camisa bordada. Había hecho prendas de vestir para él, y eso que nunca anteriormente aprendió a coser. Ropas de viaje que se pondría para viajar.

¿Viajar? ¿Dejar a Ayla? La luz ardiente rebasó el borde de la arista. Cerró los ojos y vio un resplandor dorado y cálido.

"¡Madre Grande! ¡Qué tonto estúpido eres, Jondalar. ¿Dejar a Ayla? ¿Cómo podrías dejarla? ¡La amas! ¿Por qué has estado tan ciego? ¿Por qué ha hecho falta un sueño de la Madre para decirte algo tan evidente que un niño habría podido verlo?"

La sensación de que un gran peso se le quitaba de encima le hizo experimentar una libertad gozosa, una ligereza repentina. "¡La amo! ¡Por fin, me ha sucedido! ¡La amo! ¡No creí que fuera posible, pero amo a Ayla!"

Se sintió lleno de exuberancia, a punto de gritárselo al mundo, preparado para correr a decírselo. "Nunca le he dicho a una mujer que la amo", pensó. Entró corriendo en la cueva, pero Ayla seguía dormida.

La observó, respirando, dando vueltas: le gustaba el cabello así, largo y suelto. Tenía ganas de despertarla. "No, debe de estar cansada. Ya ha amanecido y sigue durmiendo".

Bajó a la playa, encontró una ramita para limpiarse los dientes, se dio un baño y nadó en el río. Muerto de hambre, lleno de energía y fresco. Por fin, no habían cenado. Sonrió para sí, recordando el porqué; al recordarlo, sintió que se excitaba.

Soltó una carcajada. "Lo has tenido castigado todo el verano, Jondalar. No puedes reprocharle a tu hacedor de mujeres que esté tan ansioso, ahora que sabe todo lo que se perdió. Pero no hay que atosigarla. Tal vez necesite descanso; no está acostumbrada". Corrió sendero arriba y entró en la cueva silenciosamente. Los caballos habían salido al pasto; tal vez se fueron mientras él estaba nadando, y Ayla todavía no se despertaba. "¿Estará bien? Tal vez debería despertarla". Rodó Ayla en la cama al mismo tiempo que descubrió un seno, agregando impulso a los pensamientos anteriores de Jondalar.

Dominó su ansia y fue al fuego para servirse más té, y esperó. Observó una diferencia en los movimientos de la mujer y vio que tendía la mano hacia algo.

—¡Jondalar! ¡Jondalar! ¿dónde estás? —gritó, incorporándose de golpe.

—Aquí estoy —dijo, corriendo hacia ella.

—¡Oh, Jondalar! —gritó, aferrándose a él—. Creí que te habías marchado.

—Estoy aquí, Ayla. Estoy contigo —y la tuvo abrazada hasta que se calmó—. ¿Estás bien ahora? Deja que te traiga algo de té.

Sirvió el té y le llevó una taza. Ayla tomó un sorbo y después un trago largo.

—¿Quién ha hecho esto? —preguntó.

—Yo lo hice. Quise sorprenderte dándote té caliente, pero ya no está tan caliente.

—¿Tú lo hiciste?, ¿para mí?

—Sí, para ti, Ayla. Nunca le he dicho algo así a ninguna mujer: te amo.

—¿Amo? —preguntó. Quería estar segura de que significaba lo que apenas se atrevía a esperar que significara—. ¿Qué significa "amo"?

—¿Que qué . . . ? "Jondalar: eres un tonto lleno de ínfulas", se puso de pie. "Tú, el gran Jondalar, el que todas las mujeres desean. Hasta tú te lo tenías creído. Reteniendo tan cuidadosamente la única palabra que creías que todas deseaban oír. Y tan orgulloso de no habérselo dicho nunca a mujer alguna. Finalmente te enamoras . . . y ni siquiera eras capaz de reconocerlo ante ti mismo. ¡Te lo tuvo que decir Doni en sueños! Por fin Jondalar va a decirlo, va a admitir que ama a una mujer. Casi esperabas que se desmayara de sorpresa . . . ¡y ni siquiera sabe el significado de la palabra!"

Ayla lo miraba, consternada: iba y venía desvariando y hablando del amor. Tenía que aprender esa palabra.

—Jondalar ¿qué significa "amo"? —hablaba seriamente y parecía algo molesta.

Se arrodilló delante de ella.

—Es una palabra que debí explicarte mucho antes. El amor es el sentimiento que tienes por alguien a quien quieres. Es lo que una madre siente por sus hijos o un hombre por su hermano. Entre un hombre y una mujer, significa que se quieren tanto que desean compartir su vida, no separarse nunca.

Ayla cerró los ojos, sintió que le temblaba la boca al oír sus palabras. ¿Habría oído bien? ¿Comprendía realmente lo que era?

—Jondalar —dijo—. No sabía esa palabra, pero sabía el significado de la palabra. He sabido el significado de esa palabra desde que llegaste, y cuanto más tiempo pasabas aquí, mejor lo sabía. ¡He deseado tantas veces saber la palabra que indicara ese significado! —cerró los ojos, pero no podía contener las lágrimas de alivio y de dicha—. Jondalar . . . yo también . . . amo.

El hombre se puso de pie levantándola consigo y la besó tiernamente, sujetándola como algún tesoro recién hallado que no quisiera perder ni romper. Ella le rodeó el cuerpo con los brazos y lo sujetó como si fuera un sueño que podría disiparse si lo soltaba. Él le besó la boca y el rostro salado de lágrimas, y cuando ella reposó la cabeza contra él, sumió el rostro en el cabello dorado y revuelto para secarse también los ojos.

No podía hablar; sólo podía tenerla abrazada y maravillarse por la increíble suerte que tuvo al encontrársela. Había tenido que viajar hasta los confines de la Tierra para hallar una mujer a la que pudiera amar, y ahora nada le obligaría a dejarla.

—¿Y por qué no quedarnos aquí? ¡Este valle tiene tanto de todo! Y siendo dos, todo será mucho más fácil. Tenemos los tiralanzas, y Hinny ayuda. También Corredor ayudará —dijo Ayla.

Iban caminando por el campo sin más finalidad que hablar. Habían recogido todas las semillas que ella deseaba recoger; habían cazado y secado carne suficiente para todo el invierno; recogido y almacenado la fruta que maduraba, y las raíces y demás plantas para alimentarse y como medicina; y habían juntado cantidad de materiales para proyectos invernales. Ayla quería empezar a decorar la ropa, y Jondalar pensaba tallar algunas piezas de juego y enseñarle a Ayla a jugar. Pero la dicha verdadera para Ayla era que Jondalar la amaba ... y que no estaría sola.

—Es un valle precioso —dijo Jondalar. "¿Por qué no quedarse allí con ella? Thonolan estaba dispuesto a quedarse con Jetamio", pensó. Pero no se trataba sólo de ellos dos. ¿Cuánto tiempo aguantaría él sin nadie más? Ayla había vivido allí tres años. No tendrían que estar solos. Por ejemplo Dalanar: inició una nueva Caverna, pero al principio sólo tenía a Jerika, y al compañero de la madre de ésta, Hochaman. Más adelante se les unieron otras personas, y nacieron hijos. Ya estaban proyectando una segunda Caverna de Lanzadonii. "¿Por qué no puedes fundar una nueva Caverna, como Dalanar? Tal vez puedas, Jondalar, pero hagas lo que hagas, no será sin Ayla".

—Tienes que conocer a otra gente, Ayla, y quiero llevarte a casa conmigo. Sé que será un largo viaje, pero que podremos realizarlo en un año. Te agradará mi madre, y sé que Marthona te querrá. Y también mi hermano Joharran, y mi hermana Folara ... a estas alturas, ya será una mujer. Y Dalanar.

Ayla inclinó la cabeza y volvió a levantarla.

—¿Cuánto me querrán cuando se enteren de que mi gente fue la del Clan? ¿Me recibirán con los brazos abiertos cuando sepan que tengo un hijo que nació cuando vivía con ellos, y que para ellos es una abominación?

—No puedes esconderte de la gente durante el resto de tus días. ¿No te dijo esa mujer, Iza, que buscaras a tu gente? Tenía razón, ¿sabes? No será fácil, no quiero engañarte. La mayoría de la gente ignora que los del Clan son humanos. Pero tú me has hecho comprender, y hay otros que se interrogan. La mayoría de la gente es decente, Ayla. Una vez que te conozcan, te querrán. Y yo estaré contigo.

—Yo no sé. ¿No podemos pensarlo?

—¡Claro que sí! —dijo. Estaba pensando: "No podremos iniciar un largo viaje antes de la primavera. Podríamos llegar hasta donde los Sharamudoi antes de que se instale el invierno, pero podemos pasarlo aquí también. Eso le daría tiempo para acostumbrarse a la idea."

Ayla sonrió, realmente tranquilizada, y aceleró la marcha. Había estado arrastrando los pies física y mentalmente. Sabía que él echaba de menos a su familia y su gente, y si decidía marcharse ella lo acompañaría adonde fuera. Pero esperaba que después de acomodarse para el invierno pudiera decidir quedarse y hacer su hogar en el valle con ella.

Estaban lejos del río, casi en la pendiente de la estepa, cuando Ayla se agachó para recoger un objeto conocido.

—¡Es mi cuerno de bisonte! —dijo a Jondalar, quitándole el polvo y viendo lo chamuscado del interior—. Solía llevarlo con mi fuego dentro. Lo encontré mientras viajaba, después de dejar el Clan —los recuerdos acudieron en tropel—. Y llevaba un carbón dentro para prender las antorchas que me sirvieron para espantar a los caballos hacia mi primera trampa. Fue la madre de Hinny la que cayó, y cuando las hienas fueron tras su potro, las espanté y me lo traje a casa. ¡Han pasado tantas cosas desde entonces!

—Mucha gente lleva fuego cuando se va de viaje, pero con las piedras de fuego no tenemos que preocuparnos por eso —de repente se le arrugó el entrecejo y Ayla supo que estaba reflexionando—. Estamos bien surtidos ¿verdad? No necesitamos más.

—No, ya no necesitamos nada.

—Entonces ¿por qué no hacer un viaje? Un viaje corto —agregó, al ver que ella se perturbaba—. No has explorado la región al oeste. ¿Por qué no tomar algunos alimentos y tiendas y pieles para dormir, y echar un vistazo? No necesitamos alejarnos mucho.

—¿Y qué hacemos con Hinny y Corredor?

—Nos los llevamos. Inclusive, Hinny puede llevarnos a cuestas parte del tiempo, y quizá la comida y el equipo. Sería divertido, Ayla, nosotros dos solos —agregó.

Viajar por diversión era algo nuevo para ella y difícil de aceptar, pero no se le ocurrió ninguna objeción.

—Supongo que podríamos —dijo—. Nosotros dos solos . . . ¿por que no?

"Tal vez no fuera mala idea explorar el país al oeste", pensó.

—Aquí la tierra no es tan profunda —dijo Ayla— pero es el mejor lugar para esconder reservas, y podemos aprovechar algunas de las rocas caídas.

Jondalar alzó más la antorcha para que la luz parpadeante alumbrara más allá.

—Varios escondrijos, ¿no te parece?

—Entonces, si un animal descubre alguno, no se quedará con todo. Buena idea.

Jondalar cambió la luz de lugar para ver dentro de algunas de las grietas entre las rocas caídas en el rincón más profundo de la caverna.

—Miré aquí una vez. Me pareció ver señales de un león cavernario.

—Era el sitio de Bebé. Vi señales de leones cavernarios antes de venir a vivir, también yo. Mucho más viejas. Pensé que era una señal de mi tótem para dejar de viajar y quedarme a pasar el invierno. No pensé quedarme tanto tiempo. Ahora creo que se suponía que te esperara aquí. Creo que el espíritu del León Cavernario te condujo hasta aquí, y que entonces te escogió para que tu tótem fuera suficientemente fuerte para el mío.

—Siempre he pensado que Doni era mi espíritu-guía.

—Tal vez te guió, pero creo que fue el León Cavernario.

—Quizá tengas razón. Los espíritus de todas las criaturas pertenecen a Doni, también el león cavernario es Suyo. Los caminos de la Madre son misteriosos.

—El León Cavernario es un tótem con el que resulta difícil vivir, Jondalar. Sus pruebas han sido difíciles . . . no siempre estuve segura de sobrevivir; pero sus dádivas valieron la pena de que lo sobrellevara. Y creo que su dádiva más grande has sido tú —concluyó con voz dulce.

Jondalar plantó la antorcha en una grieta y tomó en sus brazos a la mujer que amaba. Era tan sincera, tan honrada, y cuando la besaba respondió con tanto anhelo que casi cedió al deseo.

—Tenemos que poner fin a esto —dijo, tomándola de los hombros para alejarla un poco— porque si no, nunca estaremos preparados para marchar. Creo que tienes el toque de Haduma.

—¿Qué es el toque de Haduma?

—Haduma es una anciana que conocimos, la madre de seis generaciones, muy reverenciada por sus descendientes. Tenía muchos de los poderes de la Madre. Los hombres creían que si ella tocaba su virilidad, podría hacer que se alzara con tanta frecuencia como quisieran, que les permitiría satisfacer a cualquier mujer o muchas mujeres. Casi todos los hombres tienen ese deseo; algunas mujeres saben cómo alentar a los hombres. Lo único que tienes que hacer es acercarte a mí, Ayla. Esta mañana, anoche. ¿Cuántas veces ayer? ¿Y antes de ayer? Nunca he podido ni deseado tanto. Pero si interrumpimos ahora la tarea, será imposible que dejemos las reservas escondidas esta mañana.

Apartaron basura, nivelaron algunas rocas grandes y decidieron dónde esconderían sus provisiones. A medida que avanzaba el día, Jondalar pensó que Ayla se mostraba inusitadamente silenciosa y retraída, y se preguntó si sería por algo que él hubiera dicho o hecho. Tal vez no debería mostrarse tan ansioso; era difícil creer que estuviera tan preparada cada vez que él la deseaba.

Sabía que había mujeres que retrocedían y obligaban al hombre a esforzarse para obtener sus Placeres, aunque les gustaran, también a ellas. Para él eso no había constituido un problema casi nunca, pero había aprendido a no mostrarse demasiado ansioso: para la mujer, representaba un reto mayor si el hombre se mostraba algo remiso.

Cuando comenzaron a transportar los alimentos almacenados a la parte trasera de la cueva, Ayla parecía más reservada aún, inclinando a menudo la cabeza y arrodillándose en un descanso silencioso antes de recoger un paquete de carne seca envuelta en cuero o una canasta de raíces. Para cuando comenzaron a efectuar viajes hasta la playa para subir más piedras con las cuales proteger el escondrijo de sus provisiones para el invierno, Ayla estaba visiblemente perturbada. Jondalar estaba seguro de tener la culpa pero no sabía qué había hecho. Había atardecido cuando la vio tratar de levantar enojadamente una roca demasiado pesada para ella.

—No necesitaremos esa piedra, Ayla. Creo que deberíamos descansar; hace calor y hemos estado trabajando el día entero. Vamos a nadar un poco.

Ayla dejó de luchar con la roca, se quitó el cabello de la cara, soltó el nudo de su correa y se quitó el amuleto mientras caía su manto. Jondalar experimentó una agitación conocida en sus ijares; sucedía tan pronto como veía su cuerpo desnudo. "Tiene movimientos de león", pensó, admirando su gracia vigorosa y elegante. Se quitó el taparrabo y echó a correr tras ella.

Estaba nadando río arriba con tanta fuerza que Jondalar decidió esperar a que regresara, y le permitió que consumiera algo de irritación con el esfuerzo. La mujer flotaba fácilmente sobre la corriente cuando le dio alcance, y parecía algo más calmada. Al volverse para nadar, sintió la mano de él a lo largo de la curva de su espalda, desde el hombro, siguiendo el cimbreado de la cintura y sobre sus nalgas redondas y suaves.

Ella se disparó nadando alejándose de él y estaba fuera del agua y con el amuleto puesto, a punto de ponerse el manto, cuando él salió.

—Ayla ¿qué estoy haciendo mal? —le preguntó, parado frente a ella y chorreando agua.

—No eres tú. Soy yo la que lo está haciendo mal.

—No estás haciendo nada mal.

—Sí. He estado intentando todo el día que te animes, pero no comprendes los gestos del Clan.

Cuando Ayla se hizo mujer, Iza le había explicado cómo cuidarse cuando sangrara, pero también cómo limpiarse después de haber estado con un hombre, y los gestos y las posturas que incitarían a un hombre a hacerle la señal, aunque Iza puso en duda que necesitara la información. No era probable que los hombres del Clan la encontraran atrayente, sean cuales fueren los gestos que hiciera.

—Yo sé que cuando tú me tocas de cierta manera o pones tu boca sobre la mía, es tu señal, pero no sé cómo alentarte a ti —explicó.

—¡Ayla! lo único que tienes que hacer es estar aquí, para alentarme.

—No es eso lo que quiero decir —prosiguió—. No sé cómo decirte cuando quiero que hagas Placeres conmigo. No sé las formas . . . Tú dijiste que algunas mujeres siempre saben cómo alentar a un hombre.

—¡Oh, Ayla! ¿Eso es lo que te preocupa? ¿Quieres aprender a darme ánimos?

Ayla asintió con la cabeza y bajó la mirada, presa de embarazo: las mujeres del Clan no eran tan directas. Mostraban su deseo al hombre con una modestia excesiva, como si apenas pudieran soportar la visión de un macho tan abrumadoramente masculino . . . y sin embargo, con miradas tímidas y posturas inocentes parecidas a la posición conveniente que debería adoptar la mujer, le hacían saber que era irresistible.

—Mira qué ánimos me has infundido, mujer —dijo, sabiendo que se le había producido una erección mientras hablaba con ella. No podía remediarlo ni disimularlo. Al verlo tan obviamente animado, Ayla sonrió; no lo pudo remediar—. Ayla —dijo Jondalar, y la tomó en sus brazos, levantándola— ¿no sabes que me infundes alientos sólo con estar viva?

Llevándola en brazos, echó a andar por la playa, dirigiéndose al sendero.

—¿Sabes cómo me alienta el sólo mirarte? La primera vez que te vi, te desee —y siguió caminando con una Ayla muy sorprendida—. Eres tan mujer que no necesitas alentar: no tienes nada que aprender. Todo lo que haces me hace desearte más —llegaron a la entrada de la cueva—. Si me quieres, lo único que tienes que hacer es decirlo, o mejor aún: esto —y la besó.

La llevó a la cueva y la depositó sobre la cama cubierta de pieles. Entonces volvió a besarla con la boca abierta y la lengua que exploraba suavemente. Ella sintió su virilidad, dura y caliente, entre ambos. Entonces él se sentó y tuvo una sonrisa provocativa.

—Dices que lo estuviste intentando todo el día. ¿Qué te hace pensar que no me estabas alentando? —dijo. Y entonces hizo un gesto totalmente inesperado.

Ayla abrió mucho los ojos llenos de asombro.

—Jondalar, eso es . . . es la señal.

—Si me vas a hacer tus señales del Clan, creo que será justo que yo te responda en la misma forma.

—Pero . . . Yo . . . —no sabía qué decir, sólo actuar. Se puso de pie, se dio vuelta y cayó de rodillas, apartándolas, y se presentó.

Él había hecho la señal en broma, no esperaba verse estimulado tan rápidamente. Pero al ver sus nalgas firmes y redondas y su orificio femenino expuesto, de un rosado oscuro y prometedor, no pudo resistir. Antes de pensarlo, ya estaba de rodillas detrás de ella, penetrando en sus profundidades calientes y palpitantes.

Desde el momento en que adoptó la postura, el recuerdo de Broud se apoderó de sus pensamientos; por vez primera estuvo a punto de negarse a Jondalar . . . pero no pudo. Por fuertes que fueran las asociaciones repulsivas, su condicionamiento a obedecer a la señal fue más fuerte aún.

Jondalar montó y se sumió. Ella sintió que la llenaba, y gritó con un placer indecible. La postura le hizo sentir presiones en nuevos puntos, y cuando él se retiraba, la fricción excitaba de otras maneras nuevas. Retrocedió para ir a su encuentro cuando volvió a penetrarla. Mientras se cernía sobre ella, bombeando y esforzándose, recordó a Hinny y su garañón bayo. El recuerdo provocó un estremecimiento de calor delicioso y una tirantez titilante, palpitante. Retrocedió y se pegó a él, ajustándose a su ritmo, gimiendo y gritando.

La presión ascendía rápidamente; las acciones de ella y la necesidad de él imprimieron mayor rapidez a sus embates.

—¡Ayla! ¡Oh, mujer! —gritó—. ¡Mujer bella, salvaje! —suspiraba al embestirla una y otra y otra vez. La sujetaba por las caderas, la atraía hacia él y, cuando la llenó, Ayla retrocedió para unirse a su cuerpo mientras él se sumía en ella con un escalofrío de deleite.

Se quedaron así un momento, temblando. Ayla con la cabeza colgando; entonces, abrazándola, la hizo rodar consigo de costado y allí se quedaron, inmóviles. La espalda de ella estaba pegada a él, y con su virilidad aún dentro, él la envolvió y tendió la mano para ponérsela sobre un seno.

—Debo admitir —confesó al cabo de un rato— que la señal esa no está tan mal —recorrió con su boca el cuello de Ayla y llegó a la oreja.

—Al principio no estaba muy segura, pero contigo, Jondalar, todo está bien. Todo es Placer —dijo, pegándose todavía más contra su cuerpo.

—Jondalar ¿qué buscas? —preguntó Ayla desde la terraza.

—Estaba buscando más piedras de fuego.

—Si apenas he marcado la primera que utilicé. Durará mucho . . . no necesitamos más.

—Ya lo sé, pero vi una y quise ver cuántas más encontraría. ¿Ya estamos listos?

—No se me ocurre que podamos necesitar nada más. No podremos ausentarnos por mucho tiempo . . . el cambio de temperatura se produce muy rápidamente en esta época del año. Por la mañana hará calor y de noche tendremos tal vez una ventisca —dijo, bajando por el sendero.

Jondalar metió las piedras nuevas en su bolsa, echó una mirada más a su alrededor y alzó la vista hacia la mujer. Entonces, volvió a mirarla.

—¡Ayla! ¿Qué llevas puesto?

—¿No te gusta?

—¡Me gusta! ¿Dónde lo has conseguido?

—Lo hice mientras hacía la ropa para ti. Copié la tuya pero para mi tamaño; no estaba muy segura de si debería ponérmela. Pensaba que tal vez fuera algo que sólo los hombres deberían ponerse. Y no sabía bordar una camisa. ¿Está bien?

—Creo que sí. No recuerdo que la ropa de mujer sea muy distinta. La camisa era un poco más larga tal vez, y los adornos, diferentes. Es ropa Mamutoi. Perdí la mía cuando llegamos al final del río Gran Madre. En ti, se ve maravillosa, y creo que te agradará más. Cuando haga frío, te darás cuenta de lo caliente y cómoda que es.

—Me alegro que te guste. Quería vestirme . . . a tu manera.

—Mi manera . . . Me pregunto si todavía sé cuál es mi manera. ¡Míranos! ¡Un hombre y una mujer y *dos caballos!* Uno de ellos cargado con nuestra tienda, nuestros alimentos y ropas de recambio. Parece curioso partir de viaje sin llevar nada más que las lanzas . . . ¡y un tiralanzas! Y mi bolsa llena de piedras de fuego. Creo que sorprenderíamos a todo el que nos viera. Pero más me sorprendo aún a mí mismo. No soy el mismo hombre que cuando me encontraste. Me has cambiado, mujer, y te amo por ello.

—Yo también he cambiado, Jondalar. Te amo.

—Bueno ¿qué camino tomaremos?

Ayla experimentó una inquietante sensación de pérdida al recorrer el valle en toda su longitud, seguida por la yegua y su potro. Cuando llegó al recodo en el extremo más alejado, volvió la mirada atrás.

—Mira, Jondalar! Los caballos han vuelto al valle. No había vuelto a ver caballos desde la primera vez. Desaparecieron cuando los perseguí y maté a la madre de Hinny. Me alegró de verlos de vuelta. Siempre pensé que éste era su valle.

—¿Es la misma manada?

—No lo sé. El garañón era amarillo, como Hinny. Sólo veo la yegua que va a la cabeza. Ha transcurrido mucho tiempo.

También Hinny había visto los caballos, y lanzó un fuerte relincho. Le devolvieron el saludo, y las orejas de Corredor se volvieron hacia ellos, mostrando su interés. Entonces la yegua siguió a la mujer y su potro fue tras ella, trotando.

Ayla siguió el río hacia el Sur y lo cruzó al ver la pendiente de la estepa al otro lado. Se detuvo arriba, y entonces Jondalar y ella montaron a caballo. La mujer halló sus puntos de referencia y se dirigió al Suroeste. El terreno se hizo más escabroso, más quebrado y plegado, con cañones rocosos y pendientes empinadas que conducían a altiplanos. Cuando se aproximaron a una abertura entre murallas rocosas y dentadas. Ayla desmontó y examinó el suelo. No mostraba ninguna huella reciente. Abrió la marcha hacia un cañón ciego y trepó sobre una roca que se había desprendido de la muralla. Cuando siguió hasta un deslizamiento de rocas que había detrás, Jondalar la siguió.

—Éste es el sitio, Jondalar —dijo, y sacando una bolsa de su túnica, se la entregó.

Jondalar conocía el lugar.

—¿Qué es esto? —preguntó, sosteniendo la bolsita de cuero.

—Tierra roja, Jondalar. Para su tumba.

El hombre asintió, incapaz de pronunciar palabra. Sintió que se le saltaban las lágrimas y no hizo nada para contenerlas. Vertió el ocre rojo en su mano y lo arrojó sobre rocas y grava, y luego otro puñado. Ayla esperaba mientras él contemplaba la cuesta rocosa con ojos húmedos, y cuando él se volvía para marchar, la mujer hizo un ademán sobre la tumba de Thonolan.

Cabalgaron durante buen rato antes de que Jondalar tomara la palabra.

—Fue uno de los predilectos de la Madre. Quiso tenerlo de regreso.

Caminaron otro poco, y entonces él preguntó:

—¿Qué fue ese gesto que hiciste?

—Estaba pidiéndole al Gran Oso Cavernario que lo protegiera en su viaje, deseándole suerte. Eso significa ''que vayas con Ursus''.

—Ayla, no lo supe apreciar cuando me lo dijiste. Ahora sí. Te agradezco que lo hayas enterrado y que hayas pedido a los tótems del Clan que lo ayuden. Pienso que gracias a ti encontrará su camino en el mundo de los espíritus.

—Dijiste que era valiente. No creo que los valientes necesiten ayuda para encontrar su camino. Sería una aventura excitante para los temerarios.

—Era valiente y amaba la aventura. Estaba tan lleno de vida . . . como si estuviera tratando de vivirla toda de un golpe. Yo no habría hecho el viaje de no ser por él —tenía rodeada a Ayla con los brazos porque cabalgaban juntos. La apretó más, acercándola a sí—. Y no te habría encontrado.

''Eso fue lo que quiso decir el Shamud cuando declaró que era mi destino «Te lleva adonde no irías solo» . . . y luego siguió a su amor al otro mundo. Yo no quería que fuera, pero ahora puedo comprenderlo''.

Mientras seguían avanzando hacia el Este, el terreno quebrado fue cediendo nuevamente el paso a estepas planas y desnudas, atravesadas por ríos y arroyos de nieves derretidas procedentes del gran glaciar septentrional. Las corrientes de agua se abrían paso de cuando en cuando por cañones de altas murallas y formaban suaves meandros al bajar por valles poco inclinados. Los pocos árboles que favorecían las estepas estaban atrofiados porque tenían que luchar para sobrevivir, inclusive a lo largo de ríos que bañaban sus raíces, y tenían siluetas torturadas, como si hubieran sido congeladas al inclinarse bajo una fuerte ráfaga.

Seguían por los valles cuando podían, para protegerse del viento y para conseguir leña. Sólo allí, protegidos, crecían en abundancia abedules, sauces, pinos y alerces. No podía decirse lo mismo de los animales. La estepa era una reserva inagotable de vida silvestre. Con su nueva arma, la pareja cazaba a voluntad, siempre que deseara carne fresca, y a menudo dejaban los restos de sus presas para otros depredadores y rapaces.

Llevaban viajando casi medio ciclo de fases lunares cuando un día amaneció caluroso e inusitadamente tranquilo. Habían avanzado la mayor parte de la mañana y montaron a caballo al ver una eminencia a lo lejos con una muestra de verdor. Jondalar, incitado por el calor y la proximidad de Ayla, había metido la mano bajo la túnica de la mujer para acariciarla. Llegaron a lo alto de la colina y divisaron del otro lado un agradable valle irrigado por un ancho río. Llegaron junto al agua cuando el sol estaba en su cenit.

—¿Iremos hacia el Norte o hacia el Sur, Jondalar?

—Ni una cosa ni otra —contestó Jondalar—. Acampemos.

La mujer iba a discutir, sólo porque no tenía costumbre de detenerse tan temprano sin razón. Entonces, cuando Jondalar le mordisqueó el cuello y apretó suavemente su pezón, decidió que no tenían razón alguna para seguir adelante y en cambio sí para quedarse allí.

—Bueno pues, acampemos —alzó una pierna y se deslizó; él desmontó y la ayudó a liberar a Hinny de los canastos de viaje, para que la yegua pudiera descansar y pacer. Después la tomó en brazos, la besó y volvió a meter la mano debajo de su túnica.

—¿Por qué no dejas que me la quite? —preguntó Ayla.

El hombre sonrió mientras ella se quitaba la túnica por la cabeza y soltaba la atadura de la prenda inferior antes de salirse de ella. Jondalar se quitó la túnica por la cabeza y la oyó reír. Al levantar la vista, no la encontró; Ayla rió de nuevo y se tiró al río.

—He decidido nadar un poco —le dijo.

Jondalar sonrió, se quitó los pantalones y la siguió. El río era frío y profundo y la corriente, rápida, pero ella nadaba río arriba con tanta fuerza que le costó darle alcance. La agarró y, vadeando por el agua, la besó. Ella se escapó de entre sus brazos y corrió hacia la orilla, riendo.

Corrió tras ella pero para cuando llegó a la orilla, ella había corrido por el valle. La siguió y, cuando iba a agarrarla, lo esquivó nuevamente. Siguió persiguiéndola, esforzándose y finalmente pudo rodearle la cintura.

—Esta vez no te escaparás, mujer —dijo, apretándola contra su cuerpo—. Me vas a cansar de perseguirte ... y entonces no podré darte Placeres —dijo, encantado de verla tan juguetona.

—No quiero que me des Placeres —repuso ella.

Jondalar se quedó boquiabierto y profundas arrugas le surcaron la frente.

—No quieres que yo ... —y la soltó.

—Quiero darte Placeres a ti.

El corazón de Jondalar reanudó su movimiento normal.

—Tú me das Placeres, Ayla —dijo, tomándola entre sus brazos.

—Yo sé que te place darme Placeres ... no es lo que quiero decir —había seriedad en su mirada—. Quiero aprender a darte Placer, Jondalar.

No podía resistírsele. Su virilidad estaba dura entre ambos, mientras la tenía apretada, y la besó como si no pudiera poseerla suficientemente. Ella lo besó también, siguiendo su ejemplo. Hicieron durar el beso, tocándose, probando, explorándose.

—Te mostraré cómo complacerme, Ayla —dijo y, tomándola de la mano, encontró un lugar cubierto de hierba verde junto al agua. Cuando se sentaron volvió a besarla, después buscó su oreja y le besó el cuello, empujándola hacia atrás. Tenía la mano sobre su seno y estaba empezando a recorrerlo con la lengua cuando ella se incorporó.

—Yo quiero darte Placer a ti— dijo.

—Ayla, me da tanto placer darte Placeres ... no sé cómo podría gustarme más si tú me dieras Placer.

—¿Te gustaría menos? —preguntó.

Jondalar echó la cabeza hacia atrás, rió y la tomó en brazos. Ella sonrió pero sin estar muy segura de lo que le encantaba tanto.

—No creo que nada que puedas hacer tú me guste menos —y entonces, mirándola con sus vibrantes ojos azules—: Te amo, mujer.

—Te amo, Jondalar. Siento amor cuando sonríes así, con esos ojos, y muchísimo cuando ríes. Nadie reía en el Clan, y no les gustaba que yo riera. No quiero vivir nunca con gente que no me permita sonreír o reír.

—Deberías reír, Ayla, y sonreír. Tienes una bella sonrisa —ella no pudo evitar sonreír al oírlo—. Ayla, oh, Ayla —dijo, sumiendo el rostro en el cuello de ella y acariciándola.

—Jondalar, me gusta que me toques y que me beses en el cuello, pero quiero saber lo que te gusta a ti.

Jondalar sonrió torcidamente.

—No me queda más remedio... me "alientas" demasiado. ¿Qué te gusta, Ayla? Hazme lo que a ti te guste.

—¿Te gustará?

—Prueba a ver.

Ella lo empujó hasta dejarlo tendido, y entonces, inclinada sobre él, abriendo la boca y con la lengua, se puso a besarlo. Él respondió pero controlándose. Entonces le besó el cuello y se lo acarició ligeramente con la lengua; sintió que el hombre se estremecía un poco y lo miró, pidiendo confirmación.

—¿Te agrada?

—Sí, Ayla, me agrada.

Así era. Dominarse ante las caricias tentativas que le daba, lo excitaba más de lo que habría imaginado. Los besos ligeros lo recorrían todo. Ella se sentía insegura, tan inexperta como una muchacha púber, que no ha tenido sus Primeros Ritos... y no hay ninguna más deseable. Aquellos besos tiernos tenían un poder mayor de excitación que las caricias más ardientes y sensuales de mujeres con mucha más experiencia... porque estaban prohibidos.

La mayoría de las mujeres estaba disponible hasta cierto punto; ella era intocable. La mujer joven e inmaculada podía llevar a los hombres, jóvenes y viejos, hasta un frenesí con caricias secretas en rincones oscuros de la caverna. El mayor temor de una madre era que su hija llegara a ser mujer después de la Reunión de Verano, con un largo invierno por delante antes de la siguiente Reunión. La mayoría de las muchachas había adquirido cierta experiencia antes de los Primeros Ritos, con besos y caricias, y Jondalar había sabido que no era la primera vez para algunas de ellas, aun cuando no iba a desacreditarlas contándolo.

Sabía el atractivo de aquellas jóvenes —era parte de su disfrute en los Primeros Ritos— y era ese atractivo el que Ayla estaba ejerciendo en él. Le besó el cuello; él se estremeció y, cerrando los ojos, se abandonó al placer.

Ayla fue más abajo y le hizo círculos húmedos titilantes en el cuerpo, sintiendo que ella también se excitaba más. Era casi una tortura para él, una tortura exquisita, en parte titilación y en parte estímulo ardiente. Cuando alcanzó el ombligo, no pudo detenerse: le tomó la cabeza entre las manos y la fue empujando hacia abajo hasta sentir que su virilidad caliente estaba contra la mejilla de ella. Ayla respiraba fuerte, y unas sensaciones contradictorias le llegaban muy adentro. Su lengua cosquilleante era más de lo que él podía aguantar: le guió la cabeza hasta su órgano rígido y extendido. Ella alzó la mirada.

—Jondalar, quieres que . . .

—Sólo si tú quieres, Ayla.

—¿Te dará placer?

—Me dará placer.

—Sí quiero.

Él sintió que un calor húmedo envolvía el extremo de su miembro oscilante, y después, más que el extremo. Gimió. La lengua de ella exploraba la cabeza redonda y suave, tanteaba por la pequeña fisura, descubría la textura de la piel. Como sus primeras acciones provocaron breves expresiones de placer, se volvió más confiada. Estaba disfrutando de sus exploraciones y se sentía palpitar por dentro. Dio vueltas a la forma del hombre con la lengua. Él gritó su nombre, y ella movió su lengua más y más aprisa y sintió humedad entre sus propias piernas.

Él sintió succión y calor mojado que subía y bajaba.

—¡Oh, Doni! ¡Oh, mujer! ¡Ayla, Ayla! ¡Cómo has aprendido a hacer esto!

Ella trató de descubrir cuánto podría abarcar y lo atrajo hasta casi asfixiarse. Los gritos y gemidos del hombre la alentaban para probar una y otra vez, hasta que él se enderezó para acercársele.

Entonces, sintiendo que necesitaba sus profundidades —también su propia necesidad— se enderezó, pasó la pierna por encima para montarlo y se empaló sobre su miembro extendido e hinchado, y lo atrajo dentro de ella. Arqueó la espalda y sintió su Placer mientras él penetraba a fondo.

Él levantó la vista hacia ella y sintió la gloria: el sol, detrás de su cabeza, convertía su cabello en un nimbo dorado. Tenía los ojos cerrados, la boca abierta, y el rostro bañado en éxtasis. Al echarse hacia atrás, sus bien torneados senos saltaron hacia delante con los pezones, ligeramente más oscuros, enhiestos. Su cuerpo sinuoso brillaba al sol; su virilidad sumida en ella estaba a punto de reventar de éxtasis.

Ella se deslizó a lo largo del miembro y se dejó caer mientras él ascendía, y Jondalar se quedó sin resuello; sintió una oleada que no podría haber dominado aunque hubiera querido. Gritó cuando ella se alzó de nuevo; ella descendió sobre él, sintiendo una humedad que brotaba, mientras él se estremecía al aliviarse.

Tendió el brazo y la atrajo hacia sí, y su boca buscaba el pezón. Al cabo de un rato de satisfacción agotada. Ayla rodó sobre sí misma. Jondalar se enderezó, se inclinó para besarla y tendió las manos hacia los senos para sumir el rostro entre ellos; chupó uno, después el otro, y volvió a besarla. Entonces se tendió junto a ella y le recostó la cabeza en su brazo doblado.

—Me gusta darte Placeres, Jondalar.

—Nadie me ha dado mayor Placer nunca, Ayla.

—Pero prefieres cuando me das Placer a mí.

—No es que prefiera pero ... ¿cómo me conoces tan bien?

—Es lo que aprendiste a hacer. Es tu habilidad, como cuando tallas herramientas —sonrió y luego se agitó con buen humor—: Jondalar tiene dos oficios; es hacedor de herramientas y hacedor de mujeres —dijo, y parecía muy contenta consigo misma.

Jondalar rió.

—Acabas de hacer un chiste, Ayla —dijo, sonriéndole de lado. Estaba muy cerca de la verdad, y el chiste se había hecho ya anteriormente—. Pero tienes razón. Me gusta darte Placeres, me gusta tu cuerpo, te amo toda tú.

—También a mí me gusta cuando me das Placeres. Hace que el amor se llene dentro de mí. Puedes darme Placeres todo lo que quieras, pero de cuando en cuando también quiero dártelos a ti.

—De acuerdo —dijo Jondalar, riendo de nuevo—. Y puesto que tanto deseas aprender, te podré enseñar más. Podemos darnos Placer el uno al otro, ya sabes. Ojalá me toque hacer que ''el amor se llene dentro de ti''. Pero lo has hecho tan bien que no creo que ni siquiera el toque de Haduma podría levantármelo.

Ayla se quedó callada un instante.

—No importaría, Jondalar.

—¿Qué ... no importaría?

—Aun cuando tu virilidad nunca volviera a levantarse ... tú seguirías haciendo que el amor se llenara dentro de mí.

—¡No lo digas ni en broma! —dijo, sonriendo, pero tuvo un escalofrío.

—Tu virilidad volverá a levantarse —dijo Ayla solemnemente, y después volvió a sus risitas.

—¿Cómo puedes estar tan llena de picante, mujer? Hay cosas con las que no se debe bromear —dijo fingiéndose ofendido, y rió. Lo sorprendía agradablemente ver que traveseaba y que tenía sentido del humor.

—Me gusta hacerte reír. Reír contigo es casi tan sabroso como amarte. Quiero que siempre rías conmigo. Entonces, creo que nunca dejarás de amarme.

—¿Dejar de amarte? —dijo, sentándose a medias y mirándola—. Ayla, te estuve buscando toda mi vida y no sabía qué estaba buscando. Eras todo lo que he deseado siempre en la mujer, y más.

Eres un enigma fascinador, una paradoja. Eres absolutamente sincera, abierta; no ocultas nada; y sin embargo eres la mujer más misteriosa que he conocido.

"Eres fuerte, segura de ti misma, perfectamente capaz de cuidarte y de cuidarme; y sin embargo, eres capaz de sentarte a mis pies —si te lo permitiera— sin avergonzarte, sin resentimiento, como yo honraría a Doni. Eres temeraria, valerosa; salvaste mi vida, me cuidaste hasta restablecer mi salud, cazaste para alimentarme, aseguraste mi bienestar. No me necesitas. Y sin embargo, me inspiras el deseo de protegerte, de asegurarme que no te pase nada malo.

"Podría pasar mi vida entera contigo y no llegar a conocerte nunca; hay en ti profundidades que tardaría varias vidas en explorar. Eres sabia y antigua como la Madre y tan fresca y joven como una mujer en sus Primeros Ritos. Y eres la mujer más bella que he visto. No logro creer en mi suerte al conseguir tanto. No creí que sería capaz de amar, Ayla, y te amo más que a la vida misma".

Los ojos de Ayla estaban llenos de lágrimas. Jondalar le besó los párpados, la apretó contra sí como si tuviera miedo de perderla.

Cuando despertaron a la mañana siguiente, había una ligera capa de nieve sobre la tierra. Cerraron de nuevo la abertura de la tienda y se arrebujaron en las pieles, pero ambos se sentían algo tristes.

—Ya es hora de regresar, Jondalar.

—Supongo que tienes razón —dijo, viendo que su aliento producía una nubecilla de vapor—. Todavía no está muy avanzada la temporada. No creo que tropecemos con tormentas fuertes.

—Nunca se sabe; el clima podría sorprenderte.

Finalmente se levantaron y comenzaron a levantar el campamento. La honda de Ayla proporcionó un grueso jerbo que salía de su guarida subterránea dando saltos en dos patas. Ella lo agarró por una cola que era casi el doble de larga que el cuerpo, y se lo echó al hombro colgado de zarpas traseras parecidas a pezuñas. En el campamento, lo desolló rápidamente y lo puso a asar en el espetón.

—Me da pena tener que regresar —dijo Ayla mientras Jondalar prendía fuego—. Ha sido ... divertido. Sólo el hecho de viajar, deteniéndonos cuando queríamos. Sin preocuparnos de llevar nada a casa. Acampar a mediodía sólo porque queríamos nadar o tener Placeres. Me alegro de que se te haya ocurrido.

—También a mí me da pena que haya concluido, Ayla. Ha sido una hermosa excursión.

Se puso de pie para ir por más leña, caminando hacia el río. Ayla lo ayudó; dieron vuelta a un recodo y encontraron un montón de leña podrida. De repente Ayla oyó un ruido. Alzó la vista y se agarró a Jondalar.

—¡Heyooo! —gritó una voz.

Un corto grupo de personas se dirigían a ellos, haciendo gestos con los brazos. Ayla se agarraba a Jondalar que, con su brazo alrededor de ella la tranquilizaba, la protegía.

—Todo está bien, Ayla. Son Mamutoi. ¿No te dije que se llaman a sí mismos cazadores de mamut? Creen que también somos Mamutoi —dijo Jondalar.

A medida que se acercaba el grupo, Ayla se volvió hacia Jondalar, con el rostro asombrado, maravillado:

—Esa gente, Jondalar, está sonriendo —dijo—. Todos me sonríen.

Acerca de la autora

Jean M. Auel es ya una presencia literaria firmemente establecida desde su primera novela, *El clan del Oso Cavernario; New York Times Book Review*, en su reseña de libros, la anunció como "excitante, llena de imaginación e intuitivamente sólida". Prosigue su prodigiosa investigación, iniciada en 1977 para su serie destacada: LOS HIJOS DE LA TIERRA. Además de sus conocimientos de primera mano de la talla de pedernal, la construcción de cavernas de nieve, el curtido de pieles y cueros, y la colecta y preparación de alimentos silvestres y plantas medicinales, la señora Auel ha regresado recientemente de Europa donde visitó lugares prehistóricos preparándose para novelas que prolongarán la serie. Ahora se encuentra ocupada con su tercera novela en Oregon, donde vive con su esposo.

Esta obra se terminó de imprimir
el día 7 de septiembre de 1992
en los talleres de
Tinta y Diseño Impreso, S.A.
Fco. Murguía 141 C.P. 02400 México, D.F.
La edición consta de 2000 ejemplares